KB151628

FECAL INCONTINENCE

Sung Hwan Hwang M.D., Ph.D.

변실금

저자 **황성환**

변실금

초 판 인쇄 | 2021년 2월 15일
초 판 발행 | 2021년 3월 05일

저　　자 황성환
발 행 인 장주연
출 판 기 획 장희성
책 임 편 집 오수진
편집디자인 주은미
표지디자인 김재욱
일 러 스 트 김경열
제 작 담 당 신상현
발 행 처 군자출판사(주)
등록 제4-139호(1991. 6. 24)
본사 (10881) **파주출판단지** 경기도 파주시 회동길 338(서패동 474-1)
전화 (031) 943-1888　　팩스 (031) 955-9545
홈페이지 | www.koonja.co.kr

ISBN 979-11-5955-669-2
정가 70,000원

변실금

FECAL INCONTINENCE

Sung Hwan Hwang M.D., Ph.D.

집필진

저자	**황성환** 부산항운병원/부산제2항운병원
주교정	**류길오** 부산항운병원
	정현석 부산항운병원
	김치영 부산제2항운병원
	정광용 부산항운병원
	정영재 부산항운병원
	정인섭 부산제2항운병원
	김형래 부산항운병원
	임지용 부산항운병원
	김동준 부산항운병원
	조상욱 부산제2항운병원
부교정	**윤지훈** 부산항운병원
	유혜미 부산제2항운병원
	김윤정 부산항운병원
도표 및 그림정리	**정현석** 부산항운병원
영문 참고서적 번역	9장 변실금의 외과적 치료
	정현석 부산항운병원
	김치영 부산제2항운병원
	정인섭 부산항운병원
	조상욱 부산제2항운병원

Curriculum

Sung Hwan Hwang

Sung Hwan Hwang, M.D., Ph.D.

Head, Director of coloproctology
Busan Hangun Hospital/ Hangun Hospital Bumcheon Campus

- Graduate of Inje Medical School, 1986
- Graduate of Inje Medical School, Postgraduate school Ph. D. 1998
- Graduate school of Business, Busan National University MBA 2009

Border of Trustees. KSS 2018~
Vice president. KSS (Korean Surgical Society) 2017~2018
Vice president. KSCP (Korean Society of Coloproctology) 2016~2017
Secretary general, Busan Hospital Society 2016~2020
Clinical Professor, Inje Univ Hospital,
Clinical Professor, Pusan National University Hospital,
Clinical Professor, Kosin Univ Hospital
Organizer of SERAF (South-East Recto-Anal Forum)

- Residency training: Busan Paik Hospital, 1988~1991
- Professor, Busan Paik Hospital Inje University 1992~1993
- Chief of Department of General Surgery ChoonHae Hospital
- Started Coloproctology Clinic since 1994 in General Hospital
- Established Hangun Hospital, 2000

- Chief, Medical Advisory Committee, Pusan East District Attorney
- Secretary general, Advisory Committee, Busan Police Headquarters
- Member, Viewers' Steering Committee, Korean Broadcasting System (KBS)
- Columnist, Kukje Sinmun, Pusan

Surgical carrier

- More than 2000 cases of surgery every year for over 20 years
- Expert in Benign Anorectal Surgery (90% of personal surgical career)
- Expert in Laparoscopic Surgery
  (Laparoscopic colorectal cancer surgery, TLG for gastric cancer, Hepatic Level I-II resection etc.)
- Expert in Hepatobiliary Surgery.
- Expert in General Surgery
- Specialty in Endoscopy (Gastroscopy/ colonoscopy)

Original paper

1. Sung H. Hwang, Jinyong. Lee, Sanghyo Kim. A Clinical Analysis of Breast Cancer. The Journal of Korean Surgical Society 1992; Vol 42 No.6: 776-86.
2. Sung H. Hwang, Youngkil Choi, Sanghyo Kim, Nak Whan Paik. 120 Liver resections: A Four Year Experience. The Journal of the Korean Surgical Society 1993; Vol 45, No.1: 38-46.
3. Sung H. Hwang, Youngkil Choi, Sanghyo Kim. A Prelinimary Report of 111 Cases of Laparoscopic Cholecystectomy. The Journal of the Korean Surgical Society 1993; Vol 45, No.5: 672-78.
4. Keeok Park, Jung K. Shin, Sung H. Hwang, Joonhyun Kim. Laparoscopic Surgery in Sustected Appendicitis. The Journal of the Korean Surgical Society 1995; Vol 48, No4: 542-47.
5. Sung H. Hwang. The Study of Hemodynamic Status after Reperfusion during Canine Orthotopic Liver Transplantation. Graduation thesis. Master degree. Department of Medicine, Graduate School Inje University 1995.
6. Sung H. Hwang. The clinicopathologic and prognostic significance of mutation in the p53, DCC and nm23 genes in human gastric adenocarcinomas. Graduation thesis. Doctoral degree. Department of Medicine, Graduate School Inje University 1998.
7. Sung H. Hwang. Hemorrhoidectomy using ultrasound shears. The Journal of the Busan Medical Association. 2000. Vol 36, No 3: 23-8.
8. Sung H. Hwang. Perspectives on regional hospitals. Is it necessary for promotion? Graduation thesis. AMP. School of Business Pusan National University 2003.
9. Sung H. Hwang. MiJi Bang. Surgery for a Complex Anal Fistula. Journal of the Korean Society of Coloproctology 2008; 24: 77-82.
10. Sung H. Hwang. Analysis of single or multiple factored CAPM(Capital Asset Pricing Model) 단일요인과 다요인 가격결정모형의 실증성과 분석. Graduation thesis. MBA. School of Business Pusan National University 2009.
11. Hyeonseok Jeong, Sung H. Hwang, Kil O Ryu, Ji Y. Lim, Hyun T. Kim, Hye M. Yu, Ji H. Yoon, Ju Y. Lee, Hyong R. Kim, Young G. Choi. Early Experience with a Partial Stapled Hemorrhoidopexy for Treating Patients with Grades III-IV Prolapsing Hemorrhoids. Journal of the Korean Society of Coloproctology 2017; 33: 28-34.
12. Hyeonseok Jeong, Sung Hwan Hwang, Hyoung Rae Kim, Kil O Ryu, Jiyong Lim, Hye Mi Yu, Jihoon Yoon, Chee Young Kim, Kwang-Yong Jeong, Young Jae Jung, In Seob Jeong, and Young Gil Choi. Effectiveness of Autologous Fat Graft in Treating Fecal Incontinence. Ann Coloproctol. 2019 Jun; 35(3): 144–151.

Presentation

- Sung H. Hwang. Chan K. Hwang. Management of complex anal fistula. Annual meeting of the Korean Society of Coloproctology Busan. April. 2003.
- Sung H. Hwang. Jeongho. Kim. Hemorrhoidectomy Using Vessel Sealing Device(Plamakinetics®) Annual meeting of the Korean Society of Coloproctology. KyoungJu Apri. 2004.
- Sung H. Hwang. Surgery of the Complex Anal Fistula.

Curriculum

Annual meeting of the Korean Society of Coloproctology. Busan. April. 2005.

- Sung H. Hwang. Types and Features of the Complex Anal Fistula Annual meeting of the Korean Society of Coloproctology. Seoul. Nov. 2007.
- PPH – Significance in terms of treatment of benign anotectal disease. Annual meeting of the Korean Society of Coloproctology Apr. 2010.
- Sung H. Hwang. Treatment experience of endoscopic colon perforation during colonoscopy. Annual meeting of the Korean Society of Coloproctology. Muju. Apr. 2014.
- Sung H. Hwang. Trans-vaginal Total Pelvic Repair in the treatment of Idiopathic Female Fecal Incontinence. Annual meeting of the Korean Society of Coloproctology. Muju. Apr. 2014.
- Sung H. Hwang. What's the conceptual difference (Conventional SH and Partial SH) Research Society of anorectal disease in Korean Society of Coloproctology. Seoul. May. 2017.
- Sung H. Hwang. Is there a way to rebuild the Functional Anal Canal for patients of Fecal Incontinence? Asia Pacific Federation of Colo-Proctology. Seoul. Apr. 2017.
- Sung H. Hwang. Autologous Fat Graft in the treatment of Fecal Incontinence. (Early preliminary reports) Asia Pacific Federation of Colo-Proctology. Joint meeting of Asia Pacific Federation of Colo-Proctology. & Annual meeting of the Korean Society of Coloproctology. Seoul. Apr. 2017.
- Sung H. Hwang. Partial stapled hemorrhoidopexy. Asia Pacific Federation of Colo-Proctology. Joint meeting of Asia Pacific Federation of Colo-Proctology. & Annual meeting of the Korean Society of Coloproctology. Seoul. Apr. 2017.
- Sung H. Hwang. Puborectal sling operation for fecal incontinence in male patient. Annual meeting of the Korean Society of Coloproctology. Seoul. Apr. 2018.
- SNS for Fecal Incontinence: Short-term follow up of my clinic. Annual meeting of the KSCP. Cheju Apr. 2019.
- Cell–Assisted Lipotransfer in the treatment of complex perianal sepsis including fistula. . Annual meeting of the KSCP. Cheju Apr. 2019.

Lecture

- PPH - Cons: Hemorrhoidectomy Using Circular Stapler - What is the problem. Annual meeting of the Korean Society of Coloproctology. Jeju. April. 2002.
- Anal stricture after treatment for Hemorrhoids. Official Training lecture. Korean Society of Coloproctology. Wonju. June. 2005.
- Surgery of the Complex Anal Fistula. The Busan Surgical Society May. 2006.
- Treatment of Deep Anal Fistula. Official Training lecture. Annual meeting of Korean Surgical Society. Seoul. Nov. 2009.
- Conventional Hemorrhoidectomy. Official Training Lecture. Annual meeting of the Korean Society of Coloproctology June. 2016.
- TST and SH – What is the conceptual difference? METC Brisbane, Australia Oct. 2016.
- Is there a way to rebuild the Functional Anal Canal for patients of Fecal Incontinence? International meeting of CSCAIM Guangzhou China Nov. 2016.
- Hemorrhoids Surgery "My Method" International Summit Forum. CSCAIM. Guangzhou China Nov. 2016.
- Alternative or complementary for the treatment of fecal incontinence? Autologous fat graft, PR sling, and SNM. Guangzhou Digestive Disease Week. Guanzhou. Nov. 2017.
- Autologous Fat Graft in the treatment of Fecal Incontinence. The 1st Northwest Anorectal Academic conference and Seminar of new technique of integrated Chinese Western Thierapy. Xi'an Nov. 2017.
- Sung H. Hwang. "Why I became a surgeon." Contirbution to regional society as a successful surgeon leading private hospital. Annual meeting of Korean Surgical Society. Busan. May. 2017.
- "Total Pelvic Repair" in the treatment of Senile Fecal Incontinence. 21 annual meeting of CSCAIM Taiyuan China Apr. 2018.
- "Perspectives in community surgical hospitals" Annual meeting of Korean Surgical Society. KyoungJu . May. 2018.
- Rectocele – Anal approach. Official Training Lecture. Annual meeting of the Korean Society of Coloproctology June. 2018.
- Total Pelvic Repair – As a treatment option for fecal incontinence. Meeting of Busan Society of Coloproctology. July. 2018.
- Treatment Algorithm of Fecal Incontinence in my clinic. GDDW. Guangzhou. China. Nov. 2018.
- My methods and technical tips for TST (In Hemorrhoids Surgery) Annual symposium of specialty committee of anal and intestinal disease of WFCMS Shanghai. China. Dec. 2018.
- How to drain abscess. SIPS (Songdo International Proctology Symposium) Seoul. Korea. Apr. 2019.
- CAL (Cell Assisted Lipotransfer in the treatment of fecal incontinence. SERAF. Busan. Korea. May 2019.
- Optimization of the proctological and pelvic floor pathway organization. COPEC PISA. Italy June 2019.
- Surgical Option for Fecal Incontinence. International Colorectal Summit. Seoul. Korea. Aug. 2019.
- Treatment Guidelines and the Surveillance of Colorectal Cancer in Korea. International Summit Forum for the diagnosis and treatment of early colorectal cancer CSCAIM. Guangzhou. China. Nov 2019.
- Surgical Perspectives in treating Fecal Incontinence. GDDW. Guangzhou. China. Nov 2019.
- Surgical Perspectives in treating Fecal Incontinence. APCC. Seoul. Korea. Sep. 2020.
- Laparoscopic Natural Tissue Repair for Rectal Prolapse. ISUCRS. Yokohama. Japan. Nov 2020.

머리말

황성환

자료를 수집하고 글을 적기 시작한 초심에는 우리 병원의 진료 지침서 한 권 정도는 있어야 하겠다는 가벼운 마음이 있었다. 밀려드는 환자들께 설명하기 난해한 여러 내용을 병원의 직원이나 동료들이 공유할 필요성을 느낀 것이다. 변실금 치료 분야가 의료인조차 이해하기가 복잡 난해하고 진료의 표준화가 이루어져 있지 않은 까닭에 진료 팀원들의 호흡이 맞지 않는 상황이 종종 발생한다. 진료 과정에 엇박자가 발생하면 환자의 치료에 부정적인 영향을 미치게 된다. 보다 나은 의료 서비스를 환자에게 제공하기 위해 병원 실정에 적합한 내용들을 정리하여 팀워크를 형성하고 진료의 효율성을 높이려는 작업을 하려던 참이었다.

지침서를 작성하다 보니 작업량이 많아졌고 더 깊이 공부하다 보니 변실금 관련 한글 참고서적이 없다는 것을 알게 되었다. 영문서적이 몇 권 있으나 오래되어 원론적이며 우리의 현실에 맞지 않는 내용들이 많다. 작업을 하다 보니 병원에서 필요한 단순 지침서를 넘어 동료들과 공유할 수 있는 참고서적이 필요하겠다는 생각이 문득 들게 되었다. 어쩌면 이것은 나 자신의 갱년기적 사고에 따른 발로라 할 수도 있겠다. 난해한 표현이지만 30년 훌쩍 넘는 외과의사 생활에 느끼게 되는 막연한 우울감과 허전함, 절정기를 지나는 시점에 즐겁고 행복했으며 보람되었던 의사생활이 얼마 남지 않았다는 느낌이 밀려왔던 것이다. 저 쪽 조용한 강 넘어 기차를 내려야 할 종착점이 보였다. 이제 저 강을 건너게 된다면 지금껏 힘차게 달려왔던 고속 열차에서 어떤 모습으로 내릴 수 있을까 하는 외과의사의 설렘과 함께하는 초조함, 이러한 복합된 감정들은 쉽게 표현하기 어려운 약간은 결이 다른 부분이다. 저술에 집중하게 된 동기가 되었다.

세계로 눈을 크게 돌려보면 각 병원의 여건에 따라 혹은 나라에 따라 진료 지침이나 선호하는 수술 방식이 약간씩 차이가 나는 것은 특별히 이상해 보이지 않는다. 의사의 개인적인 취향이나 습득한 기술, 자신이 속해 있는 병원의 진료 환경이나 소속되어 있는 학회의 큰 흐름, 혹은 자신의 주변에 가깝게 개발되어 있는 치료 도구와의 접근성이 각자의 치료 방법에 영향을 줄 수도 있다는 것이 개인적인 생각이다. 근본적으로 변실금의 원인이 되는 환자군이 다른 탓에 원론적인 접근이 달라질 수 있다는 것도 한가지 이유가 될 수 있겠다.

서구의 의료현장에서 변실금 치료에 대한 활발한 연구는 오랜 기간 진행되어 왔고 다양한 치료방법이 소개되어 왔다. 기존의 보존치료에 대한 연구결과는 풍부하고 그 근거도 쌓여 있다. 그러나 여전히 외과적 치료는 끊임없이 개발되어 왔고 거의 수년에 하나씩 새로운 치료법이 소개되다 시피하다. 특히 최근에는 유럽에서 항문주위 보강시술이 주목을 받고 있고 새롭게 떠오르는 생명공학 기반의 세포치료가 관심을 끌고 있다. 우리는 우리 실정에 맞는 치료방법이 필요하며 이 책에서 전반적으로 그 내용을 다루고자 한다.

국제 실금학회는 그 역사가 오래지 않아 아직까지 참여하는 의사가 많지 않다. 요실금 치료의 필요성으로 시작된 학회인 까닭에 비뇨기과 의사, 산부인과 의사가 주축을 이루고 대장항문 의사의 참여도는 미미한 편이다. 4년에 한번씩 실금학회를 개최하고 나면 변실금에 대한 진료지침이 바뀌고 한 때 역사 속에 유행했던 수술 기술들이 사라지는 장면을 접하게 된다. 때로는 완벽하지 못하거나 쉽게 이해할 수 없고, 동조하기 어려운 수술 방법이나 치료 항목들이 새로운 치료의 영역에 등장하는 부분에 대해서는 고개를 갸우뚱하게 될 정도로 질서 정연하지 못한 느낌을 갖기도 한다. 이런 부분에서 변실금 영역에서는 세계적으로 유명한 여러 전문가들의 입장이 필자와 별반 다를 바 없다는 점을 느끼게 된다.

고령화 사회에 접어들면서 늘어나는 변실금 환자를 감당하고 치료할 수 있는 치료 전문가나 병원들이 여전히 부족하다. 변실금 치료의 영역에 뛰어들려면 절대적으로 참고서적이 부족하고 이를 교육할 수 있는 병원도 없을 뿐만 아니라 독자적으로 수준 높은 영역에 진입한 전문가도 크게 눈에 띄지 않는다. 또한 변실금의 치료에 대한 국가적인 보장이 미흡한 것이 현실이다. 병 의원에서 변실금 치료를 시작하려면 의료설비나 장비 투자에 상당한 예산이 필요하고 이러한 시설 투자에 따른 수익이 보장되지 못하는 현실적 어려움은 어쩌면 변실금 치료 영역의 발전을 저해하는 실질적인 이유가 될 것이다. 그러나 이제 본격적으로 늘어나는 환자에 대한 준비가 필요한 시점이다. 많은 환자들이 의사들의 도움을 절실하게 기다리고 있으며 그 어느 누구라도 선구자적 생각과 행동으로 이 분야의 치료 영역에 진입을 시도해야 할 시점이다

다행스럽게도 최근 변실금의 치료는 대한대장항문학회에서 떠오르는 이슈 중의 하나가 되었다. 변실금에 대한 원인과 기전, 병태생리 및 치료에 대한 논의가 활발하게 진행되고 있다. 이 영역이 학회 차원의 관심을 끌게 된 것은 바람직한 일이다. 더불어 우리나라에도 변실금 치료영역에 대한 국가적 차원의 통계 조사와 진단 및 치료방법의 구체화는 물론이고 보험 급여의 정립 등도 필요한 시점이다. 이러한 부분에 적극적으로 참여하여 신선한 아이디어를 제공할 수 있는 기회가 올 수 있기를 소망한다. 이 책에서는 변실금의 원인 기전과 진단, 치료 및 각 사례에 따른 접근 방법에 이르기까지 동료들의 이해를 돕기 위해 필자의 치료 경험과 문헌 고찰을 통한 다각적 설명에 노력을 기울였다. 부족한 내용이지만 이 책이 많은 동료 의사들의 동기부여에 보탬이 되고 진료에 실질적 도움이 되기를 기대한다. 또한 변실금으로 고통받는 많은 환자들의 증상이 호전되어 삶의 질이 향상되기를 기원한다.

2021년 춘 삼월에

부산항운병원/ 부산제2항운병원 병원장 **康峰 黃盛煥**

추천사

추천사 요청을 받고 미리 원고를 볼 기회를 갖게 된 것은 영광스러운 일이다. 특히 저출산 고령화 사회에 접어든 시점에 많은 노인이 말 못하며 숨기고 살고 있는 '변실금'에 대한 내용이 시의적절하게 소개된 것에 대해 같은 배를 타고 있는 동료로서 아주 기쁘게 생각한다.

책자에서 지적한 대로 대한민국은 빠르게 진행되는 고령화로 오는 2050년에는 세계 최장수 국가가 될 것으로 예상된다. 고령화가 진행되면서 질환의 패턴이 조금씩 달라지고 있다. 그중에서도 변실금은 골반저 약화에 따라 특히 빠르게 증가하고 있는 질환이다. 그러나 병에 대한 인식이 낮고 부끄러워 환자들이 숨기고 있는 데다 지금까지 적절한 치료법이 없어 의사들도 적극적으로 대처해 오지 않은 것이 그간의 사정이다.

지금은 나이가 들어도 왕성한 활동을 하는 노인들이 많다. 하지만 변실금으로 인해 스스로 위축돼 움츠리거나 사회생활에서 소외돼 많은 문제를 호소하는 노인들이 진료실을 찾고 있는 것이 현실이다.

이 책자는 대장항문외과 의사로서 30년 이상을 환자 치료에 힘쓴 황성환 원장님의 다양한 경험과 해박한 학문적 연구들이 집대성되어 변실금을 공부하려는 후학들에게 많은 도움이 되리라 확신한다.

이 책자는 변실금의 병태 생리와 치료에 대해 일목요연하게 잘 설명되어 있다. 이해력을 높이기 위해 각종 도해와 사진도 곁들였다. 전통적인 치료 방법에서나 이전 관련 책자들이 반영하지 못한 자기항문괄약근, 생체적합물질 주입, 삽입 기구 등 다양한 최신 치료 방법을 소개하고 있다. 무엇보다 30년간 애오라지 한 우물을 판 자신의 환자 치료 사례와 노하우를 적절히 반영하고 있어 이 책으로 공부를 할 후학들이 현장에서 바로 반영할 수 있도록 한 노력이 돋보인다.

다시 한 번 시의적절하게 '변실금' 책자를 저술해 후학들에게 많은 정보를 준 황성환 원장님께 감사드리며 이 책으로 공부한 후학들을 통하여 변실금으로 고통받는 환자들이 완치될 수 있기를 기원한다.

2021년 2월

대한외과학회 이사장

이우용

Contents

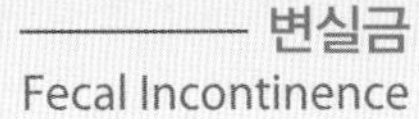

Part 1

CHAPTER

01

개론

1. 개론

우리나라는 OECD 세계 10위권의 장수국가이다. 2017년 기대여명은 82.7세, 건강수명은 65세로 보고된다. 2050년이 되면 한국은 세계 최장수 국가가 될 것으로 예상된다. 인구 고령화가 진행되면서 치료의 대상으로 새롭게 대두되는 질환이 증가하고 있다. 기존의 대표적인 노인성 성인병으로 심혈관, 뇌혈관, 척추 관절 질환, 당뇨 및 고혈압 등은 널리 알려져 있고 인터넷을 비롯한 소셜미디어로 쉽게 현황 파악이 가능하게 되어 이를 이해하기 위한 접근도 쉽고 빠르다. 그러나 이 책에서 다루고자 하는 소위, 변실금을 비롯하여 변비, 직장통, 직장 탈출, 방광 탈출, 질 탈출 및 자궁 탈출 등을 포함하는 퇴행성 골반저 질환으로 고생하는 노인들이 의외로 많다는 것은 비교적 생소하게 들릴 것이다.

과거에 치료를 잘 하지 않던 변비나 변실금 등 배변 장애 환자나 골반바닥의 약화로 인한 증상을 호소하며 치료를 요청하는 환자가 많아졌다. 인구 고령화와 의식의 변화에 따른 결과이다. 남녀 불문하고 나이 들어 골반이 처지고 골반바닥을 지탱하는 인대와 근육 등이 약해지면서 회음의 하강을 동반하는 퇴행성 변화와 연관된 질환이 크게 늘고 있는 것이다. 복합 골반 장기 탈출에 대한 관심도 새롭게 제기되고 있다. 복합 골반 장기 탈출은 방광 탈출, 자궁 탈출, 직장 탈출의 증상이 2개 이상 동반하는 것을 의미한다.

의학적으로 변실금은 변의 자제를 스스로 조절할 수 없는 상태를 의미한다. 액상이나 고형은 물론이고 가스실금까지 포함한다. 변실금의 증상은 변실금 발생의 원인과 기전에 따라 다양한 양상으로 나타나게 된다. 변의 횟수가 잦은 것도 배변 장애의 일부 증상이긴 하지만 단순히 변의 횟수가 증가하는 것은 변실금이 아니다. 그러나 변의 횟수가 잦으면서 어쩌다 한번씩 주기적으로 변을 참지 못한다면 이는 변실금에 해당될 것이다. 그렇다면 설사를 하게 되면 여지없이 변을 참지 못하거나 자신도 모르게 팬티에 변을 흘리는 것은 변실금일까? 그렇다. 이러한 경우가 반복된다면 변실금으로 봐야한다. 변실금을 겪게 되면 환자는 혼돈의 상태에 빠지게 된다. 변실금이 진행되어 처음 한두 번은 당혹스러워하며 고개를 갸우뚱거리지만 이것이 반복되게 되면 사회 생활을 제대로 할 수 없게 된다.

변실금의 증상이 있는 환자 중 많은 수는 그냥 집에 머물기를 원하고 스스로 고립되기도 한다. 때로는 극단적인 선택을 하는 불행한 경우도 종종 경험하게 된다. 가까운 가족이나 친척과도 어울리기를 싫어한다. 자신에게서 나는 냄새와 청결하지 못한 부분을 타인들이 불결하게 생각할 것이라는 이유 때문일 것이다. 이러한 환자들을 치료의 현장으로 끌어내지 못하는 것은 육체적, 심리적으로 황폐화되는 것을 방치하는 것과 마찬가지이다. 따라서 환자의 상태가 더 나빠지기 전에 적극적인 치료를 권유하여 삶의 질을 향상시키기 위한 노력을 해야 한다. 국제 실금 학회에서 집계되고 알려진 유병률은 일반적으로 전 인구의 1.4~18%까지 확인되는 것으로 보고하고 있다. 이렇게 유병률에 차이가 나는 이유는 대부분의 변실금 증상을 가진 환자 중에서 자신의 증상에 대하여 솔직히 이야기하기를 꺼리고 그냥 지내는 환자가 많기 때문으로 추정된다.

소아의 경우 정상적으로 괄약근이 작동을 하고 감각도 있으나 변이 팬티에 묻는 것을 발견할 수 있다. 학령기 소아에서 기질적인 병변이 없는 상태에서 자발적이거나 고의로 변을 가리지 않는 이러한 변실금을 따로 유분증(encopresis) 혹은 변지림(fecal soiling)이라고 한다. 예를 들면, 대개 맞벌이 부부에서 할머니가 아이를 보는 상황이거나 셋째 아이가 태어나 첫째와 셋째 사이에 끼어 있는 둘째 아이에서 생기는 경우 등 자신에게서 친밀한 보호자의 관심이 멀어지는 환경에서 종종 관찰할 수 있다. 대개 이러한 아이는 똑똑하고 영민하여 의사의 이야기를 빨리 알아듣기도 하고 부모를 비롯한 주위의 따뜻한 사랑과 간단한 배변 훈련만으로도 단시일 이내에 치료가 가능하다. 변실금 중에 비교적 치료하기 쉬운 경우에 해당한다.

고령의 환자에서 발생하는 노인성 변실금은 치료가 쉽지 않다. 특히 변비와 변실금이 중복되어 나타나는 변실금의 치료는 여러가지 단계를 거쳐야만 증상의 개선을 기대할 수도 있겠다. 그러나 이러한 증상의 개선까지는 상당히 오랜 시간이 걸리기 마련이다. 또한 이러한 치료의 성과를 나타내기까지는 의사와 환자 사이의 공감이 필요함은 물론이고 환자의 가족들까지 환자의 치료에 적극 협조해야 한다. 치료의 목적과 목표를 정확히 파악하고 이해하며 다양하고 끊임없는 노력을 해야 하는 어려움도 있다.

노인성 변실금의 치료가 쉽지 않은 이유는 그 병태생리가 복잡하기 때문이다. 변실금의 증상을 나타내는 요인들이 복합적으로 작용하게 되면 이러한 요인을 하나씩 차근히 해결하려는 절차가 필요하다. 이를 이해하지 못하고 치료를 하게 되면 중간에 좌절하거나 포기하는 수도 생긴다. 환자의 상황에 대한 인지 능력이 명확한지도 치료의 방침을 결정하는 데 매우 중요하다. 또한 퇴행성 변화로 인한 비 가역적인 요인들이 얼마나 존재하는지도 치료에 대한 반응과 예후에 영향을 미치기도 한다. 때로는 그 치료의 결과를 절대적으로 보장할 수 없는 큰 어려움도 있다.

변실금의 증상과 원인 치료는 요실금의 그것과 중복되는 경향이 있다. 요실금이 발생하는 기전이 방광과 방광경부, 요도관을 구성하고 지지하며 배뇨를 자제하거나 원활하게 통과할 수 있게 하기 위한 근육이나 신경의 변화로 생기게 되는 것처럼 변실금의 경우에도 직장과 항문직장륜, 항문관을 연결하며 지탱하는 구조인 근육이나 인대의 해부학적, 혹은 기능의 문제 혹은 신경의 조율의 부전이나 이상 변화로 발생하게 된다. 일반인들이 비교적 쉽게 인지하고 있는 요실금 증상은 40대의 젊은 여성에서도 나타나기 시작한다. 때문에 요실금에 대한 증상의 발현이나 치료 방법 등은 환자들 사이에서 서로 정보의 교류가 활발하고 적극적으로 치료를 하는 경우가 많은 것을 관찰할 수 있다. 그러나 변실금의 치료에 대한 상세한 정보는 이리저리 살펴보아도 치료 경험담을 얻기가 쉽지 않다.

실제 요실금의 치료는 변실금 치료의 역사보다 상당히 빠른 것으로 알려져 있다. 천수신경 조절술의 예를 들더라도 시술의 적용이 요실금에서 10여년 빠르게 진행되었다. 천수신경 조절술을 시행한 요실금 환자에서 우연히 동반되어 있던 변실금의 증상이 같이 개선되는 것을 발견하게 되었고 이를 인지하게 된 독일의 외과의사인 Matzel에 의하여 1992년 변실금 환자에서 단독으로 시도되어 증상이 개선되는 것을 확인하게 된 것이었다. 그는 이것을 1994년 Lancet에 게재하였다. 요실금의 치료가 변실금의 치료 방법보다 진전되어 있고 더 개선의 효과가 높은 것은 그 증상의 발현이 즉각적이고 조기에 나타남에 따라 치료를 받으려는 환자들의 연령이 낮은 경향이 있기 때문으로 여겨진다. 반면에 변실금의 증상은 요실금의 증상보다 더디면서 요실금의 증상에 비하여 전격적이지 않은 탓에 치료를 미루는 경향이 있지 않나 하는 추정을 해 본다.

대개 적극적인 치료의 대상이 되는 변실금이라 하면 최소한 짧은 기간에 수차례의 변실금 증상이 반복되어야 하고 이러한 증상이 상당기간 지속되며 치료를 하지 않으면 정상으로 회복되지 않는 경우를 의미한다. 변실금의 증상을 오랫동안 방치하게 되면 회복될 수 없는 상태까지 진행되기도 한다. 따라서 변실금의 초기 증상이 시작되면 곧바로 이를 치료할 수 있는 전문의를 찾아서 도움을 청하는 것이 좋겠다. 초기의 변실금의 치료는 골반근육 강화운동과 배변 습관의 조절, 식생활습관의 조절과 같은 지지요법으로 회복이 가능하기 때문이다.

변실금의 증상에 따른 분류는 요실금의 그것과 비슷하다. 배뇨장애의 대표적인 증상으로는 소변을 제대로 볼 수 없는 요 정체, 화장실을 수없이 들락거려야 하는 빈뇨, 조금만 소변이 차더라도 오래 참지 못하는 급박뇨, 밤에 화장실을 가기 위해 몇 차례 잠을 깨야 하는 야뇨증, 더 심해지면 소변을 참지 못하는 요실금 등이 있다. 배변 장애의 증상도 요정체와 같은 변비, 잦은변, 급박변, 변지림, 변실금 등이 있다. 큰 맥락으로 보면 변실금의 발생기전이나 증상들이 요실금의 발생기전이나 증상들과 비슷한 원리로 나타나는 것을 알 수 있다.

요실금과 변실금의 치료 방법의 원칙도 유사한 점이 많다. 지지요법 중에 골반근육 강화운동과 같은 것은 요실금과 변실금의 증상 개선을 위하여 복합적으로 도움이 된다. 골반내 방광과 자궁, 질(남성의 경우 전립선), 항문직장과 이들 기관을 지지하고 지탱하는 주위의 해부구조가 배설을 위할 뿐만 아니라 배뇨, 생식 등의 기능을 복합적으로 수행하기 위해 복잡하게 얽혀 있기 때문이다. 때로는 탈출된 자궁과 질을 원상으로 회복시키면 요실금과 변실금이 동시에 해결된다는 연구 보고도 다수 있다.

2. 변실금의 병태 생리

항문직장과 골반의 구조를 정확하게 알지 못하면 외과수술도 쉽지 않다. 항문의 내외 괄약근과 항문관을 지탱하는 근육과 인대 결합조직까지 하나도 쉽게 보이는 것이 없다. 변의 자제에 역할을 하는 구조물은 항문의 내외 괄약근 외에도 직장의 내외 근육, 항문거근, 치골 요도근, 직장 요도근 및 4대 인대 등이 어우러져 있다.

이러한 난해한 항문직장과 방광, 자궁 주위의 근육을 일목요연하게 정리하여 이론적인 체계를 구축한 의사가 호주의 Peter Petros 교수이다. 그의 "필수이론"(Integral theory)에 따르면 요도와 질, 항문을 지탱하는 인대는 단단하고 굵은 지지구조로 마치 현수교처럼 교각과 교각사이에 철선이나 쇠사슬을 건너지르고 이 줄에 상판을 매다는 방식으로 치골 및 치골결합부위에서부터 미골까지 해먹처럼 늘어지게 싸 안고 있다. 치골과 미골은 교각의 역할을 한다. 단단한 지지구조물인 뼈를 힘의 중심으로 하여 강하게 잡아당기는 힘으로 지탱하는 힘줄이 전후의 직선 방향을 연결하면서 복잡하게 서로 얽히면서 골반바닥을 잡고 있는 것이다. 이를 지탱하는 주요 구조물은 4개의 주요 인대 즉, 자궁천골 인대, 치골요도인대, 주 인대, 골반근막인대궁과 회음체로 구성되어 있고, 이 인대들이 상호보완적으로 골반 바닥을 지지하는 것으로 이 교각 사이에 늘어져 있는 강선과 쇠사슬과 같다고 비유할 수 있을 것이다.

그는 이중에서도 자궁천골 인대의 중요성을 설명한 바 있다. 현수교의 적당히 늘어지게 처진 본체의 역할을 하는 주요 구성요소로서 주케이블의 역할을 하여 최고점을 지지하여 강력하게 교각을 지탱해주는 강제를 현수제라고 한다. 이 현수제의 역할을 하는 인대가 4개의 주요 인대라고 할 수 있는데 그 중에서도 중심을 잡아 전후를 연결하는 특히 후방의 중심 벡터가 제대로 힘을 받으려면 자궁천골 인대가 그 중심 장력의 기시점으로써 든든해야 한다는 것이다. 이 자궁천골 인대가 약해지면서 질의 전벽이 약해지면 요실금이 발생하고 질의 후벽이 약해지면 변실금 증상의 악화에 영향을 미칠 수 있다는 것이다.

1) 변 자제의 기전

배변 자제에 영향을 미치는 항문직장 주위의 생리는 크게 세 가지로 나누어 설명한다. 첫째는 괄약근 장벽으로 대변되는 항문 및 골반 주위의 괄약근과 항문관의 쿠션의 역할이다. 괄약근과 항문 쿠션은 유기적으로 항문관의 휴지기의 긴장을 유지하지만 배변 시는 이완되거나 항문직장각을 완화하여 원활한 배변을 유도한다. 둘째는 배변기전으로 묘사되는 정상적인 골반 및 직장 항문관의 배변감각과 반사기전이다. S결장 및 직장, 항문 괄약근 및 항문직장 경계에 정상적인 반사기전이 있다. 내괄약근은 거의 항상 최대 수축의 상태를 유지하는데 직장에 가스를 넣어 팽창시키면 소위 표본반응이라 불리는 내괄약근의 이완을 관찰하게 된다. 이를 통해서 내괄약근의 반사기전이 있음을 알 수 있다. 이를 직장항문 억제반사라 한다. 셋째로 직장 유순도로 대변되는 직장의 저장 능력과 팽창능력이다. 정상인에서 직장에 10 cc정도의 물을 채워보면 이를 감지할 수 있다. 양을 늘려가면 변을 보고 싶은 느낌이 들지만 대략 300–400 cc까지 견딜 수 있다. 이를 직장의 저장 능력이라고 본다. 직장의 유순도는 단위 부피의 변화에 따른 압력의 변화이다. 이는 측정하는 용기의 팽창성을 의미한다. 규칙적이고 지속적인 직장 수축은 직장 팽창에서 야기된다. 직장의 감각이상은 무차별적인 직장 팽창을 일으키거나 직장 수축력을 증가시켜서 정상적인 직장 팽창을 방해한다. 직장의 압력이 높아져도 직장의 팽창성으로 어느 정도의 양과 압력의 분변을 일정 기간 참을 수 있다. 변의 자제는 이러한 복잡한 기전이 조화롭게 어우러지면서 유지된다. 변을 참을 수 있기 위해서는 항문과 직장의 해부 구조적인 완성과 함께 복합적인 기능의 보완 작용, 중추신경과 말초신경의 세밀한 조절작용, 골반의 강건한 지지가 복합적으로 상호 보완하며 정상 작동해야 한다.

변실금의 증상이 있는 고령의 환자에서는 만성 변비가 동반되어 있는 것을 종종 볼 수 있다. 고령으로 인한 퇴행성 변화로 장의 운동저하를 동반하는 수가 많고 항문직장 주위의 중첩이나 회음 하강, 항문직장의 기능약화 등으로 인한 출구장애 변비도 빈발한다. 노인성 변실금의 대표적인 증상 중의 하나이다. 혹자는 노인의 변실금의 원인으로 분변 매복을 들었다. 분변 매복은 노쇠, 치매, 신경과 근육 부전, 약물 복용 등 여러 원인들에 의해서 발생할 수 있다. 스스로 활동을 하지 못하는 노인들에게 발생하는 변비와 변실금은 치료에 어려움을 겪는다. 특히 뇌졸중 환자나 치매 등으로 활동력이 떨어진 환자에서는 장의 기능도 떨어져 있거나 배출 능력이 현저히 감소한다. 따라서 기저질환을 파악하고 인지 상태를 배려해야 하며 개인의 특성에 맞는 치료법을 선택해야 한다.

근래 항문 초음파의 발달은 항문직장 주위의 병변의 발견에 큰 도움이 되었다. 변실금 환자에 대한 연구에서 괄약근 손상의 유무를 확인하는 것이 가능하게 된 것이다. 이러한 검사를 통하여 괄약근의 손상이 없는 변실금 환자들도 많다는 것을 알게 되었다. 괄약근의 손상이 없는 변실금 환자의 원인은 음부신경 장애로 인한 것이라고 추정하게 된 것이다. 사실 이것도 명확한 진실은 아니다. 보다 복잡한 요인들이 변실금의 발생에 기여할 것으로 예견되기 때문이다. 괄약근의 손상은 발견되지 않으나 음부신경 장애가 있는 환자에서 괄약근의 긴장이 감소하고 항문관의 압력이 떨어져 있는 것을 관찰한 많은 연구가 있었다.

음부신경 손상은 항문과 직장 주위 골반내 장기의 감각, 이완 및 수축에 부정적인 영향을 미친다. 음부신경은 항문의 내외 괄약근, 항문 주위의 피부를 지배하며 항문직장의 반사에 관여한다. 자율신경이나 체신경의 손상이 발생하게 되면 직장에 저장되는 변에 대한 감각을 잃어버릴 수 있고 항문 주위 괄약근은 변을 자제할 수 있는 조절능력을 잃어버리게 된다. 때로는 변과 가스를 구분하지 못하게 되기도 한다. 일반적으로 변실금과 음부신경 손상은 공존하는 경우가 많은 것으로 알려져 있고 음부신경 장애가 변실금에 미치는 영향에 대하여 많은 연구도 지속되어 왔다.

2) 변실금의 위해요소

변실금은 여러가지 요소에 의해서 그 증상이 악화되거나 혹은 그 자체로도 변실금을 일으키는 원인이 되기도 한다. 변실금의 위해요소 중 대표적인 것은 노화이다. 전 연령에서 변실금이 올 수 있지만 65세 이상의 노인에서 더 많다. 남성보다 여성에서 절대적으로 변실금이 많이 발생한다. 출산의 과정을 거치면서 입은 골반 및 항문 주위 괄약근의 잠재적 손상은 나이가 들면서 증상이 나타나고 퇴행성 변화가 증상을 악화시킨다. 척수 손상이나 당뇨, 다발성 경화증 등 신경질환 환자에서 변실금 증상이 심하고 치료에 어려움을 겪는다. 치매 환자의 변실금의 특징은 손으로 변을 만지고 닦는다. 뇌졸중 등으로 신체장애를 초래하는 환자에서는 주기적으로 항문 자극을 통하여 배변 활동을 개선할 수 있다. 그 외에도 소화기 증상 골반저 질환 항문직장 관련 수술 등도 변실금의 위해요소로 제기된다.

① 노화

우선 제일 증상을 나쁘게 하는 요인은 노화에 의한 퇴행성 변화이다. 남녀를 불문하고 노화는 변실금의 발생을 증가시키고 그 증상이 악화되게 한다. 노화에 따라 변실금이 증가한다는 증거는 충분하지만 노화가 변실금을 일으키는 생리학적인 메카니즘에 대한 이해는 명확하지 않다. 노화가 항문 휴지기 압력에 미치는 영향에 대해서는 서로 상충되는 연구 결과들이 존재한다. 몇몇의 연구에서는 변실금 유무에 상관없이 노인에서 항문 휴지기 압력이 감소했다고 보고하였다.

노화로 인하여 골격근의 근육량이 감소한다는 것은 어쩌면 일반적인 상식이다. 노화로 괄약근의 수축기 압력이 떨어지는 것도 다수에서 관찰된다. 그러나 괄약근의 수축력이 떨어지는 것과 외괄약근이 쉽게 피로하게 된다는 것과는 연관 관계가 부족해 보인다. 노화로 인한 음부신경 병증이 괄약근의 위축을 일으키는 것으로 보이며 또한 나이가 들면 직장의 민감성이 떨어지기도 한다. 많은 노인들에서 직장의 팽창능력이나 감각이 떨어지고 변을 밀어내기 위한 힘이 떨어져 있음을 관찰할 수 있다. 이러한 현상은 직장에서 변의 완전한 배출을 어렵게 하여 변 누출의 증상을 나타내거나 분변 매복 상황을 일으켜 범람성 변실금의 증상을 동반하기도 한다. 이러한 현상이 변실금의 증상과 유관한지에 대해서는 근거가 명확하지 않지만 노화로 인한 퇴행성 변화는 변실금의 증상의 악화에 가장 큰 요인으로 보인다.

② 여성

의외로 젊은 여성에서도 발생 빈도가 상당하다는 것을 관찰할 수 있다. 통상 규모가 큰 역학조사에서는 여성과 남성의 위험요소가 다르다. 여성에서는 노화, 우울증, 심장질환, 요실금, 여러 약을 먹는 것 등이 유의미한 위험인자이고 남성에서는 영양 부족이 중요한 위험 요소로 나타난다. 남성에서 변실금의 발생 원인은 여성과 다른 면이 있다. 여성에서 괄약근의 손상이나 휴지기 압력의 감소, 골반 장기 탈출 등이 흔하고 남성에서는 직장의 과민성이나 배출 장애가 흔하다. 더욱이 남성 변실금 환자에서는 생리검사가 정상인 경우도 종종 있다. 항문 괄약근에 에스트로겐과 프로게스테론 수용체가 발견되었다. 이러한 소견을 바탕으로 여성에서 폐경이 위험인자가 될 수 있다고 보는 견해도 있다. 그러나 노화와 폐경은 밀접하게 연관되어 있지만 독립적인 연관성을 증명하기는 어렵다.

③ 당뇨

당뇨는 몇 개의 연구에서 변실금의 위험요소로 보고되었다. 당뇨 환자에서 변실금의 위험이 40% 증가된다는 보고도 있었다. 당뇨에 의한 변실금은 남성보다 여성에서 많다. 당뇨 환자는 변을 더 자주 보게 되며 변실금의 증상도 더 할 것이라고 판단하고 있다. 당뇨의 합병증인 신경병증이나 망막병증에서 변실금이 더 많이 발생하지만 유병기간과의 연관성은 명확하지 않다. 당뇨 환자에서 항문의 휴지기 압력과 수축기 압력이 떨어져 있고 감각의 역치가 증가한 것을 관찰할 수 있다. 항문 생리검사에서는 항문 고압대의 휴지기, 수축기 압력이 떨어져 있었고 직장항문 억제반사, 항문피부의 반사는 소실되어 있었고 직장 팽창의 민감도는 소실되었다. 당뇨 환자에서 혈관 병변이나 신경증이 동반된 경우에 변실금 증상이 발현되는 경우를 관찰할 수 있었다. 직장의 감각이나 내괄약근의 기능부전이 보였다. 당뇨 환자에서 나타나는 직장항문 억제반사의 소실이 증상의 정도와 연관이 있을 것이라 여겨진다. 이는 교감신경의 기능이 떨어진 것과 연관이 있을 수 있고 신경병증과 미세혈관의 변화에 영향을 받는다고 보이지만 그 증거가 충분하지는 않다.

④ 소화기 질환

설사는 꾸준히 변실금의 위험요소로 알려져 있다. 설사나 묽은 변은 급박변을 유발한다. 변이 묽은 것은 독립적인 변수이고 분만에 의한 괄약근 손상의 위험요소에 더하여 나쁘게 한다. 골반의 방사선 치료 이후에 묽은 변에 의하여 유발되는 변실금이 보고되기도 하였다. **직장 절박감**은 변실금의 독립된 위험요소이며 변실금 환자에서 증상을 악화시킨다. 메커니즘은 명확하지 않지만 변의 직장으로의 빠른 이동이 직장의 저장 능력을 넘어서거나 여러 가지 복합적인 요인으로 인하여 과민성변화를 나타내는 것으로 판단한다. 급박감이 심한 여성 변실금 환자에서 직장벽의 긴장, 스트레스, 강직 즉 빳빳함 등이 더 심한 것을 알 수 있다. 변실금 환자의 직장의 강직을 해결할 수 있는 방안에 대한 연구가 필요하다.

변비와 직장에서의 **변의 불완전한 배출**이 변실금과 연관이 있다. 노인 요양시설에 거주하고 있는 노인에서 분변 매복, 불완전한 변의 배출, 변비 등은 변실금과 상당히 연관이 있다. 정상적인 항문직장의 기능을 가지고 있지 않은 이상 이러한 증상이 어떻게 진행될지는 불명확하다. 분변 매복환자에서는 범람형 변실금이 흔하다. 자극성 변비약을 사용하는 것은 문제를 더 악화시킨다. 이러한 환자에서는 직장의 팽창에 대하여 직장의 감각과 외괄약근의 수축력이 떨어져 있는 것으로 보고된다. 분변 매복이 있는 변실금 노인에서 항문직장각이 둔화되어 있으며 항문 괄약근의 약화, 항문직장의 감각 소실 등을 관찰할 수 있다. 내괄약근은 낮은 정도의 직장의 팽창에도 이완되게 된다.

과민성 장증후군이 변실금 발생의 위험요소임을 강조한 연구는 많다. 과민성 장증후군이 미치는 영향으로는 설사나 묽은 변 등 변의 성상의 변화와 함께 증가된 직장의 운동성, 직장의 과민성 등이 변실금의 발생에 영향을 미치는 것으로 알려져 있다.

⑤ 신경학적 정신과적 질환

치매환자는 인지기능장애, 전두엽 기능의 장애, 행동심리적인 문제, 일상생활 능력의 손상에 의한 증상을 나타내는데 치매의 일반적인 행동 특징은 멍해지고, 우울증, 화를 잘 내고, 자극에 과민하며, 초조, 불안, 배회, 공격성, 들뜸, 초조, 수면의 변화, 식사의 변화 등이다. 이러한 것이 중증으로 진행되면 용변보기, 옷 입기, 목욕하기 등 일상생활 수행능력이 급격히 떨어진다. 치매 환자는 항문에 묻은 자신의 변을 만지기도 한다(Scatolia).

우울증이 변실금의 위험요소로 알려져 있다. 증상이 심해지면서 발생하는 여러 가지 심리적인 부담이 증상을 가중시키고 항우울제의 부작용으로 변실금이 나타난다. 우울증 노인 환자에서 영양상태의 결핍이 변실금에 영향을 미치고 다시 우울증을 더 악화시키는 경향이 있다. **척수의 손상**은 소화기관의 기능에 영향을 미치며 변비와 변실금이 동시에 발생할 수 있다. 만성으로 진행된 척수의 손상 환자에서 오심, 설사, 변비와 변실금이 동반될 수 있다. 괄약근의 의식적 조절이 소실되는 것을 관찰할 수 있으며 직장을 팽창시킬 때 직장 감각의 변별능력이 저하되었고 최대한 직장을 팽창했을 때 둔한 통증을 느끼기도 한다. 전각 상부의 척수 손상에서 배변반사의 조절이 되지 않거나 변이 마려울 때 외괄약근의 수축과 이완이 약하거나 소실되기도 한다. 직장의 저장

물을 의식적으로 배출하는 데 장애를 보이기도 한다. 뇌혈관 순환장애로 인한 국소적인 신경학적 결손을 수반하는 **뇌졸중**이 변실금의 위험요소임은 널리 알려져 있다. 뇌졸중으로 병상에 누워있는 환자의 30−40%가 변실금을 호소하는 것으로 알려져 있다. 뇌출혈 환자에서 출혈량이 많거나 대뇌 피질에 영향을 줄 때 변실금이 더 많이 발생한다.

⑥ 비만

비만은 변실금의 위험요소이다. 뚱뚱한 사람이 정상인에 비하여 변실금의 발생 빈도가 높다. 비만 환자에서 설사의 빈도가 높고 식이 섬유를 적게 섭취하는 것이 변실금의 증상을 악화시킨다. 비만 환자에서 복강 내 장기와 지방의 무게가 골반을 압박하는 것이 연관성이 있다. 복강 내 압력이 과도하게 증가하면 이에 대한 영향으로 괄약근의 인내력이 떨어지게 된다. 이것이 변실금 증상을 악화시킬 것으로 추정된다. 간접적인 요인으로 비만 환자에서 당뇨가 많고 디스크의 탈출로 인한 신경학적 변화가 변실금 증상에 영향을 미칠 것으로 추정된다. 당뇨와 신경병증도 위험요소이다. 비만 수술을 한 환자에서 체중이 감소하면서 변실금의 빈도가 떨어지는 것을 관찰하기도 한다.

⑦ 분만 손상

분만에 의한 괄약근 손상이 변실금의 원인 중 하나임은 이미 잘 알려져 있다. 과도한 회음 주위의 괄약근 손상에 의한 변실금의 증상은 즉시 나타난다. 그러나 잠재적 분만 손상이 있는 여성의 경우에 젊었을 때는 그 증상이 없이 지내는 경우가 많다. 골반의 다른 기능이 이를 보강하거나 보상하기 때문이다. 이러한 원인이나 증상의 발현 시기에 대한 설명은 쉽지 않다. 그러나 외괄약근 손상에 의한 변실금의 증상은 괄약근 성형술을 하고 난 이후 호전되는 것이 관찰되었다. 괄약근 성형술의 즉각적인 효과는 시간이 지나면서 나빠지기도 한다. 그러나 괄약근 성형술의 성적은 수술의 완성도에 따라 차이가 난다. 정밀하고 정확한 괄약근 성형술의 결과는 시간이 지나서도 실망스럽지 않다.

⑧ 거동장애

직감적으로 적절한 신체의 운동이 적정 시점에 변이 마렵거나 변을 볼 때 변의 자세를 위하여 필요하다. 적절히 움직이지 못하는 것은 변실금의 발생에 위험요소이다. 가정 요양보호를 받으며 움직이지 못하는 경우 변실금을 호소하는 경향이 있다. 요양시설에 거주하는 사람의 20% 정도가 육체적 움직임에 제한이 있어 간호인의 도움을 받아야 한다.

⑨ 방사선

전립선, 여성의 자궁 부속 기관, 항문이나 직장의 암의 치료를 위하여 골반 부위의 방사선 치료를 받은 경우에 변실금이 생길 수 있다. 방사선 치료를 한 43%에서 변실금이 발생한다는 보고가 있다. 직장을 절제하면 변실금이 생길 수 있는데 방사선 치료는 이를 악화시킨다. 짧은 기간 동안 세기가 강한 방사선 치료가 긴 기간의 방사선 치료보다 위험도가 더 크다. 아무래도 변실금에 직접적인 영향을 미치는 방사선 치료는 항문 외괄약근과 치골직장근의 방사선 조사이다. 50 Gy 이상의 방사선을 항문 괄약근, S결장, 직장에 조사했을 때 변실금의 증상의 발현과 연관이 있다.

⑩ 직장 탈출

직장 탈출, 치질 탈출, 직장항문 점막의 탈출 환자의 48-63%에서 변실금이 동반되는 것으로 알려져 있다. 이러한 증상은 탈출에 대한 치료를 하면서 좋아지기도 한다. 그러나 오랜 기간의 탈출로 내괄약근의 약화와 음부신경의 손상이 동반된 환자에서 탈출에 대한 수술 후에 변실금의 증상이 지속되는 경우가 있다. 직장 탈출증이 진행되면 반복된 괄약근의 확장으로 인하여 항문의 휴지기 압력을 유지하는 역할을 하는 내괄약근의 힘이 떨어져 있다는 것이 상식적으로 설명된다. 또한 음부신경의 장애가 동반된다는 것이다. 명확한 증거는 제시되지 않지만 직장 탈출증이 오랫동안 지속되면서 음부신경을 잡아당겨 늘리게 되고 이것이 음부신경의 기능에 영향을 줄 수 있다는 것이다.

과거에는 수술에 대하여 망설였으나 최근에는 직장고정술로 변실금의 증상이 호전된다는 결과들이 제시된다. 변실금 환자에서 직장의 중첩증을 남겨둔 채 천수신경 조절술이나 바이오피드백 치료를 시행하는 경우 효과를 감소시킨다는 보고가 있다. 변실금을 치료하기 전에 기존의 기저 병변을 치료하는 것이 옳다고 판단한다.

3) 수술

① 항문직장 수술

치료에 반응하지 않는 만성 치열의 치료로 **내괄약근 절개술**이 권장된다. 이런 수술의 결과로 가스실금과 변실금이 발생할 수 있다는 여러 보고들이 있다. 따라서 치열의 치료는 내괄약근 절개술보다는 화학적 내괄약근 약화로 치열의 창상 치유를 돕고, 치질을 해결하여 항문관에 걸리는 부하를 감소시켜주거나, 협착이 있는 경우 협착부위를 해결하고 스트레칭으로 항문관의 긴장을 떨어뜨려 주거나, 탈출부위만 절제하거나, 내괄약근 절개의 방향과 크기를 환자의 상태에 따라 달리 하는 등의 방법으로 치료하는 것이 수술 후 변실금의 발생 빈도를 낮추게 될것이다. 가급적 보존적 치료에 중점을 두는 세심함이 필요하다.

치질 수술 후에 변실금의 발생은 드물기는 하다. 그러나 치핵 절제시 과도한 항문상피의 절제로 드물게 경미한 변누출과 같은 증상이 발생할 수 있는 것은 이미 잘 알려져 있다. 치질 수술을 하고 난 이후에 생기는 변실금의 빈도는 0-14%정도 보고되고 있다. 치질 수술을 할 때는 수술 전에 항문 초음파나 항문 내압검사 등을 시행하여 항문 괄약근의 이상 유무를 관찰하여 수술의 범위를 결정하는 것이 바람직하다. 괄약근의 힘이 충분하다고 하더라도 두터운 상피와 피하 조직이 둥근 괄약근 속에서 항문의 둘레를 탄력 있게 잡아주지 않으면 변을 참을 수 없을 것이라고 주장하기도 한다. 또한 항문 쿠션을 제거하는 것이 변실금에 미치는 경향이 있다. 치질 수술을 하기 전에 변실금의 증상이 있는 환자에서 수술 후 증상이 더 악화될 수 있다.

치루 수술 후 변실금을 초래할 수 있는 것은 자명한 사실이다. 고위 치루, 괄약근을 많이 침범한 경우 변실금이 더 오고 피브린 글루를 이용하거나 직장 점막 전진 피판 등 괄약근 보존술식을 할수록 변실금의 빈도는 낮아졌다. 괄약근의 손상이 발생할 경우 45세 이상 여성에서 변실금의 빈도는 높았다. 괄약근의 손상의 정도에 따라서 발생한다.

② 직장 절제술

직장암 수술 후 3-79%의 환자에서 변실금이 발생하였다. 직장 절제에 의한 여러 가지 복합적인 영향이 변실금을 오게 한다. 암의 위치와 문합 위치에 따라 변실금의 위험도는 차이가 난다. 이론적으로는 직장의 저장 능력의 변화가 변실금에 영향을 미친다고 본다. 연결하는 대장의 모양을 달리하여 저장 능력을 향상시키는 방법으로 변실금의 빈도를 줄이려는 노력이 시도되었으나 그 결과는 명확하지 않다. 자동 봉합기의 발달로 항문관에서 좀 더 가까운 곳까지 항문을 살리면서 항문의 내괄약근의 손상이 동반되는 수가 있다.

직장의 감각 저하와 운동성 저하, 음부신경의 손상 등이 변실금의 발생에 영향을 미친다고 생각한다. 발기신경의 손상으로 직장의 감각과 변이 마려울 때 배출하는 능력이 현저히 떨어진다. 부교감신경의 기능부전이 오면 직장에 변이 차게 되면서 불편감을 느끼는 미세한 통증의 느낌이 오게 된다. 직장의 장간막을 제거하면 항문거근의 신경과 골반 체신경의 장애를 동반한다. 이들의 장애는 치골직장근의 기능에 영향을 미치게 된다.

③ 자궁 절제술

변실금의 위험인자임은 여러 학자들이 주장해 왔다. 자궁 절제술에 의해서 주위 신경의 손상이 변실금을 일으키는 요인으로 작용할 가능성이 있다. 또한 자궁절제 시 골반의 중심을 잡아주는 인대의 약화로 변실금의 증상을 나쁘게 할 수도 있으나 이를 뒷받침할 연구는 여전히 부족하다.

④ 담낭 절제술

담낭 절제술 후에 상당한 수의 환자에서 변실금의 증상을 호소하기도 한다. 담낭을 절제하면 담즙이 대장을 자극해서 노란 설사를 하거나 냄새가 심한 변을 볼 수 있다. 담즙산이 증가하여 장에 노출되면 장의 운동에 영향을 미치기도 하고 소화가 되지 않은 지방변으로 설사를 하기도 한다. 그러나 이러한 증상들은 수술 후 몇 주가 지나면 호전된다. 수술 후에 일시적으로 초래하는 설사가 담낭 절제술 후에 변실금을 악화시킨다고 생각하게 된다. 이러한 증상이 오래간다면 그것은 수술하기 이전에 변실금에 대한 위험요소가 존재하고 있었을 가능성이 크다.

3. 변실금의 진단

변실금의 치료를 위해서는 환자의 발생원인과 기전을 먼저 파악하는 것이 가장 중요하다. 변실금은 여러가지 복합적인 원인이 함께 영향을 미쳐서 발생하는 것이어서 변실금의 진단에도 여러가지 고려해야 할 변수들이 많다. 우선 환자의 증상이 변실금이 맞는지 파악하는 것이 중요하다. 그러기 위하여 간단한 설문조사가 필요하다. 변실금의 실체가 확인될 때 여러 가지 검사를 하게 된다. 변실금의 진단에 도움이 되는 직장항문 생리검사는 직장경이나 결장경, 직장항문 내압검사, 배변조영술, 항문 초음파, 음부신경검사 등이 필요하고 때로는 CT와 MRI 등이 도움이 된다. 직장항문 생리검사는 때로는 서로 상충하기도 하지만 분석하려는 의도가 다르다.

이러한 검사를 통하여 회음과 항문직장 주위 괄약근의 결손 유무를 확인한다. 구조적으로 항문과 골반근육의 약화된 정도와 비정상적인 부분이 어디인지를 파악할 수 있다. 직장에서 항문을 통하여 변의 배출 과정에 이상이 없는지 확인한다. 변이 직접 흐르는지 혹은 변의 배출이 완전한지 관찰할 수 있다. 직장항문의 생리기능 상태를 확인하고 감각신경이나 체신경의 작동이 제대로 하는지 직장의 저장 능력은 적당한지를 확인한다. 변의 자제에 대한 반대요인이 있는지 변 마려움에 대한 억제 반사가 정상으로 작동하는지 등을 확인할 수 있다.

직장항문 생리검사의 항목은 각각의 검사 목적과 관찰하려는 의도가 다르다. 우선 내시경, 항문직장 내압검사, 배변조영술, 항문 초음파, 음부신경검사는 필수 항목이다. 내시경은 보조적이기도 하지만 반드시 필요한 검사이다. 직장을 직접 시야로 관찰하여 허혈성 질환이나 염증, 용종, 암 등의 유무를 확인한다. 항문이나 직장의 손상에 의한 구축 현상을 관찰할 수 있다. 방사선 치료를 받은 환자에서는 특유의 섬유화와 직장의 염증이 동반되어 이로 인한 급박변이나 변실금의 증상을 나타내는 경우가 많다.

항문직장 내압검사는 변실금 환자에서 항문 괄약근의 기능을 객관적으로 평가하고 이상 유무를 확인할 수 있다. 이 검사를 통하여 기능이 떨어진 부위를 추측할 수 있다. 직장의 감각을 측정할 수 있다. 직장의 감각기능과 정상적인 배변 활동에 있어서 직장항문 억제반사 등을 확인할 수 있다. 항문의 고압대를 측정하여 정상 기능을 하는 항문관의 길이와 압력 등을 측정할 수 있다.

배변조영술을 통하여 변의 배출 과정을 재현하여 항문과 직장의 이상소견을 관찰할 수 있다. 변의 국제 실금학회에서는 변실금 환자에서 배변조영술이 진단과 치료에 선택적인 가치를 가진다고 하였다. 배변조영으로 골반의 하강과 항문직장각의 변화와 항문 주위의 움직임을 관찰할 수 있고 불수의적 조영물질의 누출과 직장 중첩이나 직장류 등을 구분할 수 있다.

항문 초음파는 변실금 환자에서 간단하게 시행할 수 있다. 해부적으로 괄약근을 비롯한 항문직장의 구조가 정상인지 비정상인지를 판단하는 기준이 된다. 시간이 오래 걸리지 않고 환자에 부담이 없으며 비용 대비 효율이 높다. 대부분의 검사에서 괄약근의 손상을 발견하는 데 높은 정확도를 나타낸다. 초음파로 과거 항문 수술이나 분만 손상에 의한 괄약근의 결손, 상처, 흉터, 얇아져 있거나 두꺼워진 것, 위축 등을 관찰할 수 있다. 항문 초음파로 괄약근의 결손만 아니라 항문 괄약근의 전체 이미지를 재현할 수 있고 항문의 농양이나 덩어리를 확인할 수 있다

신경학적 검사가 변실금 환자를 진단하는 데 있어 원인규명에 명확한 역할을 하지는 못한다는 이유로 일부 회의적인 주장이 있고, 명확하지 않은 여러가지 논쟁에도 불구하고 음부신경검사를 통하여 예후를 예측할 수 있다는 점에서 변실금 환자의 기초 검사로서 필수적이라 주장하는 견해도 있다. 여성 변실금에서 분만 손상에 동반할 수 있는 음부신경 손상 유무를 확인해야 한다.

4. 변실금의 치료

변실금의 일반적인 치료의 기본원칙은 보존적 치료로 지지요법과 약물치료 및 바이오피드백 치료를 하고 보존적 치료에 반응하지 않는 경우 수술이나 시술을 하게 된다. 변실금의 치료가 쉽지 않은 이유는 변실금 증상이 한 가지 이상의 원인과 복합적인 위해요소가 중복되어 발생하는 경우가 많기 때문이다. 치료를 시작하기 전에 환자 개개인의 변실금의 원인 분석을 통하여 전체 치료의 방향을 설계하여야 한다. 치료의 알고리즘을 미리 정리하고 계획을 설명하며 각각의 변실금의 치료 방법에 따른 기대 효과나 목표를 설정하는 것이 매우 중요하다. 치료를 하는 도중에도 수차례의 직장항문 생리검사를 통하여 치료의 과정과 결과를 기록하고 치료 방향을 수

정해야 하는 수도 많다. 개개인의 변실금의 원인이 조금씩 차이가 나기 때문에 변실금은 개인의 실정에 맞는 맞춤 치료를 시작하여야 한다. 이를 위하여 심도 깊은 상담과 배변 일지 작성 및 직장항문 생리검사 등을 반복하여 치료 전과 중간 과정의 차이점을 확인하고 교정을 지속하는 절차가 필요하다.

1) 지지요법

지지요법은 음식이나 수분의 섭취에 대환 관리와 배변 활동에 대한 관리를 통한 증상의 개선을 목표로 한다. 보존적 치료의 전략은 스스로 인지하고 관리하는 자기관리방법이 있고 환자의 거동이 불편한 경우라면 요양보호사나 가족의 도움을 받는 두 가지 형태가 있다. 자기 관리의 첫번째 전략은 음식관리이다. 변의를 유발하는 음식의 섭취를 자제한다. 자신이 섭취한 어떤 음식이 배변 활동을 유발하는지 체크리스트를 작성하는 것이 좋다.

둘째는 **배변 활동의 관리**이다. 외출을 하거나 활동을 하기 전에 직장의 변을 비우는 것이다. 직장에 변이 남아 있는 상태에서 활동을 시작하는 것을 피한다. 일정한 시간을 정하여 장을 비우는 노력을 통하여 배변 활동을 정례화하는 노력이 필요하다. 외출하기 몇 시간 전에는 음식이나 물을 마시는 행동을 자제하고 외출하기 직전에 배변하거나 여의치 않은 경우 부드러운 관장 등을 통하여 직장을 비우고 외출하는 등의 노력이 필요하다. 외출 시에는 화장실이 어디에 있는지를 반드시 확인할 필요가 있다. 또한 위생패드나 티슈 등 비상시에 대처할 수 있는 휴대품을 소지하는 것도 한가지 방법이다.

2) 약물요법

대부분의 변실금 환자에서 약물치료는 장의 과도한 운동을 억제하거나 대변의 경도를 굳게 하여 대변의 횟수를 줄이려는 방향으로 처방을 하게 된다. 변실금의 약물요법의 치료 목표는 우선 설사를 줄이는 것이다. 설사는 변실금의 강력한 위해요소이다. 내괄약근의 압력을 증가시키는 약물의 사용이 제안되었다. 변비의 교정도 당연히 진행해야 할 치료법이다. 변비는 소아나 노인에서 흔히 볼 수 있는 범람형 변실금의 위해요소이다. 약물을 사용함으로써 변의 양이나 성상을 변화시켜 대변 횟수를 줄이거나 대변의 경도를 정상화하여 과도한 장의 움직임을 억제하는 것을 생각해 볼 수 있다.

3) 바이오피드백과 괄약근 및 골반근육 강화운동

바이오피드백 치료는 아직까지 표준화가 덜 되어 있어 다양한 방법으로 진행한다. 따라서 바이오피드백의 결과에 대한 직접적인 비교와 수치의 분석이 쉽지 않다. 바이오피드백 치료로 우선 괄약근과 골반근육의 힘을 키우고자 한다. 직장의 팽창 감각에 대한 예민한 느낌이 없이 항문 외괄약근의 힘을 키우는 방법이다. 다음으로 감각 훈련이다. 직장을 팽창시키면서 볼륨에 대한 민감도를 개선시키는 방법이다. 직장의 민감도를 개선하면서 짧은 기간에 괄약근의 반사를 강화하는 병행요법이 있다.

4) 변실금의 수술

이미 서구에서는 변실금 치료에 대한 활발한 연구가 진행되어 왔고 다양한 치료 방법이 소개되고 있다. 기존의 보존 치료에 대한 연구결과는 풍부하고 거의 매년 새로운 치료법이 개발되어 소개된다. 특히 영국이나 이탈리아에서의 여러 가지 항문주위 보강요법 등이 주목을 받고 있고 새롭게 떠오르는 생명공학 기반의 세포치료가 관심을 끌고 있다. 미국에서는 자석을 이용한 항문괄약근 보강수술이 대안으로 떠오르고 있다. 그러나 오랜 시간 꾸준히 연구되어 왔고 시행되어 온 괄약근 성형술이나 근육 치환술, 혹은 기저질환의 교정을 필요로 하는 여러 가지 수술 방법은 현재 진행형이다. 천수신경조절술은 유럽에서는 변실금의 일차 치료로 시작하는 나라들이 많다. 우리나라는 기기의 높은 가격 때문에 조건부 급여로 다른 변실금의 치료에 반응하지 않은 환자의 차선책으로 제한되어 있다. 변실금의 수술 방법은 그 원인과 기전, 현상에 따라 각각 달라질 수밖에 없다. 변실금의 수술을 요약하면 표 1-1, 표 1-2와 같다.

변실금은 한 가지 원인으로 생기는 문제가 아니고 여러 요소들이 복합적으로 발생하는 질환이다. 변실금의 치료를 위하여 여러 요소들에 대한 교정이 필요하다. 변실금에 영향을 주는 여러 요소들이 해부학적 기능적 문제와 연관되어 있어서 교정 자체가 쉽지 않은 경우가 많다. 따라서 한번의 치료로 해결되지 않는 경우도 많아 인내심을 가지고 변실금의 요인을 하나 둘씩 고쳐나가면서 오랜 시간을 가지고 치료에 임하는 마음의 태도가 필요하다. 변실금 치료가 어려운 이유는 앞서 언급한 질환 자체의 특징도 있지만 사회적 특징들도 있다. 다른 질환에 비교했을 때 변실금에 대한 환자들의 접근성이 떨어진다고 할 수 있다. 변실금에 대한 이해도와 전문지식이 부족하다. 비슷한 예로 치질에 대해서 돌이켜 보더라도 과거 20여년 전에는 환자들이 스스로 드러내 놓고 말하기 부끄러워 병원 방문을 꺼려하던 질환이었다. 그러나 인식의 변화와 함께 대장항문을 전문으로 하는 병의원이 늘어나면서 치질은 더 이상 어려워하거나 숨기고 지내지 않게 되었다. 소셜 미디어를 통하여 치질 수술에 대한 경험을 이미 많은 사람들이 공유하고 있고 그에 대한 상식도 보편화된 지 오래되어 치질 치료는 자연스러우며 이를 부끄러워하는 사람도 많지 않다. 지금, 변실금에 대한 인식이 과거 20여년 전의 치질에 대한 인식과 같은 상황이라고 본다. 우리 국민의 평균 수명이 크게 늘어났다. 건강을 유지하면서 사회활동을 하는 노인들도 늘어나면서 변실금 증상으로 치료를 요하는 대상도 급격히 늘고 있다. 그러나 아무래도 치질보다는 변실금은 자신의 처지를 드러내 놓기 좀 더 어려운 병이고 이를 전문적으로 치료하는 의사들의 수도 아직은 많지 않은 실정이다.

표 1-1. 변실금의 수술 방법

수술	방법
손상된 괄약근 교정 수술	항문 괄약근 성형술 회음 복원/전골반 복원 후방 항문 교정
항문 괄약근의 보강 시술	항문 보강물질 주입(자가 지방이식) 치골직장 슬링수술 항문 자석 삽입/괄약근 보강물질 주입
신경 자극술	후방 경골 신경 자극술 천수신경 조절술
항문 괄약근 치환술	근육 치환술 신경자극 근육 치환술 인공 항문 괄약근
장루	대장 조루술/하행 관장 조루술

표 1-2. 변실금의 원인, 기전과 현상에 따른 치료 방법

원인	변 자체의 기전	현상	수술 방법
분만 손상 항문 수술의 결과 항문 손상(항문 성교/항문 확장)	괄약근 방어벽 골반바닥 근육/항문 괄약근	항문 괄약근 손상 및 결손 항문 괄약근의 약화 회음 하강 항문직장각의 둔화	항문 괄약근 성형술 회음 복원/전 골반 복원 항문 후방 교정
노화현상 회음 하강/골반탈출/직장 탈출/직장류 신경 손상(신경 염/신경조절부전)		항문 쿠션의 소실 짧은 항문관 넓어진 상부 항문관	항문 보강물질 주입 (자가 지방이식) 치골직장 슬링수술 항문 자석 삽입, 보강물질 주입
염증성 장질환/과민성 대장증후군/직장염 방사선 치료 직장암 수술 후	배변 반사 기전 회음부의 감각/ sanipling reflex	반사기능 소실 감각변화 (감각소실/감각 과민) 인지의 상실 조절능력 결여	후방 경골신경 자극술 천수신경 조절술 근육 치환술 신경자극 근육 치환술 인공 항문 괄약근
중추신경/자율신경/척수신경 조절 장애 (뇌손상, 뇌졸증, 척추수술, 척수신경 손상, 다발성 경화증, 당뇨)	직장의 유순도 직장의 저장 능력의 변화	직장 확장부전 직장 분변 매복/분변 범람	대장 조루술/하행 관장 조루술

배변의 특성(변의 양, 성상-설사), 장기 약 복용환자(anticholinergics, laxatives, antidepressants, caffeine ect.), 음식에 대한 과민반응환자(lactlose/fructose/sorbitol)과 기타 다른 기능장애에 의한 원인은 제외한다.

의사들에게도 역시 변실금은 어려운 질환이다. 이는 변실금이 항문, 직장에만 국한된 질환이 아니기 때문이기도 하다. 변실금의 원활한 치료를 위해서는 항문뿐만 아니라 골반저에 대한 전체적인 이해를 바탕으로 이루어져야 한다. 실제로 많은 변실금 환자들이 골반저 질환을 같이 가지고 있으며 골반저 질환에 대한 결과로 변실금 증상이 같이 있는 경우도 많다. 이는 외과영역에 국한되지 않고 산부인과 비뇨기과 영역에 이르는 폭 넓은 이해를 요구한다. 이러한 요구를 반영해서 골반회음학(Pelvic Perineology)이란 신조어가 생겨나기도 했다. 1990년 이탈리아와 프랑스의 의사들이 주축이 되어 베니스에서 처음 국제 회음학회가 개최되었다. 골반저의 해부, 생리, 병리를 다룬다. 2010년에 국제 골반회음학회가 창립되었다. 그 역사가 오래지 않아 골반회음에 대한 깊이 있는 연구와 고찰이 아직 완벽하다 볼 수 없는 실정이다. 하지만 이러한 긍정적인 움직임들은 앞으로 더욱 많이 있을 것이고 더욱 의학자들의 관심도 절실하다. 또한 이에 대한 의학자들의 활발한 연구 노력과 국가 차원의 지원, 의료단체에서의 진료 영역의 진입, 전문의사 수의 확장을 위한 여러 노력도 요구되는 시점이다.

변실금은 질병 자체도 까다롭고 환자들 역시 본인의 질환을 들어내기 꺼려한다. 사회적으로도 변실금은 낯선 질환이고 어디에서 가서 어떤 치료를 받아야 하는지 모르는 경우도 많다. 의사들 역시 변실금에 대한 관심의 역사도 그리 오래되지 않았다. 따라서 여러 가지 치료법에 대한 체계적이고 구체적인 완결이 이루어지지 않았다. 치료법에 대한 구상이나 개발도 근래에 이루어진 것이 대부분이고 지금도 연구개발의 과정에 있다고 보아야 한다. 하지만 고령화 시대로 접어들어가는 현실에서 변실금 환자는 늘어날 수밖에 없다. 더 이상 질환의 특성과 치료의 어려움으로 외면하기 힘들다. 좀 더 변실금에 대한 관심을 높이고 지속적인 연구와 임상경험의 교류를 하는 등의 노력으로 변실금에 대하여 이해도를 높이고 적절한 치료 방법을 연구하는데 힘써야 할 것이다. 따라서 변실금으로 고통 받는 많은 환자들에게 적합한 치료를 제공할 수 있도록 노력해야 할 것이다.

CHAPTER

02

변실금이란?

의학적으로 변실금(fecal incontinence)은 "만 4세 이상의 나이에 변을 조절할 수 없는 상태가 반복적으로 한달 이상 지속되는 것"이라 정의할 수 있다. 변실금은 액상이나 고형은 물론이고 가스실금까지 포함한다. 지하철을 타고 가다 흘러내린 변 덩어리 때문에 민망한 경험을 한 노인들이 있을 것이다. 흘러내리는 변 때문에 외출 시에 패드를 차야 하는 경우도 의외로 많다. 진료실에서 처음 만난 어떤 환자는 깔끔한 옷차림에 살짝 풍기는 향수 때문에 왜 환자가 고민을 하고 있을까 이해하기 쉽지 않은 경우도 있다. 하지만 환자는 본인도 모르게 한번씩 나오는 참기 어려운 방귀 때문에 민망스럽고 주위 사람들과 어울리는 것이 힘들다 하였다. 그 깔끔한 옷차림과 향수는 자신에게서 나는 냄새나 불편을 감추기 위한 것이었다. 실제 옆에 한참 같이 있어도 본인이 불편해 하는 냄새를 알아챌 수는 없었다. 그러나 정작 본인이 호소하는 불편 감은 과도하고 극단적이었다. 항문직장 주위 괄약근 등의 기능이 정상이어서 수축에 문제가 없는데도 항문 주위의 감각이상으로 변이 묻어나거나 점액이 누출되는 경우도 있다. 이처럼 변실금의 형태나 정도에 상관없이 당황하거나 힘들어하는 정도는 어느 환자에서나 거의 마찬가지이다.

국제실금학회(International Continence Society)에서는 액상이나 고형을 참지 못하는 것을 변실금(fecal incontinence)이라고 하고 가스까지 모든 형태의 변을 참지 못하는 것을 항문 실금(anal incontinence)이라고 한다. 정상적으로 항문의 괄약근이 작동을 하고 감각도 있지만 변이 팬티에 묻는 것을 변 누출 혹은 변지림이라고 한다. 변 누출은 대개 액상변이 가스와 함께 묻어 나온다. 직장암이나 직장항문 협착 등 직장의 기질적인 문제가 있을 때 이런 증상이 나타나기 쉽고 변비로 인한 분변 매복이 있으면서 활동이 원활하지 않은 고령의 환자, 편 마비, 파킨슨병 등 기저질환이 있는 환자들에서 관찰할 수 있다. 이는 변실금과 생기는 기전이 약간 다르다. Hoffmann 등은 이러한 변 누출(fecal seepage)이나 변지림(fecal soiling)이 직장의 감각과 항문의 이완의 부전에 의하여 생긴다고 설명하였고 배변 훈련을 하거나 팽창성 하제 등을 사용하여 조절할 수 있다고 하였다.

변실금 환자의 증상은 다양한 방식으로 표현한다. 예를 들면 어떤 이는 자신도 모르는 사이에 팬티에 변이 묻어 있거나 가스와 액상변을 구분하지 못하기도 한다. 변비와 변실금이 동반되는 경우로 의도적으로 혹은 시간을 놓쳐 변을 제때 보지 못해 변을 지리기도 하고, 변의 불완전한 배출로 인하여 배변 후 나름 깨끗이 씻고 닦아도 계속 변이 묻어나기도 한다. 돌아서서 다시 닦고 또 씻고 하는 과정을 수차례 거친 후에야 깔끔한 느낌을 느끼지만 좀 지나면 다시 변이 마렵거나 묻어 있기도 하다. 변 마려운 느낌이 드는 순간 화장실을 달려가야 하는 형태도 있다. 가장 심한 경우는 때로는 변이

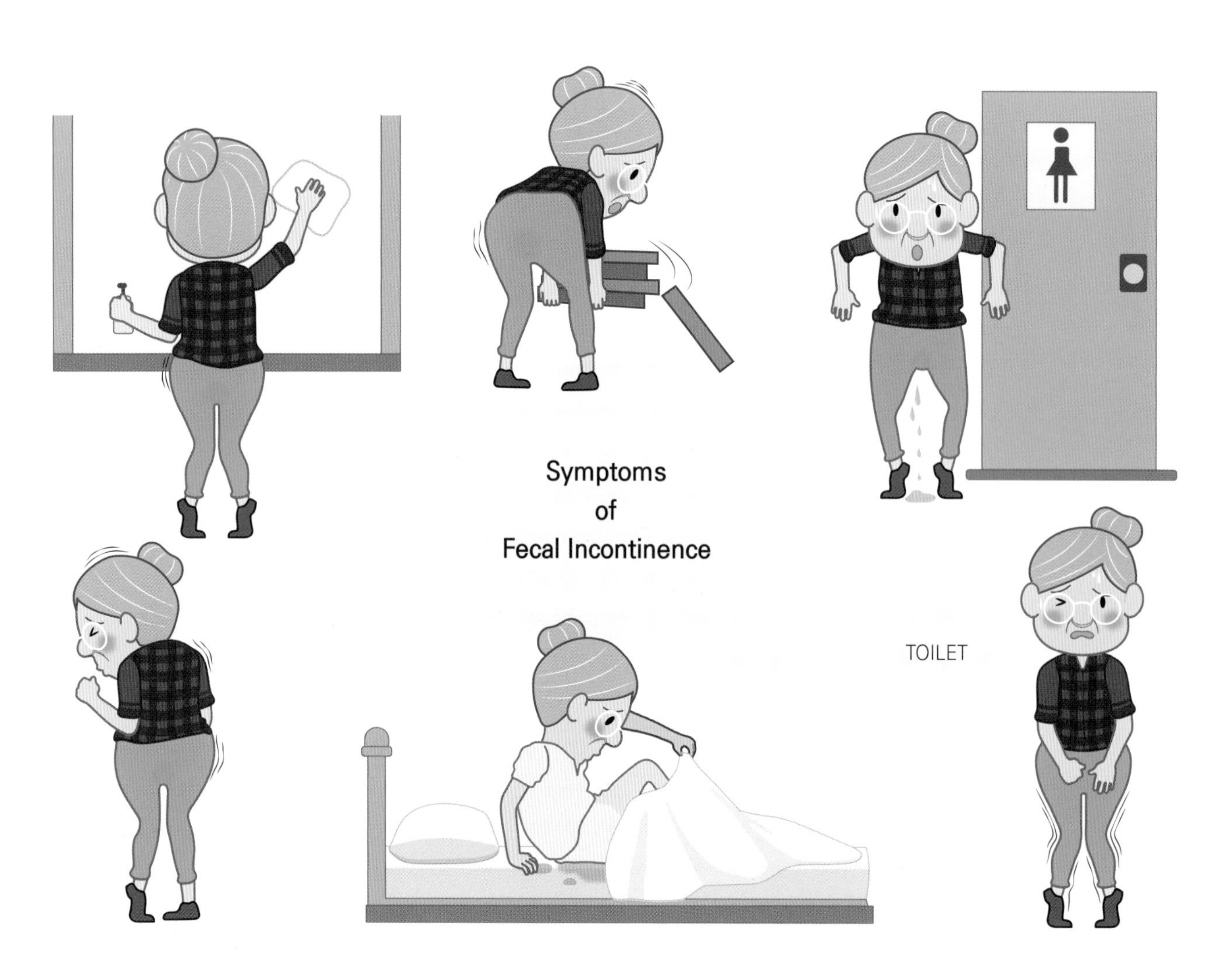

그림 2-1. **변실금의 증상**

마려운 때 참으려고 해 보지만 화장실을 갈 때까지 결국 버텨내지 못하고 변을 흘려버리는 경우도 있다. 거동이 불편하거나 간병인의 도움을 받는 노인의 경우 화장실을 가는 시간이 너무 길고 여러 장애 상황이 겹치면서 변을 흘리는 경우도 있다. 처음 이러한 상황에 부딪히면 사람들은 혼란과 당혹감을 느끼게 된다. 처음 한두 번이야 고개를 갸우뚱하며 넘어간다고 하더라도 증상이 심해져서 시간과 장소를 가리지 않고 변이 흘러내리게 된다면 큰 문제가 아닐 수 없다. 결국 일상생활에 지장을 초래하게 되고 외출이 불가능해지고 스스로 고립된다.

변실금은 일반적으로 남성보다 여성에서 빈발한다. 몸이 불편하거나 멀리 여행을 할 때, 혹은 특별한 음식을 섭취하고 난 후 발생하는 배변 곤란은 누구라도 한번씩 경험하게 된다. 예를 들면 감을 먹으면 변비가 생기고 덜 신선한 회나 해산물 등 날 것을 먹고 나면 설사를 하는 것은 당연한 상식이다. 그러나 때로는 우리에게 이러한 증상들이 어떻게 오게 되는지는 명확하게 설명할 수 없는 경우도 많다. 변실금은 더욱 그렇다. 전 세계적으로 고령화 시대로의 진입에 따라 변실금의 증상에 대한 고찰과 많은 연구들이 끊임없이 진행되고 있고 변실금의 다양한 원인과 위험요소들이 제기되고 그 근거를 규명하는 작업이 진행되고 있다. 또한 수많은 치료 방법이 개발되어 제시되고 있다. 그러나 우리는 여전히 더 많은 연구를 필요로 한다. 진단과 치료에 근거 중심의 프로세스를 따르는 것이 필요하며 근거가 부족한 섣부른 접근으로 환자의 상태를 악화시키는 것은 피해야 한다. 최근 진전된 치료 방법에 따른 결과는 양호한 부분이 많고 환자의 삶의 질을 개선할 수 있다는 점에서 흥미롭다.

변실금의 발생도 여타 다른 질환과 마찬가지로 급성과 만성으로 구분할 수 있겠다. 급성으로 오는 변실금은 배변 조절 역할을 하는 골반저 근육이나 항문 주위 괄약근의 손상이나 급격한 기능 장애에 의해서 나타난다. 가장 흔한 경우는 출산 현장에서 발생하는 분만 손상이다. 항문 수술 이후에 변실금이 발생하는 경우도 있다. 치질 수술 후 발생하는 경우도 드물게 볼 수 있지만 항문 주위의 수술 이후에 발생하는 변실금은 괄약근의 손상이 발생하는 치루 수술 후에 흔하다. 치루 염증이나 치루관이 괄약근을 침범하는 괄약근 관통형 치루, 고위 치루 등을 수술하게 되면 괄약근의 손상은 피할 수가 없다. 이때 치루의 염증을 제거하면서 얼마만큼 조직의 손상을 줄여서 변실금 증상을 예방하느냐 하는 것이 치루 수술의 관건이다. 직장암으로 직장 절제술을 받고 난 후 변실금이 생기기도 한다. 골반에 생기는 암의 치료를 위해 방사선 치료를 받은 경우 변실금을 호소하는 경우가 많다. 급성으로 발생하는 변실금만 해도 그 원인이 매우 다양함을 알 수 있다. 이러한 여러 가지 원인으로 인한 변실금은 그 발병기전에 따라 치료 방침도 달라질 수밖에 없다.

만성으로 오는 변실금의 가장 큰 요인은 노화이다. 노화는 퇴행성 변화를 초래하고 신체의 근육과 신경 기능의 약화를 초래한다. 항문과 직장 주위의 괄약근의 약화는 노화로 인한 퇴행성 변화의 결과이고 이러한 조직의 약화는 직장과 항문의 하강과 기능의 변화를 초래한다. 기저질환이 있다면 노화현상에 의한 퇴행성 변화는 심해지고 증상의 발현이 빨라지고 발생하는 증상을 심하게 한다. 퇴행성 변화와 동반되어 변실금의 발생에 영향을 미치는 가장 흔하고 중요한 위해요소는 잠재적 분만 손상이다. Sultan 등은 비교적 초기 연구 보고에서 초산을 경험한 여성에서 항문 초음파를 시행하여 약

35%에서 괄약근의 분만 손상을 발견한 것으로 보고하였다. Dudding 등은 괄약근의 분만 손상에 대한 체계적 고찰을 위해 451개의 논문을 조사한 결과 출산 여성의 약 11%에서 잠재적 분만 손상이 발생한다는 놀라운 사실을 보고하였다. 괄약근의 손상을 초래하는 위험인자로는 기구를 사용하거나, 분만이 지연되거나, 태아의 몸무게가 4키로 이상, 태아의 위치 이상, 회음절개를 시행하는 경우 등으로 설명했다. 젊은 시절 시행하는 골반 내의 수술이나 시술 등도 시간이 지나면서 퇴행성 변화와 함께 변실금을 악화시키는 위해요소이다. 남성에서는 전립선 수술 후 발생하는 전립선 주위 조직 및 회음체의 손상이 위해요소가 될 수 있다. 방광과 요도를 잡아주는 요도 구부의 상방에 전립선이 위치하는데 이 요도 구부의 손상으로 소변을 참지 못하게 되는 것이다. 요도 구부의 손상은 남성의 회음체의 중심을 손상시켜 직장과 항문의 각도가 수직으로 변하게 된다. 회음체는 하강하고 골반근육을 비롯한 항문직장 주위 괄약근의 변에 대한 자제 능력이 충분하지 못하여 변실금이 진행된다.

여성 변실금의 단독 원인으로는 출산 중에 발생하는 분만 손상으로 인하여 발생하게 되는 회음 및 항문 괄약근의 손상과 기능 약화가 가장 많다. 출산 현장에서 출산을 수월하게 하기 위하여 회음절개를 하는 과정에 회음체 및 항문 괄약근의 손상이 발생할 수 있다. 출산 현장에서 태아와 산모의 건강 상태를 챙기는 과정에서 항문 및 회음 주위의 괄약근의 손상은 소홀하게 다루어 질 수밖에 없다. 또한 주의를 기울인다고 하더라도 드러나는 이상소견이 없다면 손상이 없는 것으로 잘못 판단하기도 하는 것이 현실이다. 출산 시간이 오래 걸리거나 아기가 너무 커서, 혹은 겸자 분만을 사용하거나, 아기의 머리가 뒤로 거꾸로 돌아 있는 경우 등을 어려운 출산 즉, 난산이라 한다. 난산으로 인한 여성의 회음 근육 및 항문 주위 괄약근의 분만 손상은 현장에서 발견되지 않더라도 잠재적으로 발생하여 3개월 6개월 이후에 초음파 검사를 통하여 관찰하면 인지되는 경우도 꽤 많다. 회음 및 직장항문 주위 괄약근의 분만 손상은 젊고 건강한 여성에서 배변, 배뇨 및 성관계를 유지하는 등에 있어 일반적인 삶의 질을 떨어뜨린다는 것이다. 손상이 발생하는 시점에 증상이 없다가 일정 시간이 지난 후 증상이 나타나는 경우도 많다. 변이 깨끗이 닦이지 않거나 점액이나 분비물이 흘러내리는 바람에 팬티가 지저분하게 되고 변이 묻어나는 현상이 상당기간 서서히 지속하여 발생하고 시간이 지날수록 악화된다. 출산 현장에서 발생한 현저한 괄약근 손상은 이의 결과에 대한 지식과 이해도가 깊은 대장항문 외과의사나 산부인과 의사에 의해 즉시 교정되어야 한다. 여성의 분만 손상으로 발생하는 변실금은 적절한 시기에 괄약근 복원수술로 치료가 가능하다.

65세 이상이 되면 누구라도 한번 정도는 자연스레 요실금이나 변실금과 같은 증상을 겪게 된다. 정도에 따라 차이는 있겠지만 이러한 현상은 육체적으로 또는 심리적으로 상당한 충격으로 다가오게 된다. 노화로 인한 여러 가지 신체적인 변화도 발생하겠지만 특히 변실금의 증상은 요실금과는 또 다른 측면이 있어 이러한 증상을 겪는 노인의 심정은 인지기능이 높을수록 보다 더 수치스럽고 치욕적이다. 이러한 증상이 결국은 스트레스로 쌓이게 되고 우울증을 겪거나 존재감을 상실하는 결과로 이어진다. 또한 경제적인 부담까지 갖게 되고 여유가 없는 서민에게는 큰 짐이 된다. 노인에게서 흔하지만 나이가 든다고 모든 사람에서 실금이 오는 것은 아니다. 실금은 초기에 진단하고 치료를 시작하면 노년의 남은 인생에 큰 고충을 겪지 않고 활기찬 생활을 유지할 수 있을 것이다.

노화와 퇴행성 변화의 결과로 나타나는 노인성 변실금은 그 병태 생리가 좀 더 복잡하다. 인지기능의 변화 유무나 거동장애 등 개인의 건강 상태에 따라 차이가 많다. 노인성 변실금은 대개 변 자제를 방해하는 잠재적 기저 병변이나 위해요소들이 이미 존재하는 경우가 많다. 이러한 기저 병변과 위해요소들이 노화에 의한 퇴행성 변화가 더해감에 따라 변실금이 시작되고 시간이 가면서 증상이 심해지고 악화되면 치료에 어려움을 겪게 된다. 변실금의 발생은 괄약근의 약화와 신경 감각이 둔화되고 호르몬 변화와 함께 전신적인 기능저하와 기타 주위 지지조직의 약화로 초래된다. 이러한 과정은 장기간 점차적이고 지속적으로 진행되며 이러한 과정에 다양하고 복잡한 위해요소들이 복합적으로 작용한다. 따라서 변실금의 증상을 완벽하게 개선할 수 있는 어떤 특정한 방법이 있는 것이 아니라 이러한 다양한 위해요소를 순차적으로 해결하는 복합적인 치료과정을 거쳐야만 서서히 증상의 개선을 기대할 수 있다.

변실금은 증상이나 정도에 따라 대략 네 다섯가지 유형으로 나눈다. 국제 질병분류에 따르면 첫번째 유형은 변지림(유분증)(fecal soiling, encopresis)이다. 성인보다 소아에 많이 발생하는 변지림은 통상 변을 가릴 수 있는 만 4세 이상의 아동에서 기질적인 질환이나 결함이 없는데도 불구하고 적어도 3개월 동안 최소한 월 1회 이상 적절치 않은 곳에 반복적으로 대변을 지리는 현상을 의미한다. 다음은 변 누출(fecal seepage) 혹은 수동적 변실금(passive incontinence)이다. 배변 후 항문을 닦아도 깨끗하게 닦이지 않을 뿐만 아니라 자신도 모르게 팬티에 변이 묻는 경우이다. 배변에 대한 감각이 떨어지고 변이 흐르는 것도 느끼지 못한다. 세번째는 급박변(urgency) 이다. 변이 직장으로 내려와 직장항문 륜 상방의 감각체를 자극하게 되면 항문의 내괄약근은 일시적으로 이완하였다 수축하게 되는데 이후 변이 마렵게 되더라도 화장실을 갈 때까지 참을 수 있는 것이 일반적이고 정상이다. 급박변은 변이 마렵게 되면 잠시도 참기 어려워 화장실을 뛰어가야 하는 경우를 의미한다. 넷째는 변실금(fecal incontinence)이다. 수동적 변실금과 대조적인 의미이다. 변실금은 가스나 액상변, 고형변에 상관없이 참지 못하고 흘러내리는 경우를 의미한다. 그 외 기능적 변실금을 들수 있다. 거동이 불편한 환자에서 변의를 느낄 때 화장실까지 가는 과정에 지체되는 시간과 공간적 장애로 인하여 변을 흘리게 되는 경우를 의미한다.

변실금은 변비와 동반되는 경우가 많다. Cauley 등은 946명의 변실금 환자를 대상으로 분석한 결과 656명(69.3%)의 환자에서 변비가 동반된 것을 관찰하였다. 그는 변비와 변실금이 동반된 환자와 변실금만 있는 환자를 비교하여 그 차이를 분석하였다. 변비를 동반한 변실금 환자에서 임신의 과거력이 적고, 난산의 빈도가 낮았으나, 골반 장기 탈출의 동반빈도는 높았고, 요실금의 동반빈도가 높은 것으로 나타났다. 항문직장 기능검사 소견으로 항문직장 내압검사에서 항문 고압대의 압력이 높았고 배변조영술에서 직장항문의 중첩도 많았다. 또한 변실금 점수(severe incontinence score)는 낮았다. 전체적인 건강 만족도 역시 낮았다. 삶의 질 지수(Quality-of-life scores)는 변비가 심할수록 떨어졌다. 또한 변실금의 상황에 대처하는 방법에 익숙하지 않거나 어려운 경우, 우울증을 동반하였을 경우 또는 돌발 상황에

당황하는 정도가 심한 경우에 삶의 질 지수가 떨어지는 것을 관찰하였다.

변비와 변실금이 동반되는 환자는 변실금만 있는 환자에 비하여 변비로 인한 불편함이 또 다른 문제 해결의 한 축을 이루는 독특한 임상 양상을 나타낸다. 직장항문 생리검사 결과의 패턴도 다르고 삶의 질은 변실금만 호소하는 사람보다 현저히 떨어진다. 배변 영화조영술에서 노인성 변화에 따른 직장내 점막의 하강, 직장의 중첩, 직장류 등이 동반된다. 운동장애가 있는 노인에서 발생하는 경향이 많으므로 인지 능력이 떨어지거나 음부신경의 전달 속도가 지연되는 경향을 보인다. 운동감각의 변화와 퇴행성 변화에 따른 직장의 유순도의 변화가 관찰되고 내괄약근의 휴지기 압력이 떨어져 있는 것을 발견할 수 있다. 탈출이나 중첩, 직장류는 변실금을 치료하는 과정에 해결하는 것이 좋다. 변비를 악화시키고 변실금의 치료 효과를 떨어뜨릴 수 있기 때문이다. 따라서 여러 원인과 위해요소를 파악하는 것이 중요하고 탈출이나 중첩과 같은 병태 생리를 고려해서 연관된 질환의 동반 치료가 필요하다.

변실금의 발생 빈도, 과거 변실금의 유병률에 관한 조사는 아주 많이 이루어졌다. 그러나 대부분의 조사가 단일 의료기관에서 이루어져서 편견에 노출되기 쉽고 인구통계학적인 문제와 원인에 따라 유병률의 정도에 많은 차이를 나타냈다. 정확하게 유병률을 밝혀내는데 있어 장애 요인 중 하나는 변실금의 명확한 정의와 정도를 규정하는데 조사자의 이견이 있을 수 있다는 것이다. 한편으로 피 조사자인 환자는 자신의 증상을 밝히거나 노출되는 것을 꺼려하면서 조사에 불응하는 경우가 있다. 이러한 이유로 일반적으로 우리가 생각하고 분석하는 결과에 변수가 많을 가능성이 있다. 여성들은 남성보다 자신의 증상을 적극적으로 알리려는 경향이 있다. 또한 변실금의 증상과 빈도는 개인에 따라 매우 다양하게 표현된다. 가스나 설사, 혹은 고형변을 참지 못하는 것들의 범주에 차이가 있을 수 있다. 변실금의 횟수에 따른 차이도 있을 수 있다. 어떤 이는 어쩌다 한 번 변실금을 경험할 수 있으나 또 다른 이는 매일 혹은 하루에 수차례 변실금을 경험하기도 한다. 이 모든 것을 변실금의 범주에 포함해서 조사하는 경우나 혹은 변실금의 범주를 좀 더 좁히는 경우에는 유병률이 차이가 날 수도 있다.

Nelson 등은 위스콘신주에 살고 있는 지역 주민 6,959명을 대상으로 조사한 결과에서 2.2%의 유병률이 있음을 보고하였고 독립적 위험인자로 여성, 고령, 건강상태가 좋지 않은 경우, 육체적 운동제한이 있는 사람에서 많이 발생한다고 하였다. 그들의 30%가 65세 이상이었고 63%가 여성이었다. Johanson 등은 자신의 의료기관을 방문한 환자를 대상으로 조사한 결과 유병률은 18.4%에 달했고 그 중의 1/3만이 의사와 자신의 증상에 대하여 진료를 본 것으로 보고하였다. 이 보고에서는 불수의적인 변실금(involuntary fecal incontinence)과 변누출(fecal seepage)까지도 변실금의 범주에 넣었다. 변실금의 증상이 있는 환자 중 50%가 집에 머물기를 원하였고 이러한 환자는 적극적인 치료의 대상으로 판단되었다. 국제실금학회에서 보고한 유병률은 일반적으로 전 인구의 1.4-18%까지 확인되는 것으로 보고하고 있다. 이렇게 유병률에 차이가 나는 이유에 대하여 Kuehn은 자신의 증상에 대하여 솔직히 이야기하기를 꺼리고 그냥 지내는 환자가 많기 때문으로 설명했다.

Guise 등은 출산 후 여성에서의 변실금의 비율에 대한 조사를 시도하였다. 출산 후부터 3-6개월 기간까지 조사하였다. 이 연구 결과는 자연분만을 하거나 제왕절개를 한 환자가 3-6개월 이내에 변실금 증상이 나타나는 경우는 13-25%에 달하는 것으로 보고되었다. Melville은 30-90세 사이의 미국 여성 6,000명을 대상으로 조사한 결과 7.2%의 유병률을 보고하였다. Bharucha 등은 고령, 우울증, 요실금 동반유무, 기저질환이 있는 경우 혹은 출산 시 외과적 처치를 요하는 경우에서 변실금의 발생 확률이 높은 것으로 보고하였다.

Nygaard 등은 출산 후 30년 된 여성을 세 그룹으로 분류하여 조사한 바 있다. 자연분만으로 항문 괄약근의 손상이 있는 경우, 회음절개를 통하여 출산하였고 항문 괄약근의 손상이 없는 경우, 제왕절개로 분만한 경우로 나누었다. 세 그룹에서 가스실금의 발생 빈도는 30-40%로 유의한 차이가 없었다. 그러나 생활에 불편한 정도의 가스실금은 항문 괄약근의 손상이 있는 경우에서 58%로 높았다. 회음절개의 경우 30%, 제왕절개의 경우 15%였다. 그러나 불편한 정도의 변실금은 세 그룹 모두에서 20% 정도로 비슷하였다. 넬슨자료를 사용한 한 연구에 따르면 45세 이상 여성에서 1년에 한 번 이상 변실금의 증상을 겪는 경우가 20% 이상이었고 한 달에 한 번 이상 증상을 겪는 경우가 9.5%였다. 변실금 증상이 있으면서도 적극적으로 병원을 방문하지 않는 환자들의 경향을 고려한다면 조사에서 확인된 것보다 더 많이 변실금 증상을 가지고 있을 것으로 추정된다.

변실금에 의한 경제적 비용은 기하급수적으로 늘어날 것으로 보인다. 변실금에 의해 가장 불편한 것은 자신에게 배어 있는 불쾌하고 기분 나쁜 냄새이다. 또한 이러한 냄새는 실제 청결유지나 향수 등을 사용하여 어느 정도 해결되었다 하더라도 그 불안감을 떨치지 못한다. 또한 적절히 대처하지 못하면 여지없이 흘러내리는 변이나 점액과 같은 분비물 때문에 기저귀를 차야 하는 것도 큰 고충이다. 변실금 환자에서 발생할 수 있는 비용은 크게 3가지로 나눈다. 우선 직접 진단과 치료, 관리를 하기 위해 들어가는 의료비이다. 두 번째는 기저귀나 보조기구 등의 구입에 필요한 직접 관리비이다. 세 번째는 변실금으로 사회활동을 할 수 없어서 발생하는 생산력 감소에 따른 비용이다. Xiao 등은 2012년 변실금 환자 일 인당 연 4,110달러의 비용이 필요한 것으로 보고하였다. 의료비와 직접관리비가 각각 2,353달러와 209달러이고 생산력 감소에 따른 비용이 1,549달러로 보고하였다. 이 보고는 환자가 직접 작성한 자료를 바탕으로 한 보고서여서 정확성에 한계는 있으나 대략 변실금 환자 일인당 연간 4,000달러 정도의 경제적 비용이 발생한다고 추정할 수 있는 근거가 된다. 그러나 이러한 비용은 증상이 심한 환자에서 더 높아지게 된다.

변실금 환자의 치료나 관리에 들어가는 비용은 요실금 환자의 그것과 비슷하겠다. 그러나 요실금은 좀 더 젊은 나이에 오기도 하고 보다 효율적인 다양한 치료 방법들이 소개되면서 환자들은 의사에게 보다 적극적으로 자신의 증상을 이야기하는 경향이 있다. 또한 요실금은 변실금보다는 외과적 치료와 약물치료 등에 보다 순응하는 편이다. 초기단계의 변실금 환자는 음식과 배변조절, 괄약근 조임 운동이나 바이오피드백 치료와 같은 골반저 근육 강화를 위한 노력, 지사제나 장 운동조절 약물과 같은 보존적 치료에 순응하는 경향이 있다.

노인 인구가 증가하면서 필연적으로 변실금 환자는 증가하게 되어 있다. 우리는 변실금이 무엇이고 왜 생기는 것인지 치료는 어떠한 것이 있는지에 대하여 보다 폭넓게 대화하고 공론화해야 할 단계에 와 있다. 변실금에 대한 인식이 좀 더 보편화된다면 환자는 과거에 비하여 의사와 편하게 의논하여 증상의 악화도 예방하고 비용의 부담도 줄일 수 있겠다. 따라서 변실금의 실체에 대하여 대중에게 보다 널리 알리고 초기에 치료를 받을 수 있도록 하는 움직임과 노력이 필요하다.

References

1. Hoffmann BA, Timmcke AE, Gathright JB Jr, Hicks TC, Opelka FG, Beck DE. Fecal seepage and soiling: a problem of rectal sensation. Dis Colon Rectum. 1995;38:746-8.
2. Sultan AH, Kamm MA, Hudson CN, Thomas JM, Bartram CI. Anal-sphincter disruption during vaginal delivery. N Engl J Med 1993;329:1905-11.
3. Dudding, Thomas C, Vaizey, Carolynne J, Kamm, Michael A. Obstetric Anal Sphincter Injury: Incidence, Risk Factors, and Management. Annals of Surgery 2008;247: 224-37.
4. Christy E, Cauley, et al. A Quality-of-Life Comparison of Two Fecal Incontinence Phenotypes: Isolated Fecal Incontinence Versus Concurrent Fecal Incontinence with Constipation. Diseases of the colon & rectum volume 2019;62:63-70.
5. Nelson R, Norton N, Cautley E, Furner S. Community-based prevalence of anal incontinence. JAMA 1995:274:559-61.
6. Johanson JF, Lafferty J. Epidemiology of fecal incontinence: the silent affliction. Am J Gastroenterol. 1996;91:33-6.
7. Bridget M. Kuehn Silence Masks Prevalence of Fecal Incontinence. JAMA 2006;295:1362-3.
8. Guise JM, Morris C et al. Incidence of fecal incontinence after childbirth. Obst. Gyn 2007;109:281-8.
9. Merville JL, Fan MY, Newton K, Fenner D. Fecal incontinence in US women. A population-based study. Am J. Obst. Gyn 2005;193:2071-6.
10. Bharucha AE, Zinsmeister AR, Schleck CD, Melton LJ 3rd. Bowel disturbances are the most important risk factors for late onset fecal incontinence: a population-based case-control study in women. Gastroenterology. 2010;139:1559-66.
11. Nygaard IE, Rao SS, Dawson JD. Anal incontinence after anal sphincter disruption: a 30-year retrospective cohort study. Obstet Gynecol. 1997;89:896-901.
12. Nelson RL, Furner S. Jesudason V. Fecal incontinence in Wisconsin nursing home. Dis colon rectum 1998;41:1226-9.
13. Xu X, Menees SB, Zochowski MK, Fenner DE. Economic cost of fecal incontinence Des colon rectum 2012;55:586-98.
14. Sung VW, Washington B, Raker CA. Costs of ambulatory care related to female pelvic floor disorders in the United States Am J Obst. Gyn 2010;202:483.
15. Sung VW, Rogers ML, Myers DL et al. National trends and costs of surgical treatment for female fecal incontinence. Am J. Obstet. Gyn 2007;197:652.

CHAPTER

03

변실금의 증상과 분류

변실금은 증상에 따라 방귀를 못 참는 '가스실금(gas incontinence)', 소아나 고령의 거동장애 환자에서 빈발하는 '변지림(fecal soiling)', 자신도 모르게 슬금슬금 흘러내려 팬티를 버리는 '변 누출(fecal seepage)', 변기에 앉기도 전에 참지 못하고 흘러내리는 '급박변(fecal urgency)', 의지와 상관없이 참지 못하는 '변실금(fecal incontinence)' 등이 있다. 소변을 의지대로 참지 못하는 요실금과 함께 변실금은 나이가 들면서 많이 생기는 대표적인 질환 중 하나다. 요실금을 동반하거나 자궁 절제술을 시행한 환자에서 변실금 증상이 악화되는 경우가 많고 65세 이하의 나이에 변실금이 발생한 환자들은 더 답답하고 불편감을 느낀다.

Markland 등은 나이가 젊거나 요실금이 동반되어 있는 경우 삶의 질이 나빠진다고 보고하였다. 담낭 절제를 하는 경우 변실금 증상의 중등도에 영향을 미칠 수 있다고 주장하고 있으나 확실한 근거라고 할 만한 연구보고는 없다. 자궁 절제술은 확실히 변실금의 증상을 악화시키는 것으로 보인다. Meyer 등은 879명의 환자를 대상으로 65세 이상의 나이와 65세 미만 나이에 발생하는 변실금의 증상에 대하여 환자의 증상에 대한 스트레스, 삶의 질의 점수, 직장항문 생리검사를 비교 분석하였다. 286명은 65세 이상이었고 593명은 65세 미만이었다. 고형변에 대한 변실금은 65세 이상(83.2% 대 76.7%)에서 더 많았고 액상변(83.2% 대 82.8%)이나 변절박(76.9% 대 78.8%)은 두 그룹 사이에 차이가 없었다. 그러나 삶의 질 점수에서는 65세 미만의 그룹에서 더 큰 불편함을 호소하였다. 항문직장 생리검사에서 수축기 압력은 두 그룹 사이에 큰 차이가 없었지만 65세 미만에서 휴지기 압력이 높았고 괄약근 손상의 빈도도 높았다.

그렇다면 한번쯤 변을 못 참고 자신도 모르는 사이에 변이 흘러내렸다면 변실금인가? 변실금의 증상이 어쩌다 한번 생겼다고 하더라도 당황하거나 낙담할 필요는 없다. 대개 적극적인 치료의 대상이 되는 변실금이라 하면 최소한 짧은 기간에 수차례의 경험이 반복되어야 하고 이러한 증상이 상당기간 지속되며 치료를 하지 않으면 정상으로 회복되지 않는 경우를 의미한다. 변실금의 증상을 오랫동안 방치하게 되면 회복될 수 없는 상태까지 진행되기도 한다. 여기서는 우선 변실금의 증상을 크게 급박변(fecal urgency), 변 누출(fecal soiling), 변실금(fecal incontinence)으로 구분하여 설명한다. 또한 변실금의 심한 정도를 측정하는 방법, 변실금 점수를 계산하는 방법, 일상 생활을 영위하는데 어느 정도 불편한 것인지 객관적으로 알아볼 수 있는 삶의 질에 대한 평가 점수 등에 대하여 알아보기로 한다.

1. 급박변(Fecal Urgency)

65세 이상의 노인이라면 어쩌다 한번이라도 방귀를 뀌다 팬티가 젖는 경험을 하였을 수도 있을 것이다. 누구라도 설사를 하게 되면 오래 참지 못하고 화장실로 뛰어 가야 하는 상황을 경험했을 것이다. 급박변은 변이 마려운 때에 하던 일을 멈추고 바로 화장실로 달려가야 하는 느낌을 갖게 되는 경우를 말한다. 변이 급한 것은 위장관 질환을 가진 환자에서 나타나는 흔한 증상 중의 하나이다. 정상적인 배변 습관을 가진 건강한 사람에서도 물 설사를 하는 경우라면 얼마든지 경험할 수 있다. 그러나 반복적으로 자주 이러한 증상이 나타나는 것은 문제이다. 화장실을 갈 때까지 변이 급박하여 안절부절 불편하긴 하지만 그나마 변의 조절이 가능한 경우라면 변실금의 초기 증상이거나 일시적으로 발생할 수 있는 정상적인 증상일 수도 있다.

Rangan 등은 4,676명을 대상으로 급박변의 유병률과 이 증상의 위험요소를 연구하여 보고하였다. 조사 대상의 약 3.3%가 급박변의 증상을 느낀 적이 있으며 이들의 29.5%에서는 급박변이 설사와 연관되었다고 하였다. 거꾸로 설사를 한 사람의 14.8%가 급박변을 경험하였으며 설사를 하지 않은 사람의 3.1%에서 급박변을 경험했다고 보고하였다. 다변량 분석에서 노인, 여성, 빈곤층, 요실금 환자, 설사, 화장실을 자주 가는 경우가 급박변과 연관이 있는 것으로 관찰되었다.

Singh 등은 급박변은 변비를 동반하거나 불안감이 심한 환자에서 발생 빈도가 높다고 하였다. 139명의 변비환자에서 조사한 이 연구에서 변비환자의 70.8%에서 최근 3개월 안에 급박변을 경험하였고 25.8%에서는 급박변 때문에 불편감을 느낀 것을 관찰하였다. 중등도 이상의 급박변은 27%에서 관찰되었다. 변비환자에서 설사와 불안감은 각각 독립변수로 급박변을 증가시키는 요인으로 판단되었다. Sugiyama 등은 소화기 질환의 증상에 영향을 미치는 연구에서 당뇨와 당뇨연관 요인들이 변비, 딱딱한 변, 급박변이나 불완전한 변의 배출 등에 영향을 미친다고 보고하였다. 당조절이 잘되지 않거나 당뇨를 겪은 기간이 오래된 경우, 마른 환자나 신장이 나쁜 경우에 소화기 질환이 더 잘 오는 것으로 결론지었다.

급박변은 전 인구의 18%에서 경험하는 것으로 알려져 있고 72%의 환자에서는 설사와 연관이 있다고 한다. 과민성 장증후군 환자에서 일반인보다 발생 빈도가 높은 것으로 보고된다. 설사형 과민성 장증후군 환자에서 좀 더 불편함을 느끼는데, 직장이 과민하다면 정상 변이나 고형변에서도 이러한 증상이 나타날 수 있다. 이에 대한 정확한 병리는 알려져 있지 않으나 많은 부분은 직장의 저장 능력과 연관이 있을 것이라고 추정하고 있다. 직장에 변이 과도하게 저장되면 참지 못한다는 것이다. 이러한 부분에는 환자의 심리적인 요인도 작용한다고 볼 수 있다.

Basilisco 등은 과민성 장증후군 환자에서 급박변으로 인해 언제든 배가 아플 수 있다는 심리적 불안감이 있어 증상이 좀 더 심해질 수 있다고 하였다. 직장의 과민성 변화로 변의 무게에 대한 민감한 느낌, 직장의 장애, 변에 의한 과도한 직장의 팽만, 직장의 유순도(rectal compliance)의 감소 등이 직장의 저장 능력을 떨어뜨리고 민감도를 증가시킨다고 설명하였다. 그는 17명의 건강한 대조군과 28명의 과민성 장증후군 환자를 대상으로 대장통과시간, 변의 성상과 배변 시 증상, 직장의 유순도와 민감도, 심리 검사, 직장 수축 등을 조사하여 검사 가능한 요인의 수치적인 분석을 시도하였다. 급박변은 대장통과 시간 감소, 직장의 민감도 증가, 직장의 유순도 감소와 심리적 불안감 등과 연관이 있다고 보고하였다. Heaton 등은 변의 성상이 묽은 사람에게서 4배나 더 많이 급박변을 느낀다 하였고 O'donell 등은 빠른 대장통과시간이 변의 성상을 굳게 하기에 충분하지 못하여 묽은 변이 형성되는데 영향을 미친다고 설명하였다.

평소에 직장의 전방 벽은 항문의 3-4 cm 상부에서 90도 각도로 꺾여 항문을 누르고 있다. 직장은 변이 내려오면 통상 300 mL 정도 변을 압력의 변화 없이 담아둘 수 있는데 이를 직장의 저장 능력으로 본다. 변을 볼 때면 직장과 항문의 각도는 110도에서 130도 정도로 펴지면서 변이 통과하게 해준다. 항문의 내괄약근과 직장의 내근층(circular muscle layer)은 직접 연결되어 있다. 이 내괄약근은 평소 휴지기 압력의 50-80%를 차지한다. 내괄약근에는 장관 신경이 분포하여 직장으로 변이 내려오면 일시적으로 이완되었다가 수축되는 현상을 관찰할 수 있는데 이를 직장항문 억제반사(rectoanal inhibitory reflex)라고 하며 이는 변을 참을 수 있는 메커니즘 중의 하나이다. 항문직장 경계부위의 감각신경과 직장항문 억제반사는 가스와 설사를 구분해서 배출하거나 참을 수 있게 한다. 이러한 신경과 반사의 기능이 노인이 되어 퇴행성 변화를 일으키면 참아야 할 설사를 가스라고 생각해서 배출하는 불상사가 생긴다.

급박변의 증상은 과민성 장증후군과 염증성 장질환 환자에서 관찰할 수 있으며 하부 직장암을 수술하거나 골반의 방사선 치료를 받아 방사선 직장염이 생긴 경우도 급박변의 증상이 나타날 수 있다. 급박변의 가장 많은 원인은 예민한 장을 가진 환자에서 설사를 하게 되는 경우이다.

그림 3-1. **화장실을 참지 못하고 가는 모습**. 급박변이 있는 사람의 경우 변을 참기가 힘들며 화장 실에 도착 전까지 변을 참지 못하여서 변이 나오는 경우 도 있다

1) 과민성 장증후군 (Irritable bowel syndrome)

로마 기준(Rome Criteria)에 따르면 과민성 장증후군은 반복되는 복통과 비정상적인 배변이 발생하는 것으로 변비나 설사가 단독으로 나타나거나 변비와 설사를 번갈아 가면서 또는 변비나 설사의 어느 한 쪽을 더 많이 호소하기도 한다. 과민성 장증후군은 염증성 장질환과는 구분되어야 하는데 염증성 장질환은 과민성 장증

후군의 증상과 같은 양상을 나타내지만 장에 염증이나 궤양 혹은 다른 형태의 손상을 동반하는 것에서 다르다. 과민성 장증후군은 기능적인 문제이다.

생리학적인 기전을 살펴보면 왜 이러한 기능적인 문제점이 생기는지에 대하여 확실하게 규명되어 있지는 않다. 많은 과학자들이 수많은 연구를 통해 복통과 장의 운동성에서 과민성 장증후군의 원인을 찾아보기 위하여 노력하여 왔으나 여전히 명확하지는 않다. 장의 감각신경 말단부위에서 비정상적으로 자극에 대한 과도한 반응을 나타내게 된다.

정상적인 장의 운동을 방해하는 인자에서도 명확하게 밝혀진 것은 없으나 락토즈(lactose)나 프락토즈(fructose) 등과 같은 단쇄 탄수화물(short chain carbohydrate) 등을 섭취하는 것이 장의 운동성에 영향을 주어 증상을 나타낸다는 보고가 있다. 어떤 사람에서는 이러한 종류의 단쇄 탄수화물의 흡수에 장애를 나타낸다. 단쇄 탄수화물은 장에서 흡수가 되지 않아 삼투압의 차이로 인하여 장의 수분을 잡아당겨 장관 내 변을 묽게 하다. 이로 인해 변의 양이 늘어나 장을 팽창시키고 장의 감각수용체에 과도한 반응을 일으켜 통증을 유발하고 장의 평활근의 경련을 일으켜 설사를 유발하는 악순환이 지속되어 증상이 나타나는 것이다. 흡수되지 않는 탄수화물은 장내 세균과의 대사반응으로 가스를 발생시켜 복부의 가스팽만을 유발하고 더 심한 경련, 팽창, 부글거림과 함께 복통을 나타나게 한다.

과민성 장증후군은 북미에서는 중년의 여성에서 많이 발생하는 것으로 알려져 있지만 우리나라에서는 남녀에 공히 비슷한 비율로 발생하고 있다. 최근 들어 식생활 습관이나 스트레스의 영향으로 그 발생비율이 증가하고 있다고 보고된다. 과민성 장증후군의 위험인자를 살펴보면 노로바이러스나 로타바이러스 등과 같은 바이러스를 들 수 있다. 이들 바이러스로 인한 장염의 발생이나 스트레스 등이 증상을 악화시킨다.

과민성 장증후군의 치료를 살펴보면 가장 기본적이고도 중요한 것은 역시 음식조절이다. 우리가 할 수 있는 가장 유용한 방법은 자신에게 증상을 나타나게 하는 음식을 파악하여 이러한 음식섭취를 피하는 것이다. 일반적으로 사과나 땅콩, 콜리플라워와 같은 음식들은 단쇄 탄수화물을 많이 포함하고 있는 것으로 알려져 있어 피하는 것이 좋다. 변비가 있는 사람은 팽창성 하제나 배변유연제 혹은 삼투성 완화제를 복용하는 것이 도움이 된다. 장의 경련이나 통증을 심하게 호소하는 사람의 경우라면 세로토닌 길항제(serotonin antagonist)와 같은 지사제나 항무스카린 약제(antimuscarinic agent)들이 도움이 될 수 있다. 스트레스나 불안 우울증은 증상을 악화시키는 요인이 될 수 있으므로 이러한 증상은 전문가의 도움을 통하여 적절히 조절하는 것이 중요하다.

최근 글루텐(gluten)이 없는 식품이 막연하게 일종의 건강식품처럼 각광받는 분위기다. 글루텐은 밀, 보리, 귀리 등에 들어 있는 글루테닌(glutenin)과 글리아딘(gliadin)이 결합하여 형성되는 성분으로, 물에 녹지 않는 성질을 갖는 불용성 단백질이다. 일반인들이 밀가루 음식 섭취가 건강을 해치고, 비만을 유발한다는 이유로 글루텐이 없는 식품을 선호하는 경향이 있는데 이는 잘못된 지식이다.

글루텐 프리 식품이 꼭 필요한 대상은 셀리악병(celiac disease)이나 글루텐 알러지 등 글루텐에 대하여 과민반응이 있는 사람들인데, 마치 이러한 음식이 건강개선을 위한 것이 아님에도 불구하고 유행과 같이 글루텐 프리 식품을 찾는 경향이 있다. 그러나 글루텐 프리 식품은 글루텐 소화불능 환자를 위한 필수 식품이기 때문에 의사와 상담하기 전 글루텐을 피하는 건 현명하지 못하다. 글루텐 관련 증상이 전혀 없는 사람들이 글루텐 프리 식품을 선택하는 것은 별다른 유익이 없이 비용만 지출하는 모양이 된다.

2) 염증성 장질환 (Inflammatory bowel disease)

염증성 장질환은 크론병과 궤양성 대장염을 이야기한다. 염증성 장질환은 서서히 발생하여 오랫동안 진행되거나 증상의 악화와 호전을 반복하며 사람의 삶을 황폐화시키는 경향이 있고 때로는 심각한 합병증으로 생명을 위협하기도 한다. 크론병은 주로 소장의 회장에서 염증이 발생하여 회맹부를 침범하면서 병이 진행되는데 그 합병증으로 회장의 암과 회맹부의 협착이나 염증에 의한 농양, 누공형성, 임파선염 등을 일으킨다. 때로는 천공이 생기기도 한다.

궤양성 대장염의 치명적인 합병증은 염증의 진행에 의한 독성장염(toxic megacolon)으로 생기는 장천공, 다량의 출혈과 직장암의 발생 등이다. 직장에서 시작된 궤양성 대장염은 만성 염증성 질환으로서 사람의 면역계가 제대로 작동을 하지 않으면서 시작된다. 염증이 진행되면 점막이 파괴되고 출혈과 분비물, 점액 분출과 염증액이 분비되고 복통과 경련, 설사, 점액 변 등이 생기게 된다. 화장실을 들락거리게 되고 잦은 변과 조절되지 않는 설사를 반복하게 된다. 열이 나거나 쇠약감을 느끼게 되며 체중이 감소하고 탈수가 되어 힘들어 한다.

궤양성 대장염 진단에 이학적 검사와 함께 혈액검사 배변검사가 도움이 되나 가장 중요한 진단 수단은 대장내시경이다(그림 3-2). 궤양성 대장염은 과거 치료하기가 어려웠으나 최근 좋은 약들이 많이 개발되면서 병증을 완화시키고 증상을 안정시켜 정상적인 생활을 유지하는 것이 가능해지고 있다.

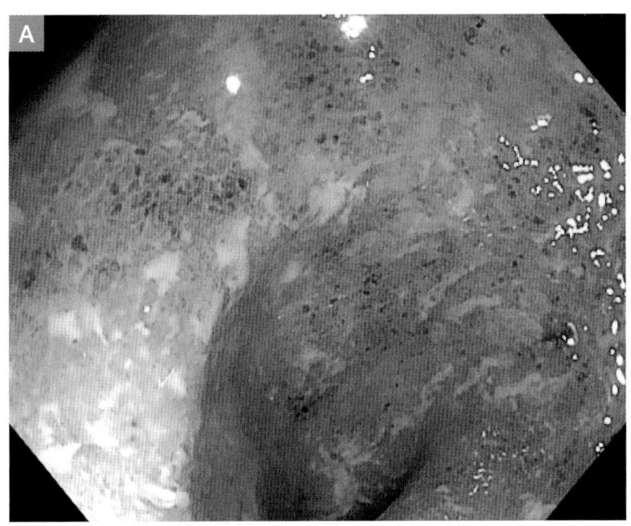

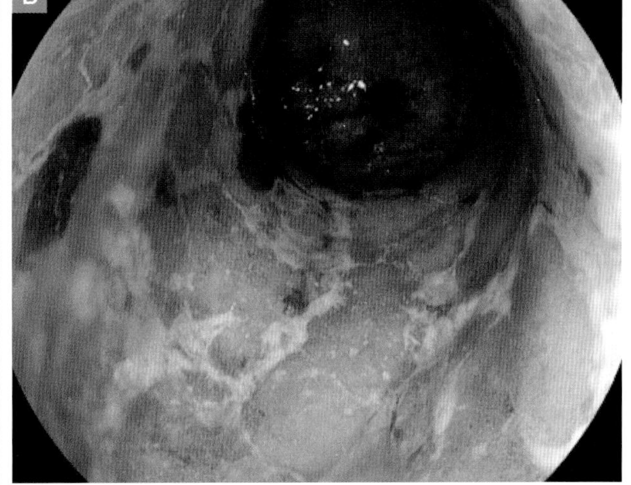

그림 3-2. **궤양성 대장염 환자의 내시경 사진**

궤양성 대장염 환자는 대장의 수분과 염분의 흡수능력이 떨어지고 이에 따라 환자의 주 증상으로 혈변과 설사, 복통 및 체중 감소 등이 발생하게 된다. 잦은 설사는 항문주위 피부의 변화와 트러블을 발생시키게 되며, 연고나 좌욕 혹은 반신욕 등을 통해 증상의 개선을 기대할 수 있다. 통증이 발생하여 이부프로펜(ibuprofen)이나 나프록센(naproxen)과 같은 NASID계 진통제를 사용할 경우 또 다른 문제를 유발할 수 있어 전문의와 상담을 필요로 한다. 궤양성 대장염이 악화되면 식욕이 떨어지기 때문에 영양 보충이 필요하다. 이때 지방이 많거나 기름 진 음식은 피하는 것이 좋고 과일이나 채소를 날것으로 먹을 때는 껍질을 벗기거나 살짝 데쳐 먹는 것이 좋다. 가급적 칼로리는 충분히 하되 음식량은 줄여서 소화된 음식이나 분변의 양이 많지 않게 유지하는 것이 좋고 체중 감소가 발생하면 담당의사와 상의하여 칼로리가 보충된 음료를 섭취하는 것이 좋다.

궤양성 대장염 환자가 많은 유럽이나 북미, 특히 영국에서는 환자가 갑자기 화장실을 뛰어 가야 할 상황이 발생할 경우를 대비하여 가까운 화장실이 어디에 있는지를 알 수 있는 앱이 개발되어 있기도 하다. 환자는 항상 부드러운 티슈나 기저귀, 여분의 팬티, 연고 등을 소지하고 다니는 것이 좋다. 직장의 염증이 심화되어 증상이 악화되면 약을 바꾸거나 치료 방법을 달리해야 하는 경우가 생긴다. 물론 이러한 때는 담당의사와 긴밀히 상담해야 하겠지만 대개 스테로이드나 "5-ASA"제제의 좌약을 사용하기도 한다. 때로는 면역조절제나 최근에 등장한 생물학적 제제를 사용하기도 한다. 염증이 심하지 않을 때도 설사를 하는 경우가 있는데 이런 환자는 지사제를 적절히 사용하여 조절 할 수 있다. 이와 같은 약들은 대개 의사의 처방을 받아야 한다.

궤양성 대장염으로 인한 변 누출이나 급박변의 증상이 있는 환자들은 동료나 직장상사 혹은 친구나 가족에 이르기까지도 지인들과의 대화에 소극적이고 스스로 격리되는 경향이 있다. 이러한 부분은 본인의 의사와 상관없이 강박이나 공황장애, 우울증 등으로 진행되기 때문에 가족들과 지인의 세심한 배려가 필요하다. 오히려 이러한 증상을 편하게 이야기하고 친한 사람들의 협조와 공감을 통하여 이해를 구하는 것이 스트레스를 줄이고 병증을 회복하는데 도움이 된다.

궤양성 대장염 환자는 술을 멀리해야 한다. 술은 염증이나 궤양을 악화시킨다. 술을 마시지 못한다고 친구들과 멀리할 필요는 없고 카페인이 없는 커피나 음료를 마시는 것이 좋다. 일상적이고 가벼운 운동은 스트레스나 설사를 줄일 수 있고 소화를 돕는다. 일주일에 최소한 3회씩 30분 정도 걷는 것을 추천한다. 이러한 활동이 뼈를 튼튼히 하고 궤양성 대장염으로 발생할 수 있는 골다공증 등으로 인한 골절 등을 예방하는데 도움이 될 수 있다. 열감이 있거나 복통, 설사가 심해지고 변에 피가 섞이거나 선혈이 있는 등 항문 출혈의 증상이나 혈전이 생기게 되면 지체 없이 병원을 찾아서 전문가의 도움을 요청해야 한다.

3) 직장 절제증후군 (Low anterior resection syndrome)

하부 직장의 저위전방절제수술 이후에 생기는 여러가지 증상을 저위 전방절제후 증후군 혹은 직장절제증후군이라 표현할 수 있겠다. 직장 절제증후군의 증상은 변을 자주 보거나 변이 마려우면 화장실을 달려가야 하는 급박변, 짧은 시간에 수차례 변을 보게 되는 잦은 변, 변실금 등이 있다. 하루 정도 변을 보지 않다가 다음날 하루 종일 쉴 새 없이 화장실을 들락거려야 하고, 가스의 배출이 많아지는 등의 특징적인 증상을 호소한다. 국제질병분류를 살펴보면 이러한 증상들은 소화기관의 수술 후에 생기는 설사로 구분하고 있다. 직장암 수술 후의 설사나 급박변은 직장 절제증후군으로 이 범주에 속한다.

직장 절제증후군에 대한 개념은 직장암 수술을 하는 대장항문 수술 전문의조차도 그저 수술 후에 생기는 증상이니 2년 정도 지나면 좋아질 것이라는 막연한 생각을 가지고 있다. 그러나 직장 절제증후군 환자는 하루 종일 전해오는 변 마려움의 느낌에 쉴 새 없이 화장실을 들락거려야 한다. 이런 환자의 고통의 실제는 우리가 막연히 생각하는 것보다 훨씬 심각하다. 잦은 배변으로 항문 주위 피부의 트러블, 소양증 및 통증과 더불어 흘러내리는 변에 대한 조절이 되지 않아 결국 영구 장루를 선택하는 경우도 간혹 볼 수 있다.

수술 기술 및 수술 도구의 발전으로 이전에는 항문을 살리지 못하였던 하부 직장암도 최근에는 항문 괄약근을 살릴 수 있게 되었다. 이러한 기술의 발전으로 암환자의 생존율이 증가되고, 직장암에서 항문을 살리는 비율도 높아졌지만 수술 및 방사선 치료로 발생한 해부학적, 신경생리적 변화로 인해 급박변을 비롯한 변실금 증상의 발생 비율은 더욱 높아지고 그 정도가 심해졌다.

직장 절제증후군의 원인으로는 여러 가지 요소가 복합적으로 작용한다. 수술 후에 대부분의 직장이 사라지므로 변의 대장 통과시간이 짧아진다. 수술 자체가 생리학적인 브레이크를 없애는 결과를 초래한다. 또한 수술하면서 직장에 분지하는 신경들이 손상되므로 장의 운동성에 변화가 발생하게 된다. 이로 인해서 이전보다 묽은 변 혹은 설사 형태의 변이 항문에 도달하게 된다. 직장을 제거하고 그 자리를 대신하는 하부 결장은 직장에 비해서 얇고 수술로 인해서 직장을 지지 해주던 직장 간막과 측방 인대 등 주위 구조물도 제거된 상태이다. 따라서 이전에 비해서 저장 능력이 떨어지고 압력에 따라서 팽창하는 정도인 유순도(compliance)도 감소하게 된다. 이전보다 많은 양의 변을 저장하지 못하고 적은 양의 변에서 발생하는 압력도 참지 못해서 쉽게 변의를 느낀다. 또한 수술 과정에서 항문 괄약근의 손상이 발생하기도 한다. 이는 휴지기 및 수축기 압력 감소를 일으킨다. 이러한 기전들이 복합적으로 작용해서 급박변, 변실금, 잦은 배변 등의 직장절제증후군 증상이 생긴다.

직장 절제증후군을 해결하기 위해서는 환자에 대한 자세한 병력 청취 및 이학적 검사 항문직장 생리 기능검사를 통해서 정확한 상태 파악이 필요하다. 그리고 환자의 식습관 조절 배변 습관 조절, 골반근육 강화운동 및 약물 치료 등 보존적인 치료로 증상 완화를 기대 할 수 있다. 여러 가지 보존적인 치료로 해결 되지 않는 직장 절제증후군 환자에서 외과적 수술이나 천수신경 조절술 등도 고려해 볼 수 있다. 이는 뒤에서 다시 한번 자세하게 설명하기로 한다.

4) 방사선 직장염(Radiation proctitis)

방사선 직장염은 직장이나 골반에 직접적인 방사선의 영향으로 생기는 직장과 하부 결장의 염증이다. 방사선 치료는 여성의 경우 자궁암이나 진행된 자궁 부속기 암에서, 남성의 경우 전립선암에서 시행하는 수가 많다. 특히, 직장암에서 수술 전 암의 크기를 줄이거나 암세포의 사멸을 목표로 시행하기도 하며 진행 암에서는 수술 후 잔여 암의 치료나 국소 재발의 확률을 낮추기 위하여 시행한다. 방사선 치료의 기법이 과거와 달리 목표로 하는 부위에 집중하여 치료를 시도하지만 제일 손상을 많이 받는 부위는 직장이고 직장의 점막 손상은 여러 가지 증상을 발현한다.

대개 방사선 치료 후 2–3주 안에 치료에 의한 직장염의 증상이 발생한다. 설사와 급박변, 통증이나 뒤가 무직한 느낌과 같은 증상이다. 이러한 급성 증상들은 특별한 치료를 하지 않아도 2–3개월이 지나면 저절로 완화되고 정상으로 돌아오게 된다. 급성기에 발생하는 방사선 직장염 증상은 부탄산 관장(butyrate enema)으로 완화 시킬 수 있다. 만성적이고 지속적으로 직장염이 진행되면서 점점 증상이 악화되는 경우를 간혹 볼 수 있다(그림 3-3).

방사선 직장염이 있는 환자에서 치질이 발생하여 치질 수술을 하게 되면 잘 낫지 않고 오히려 출혈이 지속되거나 협착이 발생하기도 한다. 상처 치유가 잘 되지 않기 때문이다. 염증이 지속되는 것을 방치할 경우 출혈, 빈혈, 궤양, 누공이나 천공 등의 합병증이 발생할 수 있다. S결장과 직장 그리고 항문의 직상방에 존재하는 감각수용체는 변이 마려운 것을 느끼고 그에 따른 반응을 초래하는데 이러한 부분의 정상적인 기능이 장애를 일으킬 수 있다. 또한 방사선의 직접적인 영향으로 내괄약근이 약화되고 직장과 괄약근의 섬유화 반응을 일으켜 결국 직장의 저장 능력을 떨어뜨린다. 이러한 결과는 직장의 유순도를 떨어뜨리고 과민반응을 일으켜서 변을 잘 참지 못하게 하거나 자신도 모르게 변이 흐르는 현상을 초래하게 된다.

최근에는 방사선 치료 장비의 발달과 치료 방법의 개선으로 방사선 직장염은 생각보다 심하지 않고 대개 몇 달 안에 회복된다. 때로 염증이 지속되더라도 경도의 직장염에 의한 증상은 환자가 견딜 만하고 5–ASA나 메트로니다졸을 복용하거나 직장 삽입용 스테로이드 좌약이나 수크랄페이트, 5–ASA 좌제 등을 사용하여 증상을 관해 및 유지하면서 지낼 수 있게 되었다. 직장염이 지속되는 경우 보조영양 요법으로는 오메가 3, 프로바이오

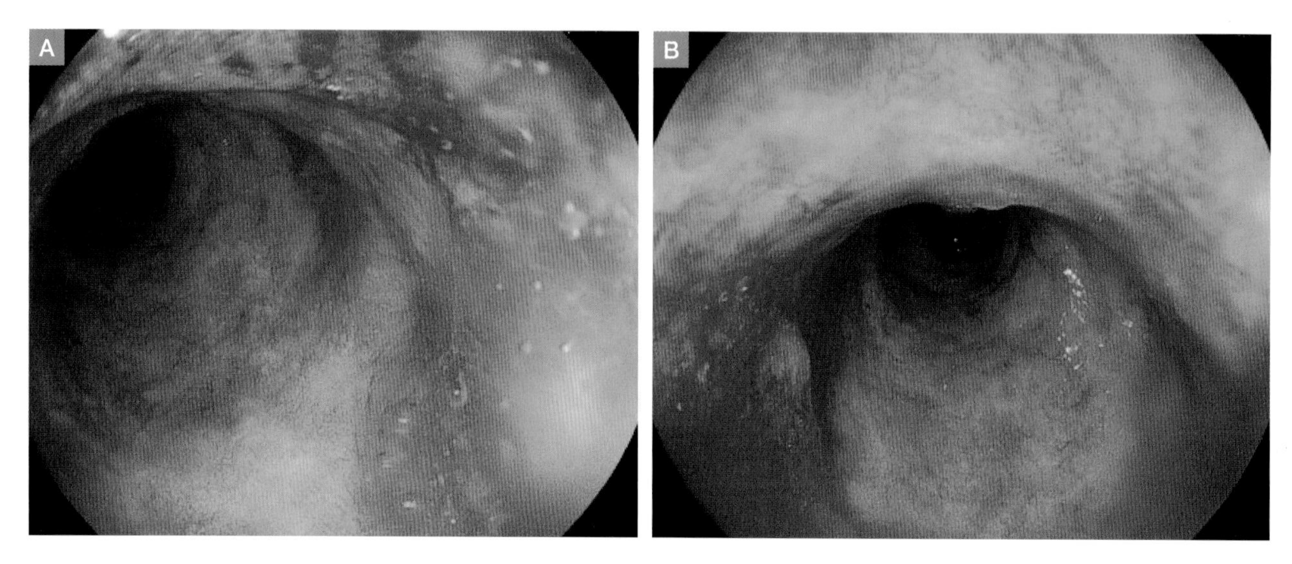

그림 3–3. 72세 여자 환자 20년전 자궁 절제술 후 방사선 치료 시행 받음. 직장에 stenosis stiffness 소견 보임. 환자는 항문 협착소견 보이면서 변보기 힘들어하면서 변실금 소견도 같이 호소함.

틱스, 비타민 C, 비타민 E 등을 권유한다. 출혈이 있을 경우 아르곤 플라스마(argon plasma coagulation)를 이용하여 지혈하는 것이 효과적이다.

5) 그 외에 급박변을 초래할 수 있는 상황들

그 이외에 급박변을 초래할 수 있는 상황은 직장항문 괄약근 주위의 손상, 직장이나 항문 혹은 항문 주위의 자극이나 염증 등이 있다. 척수 손상으로 급박 변실금이 올 수 있다. 두부 손상이나 뇌졸중 혹은 혼수상태에 빠지면서 뇌의 상태가 나빠지는 경우, 치매환자 등에서 발생할 수 있다.

항생제는 그 자체로 설사를 하게 하는 경향을 가진 약제들이 많다. 또한 항생제를 장기 복용하면 장내 세균의 성장에 영향을 주어 장에 염증을 일으키거나 때론 위막 장염을 일으켜 사람을 위중한 상태에 빠지게 할 수도 있다.

음식물 알레르기도 유의해야 할 요인이다. 날 것을 먹거나 해산물을 먹으면 설사를 하는 사람들이 있다. 땅

급박변과 유사한 증상의 아침 설사

전날 술이라도 좀 마셨다 싶으면 배가 아파 잠을 깨 화장실을 달려가거나, 아침에 찬 물을 마시거나 밥을 먹고 나면 변이 마렵고 배가 아파 화장실을 가야 하는 경험은 누구라도 한번쯤 있을 것이다. 그러나 이러한 증상이 일 회에 끝나지 않고 상당기간 반복되거나 시간이 지나면서 악화가 된다면 병증이 더 심해지기 전에 자신의 증상을 체크하고 교정하는 노력을 기울이는 것이 필요하다. 이러한 증상을 아침 설사라고 하는데 이것도 급박변과 유사하기는 하지만 엄연히 구분된다. 우선 아침 설사에 영향을 미치는 요인들을 살펴보자.

술과 담배는 당연히 배 아픈 아침 설사에 최대의 적이다. 니코틴은 묽은 변을 유도한다. 변을 마렵게 하고 상부 위장관에서 운동을 방해하지만 전체적인 장의 통과시간을 빨리 하고 직장에서 변의 통과를 빠르게 한다. 잠자리에 들기 전이나 일어나자 마자 담배를 입에 무는 것은 변을 마렵게 하는 요인이 된다. 밤에 자기 전에 술을 너무 많이 마시면 반드시 아침에 설사를 하는 사람들이 많다. 설사에는 알코올이 뒤섞인 특유의 고약한 냄새가 난다. 변 습관이 불규칙하거나 직장에 변이 차도 배출에 어려움이 있는 출구폐쇄 변비가 있는 사람은 심한 복통을 일으키기도 한다. 이는 배출을 해야 하는데 어려움이 있어 직장 상부의 가스와 변에 의한 팽만이 발생하기 때문이다. 카페인도 장 운동을 증가시키고 이뇨작용도 한다. 따라서 커피를 너무 많이 마시면 소변을 자주 봐야 하거나 화장실 가는 빈도가 증가하게 된다. 아침에 식사를 너무 과도하게 하는 것도 아침 설사의 원인이 된다. 위에 음식이 너무 많이 들어가게 되면 복강 내 압력의 증가로 변 마려움을 느끼게 된다. 직장이나 S결장에 변이 꽉 차 있는 상태에서 음식을 과하게 섭취하면 빨리 변을 밀어내라고 재촉하는 것 같은 효과를 가진다.

임신을 하는 경우도 호르몬 수치의 변화로 인하여 혹은 골반내 압력의 변화에 의하여 소변이나 대변을 보기 위해 아침 일찍 잠을 깨는 경우가 있다. 스트레스는 모든 면에서 좋지 않으며 자율신경계의 변화를 일으켜 배변 장애를 일으킨다. 수분 공급이 부족하여 탈수가 되면 전해질의 균형이 깨지게 된다. 이러한 경우 장 점막의 전해질 불균형을 가져오고 장 근육의 수축을 가져와서 복통과 배변의 장애를 가져오게 된다. 설사 우세형 과민성 장증후군의 경우 아침에 설사를 하게 되는데 이러한 경우 약물치료에 잘 듣기도 하여 가급적 조기에 전문가의 도움으로 치료를 하는 것이 좋다.

콩이나 달걀 과일 혹은 보리 및 유제품에 많이 민감한 사람들이 있다. 자신의 음식 습관에 대해 일지를 적고 관찰하여 자신에게 맞지 않는 음식을 가리는 습관을 길러보면 도움이 된다. 심리적인 스트레스와 특별한 음식을 피하는 것 만으로도 증상의 호전을 가져올 수 있어 개인의 각별한 노력이 필요하다. 우울증이나 공황장애 등의 증상이 있을 때 배변 장애나 불편감을 악화시키는 경향이 있다.

2. 변 누출(Fecal Seepage)

변 누출은 노인성 변실금의 대표적인 증상으로 수동적 변실금의 경미한 정도라고 표현할 수 있겠다. 소아에서 혹은 고령의 환자에서 관찰할 수 있는 배출 장애와 동반하여 발생하는 변지림(fecal soiling) 현상이나 변 누출은 범람형 변실금(overflow incontinence)의 형태로 나타난다. 고령의 환자, 특히 척추 질환이나 수술, 파킨슨병이나 뇌병변 등으로 거동이 불편하거나 전신상태가 나쁜 환자에서 발생하는 변 누출은 환자는 물론 보호자도 힘들게 한다.

변 누출은 외상 후 스트레스나 성장발달 지연아, 치매환자에서 종종 볼 수 있다. 대변을 만지는 행동 등은 치매환자의 약 10%에서 나타낼 수 있는 특징적인 증상이다. 치매환자의 인지기능저하가 직접적인 원인이다. 기저귀를 제때 갈아주지 않는 경우 스스로 몸을 깨끗이 하려는 행동으로 파악된다. 변이 엉덩이에 묻어 있으면 찜찜하고 가려워 자연히 그 부위를 긁다가 자신의 손에 변을 묻히기도 한다. 특히 치매환자는 분노의 표현이나 자신의 신체에 자해를 가하는 수동적 공격성의 형태를 나타내는 경우도 있다.

유분증(encopresis)은 과거에 유뇨증(enuresis)에서 유래되어 온 용어로 통상 사회적으로 허용되지 않는, 예를 들면 옷을 입고 있는 상황에서 변을 보는 것을 의미한다. 기질적인 병변이 없는 상태에서 수동적으로 혹은 의도적으로 변을 가리지 못하고 팬티에 변을 묻히는 경우를 의미한다. 학동기 소아의 1–3%에서 발생한다. 대개 4세 이후에 변을 가려야 하는 시기임에도 불구하고 증상이 발현되어 병원을 찾는 수가 많다.

그러나 잠재적인 요인은 대개 출생 후 2년 정도 시기에 시작된다. 여러 가지 요인으로 24개월 경부터 팬티에 변을 묻히기도 하는데 이를 쉽게 생각하고 방치하는 경우가 많다. 심리적인 소외감이 원인이 되는 수가 있어 자아가 채 형성되기 전에 동생이 태어나는 아이들에게서 많이 나타난다. 맞벌이하는 집안에서 어린이 집에 맡겨지거나 할머니나 보모가 아이를 키우고 어머니의 따뜻한 사랑과 보살핌을 받지 못한다고 생각하는 아이 들에서 종종 볼 수 있다. 여러 가지를 판단하여 치료에 반영해야 하며, 가족들의 사랑과 따뜻한 보살핌으로 짧은 시간에 배변 교육을 통하여 낫게 하는 수가 있다.

소아에서 자주 발생하는 변지림 혹은 유분증은 부모의 아이에 대한 각별한 사랑과 관심이 치료에 도움이 된다. 어릴 적 시작했던 배변 훈련을 다시 시작함으로써 교정할 수 있다. 그러나 치료를 하기 전에 반드시 대장이나 직장항문의 기능검사를 시행하여 기질적인 병변이 존재하는지 확인해야 한다. 변지림 증상이 심한 소아에서는 바이오피드백 치료가 다른 약물이나 식이 요법 보다 좋은 결과를 나타낸다. 치료에 적응하지 못하는 아이의 경우 식이 및 배변 습관의 교정을 가족이 긴밀하게 협동하여 진행할 필요가 있고 행동치료, 심리 상담, 바이오피드백 치료 및 약물요법을 병행하여 증상의 호전을 기대할 수 있다. 아이를 나무라거나 심리적인 압박을 가하면 오히려 증상을 악화시키는 수가 있다.

3. 변실금(Fecal Incontinence)

변실금은 여러가지 다양한 원인에 의하여 나타나는 증상이다. 변을 참아야 하는 순간에 변을 참지 못하고 팬티에 흘려버리는 것은 대단히 난처한 현상이다. 이러한 변실금의 증상은 사람의 자존감을 떨어뜨릴 뿐만 아니라 삶의 질에도 영향을 미친다. 이에 따른 심리적 공황을 초래하고 스스로 격리되거나 이를 해결하기 위하여 상당한 비용을 치러야 한다. 많은 원인들 중에 환자에게 어떤 요인들이 변실금의 증상을 나타나게 했는지를 살펴야 하고 그에 따른 적절한 치료 방침을 세워야 한다. 원인을 파악하기 위한 여러 장치나 장비를 완벽하게 갖추기에는 많은 투자가 필요하다. 우리나라에는 2021년 현재 현실적으로 아직 변실금에 대한 적절한 급여제도가 확정되어 있지 않다. 따라서 진단과 치료에 대한 적절한 보상이 이루어지지 않고 있어 의사도 환자도 어려움을 겪고 있다.

변실금의 원인에 따른 맞춤형 치료가 진행되어야 하고 서구에서는 오래 전부터 이를 위한 많은 연구가 지속되어 왔고 또한 많은 자료가 쌓여 있다. 그럼에도 불구하고 여전히 생리적인 문제점이나 해부학적인 문제점에 대한 교정에 명확히 반응하지 않는 다양하고 복합적인 원인 때문에 한 가지 특별한 방법으로 변실금의 증상이 해결되지 않는 어려움이 있다. 이러한 상황에서, 어떤 치료 방법을 선택했을 때 기대되는 결과가 미흡하거나 원하는 성과를 얻지 못하는 경우에 환자가 더 좌절하거나 치료를 포기하는 현상을 경험하게 되는 것은 의사로서 매우 부담이 되는 일이다

변실금의 치료에 대한 결과를 명확하게 수치로 측정하는 것에도 많은 어려움이 있다. 수치를 통하여 변실금 증상의 정도와 치료에 대한 결과를 판단하는데 사용되는 도구들 중에서 가장 일반적인 방법으로는 CCFIS 변실금 점수(Cleveland Clinic Florida Fecal Incontinence Score), FIQoL 변실금 삶의 질 점수(Fecal Incontinence Quality of Life Scale), FISI변실금 지수(Fecal Incontinence Severity Index), SMIS점수(St. Mark's Incontinence Score) 등이 있다. 우리나라에서는 아무래도 미국에서 흔히 사용하는 CCFIS 변실금 점수를 가장 많이 인용한다. 이 방법은 가스, 액상변, 고형변을 참지 못하는 정도, 패드를 차는 횟수, 생활습관에 미치는 영향 등을 조사하여 항목에 따라 점수를 매긴다. 전혀 그렇지 않다, 가끔 그렇다, 약간 그렇다, 대체로 그렇다, 항상 그렇다 등으로 분류하여 각각 0점에서 4점까지 점수를 매기고 5개 항목을 합하여 0점이면 정상, 20점은 심한 변실금으로 구분하여 변실금의 정도를 판단한다(표 3-1, 2, 3).

분만에 의한 항문직장 주위 괄약근 손상과 노화현상은 변실금의 가장 큰 요인이 된다. Rieger 등은 질식 분만 여성의 항문 기능에 대한 연구에서 직장항문 내압검사, 신경 생리검사 및 항문 초음파 등을 관찰하였다. 질식 분만을 한 여성에서 초음파 검사 결과, 초산의 35%, 다산의 44%에서, 난산의 경우 특히 보조기나 기구를 사용하여 분만을 한 사람의 80% 이상에서 분만 손상을 발견할 수 있었다. 분만 직후의 항문관의 휴지기 압력과 수축기 압력이 낮게 나타났으나 시간이 지나면서 회복이 되었다. 또한 증상의 유무와 상관없이 압력이 떨어졌지만 항문관의 압력 하강이 반드시 괄약근의 손상이나

표 3-1. Cleveland Clinic Fecal incontinence score (CCFIS)

실금의 종류	횟수				
	없다	월 1회 미만	주 1회 미만-주 1회 이상	하루 1회 미만-주 1회 이상	하루 1회 이상
고형변	0	1	2	3	4
액상변	0	1	2	3	4
가스	0	1	2	3	4
귀저기 착용	0	1	2	3	4
생활의 변화	0	1	2	3	4

표 3-2. **대변실금 중증도 지표** Fecal incontinence severity index : FISI

실금의 종류	하루 2회 이상		하루 1회		주 2회 이상		주 1회		월 1-3회	
	환자	외과의	환자	외과의	환자	외과의	환자	외과의	환자	외과의
가스	12	9	11	8	8	6	6	4	4	2
점액변	12	11	10	9	7	7	5	7	3	5
액상변	19	18	17	16	13	14	10	13	8	10
고형변	18	19	16	17	13	16	10	14	8	11

표 3-3. St. Mark's incontinence score

	전혀없다	월 1회 미만	월 1회 이상	주 1회 이상 하루 1회 미만	하루 1회 이상
고형변	0	1	2	3	4
액상변	0	1	2	3	4
가스	0	1	2	3	4
생활의 불편함	0	1	2	3	4
				아니오	네
변실금 때문에 기저귀나 거즈 등이 필요하다.				0	2
변비약을 복용한다.				0	2
변이 나오는 것을 15분 동안 참을 수 있다.				0	2

음부신경 장애와 직접적인 연관관계를 나타내지는 않았다. 항문 괄약근의 손상과 음부 신경장애의 증거가 보인 경우에도 증상이 없는 경우가 많았다. 그러나 나이가 들고 노화현상이 진행됨에 따라 증상이 나타나거나 악화되는 것으로 추정하였다.

거의 대부분의 변실금 환자에서 직장항문의 생리 및 기능검사를 해보면 여러 가지 이상 소견이 복합적으로 발견된다. 분만 시 항문이나 회음 주위의 괄약근에 손상이 발생하였으나 스스로 인지하지 못하는 여성들이 꽤 많다. 설사 여러 가지 증상이 있었다고 하더라도 출산 이후에 나타나는 자연적인 증상의 하나로 판단하고 그냥 지내기도 한다. 출산 후에 생기는 심한 치질과 탈출, 소변이나 배변의 장애 혹은 통증과 불쾌감 등은 충분한 휴식을 통하여 대부분 저절로 좋아지거나 그냥 적응하고 지내는 것으로 추정된다. 젊은 시절에는 항문주위 괄약근 외 다른 요인들이 직장항문 주위의 기능을 보완하여 소변이나 대변의 장애 현상이 즉시 나타나지 않기 때문이다.

오래 전 출산을 겪은 60대 이상의 여성들을 대상으로 항문 초음파 검사를 해 보면 내괄약근이 약화되어 있거나 혹은 괄약근 간 경계가 소실되어 있거나, 때로는 외괄약근의 부분 손상이 관찰되기도 한다. 또한 직장과 질의 중간 벽이 약화되는 등 광범위한 배설강의 손상을 관찰할 수 있기도 한다. 이러한 상황을 오래 방치하여 퇴행성 변화가 동반된다면 직장과 자궁, 방광을 비롯한 골반바닥을 지지하는 조직의 약화로 골반의 하강이 진행되고 요실금, 방광 탈출, 질 탈출, 직장 탈출, 변실금 등의 현상들이 순서대로 발생하기도 한다.

Rojas 등은 320명의 초산 여성을 대상으로 출산 5개월 이후에 초음파를 시행한 결과를 보고하였다. 외괄약근의 손상을 관찰하였고, 4-6슬라이스의 초음파 스캔으로 전 둘레의 30도 이상 손상이 있는 경우를 유의미한 것으로 규정하였다. 상당한 외괄약근 손상을 입은 여성은 69명(27.9%)이었다. 9명의 여성은 3도 이상의 괄약근 손상이 발생하여 출산 현장에서 봉합하였다. 60명의 여성에서 상당한 손상이 발생하였음에도 불구하고 출산 당시 손상이 발견되지 않았으며 이러한 경우를 잠재적 분만 손상으로 인한 괄약근 결손으로 생각하였다.

많은 연구에서 변의 성상과 변실금의 연관 관계가 설명되고 있다. Kaiser 등은 변의 성상이 변실금의 심한 정도에 영향을 미치는 원인에 대하여 간략히 설명한 바 있다. 변이 묽거나 설사를 하게 되면 변실금의 증상은 더 심해지게 된다. 변의 양이 많거나 가스 발생이 많으면 직장 팽창과 그에 따른 압력 증가로 항문관으로의 전달되는 힘이 커진다. 특히 괄약근의 힘이 약화되어 있거나 섬유질을 많이 섭취하여 변의 양이 증가하게 된 경우 변의 누출이 발생할 확률이 커진다. 더구나 가스의 양이 증가하게 되면 무심코 가스를 배출하다 가스와 함께 점액이나 변 찌꺼기가 새어 나올 확률이 높다. 대장의 염증이나 과민성 장증후군을 가진 사람은 병변이 있는 부위나 직장에서 축 방향으로의 추진력이 강해진다. 따라서 설사라는 원하지 않는 변의 성상의 변화와 함께 장의 원위부로의 추진력에 강하게 영향을 주어 원치 않는 변마려움을 유발한다. 직장 염증에 의한 섬유성 변화, 직장암이나 치루, 치질, 협착 등으로 수술을 하고 난 이후에 직장의 저장 능력이나 유순도에 변화를 일으킬 수 있고 이에 따라 변실금을 유발하거나 기존의 증상을 악화시키기도 한다.

분만으로 인한 항문직장의 괄약근의 손상에는 음부신경의 손상이 동반되는 수가 많지만 젊은 시절에는 큰 증상이 없고 나이가 들면서 서서히 증상을 나타낸다. 괄약근 손상이 없는 정상 분만의 경우에도 분만과정에 조직이 늘어나면서 골반 바닥의 신경 손상은 어느 정도 동반된다. 음부 신경의 말단부위에 발생하는 신경 손상은 신경학적 변실금을 유발하고 이는 음부신경 말단 잠복 검사를 통하여 진단할 수 있다. 정상적으로 골반은 배변 시 2 cm 정도 하강하며 3 cm 이상 하강하는 것은 비정상적이다. Sunderland 등은 3 cm 이상 골반 바닥이 하강하는 경우 약 20%에서 음부 신경을 잡아당겨 늘어나게 되고 음부 신경이 지속적으로 늘어나는 경우의 12%에서 신경의 손상이 발생한다고 설명하였다. 음부신경의 손상은 항문 괄약근의 약화를 초래한다.

노인에서 발생하는 변실금은 변비와 변실금을 같이 동반하고 있어 치료에 어려움을 겪는다. 변을 직장에 가득 담아두고도 무게에 대한 감각이 떨어지고 변이 마려운 것을 느끼지 못하고 배출할 기력도 떨어져 직장에 변이 가득 차고 그 상부에서 내려오는 액상변과 같은 것이 흘러내려오는 경우를 범람형 변실금 이라고 한다. 직장과 항문의 병변 으로 인하여 배변을 완전히 배출하지 못하는 경우도 있다. 치질이나 항문 협착, 직장류나 직장항문 중첩과 같은 것이 대표적인 경우이고 직장항문 수술에 의한 직장 및 직장항문 각도의 변화 등이 이러한 분변의 불완전 배출에 영향을 미친다. 복압을 증가시킬 수 없는 고령의 환자나 말단 신경장애, 중추신경 장애 환자들에서도 이러한 현상을 발견할 수 있다. 변을 보고 나서 변이 제대로 닦이지 않고 여러 번 닦아도 깨끗하지 않아 손가락을 넣고 씻는 사람들도 꽤 있다.

변실금의 적절한 치료를 위해서는 우선 직장항문 주위의 괄약근 구조와 기능을 잘 아는 것이 중요하다. 직장항문 주위의 괄약근은 그 구조와 기능이 의외로 복잡하면서 미묘하다. 항문관을 내괄약근과 외괄약근이 둘러싸고 치골직장근, 치골미골근과 같은 골반저 근육과 회음, 회음을 잡아주는 횡행회음근, 치골 요도근 등 여러 근육과 천골자궁인대, 중심 인대, 인대궁과 같이 많은 인대가 복합적으로 변의 자제에 역할을 한다. 항문직장의 각도, 항문관 내의 쿠션 등은 직장 주위 괄약근을 도와서 변의 자제를 지켜주는 해부학적인 장벽이 된다. 해부학적인 장벽 중에서 괄약근 특히 내외 괄약근과 항문거근의 손상은 직접적으로 변실금의 증상을 유발하기 때문에 변실금 치료를 위한 적극적인 외과적 복원수술에서 가장 중요한 핵심이기도 하다.

이러한 해부학적 이해를 바탕으로 변실금의 원인과 해부 및 생리학적 병변과 변화를 관찰하는 것이 중요하다. 이를 적절히 이해하고 치료계획을 세우기 위한 주된 검사로 항문 초음파, 항문직장 내압검사, 배변조영술, 음부신경말단잠복검사 등 항문직장 생리검사들이 필수적이고 보조검사로서 대장내시경, MRI 검사 때로는 대장통과시간 검사 등이 필요하다.

우리 병원 변실금 클리닉에서는 10여년 전부터 시대의 흐름에 따라 변실금 환자의 치료 전문화에 심혈을 기울여 왔다. 외국의 사례를 주의 깊게 관찰하였고 체계적인 진단과 치료를 위한 준비를 해 왔다. 변실금의 증상이 내놓고 의논하기도 어렵고 이를 전문적이고 체계적으로 치료하는 의사들도 많지 않아 대부분의 의사들이 이러한 환자들에 지사제나 팽창성 완화제를 처방하는 정도인 것이 현실이다. 여러 가지 이유로 여전히 많은 변실금 환자들이 아직 의료 사각지대에서 스스로 고충을 감내하고 있다. 국내의 의료환경에서 변실금의 치료를 진행하기가 쉽지 않다. 유럽에서 성행하고 있는 항문 보강수술이나 보강제 주입 시술에 필요한 재료들이 급여에 채택되어 있지 않다. 난이도가 최고에 달하는 역동적 박근치환술(Dynamic Graciloplasty)과 같은 어려운 수술도 그 노력을 제대로 인정받지 못한다. 서구에서 1차 치

내 안의 편견 깬 90세 할머니

곱게 단장한 모습으로 진료실에 들어선 할머니는 언뜻 봐서 70대 중반을 넘지 않을 것 같았는데 우리 나이로 90세라 했다. 단정하게 손질한 머리에 뽀얀 얼굴에는 주름도 심하지 않아 나이보다 젊어 보였는데 깔끔한 옷차림에 예쁜 지갑까지 영락없는 귀부인이었다. 그런데 밑이 빠지고 변을 참지 못하며 속옷에 변이 흘러 견디지 못해 병원에 왔다 했다.

할머니는 아들 내외와 같이 살고 있는데 며느리가 아프기 시작해 곧 병원 신세를 져야 할 상황이었다. 아들은 직장에 가야 해서 혼자 오셨다. 며느리 아픈 것도 큰 고민이지만 투병이 시작되면 오래갈 것 같고 정작 자신의 불편함에 대해 가족들에게 쉽게 말을 꺼내지 못할 것 같다고 했다. 하염없이 기다리다 잘못해서 치료 시기를 놓칠 것 같아 걱정이라 했다. 상태가 나빠지면 너무 힘들어질 것 같아 간단한 수술로 치료가 되면 며느리가 투병하기 전에 자신이 먼저 치료를 받고 싶다 하였다. 조곤조곤 기승전결 깔끔한 표현으로 하고 싶은 말을 다 하는 90세 할머니의 사연은 이상한 매력으로 필자를 흥미롭게 했다. 천천히 아주 천천히 할머니가 하고 싶은 이야기를 처음부터 끝까지 다 들어드렸다.

할머니의 병명은 변실금을 동반한 직장 탈출이었다. 직장 탈출을 오랫동안 방치하여 항문 괄약근이 약해졌고 노화로 골반 바닥이 내려앉으면서 변실금이 와 버린 것이었다. 여성에게 잘 발생하는 노인성 변실금은 외견상 보이지 않는 젊은 시절의 분만에 의한 잠재적 손상에서 시작된다. 오랜 퇴행성 변화로 골반 바닥 근육이 약해지고 직장 탈출과 같은 골반 장기 탈출이 진행되고 항문직장 주위 지지 근육과 신경 감각의 기능저하를 가져오면서 변을 참는 기능이 떨어지게 된다.

노인성 변실금은 갑자기 나타나기 시작하면서 스스로를 당황하게 만든다. 변실금은 전 인구의 약 8%에서 경험하게 되는데 대부분 환자가 여성이다. 여성의 출산은 골반근육과 신경의 손상을 동반한다. 초산의 35%, 다산의 40%에서 괄약근 손상이 발생하고 젊은 시절에는 증상이 없다가 오랜 기간의 잘못된 배변 습관, 식습관, 생활습관의 영향으로 나타나는 퇴행성 변화의 일종이다. 변실금을 경험하면 그 심리적 스트레스는 심각하다. 자신에게 나는 기분 나쁜 냄새와 의지와 상관없이 반복되는 실수에 대한 악몽으로 외출을 삼가게 되고 스스로 격리하는 경향이 있다. 이를 방치하여 신경 기능저하까지 진행되면 정상적인 치료로 해결되지 않기도 한다. 치료 기간도 6개월 이상 걸리며 치료 실패율도 20%를 훨씬 상회한다.

우리나라의 고령화 속도는 세계 1위로 매우 급작스레 진행되었다. 이미 우리의 고령 인구의 비중은 세계 5위, 초고령 인구의 비중은 세계 3위이다. 기대 수명은 82.1세로 미국, 영국, 독일은 물론 OECD 평균(80.6세)보다 길다. 유병장수이든 무병장수이든 노인 인구가 증가하였고 과거 몇십 년간 심·뇌 혈관계 질환, 관절, 척추, 재활 분야에 대한 관심도가 급증하였다. 그러나 정작 드러내 호소하기 어려운 여성의 골반바닥 질환(직장 탈출, 자궁 탈출, 방광 탈출, 변실금, 요실금)을 통합해서 다루는 분야에 대한 인식은 미미한 편이다.

절대 간단하지 않은 수술이었음에도 할머니의 회복은 매우 빠르고 훌륭했다. 고령에도 불구하고 꼬박꼬박 병원에서 지켜야 할 원칙에 잘 따르고 자기 관리도 철저했으며 주변 환자들과의 관계도 매우 좋아 할머니의 입원병실 분위기도 훈훈했다. 어른 대접을 받기도 싫어했고 투덜대는 일도 없으셔서 병동 간호사들과도 친하게 지냈다. 처음 할머니를 뵈었을 때 왜 혼자 오셨냐며 아들을 데려오라 했었다. 고령의 환자에게 발생 가능한 안전사고에 의료진들은 민감하기 때문이었다. 돌이켜보면 아들 없이 치료를 진행하기 힘들다고 생각한 내가 약간 쑥스러워진 셈이다. 옅고 청량한 미소에 항상 깔끔하게 나타나는, 아마도 앞으로 20년은 거뜬히 더 사실 것 같은, 살아계신 동안 다른 사람의 신세는 지지 않으실 것 같은 이 90세 할머니를 만날 때마다 필자의 마음은 상쾌해졌다. 왠지 어렵게 생각했던 환자의 치료 성공담에 의사들은 성취와 보람을 느끼며 산다.

표 3-4. Fecal Incontinence Quality of Life Scale (FIQoL)

Q1	일반적으로 당신의 건강상태가 어떠하다고 생각하십니까?

1. □ 남들에 비해 매우 좋다.
2. □ 좋다.
3. □ 좋은 편이라고 생각한다.
4. □ 보통이다.
5. □ 나쁘다.

Q2	변실금으로 인해 일상생활에 영향을 미치는 각각의 항목에 체크하여 주세요.

Q2. 변실금 때문에 나는:		항상	자주	가끔	전혀
a.	밖에 나가기 두렵다.	1	2	3	4
b.	친구를 만나기 싫다.	1	2	3	4
c.	집 밖에서 자는 것이 두렵다.	1	2	3	4
d.	영화관, 교회 등 밖에서 활동이 어렵다.	1	2	3	4
e.	외출을 하기 전 먹는 양을 조절한다.	1	2	3	4
f.	외출 시 화장실 근처에 있으려 노력한다.	1	2	3	4
g.	일상 계획할 때 변실금이 영향을 미친다.	1	2	3	4
h.	여행이 두렵다.	1	2	3	4
i.	제때 화장실을 가지 못하게 될까 걱정이다.	1	2	3	4
j.	배변을 잘 조절하지 못한다고 느낀다.	1	2	3	4
k.	화장실을 가기 전까지 변을 참을 수가 없다.	1	2	3	4
l.	내가 모르는 새 변이 샌다.	1	2	3	4
m.	변실금으로 화장실이 가까이 있어야 한다.	1	2	3	4

Q3	각각의 항목에 대해 변실금이 미치는 정도에 대해 체크해 주세요.

Q3. 변실금 때문에 나는:		항상	자주	가끔	전혀
a.	부끄러움을 느낀다.	1	2	3	4
b.	내가 하고자 하는 많은 일을 할 수가 없다.	1	2	3	4
c.	변이 샐까 걱정이 된다.	1	2	3	4
d.	우울한 기분이 든다.	1	2	3	4
e.	타인에 나의 변 냄새가 날까 걱정이다.	1	2	3	4
f.	내가 건강하지 못하다고 느낀다.	1	2	3	4
g.	삶을 즐길 수가 없다.	1	2	3	4
h.	내가 원하는 만큼 성생활을 누릴 수 없다.	1	2	3	4

i.	내가 남들과 다르다고 느껴진다.	1	2	3	4
j.	변이 샐 가능성을 항상 염두에 둔다.	1	2	3	4
k.	성관계를 가지는 것이 두렵다.	1	2	3	4
l.	비행기나 기차 여행이 두렵다.	1	2	3	4
m.	외식하러 나가는 것이 두렵다.	1	2	3	4
n.	외출 시 화장실이 있는 곳을 확인한다.	1	2	3	4

Q4 변실금 때문에 지난 한 달 동안, 슬픔, 좌절, 절망 등의 감정을 느꼈다거나 중요한 일을 함에 있어서 많은 문제가 있었습니까?

1 . □ 매우 그렇다. 그래서 그 일을 포기했다.
2 . □ 그렇다.
3 . □ 어느 정도는 영향이 있다.
4 . □ 신경이 쓰이는 정도이다.
5 . □ 아주 조금은 그렇다.
6 . □ 전혀 그렇지 않다.

척도(scale)는 1에서 5까지이며, 1은 삶의 질에 대한 낮은 기능적 상태를 나타냅니다. 척도 점수는 평균으로 측정합니다. (평균) 척도의 모든 항목에 대한 응답 (예 : 척도의 모든 질문에 대한 응답을 함께 더한 다음 척도의 항목 수로 나눕니다. 대답하지 않은 질문은 제외하고 분석합니다.)

척도 1. 라이프 스타일, 10 개 항목 : Q2a Q2b Q2c Q2d Q2e Q2g Q2h Q3b Q31 Q3m
척도 2. 대처 / 행동, 9 개 항목 : Q2f Q2i Q2j Q2k Q2m Q3d Q3h Q3j Q3n
척도 3. 우울증 / 자기 인식, 7 개 항목 : Q1 Q3d Q3f Q3g Q3i Q3k Q4, (질문 1의 점수는 반대로 측정합니다. 5가 제일 낮은 기능적 상태)
척도 4. 당황, 세 가지 항목 : Q21 Q3a Q3e

료로 진행하고 있는 천수신경 조절술과 같은 시술도 우리나라에는 조건부 급여로 되어 있어 시술의 적응이 되는 환자라도 최소한 6개월 이상을 기다려야 하는 불합리한 면이 있다. 국가의 지정된 프레임 속에서 변실금 환자의 치료에 의사들의 창의력을 발휘하기 어렵다. 그러나 어떤 어려움 속에서도 진전된 치료 방법의 개발과 임상으로의 도입은 절실하고 의사들은 기술 발전에 노력을 경주해야 한다.

References

1. Bakx R, Doeksen A, Slors JF, Bemelman WA, van Lanschot JJ, Boeckxstaens GE. Neorectal irritability after short-term preoperative radiotherapy and surgical resection for rectal cancer. Am J Gastroenterol 2009;104:133-41.
2. Battersby NJ, Juul T, Christensen P, Janjua AZ, Branagan G, Emmertsen KJ, Norton C, Hughes R, Laurberg S, Moran BJ. Predicting the Risk of Bowel-Related Quality-of-Life Impairment After Restorative Resection for Rectal Cancer: A Multicenter Cross-Sectional Study. Dis Colon Rectum 2016;59:270-80.
3. ChristopheLaurent, EricRullie. Low Anterior Resection with Coloanal Anastomosis for Rectal Cancer. Seminars in Colon and

Rectal Surgery 2005;16:128-35.

4. Fürst A, Burghofer K, Hutzel L, Jauch KW. Neorectal reservoir is not the functional principle of the colonic J-pouch: the volume of a short colonic J-pouch does not differ from a straight colo-anal anastomosis. Dis Colon Rectum 2002;45:660-7.
5. Guido Basilisco, Elisabetta D. Marco, Carolina Tomba, Bruno M. Cesana: Bowel urgency in patients with irritable bowel syndrome. Gastroenterology 2007;132:38-44.
6. Kimura H, Shimada H, Ike H, Yamaguchi S, Ichikawa Y, Kikuchi M, Fujii S, Ohki S. Colonic J-pouch decreases bowel frequency by improving the evacuation ratio. Hepatogastroenterology 2006;53:854-7.
7. Lundby L, Krogh K, Jensen VJ, Gandrup P, Qvist N, Overgaard J, Laurberg S. Long-term anorectal dysfunction after postoperative radiotherapy for rectal cancer. Dis Colon Rectum 2005;48:1343-9.
8. Markland AD, Greer WJ, Vogt A, Redden DT, Goode PS, Burgio KL, Richter HE. Factors impacting quality of life in women with fecal incontinence. Dis Colon Rectum 2010;53:1148-54.
9. Meyer I, Blanchard CT, Markland AD, Gibson EG, Richter HE. Fecal Incontinence Symptoms and Impact in Older Versus Younger Women Seeking Care. Dis Colon Rectum 2019;62:733-8.
10. Nallely Saldana Ruiz, Andreas M Kaiser. Fecal incontinence-Challenges and solutions. World J Gastroenterol 2017; 23:11-24.
11. McCarter DF. Non-celiac gluten sensitivity: important diagnosis or dietary fat?. Am Fam Physician 2014;89:82-3.
12. Noriko Ihana-Sugiyama, Ritsuko Yamamoto-Honda, Hiroshi Kajio, Mitsuhiko Noda, Department of Diabetes, Endocrinology and Metabolism, National Center for Global Health and Medicine, Constipation, hard stools, fecal urgency, and incomplete evacuation, but not diarrhea is associated with diabetesand its related factors. World J Gastroenterol 2016;22:3252-60.
13. R. A. Guzm An Rojas, K.L. Shek, S. M. Langer and H. P. Dietz: Prevalence of anal sphincter injury in primiparous women. Ultrasound ObstetGynecol 2013;42:461-6.
14. Rieger N, Wattchow D. The effect of vaginal delivery on anal function. Aust N Z J Surg 1999;69:172-7.
15. Singh P, Takazawa E, Rangan V, Ballou S, Katon J, McMahon C, Lee HN, Iturrino J, Nee J, Lembo A. Fecal urgency is common in constipated patients and is associated with anxiety. NeurogastroenterolMotil 2019;31:e13545.
16. Sunderland S. Nerves and nerve injuries. 2nd ed. Edinburgh: Churchill Livingstone; 1978.
17. van Heinsbergen M, Janssen-Heijnen ML, Leijtens JW, Slooter GD, Konsten JL. Bowel dysfunction after sigmoid resection underestimated: Multicentre study on quality of life after surgery for carcinoma of the rectum and sigmoid. Eur J Surg Oncol 2018;44:1261-7.
18. Vikram Rangan, Shuji Mitsuhashi, Prashant Singh, Sarah Ballou, William Hirsch, Thomas Sommers, Judy Nee, Johanna Iturrino, Anthony Lembo, Risk Factors for Fecal Urgency Among Individuals with and Without Diarrhea, Based on Data from the National Health and Nutrition Examination Survey. Clin Gastroenterol Hepatol 2018;16:1450-8.

CHAPTER

04

해부와 생리

골반 및 항문직장과 그 주위의 해부구조는 배설과 배뇨, 생식 등의 기능을 복합적으로 수행하기 위해 매우 복잡하게 얽혀 있다. 항문직장과 골반의 구조를 정확하게 알지 못하면 외과수술도 쉽지 않다. 항문의 내외 괄약근과 항문관을 지탱하는 근육과 인대 결합조직까지 쉽게 보이는 것은 하나도 없다. 변의 자제 역할을 하는 구조물들에는 항문의 내외 괄약근 외에도 직장, 항문거근(levator ani muscle), 치골 요도근(pubourethral muscle), 직장 요도근(rectourethral muscle) 및 4대 인대 등이 있다.

골반바닥은 특성상 두 가지의 일을 해야 한다. 골반 내 장기와 장기 내 저장물의 조절에 필요한 지지 역할과 배출의 통로 역할을 해야 한다. 평소에는 방광과 자궁, 직장에 저장한 것들을 담아서 흐르지 않도록 하고 저장한 물질들을 더 담아 두지 못한다면 이들이 원활하게 배출되도록 그 통로를 열어주는 역할을 한다. 요도, 질과 항문은 그 특성상 열었다 닫는 것을 반복해야 한다. 닫아서 참고 있는 것도 중요하지만 필요 시 그 양과 압력을 감지해서 배출이 되도록 조절하고 열어주는 것도 매우 중요하다.

1. 골반회음학(Pelvic Perineology)

골반회음학은 신조어이다. 1990년 이탈리아와 프랑스의 의사들이 주축이 되어 베니스에서 처음 국제 회음학회가 개최되었다. 골반저의 해부, 생리, 병리 등과 진단 치료 등 골반 및 회음의 질환에 대하여 연구하는 모임이다. 2010년에 골반회음학회가 창립되었다. '골반' 하면 여성의 성을 상징하는 것 같은 느낌을 갖는다. 출산할 때 뱃속의 아기가 나오는 통로 정도로 여기는 이 골반은 사실 몸통과 다리를 연결하는 주요 구조다. 좌골(ischium), 치골(pubis), 장골(ilium) 천골(sacrum), 미골(coccyx) 로 구성된 골반에는 여러 근육과 인대가 연결돼 체중을 받쳐 주기도 하고 골반 장기를 받쳐 흘러

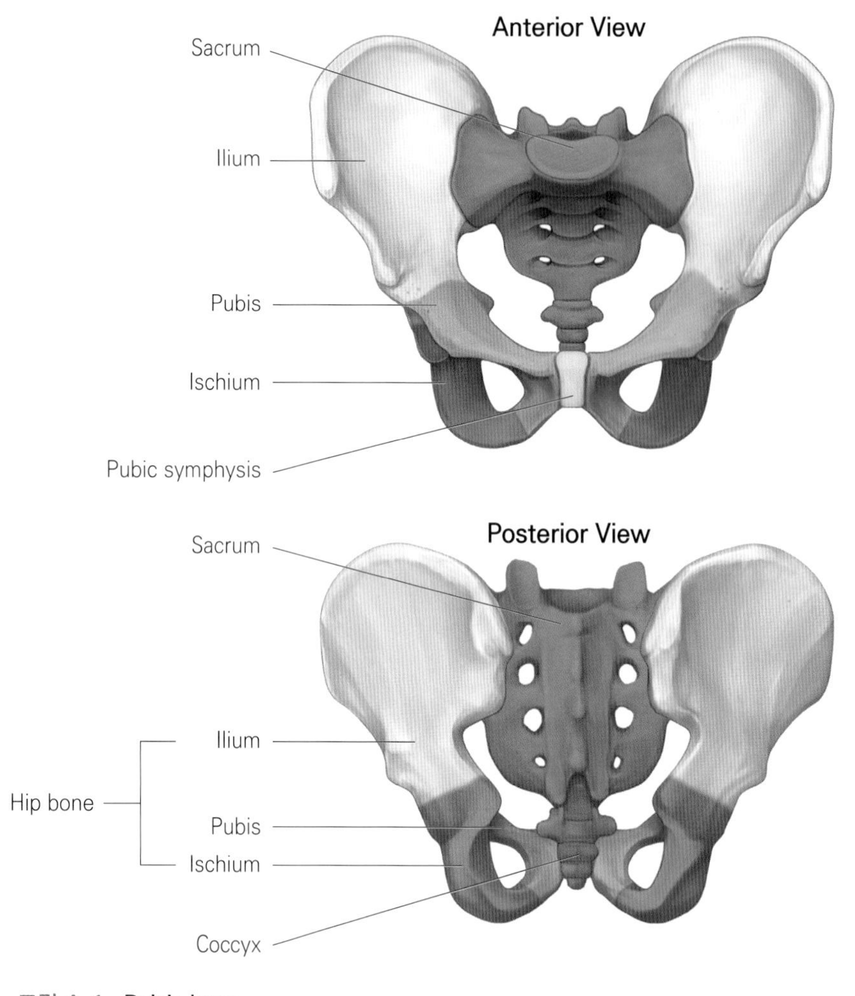

그림 4-1. **Pelvic bone**

내리지 않도록 하는 역할도 한다. 골반 내에는 직장 및 방광이 있으며, 남녀의 비뇨생식기가 나오는 통로이기도 하다.

회음은 골반저의 근육과 인대의 집합체로 골반의 정중하부에 위치하며 남녀 성기에서 항문까지 연결하여 골반저의 중심 역할을 한다. 회음이라 하면 은밀한 곳을 생각하며 이성 간 사랑을 나누는 장면을 떠올리지만 이는 골반 내 장기를 지지하고 받쳐주는 가장 중심 부위이다. 대부분의 여성은 출산 시 회음 근육과 이에 분포하는 신경의 분만 손상을 입게 된다. 분만 당시 손상의 복원이나 산후조리에 소홀히 하면 나이가 들면서 퇴행성 변화로 인한 여러 가지 기능장애가 나타날 수 있다.

근래 들어 과거에는 치료를 잘 하지 않던 변비나 변실금 등 배변 장애 환자나 골반저의 약화로 인한 증상을 호소하는 환자가 많아졌다. 인구 고령화와 의식의 변화에 따른 결과이다. 남녀 불문하고 나이 들수록 골반이 처지고 골반저를 지탱하는 인대와 근육 등이 약해지면서 회음의 하강을 동반하는 퇴행성 변화와 연관된 질환이 크게 늘고 있는 것이다. 여성의 경우 방광이나 자궁, 혹은 직장이 탈출하면서 발생하는 배뇨 및 배변 장애 환자가 늘고 있다. 이들은 때로 자신의 문제를 주변에 알리기 어려워하고 수치심에 스스로 고립되기도 한다.

복합 골반 장기 탈출증에 대한 관심도 새롭게 제기되고 있다. 복합 골반 장기 탈출은 방광 탈출, 자궁 탈출, 직장 탈출의 증상이 2개 이상 동반되는 것을 의미한다. 과거 대장항문 의사는 직장 탈출에만 관심을 가졌다. 그러나 방광, 자궁, 질, 직장의 탈출에는 동일한 요인이 중첩되는 부분이 있다. 과거 방광은 비뇨기과, 자궁과 질은 산부인과, 직장은 대장항문과 의사가 치료하던 불편을 골반회음학을 하는 의사가 한꺼번에 치료를 담당하는 것이 옳다고 생각된다. 여러 의사들에 수차례에 걸쳐 몸을 맡겨야 했던 환자는 한 명의 숙련된 골반회음 전문의사에 한번에 치료 받으면 되는 것이다.

이 복합 골반저 질환의 환자를 통합해 치료를 할 수 있는 의사가 골반저 질환 전문의사이고 이 치료 분야를 '골반회음학'이라 한다. 골반회음학 전문의사는 골반내의 해부와 생리에 능통해야 하고 대장내시경, 항문직장 초음파와 배변조영술, 직장항문 내압검사, 음부신경 말단 잠복검사 등 직장항문 생리검사의 실행 능력과 그 결과 분석에 대한 지식이 필요하다. 치료 능력에서는 양성 직장항문 질환에 대한 치료 경험이 있어야 하고 복강경 수술을 할 수 있는 능력이 필요하다. 국제 골반회음 학회에는 비뇨기과, 산과, 부인과, 대장항문외과, 소화기내과, 정신건강의학과 의사들과 간호사, 물리치료사, 심리학자, 성 과학, 남성학 전문가들이 참여한다. 국내에서는 일부 대장항문외과의사가 이 역할을 맡고 있으나 아직 그 인프라가 부족하다.

2. 항문(Anus)

항문관(anal canal)은 소화관의 마지막 부분으로 직장과 항문 사이의 관을 의미하고 골반 격벽, 항문거근의 아래에 위치한다. 골반의 항문 삼각에 위치하여 양측의 좌골직장와(ischiorectal fossa) 사이로 나오는 관이다. 장관이 마지막 기능을 하는 부위로 두 종류의 괄약근 결합체의 작용으로 변의 자제와 배출의 기능을 담당한다. 항문관의 마지막 출구를 항문이라 한다.

해부학적 항문관은 항문연(anal verge)에서 항문관 내의 치상선(dentate line)까지 말한다. 반면에 외과적 항문관은 항문연에서부터 항문직장 경계까지 말한다. 항문직장 경계는 항문직장륜(anorectal ring)이라 한다. 항문에 손가락을 깊게 넣어 후방으로 만지면 단단하게 만져지는 부위가 항문직장륜이다 .항문을 조으면 앞쪽으로 당겨진다. 항문직장륜은 심부외괄약근과 치골직장근(puborectalis muscle)에 의하여 형성되고 직장암 수술시 중요한 경계 지점이 된다. Nivatvongs 등은 1981년 108명의 남성과 103명의 여성에서 항문관의 길이를 측정하였다. 조사에 따르면 해부학적 항문관의 길이는 남성에서 2.2 cm 여성에서 2.0 cm였고, 외과적 항문관의 길이는 남성에서 4.4 cm, 여성에서 4.0 cm였다. 항문관을 둘러싸는 주요 구조는 내괄약근, 외괄약근, 치골직장근이다. 이 부위는 항문수지검사로 쉽게 알 수 있지만 경항문 초음파나 CT, MRI 등으로 측정이 가능하다.

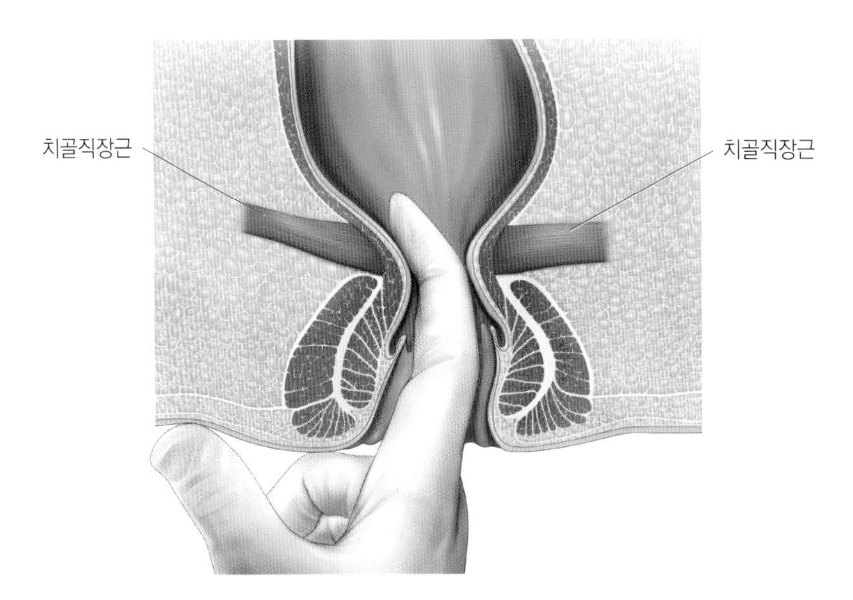

그림 4-2. **항문직장륜: 직장 수지검사시 후방으로 단단하게 만져지는 부위를 확인할 수 있다.**

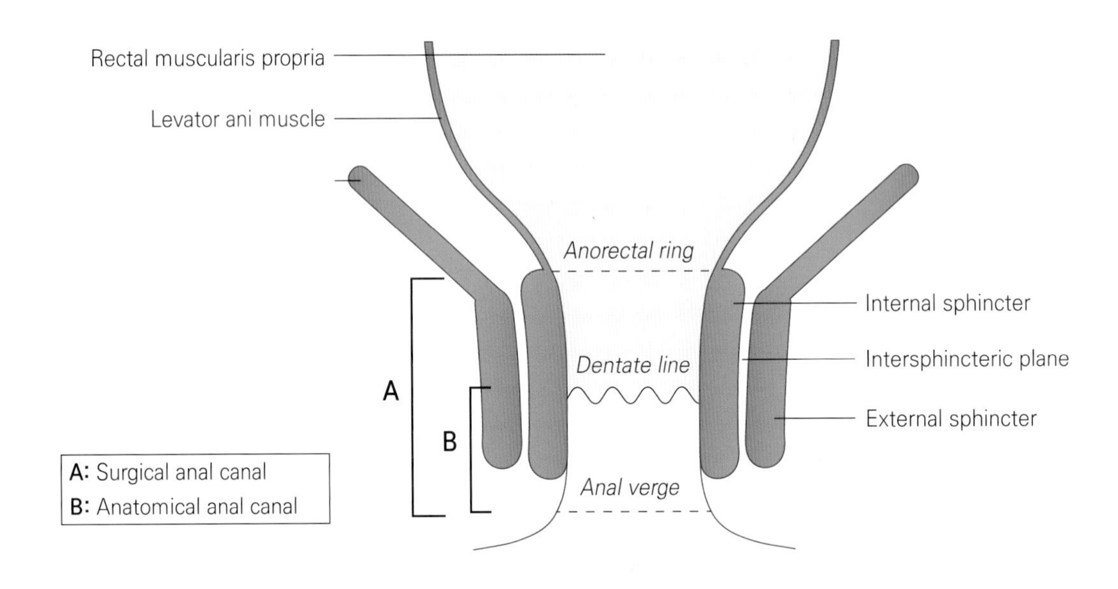

그림 4-3. **해부학적 항문관과 외과적 항문관**

항문의 내괄약근은 불 수의근(involuntary smooth muscle)이고 평소에는 수축하고 있다가 배변 시 이완된다. 직장의 내측 횡행근육은 골반저의 밑에서 항문관으로 내려오면서 항문 내괄약근과 연결된다. 내괄약근의 두께는 2–3 mm이고 항문으로 내려오면서 더 두꺼워져 항문연에서는 3–5 mm까지 두터워진다. 내괄약근은 항문관에서는 항문 연에서 1 cm정도 안에서 끝나게 된다. 내괄약근은 평소 휴지기에 항문관을 닫는 역할을 한다. 근육의 수축은 산화질소(Nitric Oxide)에 의하여 유지된다. 이 근육은 비아드레날린성, 비 콜린성 섬유(non–adrenergic non–cholinergic fiber)를 많이 포함하고 있다. 하 골반총의 교감신경과 하 골반총과 내장신경의 부교감신경이 이 근육을 지배한다. 개인에 따라 내괄약근의 두께와 길이가 차이가 난다. 내괄약근의 두께가 두꺼워지는 것은 변 자제 유지를 위한 보상적 변화로 여겨진다.

항문의 외괄약근은 0.6 cm에서 1.0 cm의 두께로 관처럼 생겼으며 항문의 내괄약근과 연합 종주근을 둘러싸고도 항문연의 피하조직까지 0.5–1 cm정도 더 내려온다. 외괄약근은 항문의 휴지기 압력을 유지하고 있다가 변이나 가스가 직장으로 내려오게 되거나 복압이 증가하면 변 자제를 위하여 수축하게 된다. 이 수축은 수의적이거나 복압증가에 따라 반사적으로 움직이기도 한다. 변을 볼 때 이완하여 원활한 변의 배출을 돕는다. 통상 괄약근의 길이는 2.7 cm 정도이며 앞쪽으로는 더 짧아서 여성에서는 약 1.5 cm 정도 된다. 외괄약근은 **피하(superficial), 천부(subcutaneous), 심부(deep)** 세 층으로 구성되어 있는 것으로 알려져 있다. 그러나 MRI를 찍어보면 보통 피하 외괄약근 외에 큰 본체가 있고 심부 외괄약근은 깊은 날개처럼 뒤쪽을 감싸고 있다. 수술 시 전방의 본체와 심부 괄약근을 포함하는 세 층이 완벽하게 구분이 되지 않는다. Shafik 등은 항문관을 세개의 루프가 각 방향으로 잡아당긴다고 주장하였다. 상방의 루프는 치골직장근과 심부 괄약근이 전방의 치골결합으로 연결되고 하부 치핵 신경에 의해서 지배를 받고, 중부와 하부의 루프는 중앙과 하부를 감싸서 회음과 미골로 연결되며 천수의 4번 신경과 하부 치핵 신경에 의해 지배를 받는다고 주장하였다.

괄약근 사이로 얇고 가느다란 근육과 같은 인대조직이 지나는데 이를 **연합 종주근(conjoined longitudinal muscle)**이라 한다. 괄약근간 공간을 통과하여 항문 주위의 피하조직과 피부, 항문관 내의 점막하 조직 등을 잡아당겨 지지한다. 항문 괄약근 과 그 주위 조직이 항문을 닫아 쉬게 하는데 보조역할을 하는 것으로 알려져 있다. 이는 직장의 외측 종주근(longitudinal muscle of rectum)과 연결된다. 이 근육은 배변 시 항문거근과 같이 움직이는 것으로 추측된다. 변을 볼 때 이 연합 종주근은 수축하여 짧아지고 넓어져 배변 활동을 돕는다.

항문관은 항문의 안쪽에서부터 항문 점막과 점막 하 치핵 혈관, 항문 내괄약근, 괄약근간 조직, 외괄약근 등 5개의 층으로 구성된다. 항문의 점막과 치핵 혈관은 근육과 유사한 가늘고 얇은 인대가 잡아당겨 지지한다. 항문관의 상피와 항문 내괄약근, 직장의 종주근은 자율신경의 지배를 받으며 항문의 외괄약근은 체신경의 지배를 받는다. 항문관의 휴지기 압력은 항문의 내괄약근과 항문 쿠션에 의하여 결정된다. 항문관의 상피세포와 치핵 조직, 치 정맥총이 항문 쿠션의 역할을 한다. 항문관의 외괄약근은 내괄약근보다 더 아래 쪽으로 내려와 항문관을 감싼다. 때로는 내괄약근이 비정상적으로 두껍게 변해 외괄약근의 아래 쪽으로 빠져 나오는 경우가 있다.

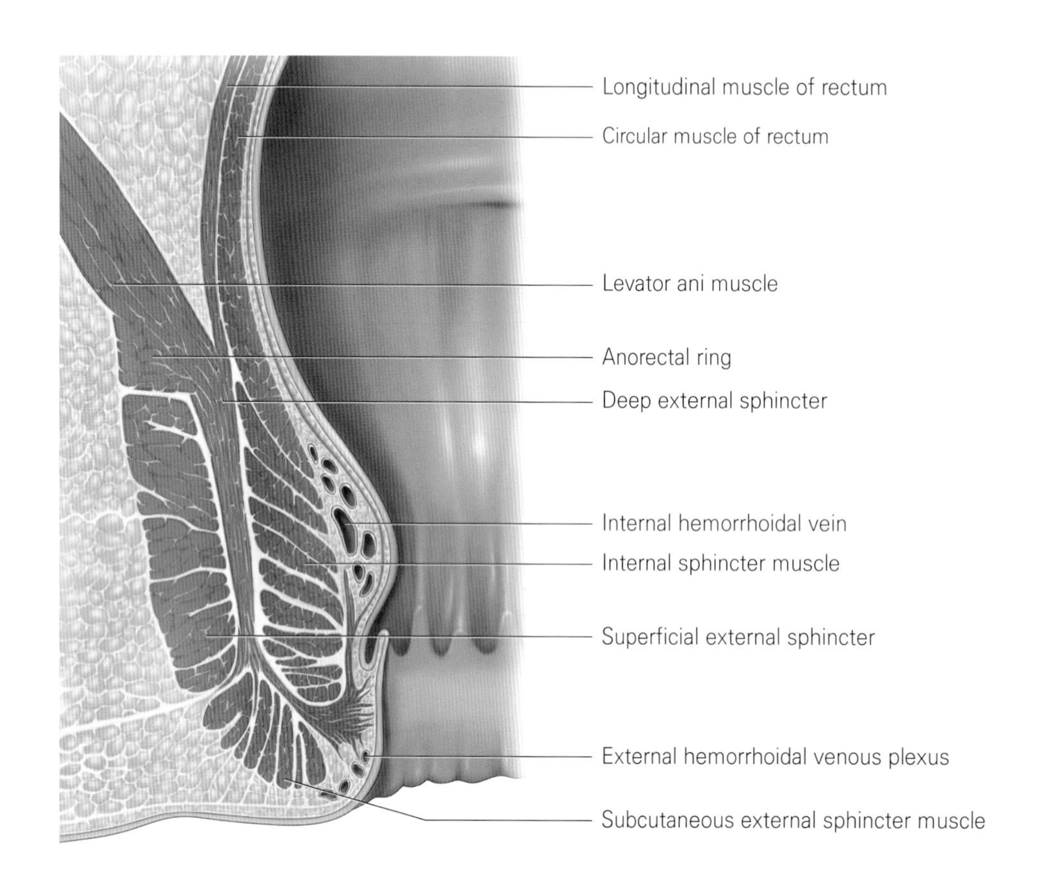

그림 4-4. **외괄약근과 내괄약근**

치상선은 직장항문의 점막과 항문관의 피부가 만나는 경계이다. 항문연에서 치상선 사이를 **항문 상피**(anoderm)라 한다. 항문관의 상피는 점막의 원주세포와 피부의 편평 세포가 만나면서 케라틴 형성이 되지 않고 모공이나 땀샘이 없는 특성을 지닌다. 치질 수술을 할 때 항문관의 상피를 과잉 절제하면 항문의 협착이 발생한다. 항문 상피 세포의 이행 부위에는 가스와 변을 구분할 수 있는 반사기능이 있다. 치상선에는 원주처럼 **상피세포가 기둥**(colum of Morgagni)을 만들고 그 기둥 아래에는 **항문 음와**(anal crypt)가 있고 항문 음와에서 깊은 곳에 **항문샘관, 항문샘**(anal gland)이 있다. 사람에서 항문샘은 특별한 역할이 없다고 생각하지만 긴장하거나 스트레스를 받을 경우 분비물이 나오고 변을 볼 때 액을 분비한다. 이 항문샘이 막히거나 세균이 번식하게 되면 항문 주위 농양이 되고 농양이 터져서 피부나 직장 등으로 누관을 형성하고 2차 누공이 생기면 치루가 된다. 치상선에서 항문연까지 거리는 통상 1.5 cm이다. 치상선 하방은 하직장 신경에, 치상선 상방은 자율신경에 의해 지배를 받는다. 치상선 하방에는 통각 신경이 있다.

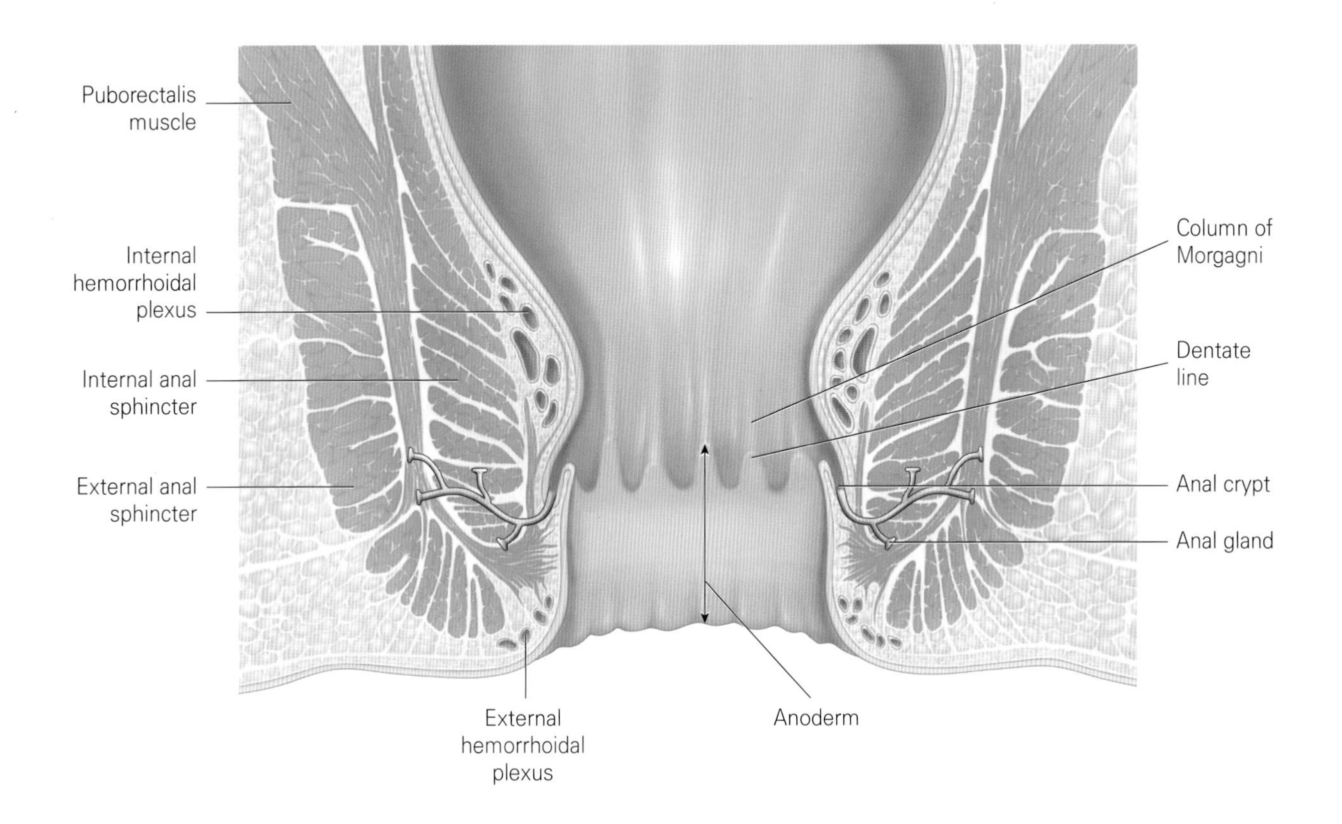

그림 4-5. **항문음와(Anal crypt), 항문샘(Anal gland)**

3. 항문거근(levator ani muscle)과 주위 근육

항문거근(levator ani muscle)은 골반의 바닥을 형성한다. 정중선에는 주위의 조직과 근육이나 인대 등 조직과 조직 사이를 결합하여 기관을 형성하는 결합조직이 있다. 정중부를 정중선 봉합이라 하고 여기에는 중심 요도을 형성하는 혈관, 결합조직, 항문미골 인대와 질 주위 근육 등이 있다. 이 부위는 주위 조직에 비해 약하여 분만 시 손상되기 쉽다.

치골직장근(puborectalis muscle)은 항문거근의 가장 중앙부위를 차지하며 치골에서 U자형태로 루프를 만들어 항문직장의 경계를 앞쪽으로 감싸서 잡아당긴다. 이렇게 형성되는 항문과 직장의 각도는 변의 자제와 원활한 변의 배출에 중요한 의미를 가진다. 이를 항문직장각(anorectal angle)이라 한다. 치골직장근은 육안으로 구분이 어려운 슬링 형태의 근육이다. 치골직장근의 해부학적인 위치를 보면 항문거근의 위치에 있으나 작동하는 것을 살펴보면 항문의 심부 외괄약근과 같은 생리적 현상에 반응한다. 즉 직장이 팽창하거나 복부의 압력이

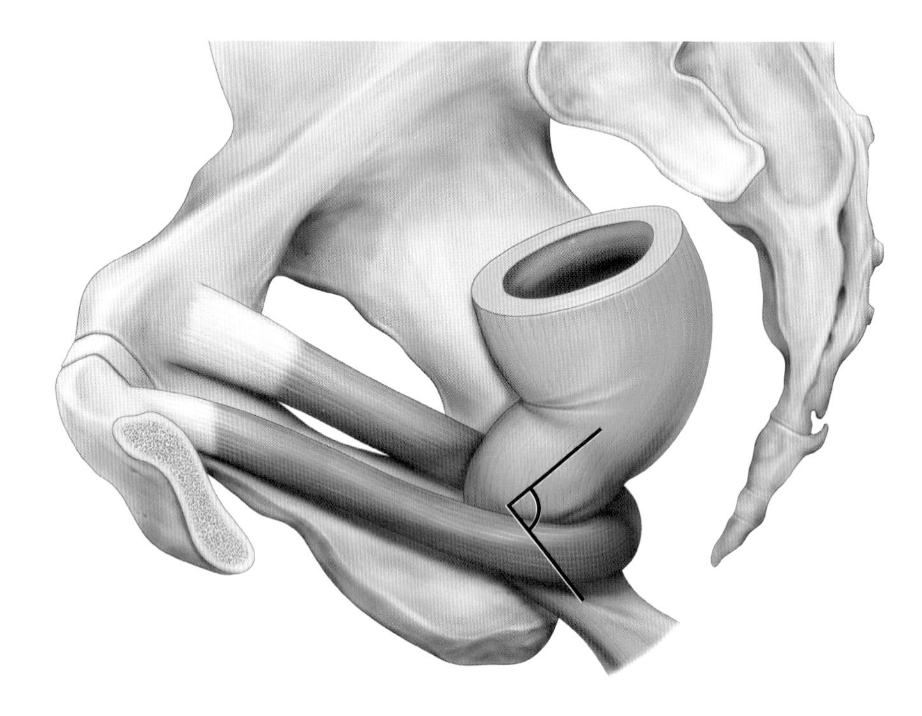

그림 4-6. **치골직장근 슬링 형태로 직장을 감싸고 있으면서 항문직장각을 이루고 있다.**

높아지면 항문 괄약근과 같이 수축한다. 항문직장각은 평소에 90도 정도로 유지해 주면서 변의 자제를 유지하고 배설 시에는 이완을 하여 항문과 직장이 110-130도로 펴져서 변의 배출을 원활하게 한다.

치골 요도근(pubourethral muscle)은 치골직장근의 주행과 거의 유사한 형태로 방광 요도의 경계부위에 링처럼 주행한다. 이 근육은 남성에서는 방광요도륜과 전립선을 잡아주고 여성에서는 요도와 질 전벽을 잡아준다.

치골미골근(pubococcygeus muscle)은 해먹처럼 생겨 골반저의 정중앙을 치골과 미골까지 연결해주며 중심을 잡아주는 큰 근육이다. 치골미골근은 치골의 후방과 폐쇄근막(obturator fascia)의 전방에서 시작하여 방광, 요도, 자궁, 질, 직장과 항문을 감싸며 돌아 미골근 및 천추로 연결된다. 남녀에서 공히 존재하며 여성에서는 치골 질근과 함께 질의 수축을 담당하고 오르가즘에서 소변의 흐름을 막아준다. 남성에서는 치골전립샘근과 함께 사정을 도와준다. 치골미골근은 정중부 봉합선과 항문미골 인대(anococcygeal ligament), 회음체(perineal body) 등과 함께 정중부의 장력을 지지한다.

장골미골근(iliococcygeus muscle)은 **미골근**(coccygeus muscle)과 치골미골근과 교차하고 항문거근을 측면에서 잡아주는 인대궁에 길게 결합되어 있고 미골과 좌골을 연결하면서 골반저의 후방을 지탱해준다. 항문거근은 치골의 하방에서 장골극에 도달하여 미골근과 연결되고, 후방의 미골에서는 항문미골 인대에 결합

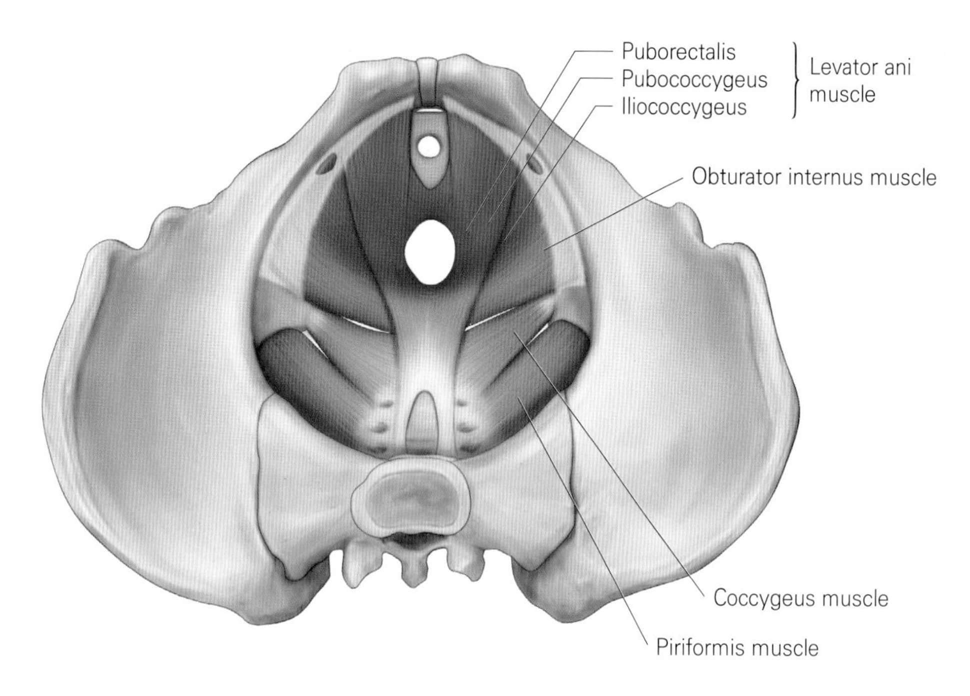

그림 4-7. **골반격막(pelvic diaphragm) 골반저의 근육 superior view**

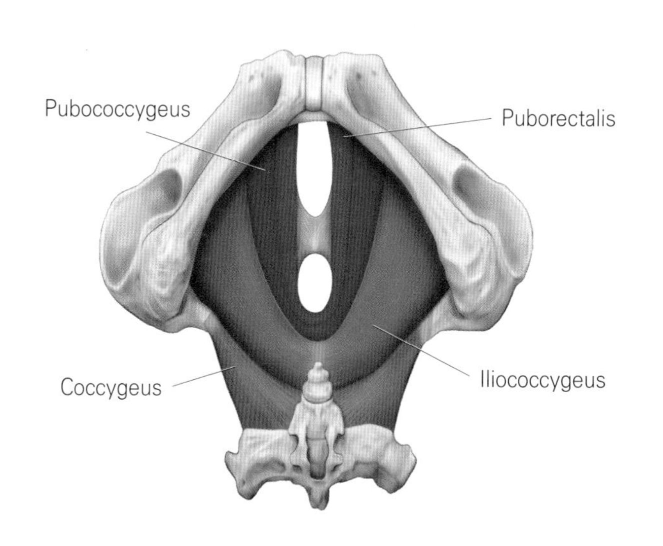

그림 4-8. **골반저 근육 inferior view**

하여 항문거근을 완성하게 된다. 미골근은 좌골극에서 기시하여 미골과 천골의 외측 경계를 따라 주행한다. 미골근은 천골극인대를 덮으면서 골반격막의 후방을 완성하게 된다. 미골근도 골반저를 지지하는 역할을 한다. 미골근은 천수의 4, 5번 신경의 지배를 받고 다른 항문거근은 천수의 2, 3, 4번에서 기인하는 천수신경총의 분절인 회음신경의 지배를 받는다.

골반을 둘러싸면서 대퇴와 연결하는 근육이 있다. 다리를 벌리거나 잡아당길 때 쓰는 근육인데 골반의 후벽을 대퇴의 대전자에 고정시켜주는 근육이다. 대표적인 근육은 이상근(piriformis mucle)이다. 이상근은 골반의 후벽을 지탱하면서 천골의 전벽에서 기시하여 천골과 대퇴골의 대전자(greater trochanter)를 연결해 준다. 이상근은 편평한 근육인데 대퇴를 옆으로 올리거나 앞부분을 돌리거나 뻗는 것을 도와준다. 다음으로 폐쇄근이 있다. **폐쇄근(obturator muscles)**은 골반의 폐쇄공(obturator foramen)을 막고 골반벽의 측면을 형성한다. 폐쇄근은 폐쇄내근(internal obturator muscle)과 폐쇄외근(external obturator muscle)이 있다. 폐쇄공에서 기인한 폐쇄근은 골반벽의 외측으로 빠져나와 골반을 대퇴에 고정한다. 폐쇄근은 골반의 외측면을 대퇴의 두부의 후방으로 연결하며 골반벽을 형성하면서 대퇴를 지지한다. 이상근과 폐쇄근은 하지와 골반을 연결하는 역할을 한다.

4. 직장(Rectum)

직장은 항문 치상선의 상방으로 약 12-15 cm 정도 되는 대장의 마지막 장관이다. 때로 직장의 시작 지점을 항문직장륜으로 보기도 한다. 직장은 S결장의 외측 종주근이 결장 띠로 변하는 지점이 그 경계이다. 또한 직장은 2-3개의 곡선으로 밸브를 형성하는데 이를 휴스턴 밸브라 한다. 항문에서 0-6 cm를 하부 직장, 7-11 cm를 중부 직장, 12-15 cm를 상부직장이라 한다. 하부 직장의 전방과 전체 직장의 후방은 복막 외에 위치한다.

직장을 지지하는 장간막은 지방조직으로 형성되어 있지만 직장암 수술 시 해부학적으로 매우 중요한 부위이다. 여기에 중요한 혈관과 임파선이 있고 이들은 근막에 싸여 있어 경계를 짓기 때문이다. 이곳으로 암의 전파가 이루어질 수 있다. 직장의 후방과 측방은 두텁고 전방은 비교적 얇다. 근막의 경계는 중요하여 이 곳을 수술할 때 근막의 경계를 놓치면 주위의 하복신경이나 골반 신경총의 손상을 가져올 수 있다. 예리하고 정밀한 전 직장간막 절제술은 자율신경을 보전하여 수술 후 골반내 장기의 기능적 손상을 피할 수 있다는 점에서 높은 가치가 있다. 특히 외측의 벽측 골반근막으로 신경과 혈관이 지나가기 때문에 이곳의 무혈관 경계를 잘 파악하면 수술이 쉽고 혈관이나 신경의 손상을 피하게 되어 수술 후 좋은 결과를 얻을 수 있다.

천추의 4번 레벨에서 근막의 두꺼운 부분을 만날 수 있는데 이를 **직장천골근막(Rectosacral fascia)** 혹은 **Waldeyer 근막**이라 한다. 이 레벨이 중요한 것은 이곳을 박리할 때 혈관의 손상으로 다량의 출혈이 발생할 수 있기 때문이다. 최근에는 거의 복강경으로 이 부위를 박리하기 때문에 빈도가 줄어 들었지만 과거처럼 손가락으로 둔탁하게 박리를 하다 보면 천골에 바짝 붙어 있는 전천골정맥의 손상이 발생하여 위험에 노출될 수 있다.

직장 전방에서 직장과 생식기의 경계를 짓는 근막이 **직장생식근막(Rectogenital fascia)** 혹은 **Denonvilliers 근막**이라 한다. 남성에서 정낭과 직장의 사이의 희게 반짝이는 공간이다. 여성에서는 직장 질 중격을 형성한다. 여기에서 직장하부로 접근해야 하기 때문에 측벽 근막으로 연결되는 부위를 박리해야 하는 경우가 있다 .이 때 근막 사이를 박리하다 보면 혈관이 없는 무혈관 공간을 찾을 수 있다. 이 공간을 따라 내려가면 신경과 혈관의 주행이 보이는데, 이들의 손상을 피하면서 수술을 함으로써 기타 기능장애의 발생을 예방할 수 있다. 이 근막은 정낭에서 시작하여 회음체까지 연결된다. 근육과 콜라겐 및 결합조직이 합쳐져 꽤 단단하지만 무혈관 공간을 따라가면 출혈 없이 안전하게 박리된다.

Rasmussen 등은 경항문 초음파를 이용하여 직장벽을 측정 관찰하였다. 정상인의 직장벽의 두께는 2.6 mm였고 궤양성 대장염 환자의 두께는 2.8 mm, 크론병 환자에서 두께는 3.2 mm였다. 결장의 벽 두께를 조사한 Haber 등의 연구에 따르면 우측 결장은 평균 1.2 mm, 횡행결장은 1.1 mm, 하행결장은 1.1 mm였다. Haber는 또한 결장 벽의 두께는 나이가 들면서 더 두꺼운 것을 관찰하였다. Akervall 등은 직장의 확장과 압력 변화에 따른 감각기능을 연구하였다. 그의 연구에 따르면 직장은 12 cmH_2O에서 직장이 차는 것을 느끼고 28 cmH_2O가 되면 변이 마려움을 느끼는 것으로 관찰되었다. 이러한 직장의 볼륨에 따른 팽창은 사람에 따라 상당한 차이가 있음을 발견하였다. 감각신경의 말단은 항문상방과 직장, S결장에 있다. S결장에서 직장 내로 변이 내려오거나 압력이 높아지면 화장실로 가기까지 변을 자제하기 위해 팽창하여 상당시간 저장하는 기능이 있으며 적절한 시기에 변을 배출하기 위해 수축하기도 한다.

5. 골반과 골반저 (Pelvis and Pelvic floor)

골반은 5가지의 각각 두 쌍의 뼈 즉, 좌골, 장골, 치골, 천골, 미골의 결합에 의해서 원통형으로 둘러싸여 형성된다. 이 골반의 뼈에서 근육과 근막, 인대와 혈관, 신경을 감싸는 지주조직들이 오밀조밀하게 연결되어 경

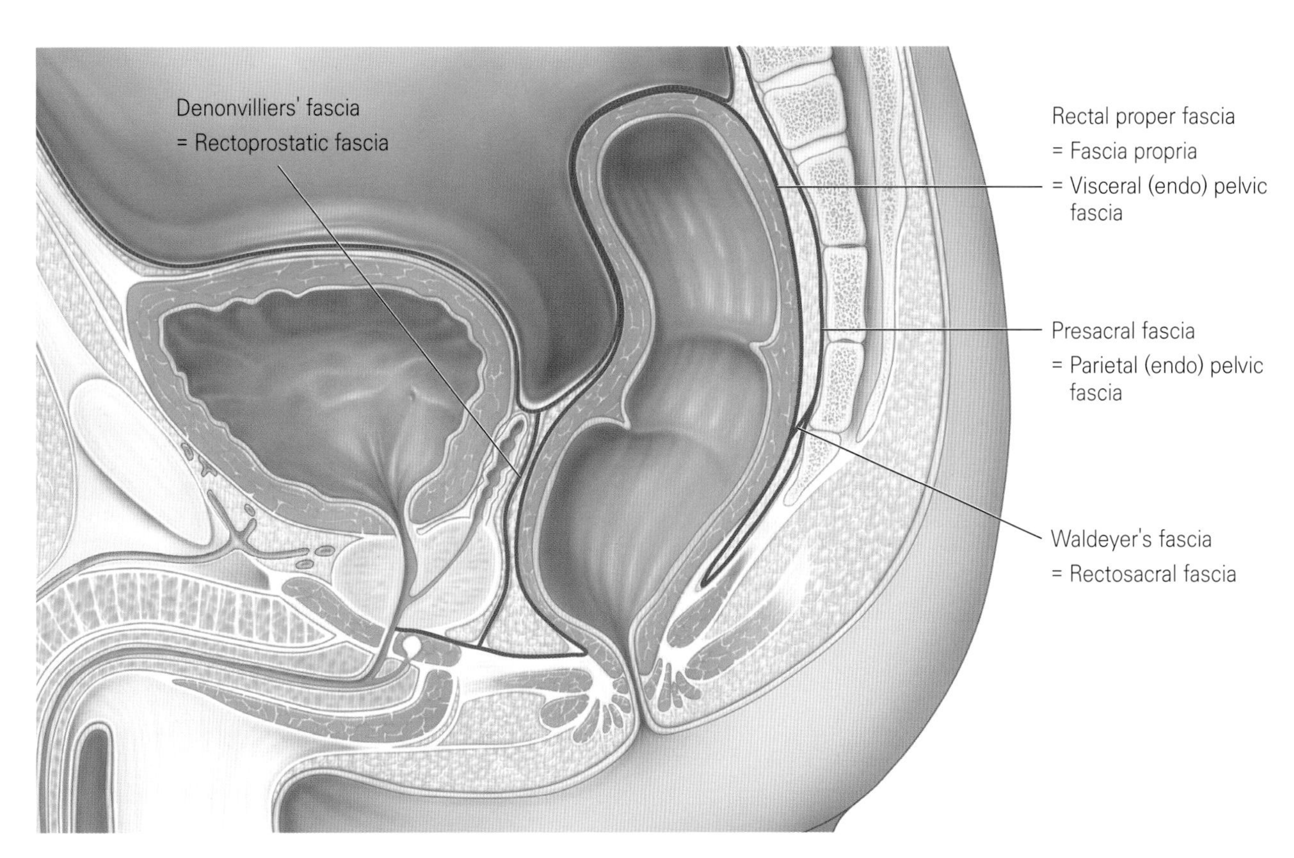

그림 4-9. 골반내 직장의 위치와 직장을 둘러싸고 있는 근막구조

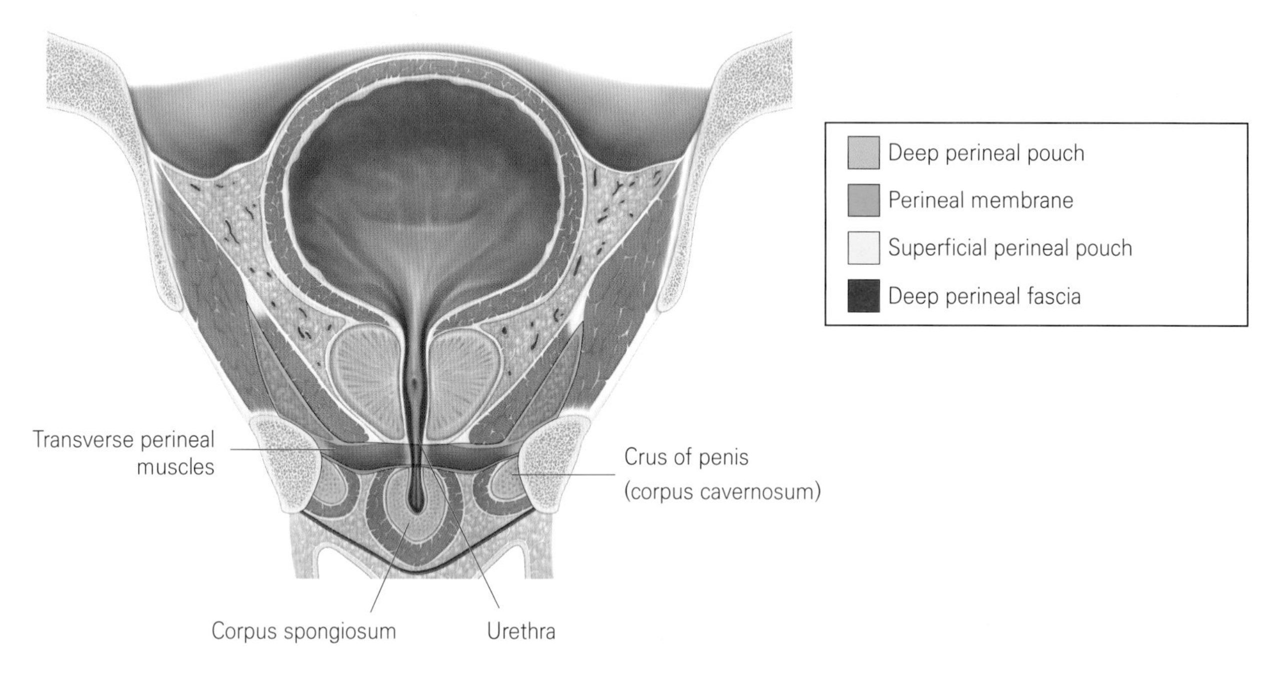

그림 4-10. **심부회음낭, 회음막, 천부 회음낭**

계를 만들고 구조물을 형성하여 골반을 지지한다. 골반은 상체와 하체를 연결해주는 역할을 한다. 동시에 상체를 지탱해 준다. 흉부와 복부의 사이에 횡격막이 있어 가슴 속의 장기를 흘러내리지 않도록 하는 역할을 하고 있다면 뱃속의 내장과 생식기관이 제 위치에서 흘러내리지 않도록 하는 골반격막이 골반 바닥이다.

골반저는 치골와 미골을 마치 해먹처럼 연결하면서 양옆의 좌골과 장골, 후방의 천골에 연결되는 근육과 근막, 인대들에 의하여 지지된다. 골반 바닥의 부위에 따라 지탱하는 구조층이 약간 다르지만 골반 바닥은 골반격막(pelvic diaphragm), 심부회음낭(deep perineal pouch), 회음막(perineal membrane)의 3개 층으로 이루어 진다. 통상 골반격막(pelvic diaphragm)은 골반저와 같은 의미로 사용되지만 엄연히 구분된다. 골반저는 골반에서 앞뒤로 매달려 돔을 거꾸로 세운 얕은 그릇과 같은 모양으로 형성된다. 골반격막은 항문거근, 미골근, 폐쇄근, 이상근 등과 같은 근육들이 골반의 장기를 안정화시키는 역할을 한다.

심부회음낭(deep perineal pouch)은 비뇨생식삼각의 상부인 골반격막과 하부인 회음막 사이에 위치한다. 심부회음낭은 위쪽으로 항문거근, 외측으로 내폐쇄근, 하방으로는 회음막이 경계를 이루고 있다. 심부회음낭에는 요도막, 내음부혈관, 남성의 음경 후방신경, 여성의 음핵 후방신경, 회음신경, 구 요도샘(쿠퍼샘), 여성의 바르톨린샘, 요도괄약근 및 심부 횡행 회음 근육 등이 조밀하게 들어있다. 외요도괄약근과 요도압축근, 요도질괄약근도 이 곳에 모여 있다. 비뇨생식격막이 심부회음낭내에서 요도를 감싸고 있다. 비뇨생식격막내에 있는 요도압축근은 치골에서 기시하여 요도를 감싸고 외요도괄약근을 보조하여 소변 자제의 역할을 도와준다. 요도

질괄약근은 회음체에서 기시하여 앞쪽으로 주행하여 질과 요도를 감싸게 된다.

심부회음낭을 하부에서 받쳐주는 구조가 회음막(perineal membrane)이다. 회음막은 얇은 막으로 형성되어 있고 심부회음낭과 천부 회음낭의 기관을 구분하는 경계이다. 회음막의 아래에는 천부 회음낭이 있다. 천부 회음낭(superficial perineal pouch) 내에는 음경해면체 근육, 좌골해면체 근육, 천부 횡행 회음근육, 음경의 근부와 체부, 고환 등이 들어있다.

회음막의 후방을 형성하는 근육은 심부 횡행 회음근육(deep transverse perineal muscle)이다. 좌골치골뼈(ischiopubic bone)에서 기시한 이 근육은 회음체에 연결되어 양쪽 회음을 지탱한다. 대개 회음을 통해서 직장 질 중격으로 접근하는 회음절개수술은 이 근육을 경계로 회음막을 지나서 접근하게 된다. 항문의 외괄약근에 도달하는 절개부위도 이 근육을 경계로 아래쪽으로 위치하게 된다.

6. 항문 삼각과 비뇨생식 삼각

골반저는 회음체를 중심으로 항문 삼각과 비뇨생식 삼각으로 나눈다. 항문 삼각은 다이아몬드 모양으로 회음의 후방에 위치한다. 회음막의 경계를 형성하고 있는 횡행 회음근육의 후방이 항문 삼각이다. 항문 삼각의

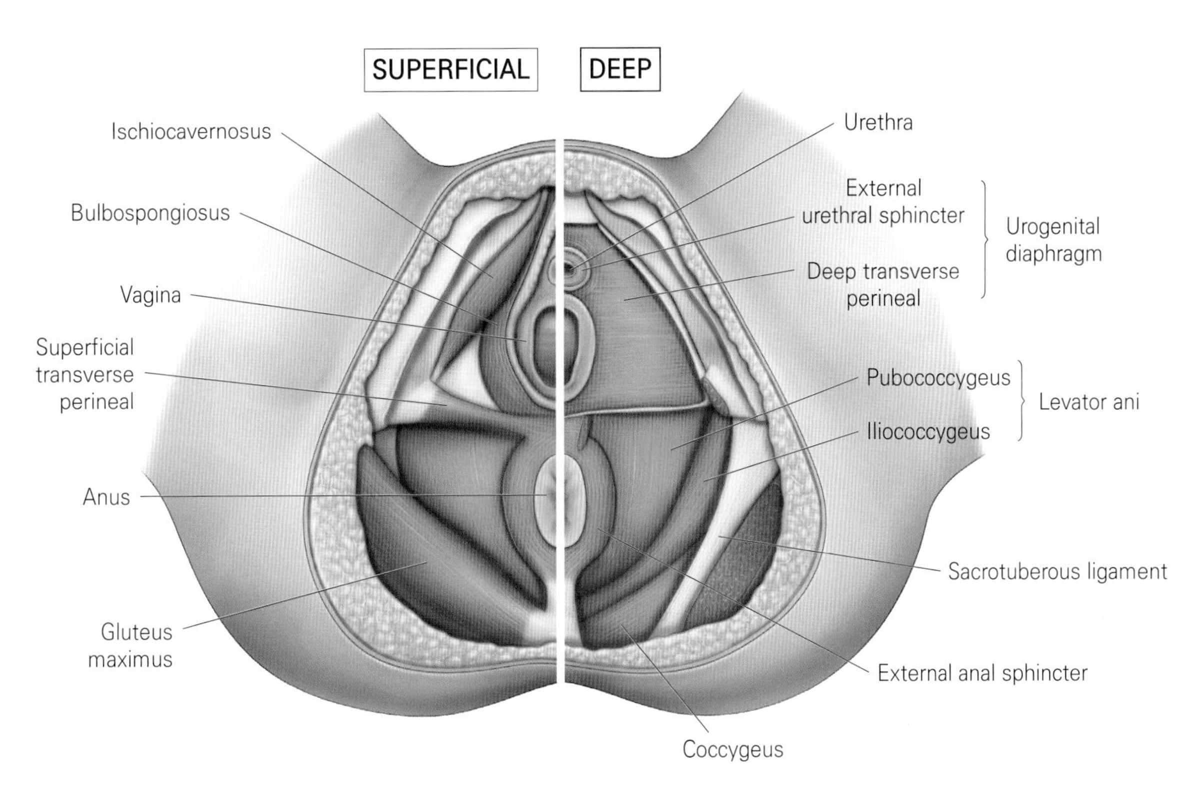

그림 4-11. **여성의 심부, 천부 회음낭에 포함되어 있는 구조물**

필수이론 (Integral theory)

필수이론(Integral theory)의 저자인 호주의 Peter Petros는 골반저 질환의 증상들, 예를 들면 방광류, 질 탈출, 직장 탈출 등의 장기 탈출과 요실금, 변실금 혹은 급박뇨, 급박변, 소변이나 배변의 불완전한 배출로 인한 잔뇨, 잔변이나 변비, 골반통 등이 주로 여성의 질 조직 약화나 이를 지지하는 인대나 결합조직 등의 약화에 기인한다고 주장하였다. 특히 출산과 관련한 질 주위 근육, 결합조직과 인대의 이완이 노화의 영향으로 골반저 질환의 증상들이 나타난다는 것이다.

폐경이 오게 되면 난소는 에스트로겐 분비를 멈춘다. 에스트로겐은 인대의 힘을 유지하는 데 필수적인 역할을 한다. 피터는 자궁이 탈출 되면 자궁을 절제하는 경향이 있는데. 자궁이 골반저의 장력을 유지하는데 중요한 역할을 하는 부분이 과소 평가되어 있기 때문이라고 설명하였다. 자궁적출술 이후 폐경이 되면 요실금이나 변실금의 발생이 높아지게 되는데 중심 인대와 자궁 천수인대로 가는 혈류가 감소되어 이 인대들이 더 약화되기 때문이다.

여성에서 골반격막의 상부에는 방광과 자궁, 직장이 놓여있다. 방광과 직장은 소변과 대변을 저장하기 위한 기관이고 자궁은 태아의 출산을 위한 기관이다. 골반 바닥을 통과하는 통로는 요도과 질, 항문이 있는데 요도는 약 4 cm, 질은 약 10-12 cm, 항문관은 약 3-4 cm 정도이다. 이 3개의 통로는 평소에는 서로를 압박하면서 닫혀 있으나 요도는 소변을 볼 때 열리고, 질은 생리혈 배출할 때, 출산할 때, 성 관계할 때 열린다. 항문은 변을 볼 때 열린다.

건강하고 젊은 여성의 골반은 방광이 질의 상방에 위치하고 부분적으로 붙어 있으며, 요도와 질, 항문은 근육과 인대들에 넓게 둘러싸여 있다. 이 근육이나 인대의 일부가 손상을 받게 되면 근육의 수축이 약화되어 통로를 닫고 있는 힘이 떨어지게 된다. 자연히 소변이나 대변을 자제하는 능력이 떨어지게 된다. 특별한 손상을 받지 않은 상태에서 이러한 근육과 인대는 조밀하게 밀집되고 연결되어 탄탄하게 골반의 기관을 지지한다.

필수이론에 따르면 요도와 질, 항문을 지탱하는 인대는 단단하고 굵은 지지구조로 마치 현수교처럼 교각과 교각 사이에 철선이나 쇠사슬을 건너지르고 이줄에 상판을 매다는 방식으로 치골 및 치골결합부위에서 미골을 해먹처럼 늘어지게 싸 안고 있다. 치골과 미골은 교각의 역할을 한다. 단단한 지지구조물인 뼈를 힘의 중심으로 하여 강하게 잡아당기는 힘으로 지탱하는 힘줄이 전후의 직선 방향을 연결하면서 복잡하게 서로 얽히면서 골반저를 잡고 있는 것이다. 이를 지탱하는 주요 구조물에는 4개의 주요 인대인 **자궁천골 인대(Utero-sacral ligament), 치골 요도인대**(**Pubourethral ligament**), **주인대(Cardinal ligament), 골반근막인대궁(Arcus tendinous fascia pelvis)** 과 **회음체(Perineal body)**가 있으며, 이들은 교각 사이에 늘어져 있는 강선과 쇠사슬과 같다고 비유할 수 있을 것이다.

현수교의 적당히 늘어지게 처진 본체의 역할을 하는 주요 구성요소로서 주 케이블의 역할을 하여 최고점을 지지하여 강력하게 교각을 지탱해주는 강제를 현수제라고 한다. 이 현수제의 역할을 하는 인대가 4개의 주요 인대인데, 그 중에서도 후방의 중심 벡터가 제대로 힘을 받으려면 중심을 잡아 전후를 연결하는 자궁천골 인대가 그 중심 장력의 기시점으로써 든든해야 한다. 자궁천골 인대는 자궁경부에서 천골을 연결하는 인대이다. 자궁경부에서 시작하여 직장과 자궁의 경계부위보다 외측으로 형성되는 결합 섬유조직으로 형태가 불분명한 근육 형태의 인대이다. 이 인대는 자궁과 질 직장의 중심을 천골로 잡아당겨 지지한다. 자궁천골 인대가 약화되면 후방의 중심이 흐트러지게 되고, 이에 따라 힘의 중심은 치골미골근과 같은 다른 근육으로 그 균형이 쏠리게 된다. 자궁천골 인대를 연결하는 중심이 흔들리면 방광과 요도를 연결하는 축이 떨어지면서 요실금이 발생하게 되고 직장 항문 각도가 넓어져 변 누출이 발생하게 된다. 질의 전벽이 늘어지면 방광류와 요실금 빈뇨등의 증상이 발생하게 되고 방광의 수축 기능에 영향을 주게 되면서 보다 복잡한 메커니즘으로 방광의 유순도에 영향을 미치게 되어 범람형 요실금이 발생한다. 자궁과 질벽의 후방인대가 늘어나게 되면 질 탈출, 자궁 탈출, 직장류 등이 발생하게 된다. 이 인대가 약해지거나 늘어나면 궁극적으로 골반 장기 탈출이 발생한다.

회음체는 이들 구조물의 중심에 위치하며 인대와 근육 및 혈관 등을 잡아 힘의 중심을 지탱해주는 단단한 결합조직이다. 여성에서는 회음체의 크기가 크고 두터우며 남성에서는 크기가 작다. 남성에서는 전립선 등이 있고 여성보다 조밀한 구조를 가지기 때문이다. 회음체를 중심으로 골반인대궁과 치골, 미골을 원형처럼 둘러싸인 벽을 연결하며 골반저의 중요한 모양을 형성하는 중요한 근육은 항문거근이다. 골반저의 대부분을 차지하고 있는 근육이 항문거근이며, 골반의 후방바닥에는 미골근이 있다. 미골근은 항문거근의 후방으로 천극인대를 따라 골반저를 고정하면서 항문거근과 이상근 사이의 공간을 메워준다. 이상근은 폐쇄공에서 시작하여 미골근과 미골에서 하지를 지탱하는 가장 큰 뼈인 대퇴골의 큰 돌기를 연결하는 근육이다. 골반 바닥의 후방은 미골근과 이상근이 조밀하게 채워주고 완성한다.

골반저 근육을 에워싸면서 지지하고 있는 **인대궁**은 치골결절의 후방에서부터 시작하여 폐쇄근의 근막에 연결되어 단단하게 띠를 형성한다. 외측으로 극돌기까지 주행하면서 항문거근을 끈으로 잡아당기는 강한 지지 구조이다. **중심 인대** 혹은 **외측 경부인대**는 자궁을 지지하는 큰 인대로 횡으로 자궁을 잡아당겨주는 강한 인대이며 양측의 한 쌍으로 구성된다. 자궁의 옆에 펴진 넓은 인대의 아래쪽에 위치하며 자궁의 경부에서 시작하여 외측 골반벽을 내폐쇄근의 폐쇄근막에 연결하고 있다. 자궁을 외측으로 잡아당기는 힘을 만들고 결합조직의 형태로 골반으로 주행하는 혈관을 감싸며 달린다. 자궁절제를 할 때 매우 중요한 구조물로 혈관이 풍부하기 때문에 주의하지 않으면 다량의 출혈이 발생할 수 있다. 골반 체신경이 인접해 있으며 자궁동맥이 같이 지나가면서 자궁으로의 일차적 혈액공급을 담당한다. 치골 요도인대는 치골에서 요도방광연결부위를 앞으로 당겨주는 인대이다. Petros는 실제 여성의 치골 요도인대의 조직을 연구하여 보고하였다. 요도와 질 해먹, **치골 요도인대**와 치골미골근의 전방에서 슬링을 만들어주는 방식의 요실금 수술 시에 이 인대에 대한 조직검사를 시행하였다. 인대는 5-7 mm 넓이와 3-4 mm 두께로 요도에서의 길이는 약 2 cm였고 질에서는 약 3-4 cm 정도였다. 이 인대는 조직학적으로 평활근육, 엘라스틴, 콜라겐, 신경과 혈관으로 구성되었다. 방광경부에서는 1cm로 짧았다. 치골 요도인대는 치골의 하단에서 팬처럼 내려와서 방광요도를 지탱한다 .이 인대가 약해지면 요실금이 발생한다.

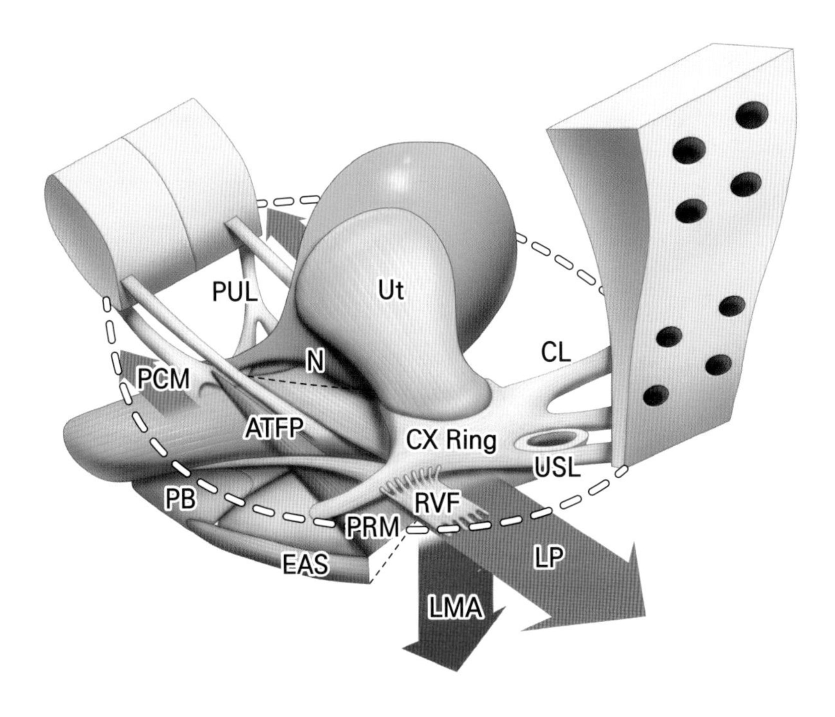

그림 4-12. **Peter Petros 필수이론의 모형.**
Arrows: muscle forces; Ligaments: ATFP: Arcustendineus Fascia Pelvis; CL: Cardinal Ligament; USL: Uterosacral Ligament; PUL: PuboUrethral Ligament; PB: Perineal Body; LP: Levator Plate; LMA: Longitudinal Muscle of Anus; PCM: Anterior PuboCoccygus Muscle; PRM: PuboRectalis Muscle; Circular broken lines: pelvic brim; Ut: Uterus; R: Rectum; Cx: Cervical ring; N: Stretch receptor at bladder base ; EAS: Extra Anal Sphincter

P. E. Papa Petros. The Integral Theory System. A simplified clinical approach with illustrative case histories Pelviperineology 2010; 29: 37-51

경계는 전방으로 회음막의 뒤쪽 가로막이 있다. 이것은 좌골 결절로 횡행으로 연결하는 가상의 선이다. 후 측방으로 천골결절인대가 둘러싼다. 항문 삼각에는 항문의 출구를 잡고 있는 항문 괄약근과 항문거근의 아래쪽에 심부회음낭과 유사한 공간인 좌골직장와가 있다. 좌골직장와의 공간은 지방으로 채워져 있다. 이 공간의 경계부위도 심부회음낭의 경계와 유사하게 상방으로는 항문거근, 측방으로는 내폐쇄근과 좌골치골뼈의 하부, 아래 쪽으로는 피부로 경계 지어져 있다. 항문의 내외 괄약근은 골반저의 하부에서 항문을 둘러싼다. 좌골극을 따라 외벽 쪽에 음부관(pudental canal Alcock's canal)이 위치하는데, 음부관에는 회음을 지배하고 혈류를 공급하는 음부신경과 내음부혈관이 주행한다(이쪽으로 직장하부와 항문 상부의 혈관 공급과 신경지배를 담당하는 혈관과 신경이 주행한다). 항문 삼각의 기능은 배설 및 변 자제 정도이다. 주변에 피부, 항문직장와, 항문거근으로 구성되어 비교적 단순하다. 항문 미골 인대의 위 쪽에도 별다른 구조물 없이 미세한 신경과 지방 및 결합조직이 있다.

비뇨생식 삼각은 회음의 다이아몬드 모양의 전방의 삼각이다. 전 측방으로 하부 치골가지가 있고 후방에는 회음막의 뒤쪽 막이 경계를 이룬다. 골반격막의 아래쪽으로 골반저에서 회음체를 경계로 전방에서 삼각형 모양으로 회음을 감싸면서 비뇨생식 삼각부위의 아래층을

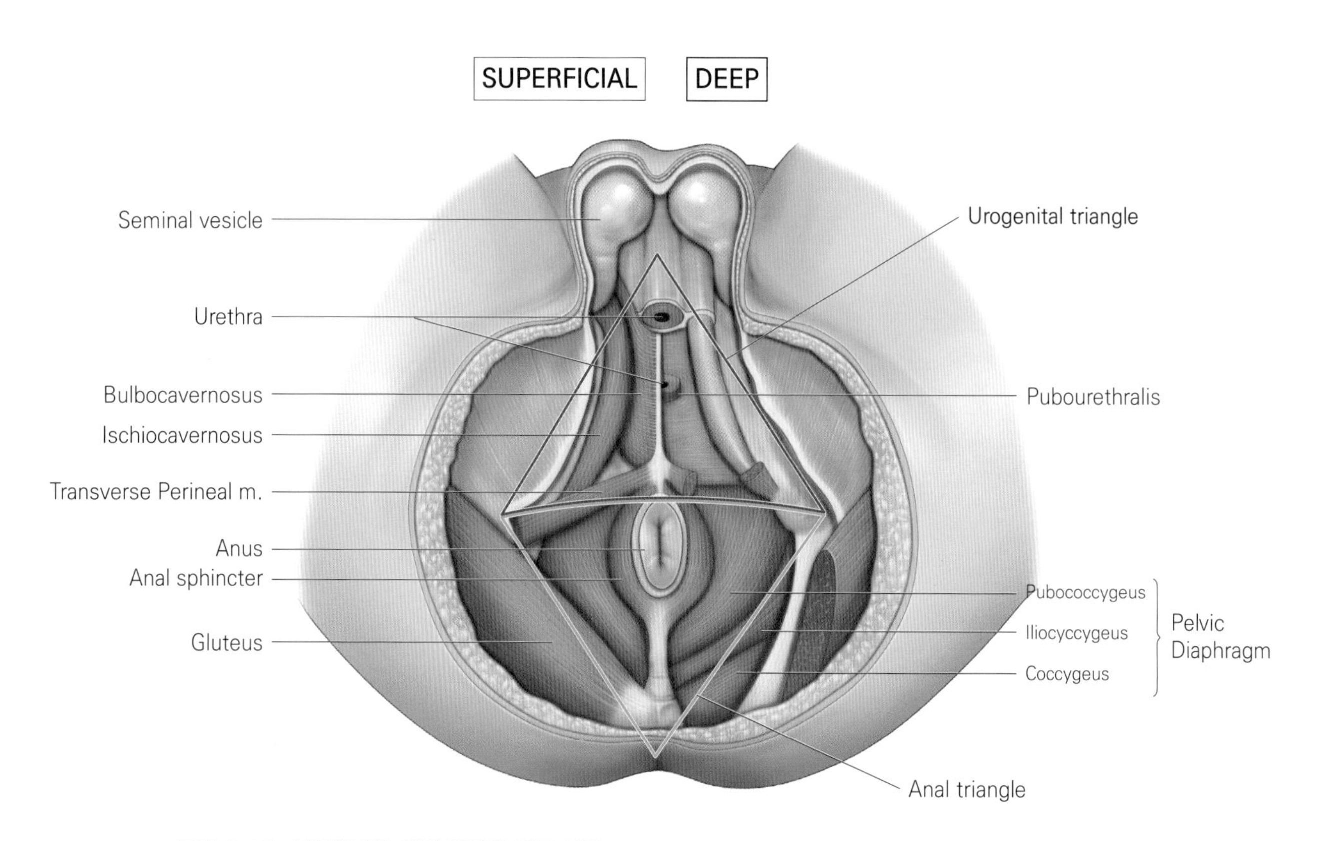

그림 4-13. **남성의 비뇨생식 삼각과 항문 삼각**

형성하는 막이 회음막이다. 치골궁을 따라 붙어있는 단단한 근막 형태의 구조로 후방으로 횡행 회음근육을 경계로 한다. 이곳에서 외부생식기가 시작하게 된다. 좌골해면체 근육과 질근육, 질구 근육, 구해면체 근육 등이 감싸면서 비뇨생식기를 지지한다.

비뇨생식 삼각은 피부, 천부 회음낭, 회음막, 심부회음낭, 항문거근의 5개 층으로 구성되어 있고 이외 배뇨와 생식에 필요한 여러 가지 근육들이 복잡하게 어우러져 있다. 이중 회음막, 심부회음낭, 항문거근 등이 골반저를 지지하는 조직으로 이 세개의 층이 골반격막을 이룬다. 심부회음낭은 주머니 모양으로 위로 골반격막과 아래로 회음막의 사이에 위치하게 된다. 심부회음낭에는 남녀에 따라 약간 다른 골격근이 위치한다. 이곳은 음부신경의 회음분지가 지배한다. 배뇨의 조절에 관여하는 근육인 치골미골근과 치골 요도근이 비뇨생식강의 조임을 도와준다. 비뇨생식 삼각은 복잡하고 다양한 기능을 한다.

비뇨생식 삼각은 남성의 경우 생식기와 요도의 통로가 되고, 여성의 경우는 요도와 질의 통로이다. 심부회음낭의 중심에는 근육과 인대와 근막이 뭉쳐진 결합조직 형태의 지지구조가 있는데 이것이 회음체이다. 회음체는 회음의 근육들을 잡아주는 역할을 한다. 남성에서는 전립샘거근과 치골전립샘근이, 여성에서는 치골질근이 요도괄약근을 보조한다. 방광은 질의 상방에 놓이고

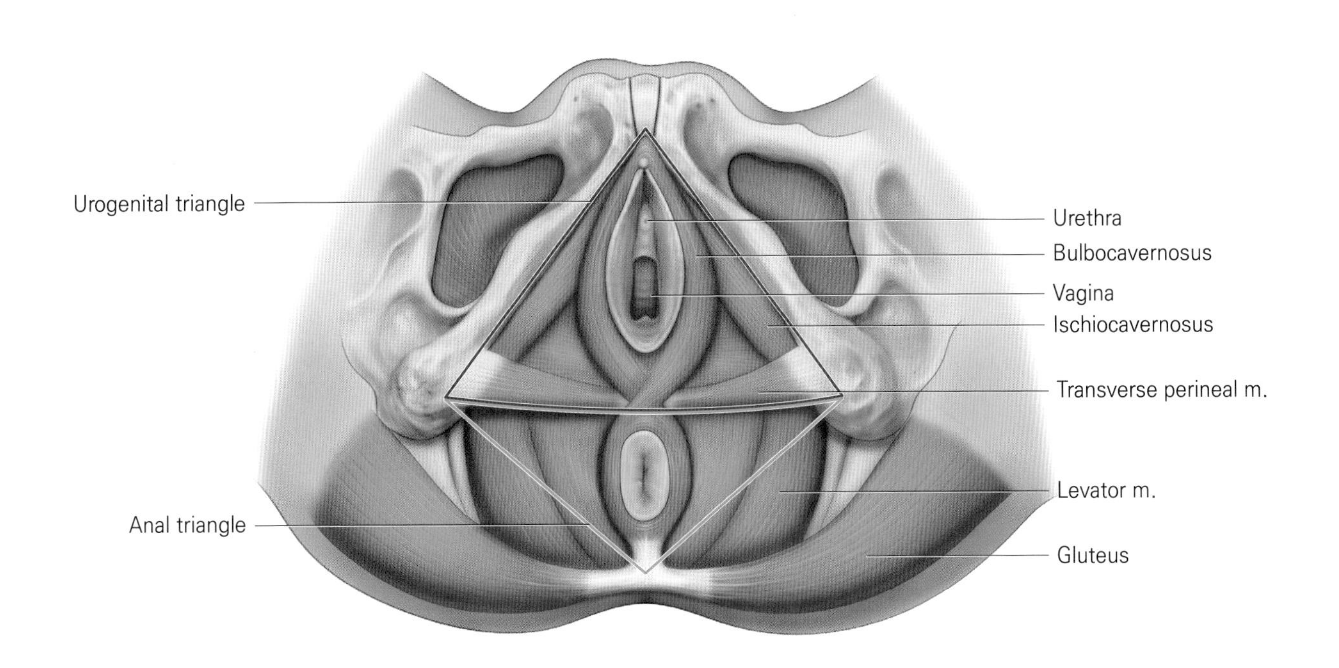

그림 4-14. **여성의 비뇨생식 삼각과 항문 삼각**

부분적으로 서로 붙어 있다. 질의 전벽은 치골 요도인대에 의하여 전방으로, 질의 후벽은 자궁천골 인대에 의하여 후방으로 현수교의 강선처럼 지지되어 있고 그 아래 쪽에 치골미골근이 위치한다. 치골미골근과 함께 치골 요도근이 방광요도륜을 앞으로 당기며 소변의 자제를 유지한다.

7. 내 음부동맥 (Internal pudendal artery)

인대궁은 골반저를 잡아주는 중요한 구조이다. 천골극인대와 천골결절인대는 천골과 좌골을 연결하여 단단하게 지지하고 골반뼈와 함께 골반저를 받쳐주는 역할을 한다. 이러한 골반뼈와 인대궁, 천골극인대, 천골결절인대 등은 항문거근을 지탱하는 기본 구조조직이다. 인대궁과 내폐쇄근의 좌골극 하방으로 둔부를 따라 내려

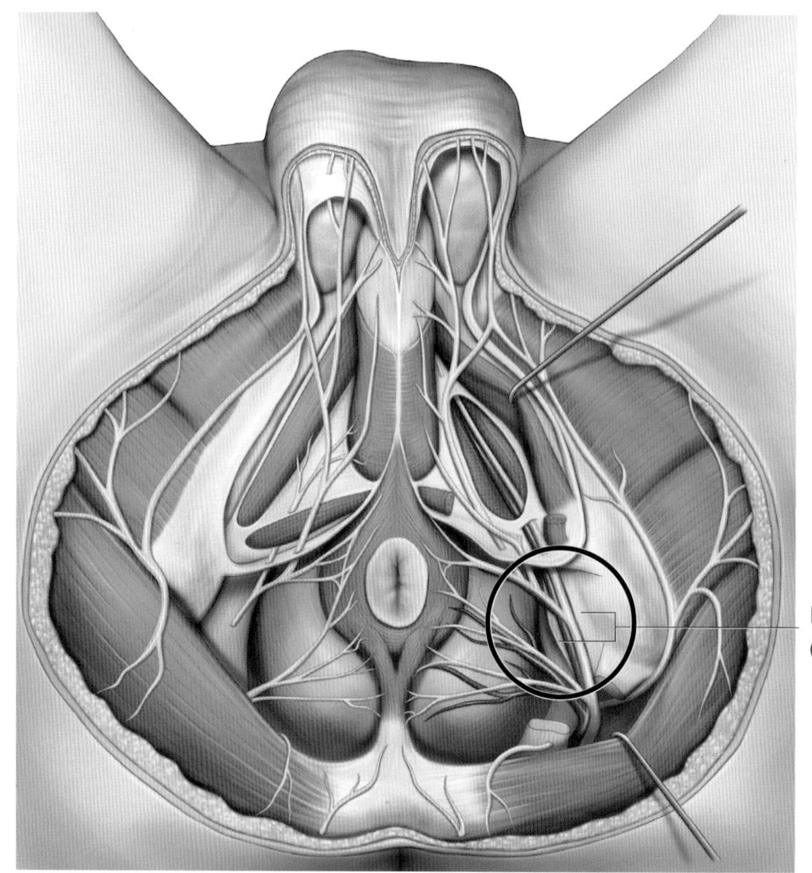

그림 4-15. 음부관(pudendal cannal)을 통해서 음부신경과 내 음부동맥이 같이 주행한다.

오면 신경과 혈관이 통과하는 **음부관**이 있다. 내장근동맥(internal iliac artery)은 내 음부동맥을 분지한다. 내 음부동맥은 대좌골공(greater sciatic foramen)을 통해 천골극인대의 후방을 지나고 소좌골공(lesser sciatic foramen)을 지나 음부관을 통과한다. 내 음부동맥은 골반과 회음에 혈액을 공급한다. 음부관은 좌골직장와 측벽의 폐쇄내근 안쪽으로 위치하게 된다. 음부신경은 음부관내에서 내 음부동맥과 같이 주행한다. 내 음부동맥은 좌골직장와에서 첫째 분지인 하부 직장동맥(inferior rectal a.)을, 음부신경은 내 음부신경을 각각 분지한다. 하부 직장과 상부 항문관에 공급하는 하부 직장동맥 분지를 지나면 좌골직장와는 지방으로 채워져 있다. 내 음부동맥은 음부관을 통과하면서 회음동맥(perineal a.)과 음경(음순)후방동맥(dorsal artery of penis)으로 분지한다. 또한 음부동맥은 심부회음낭을 통하여 해면구나 외요도괄약근에 분지를 내고 음경(음순)의 심부 동맥, 배부 동맥을 분지한다. 음경(음순)의 전방 동맥은 대퇴동맥에서 나오는 외음부 동맥에서 분지한다.

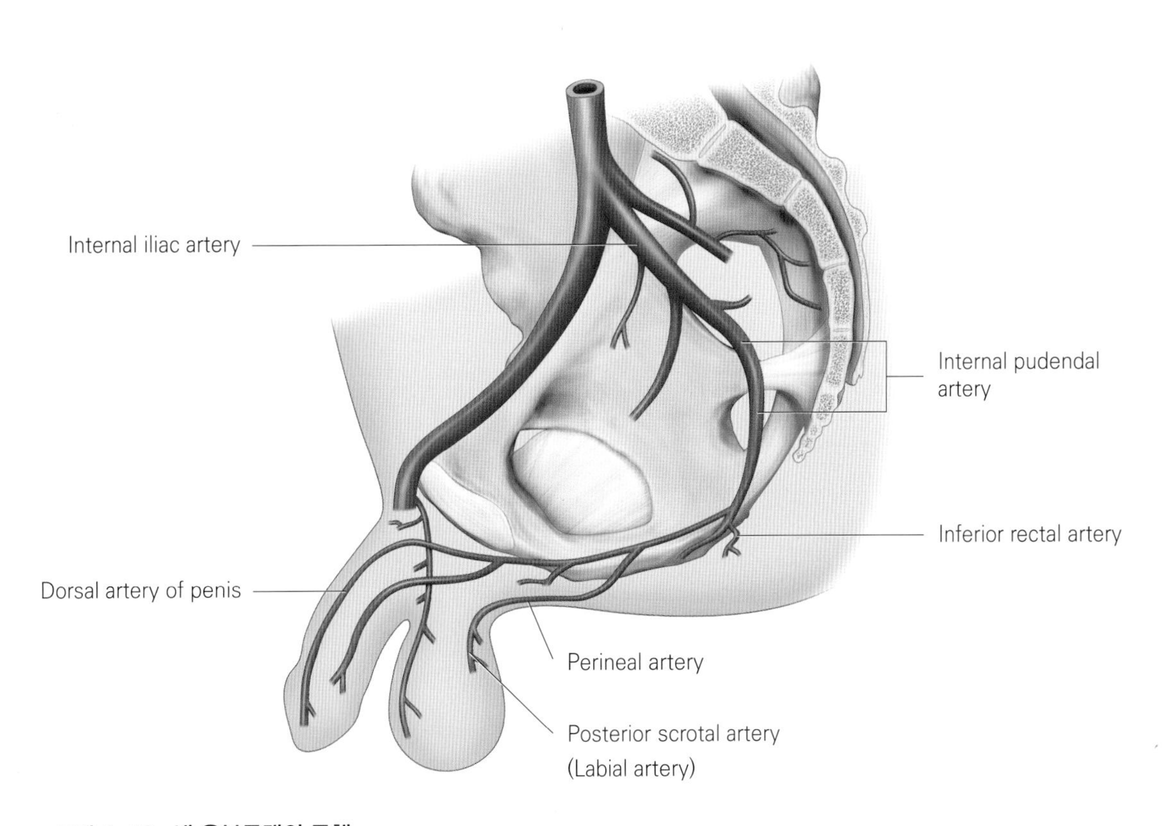

그림 4-16. **내 음부동맥의 주행**

8. 항문직장의 신경

신경의 분포를 살펴보면 천수의 2, 3, 4번에서 나와서 항문직장을 지배한다. 음부신경의 분지인 하부 직장 신경과 회음신경이 외괄약근을 지배한다. 치골직장근을 포함하는 골반저 근육은 인접한 천수에서 직접 신경지배를 받는다. 치골직장근은 하부 직장 신경 분지와 회음신경 분지로부터 보조적으로 영향을 받는다. 외괄약근과 골반근육은 피질척수 하행 운동신경로를 통해서 수의적으로 움직일 수 있다. 또한 천수반사신경로를 통해서 반사적으로 움직이기도 한다. 음부신경을 차단해 보면 항문과 생식기 주변의 피부 감각이 소실되고 항문 괄약근의 수축기능이 약해지고, 직장항문 반사가 소실된다. 하지만 직장의 감각에는 영향을 미치지 않는다. 항문직장주위의 신경분포는 풍부하다. 장관신경, 교감신경, 부교감신경, 감각신경의 지배를 받는다. 항문의 감각은 하부 직장 신경의 분지에 의해 전달된다.

1) 자율신경(Mixed autonomic nerve)

자율신경은 호흡, 순환, 대사, 체온, 소화, 분비, 생식 등 사람이 살아가는데 필요한 기본적인 기능의 항상성을 유지하는데 중요한 역할을 한다. 자율신경은 무의식적으로 작동하며 스스로 몸의 컨디션을 파악하여 심장박동수를 변화시키거나 혈관을 이완 혹은 수축시키기도 하고 시야를 좁게 혹은 넓게 조절하기도 한다. 교감신경은 자율신경계의 일환으로 대체적으로 사람이 긴장할 때 활성화된다.

교감신경이 활성화되면 혈관이 수축하고 심장박동이 빨라져 혈압이 올라가고 혈당이 높아지며 손에 땀이 나거나 호흡이 가빠지고 가슴이 두근거리게 된다. 소화관의 분비나 운동이 저하되며 방광은 이완되고 발기가 저하되는 등의 현상이 나타난다. 부교감신경이 활성화되면 심장박동수가 떨어지고 침샘의 분비가 증가하거나 긴장이 덜해지며 장운동이 활발해지고 식욕이 증가하는 등의 현상이 나타난다. 부교감신경은 에너지를 절약하여 신체에 저장하는 작용을 한다.

골반의 자율신경은 골반 신경총인 양측 하하복신경총(下下腹神經叢)(Inferior hypogastric plexus)에서 나와서 남녀 공통으로 방광총과 직장총으로 주행하여 장기를 지배한다. 또한 남성에서는 전립선총, 여성에서는 질자궁총으로 분지하여 주행한다. 골반의 부교감신경은 골반내장신경으로 천수신경 2,3,4번에서나온다. 이는 하하복신경총으로 연결된 이후 분지된다. 자궁암이나 하부 직장암 수술 등 외과 수술 시 방광, 자궁과 질, 직장과 남성의 전립선 및 생식기의 기능장애를 초래하는 경우가 종종 있다는 것은 널리 알려진 사실이다. 이러한 기능장애는 대개 하하복신경총에서 연결되는 부위의 신경 손상에 기인한다.

골반을 지배하는 교감신경은 흉추와 요추에서 나오는 신경이 모여서 내려와 제4요추부위의 복부 대동맥 분기(Aortic bifurcation) 상방에서 교감신경절을 구성하고 상하복신경총(上下腹神經叢)(Superior hypogastric plexus)을 형성한다. 여기서 형성된 교감신경은 하하복신경총에서 합쳐서 복합 자율신경총을 형성한다. 교감신경은 피부를 수축시킬 뿐만 아니라 항문관을 조이고 방광과 직장벽의 근육을 이완시키며 수정관, 정낭, 전립샘의 평활근을 수축시킨다.

2) 체신경(Somatic nerve)

음부신경은 2, 3, 4번째 천수신경이 모여서 형성한다. 2, 3, 4번째 천수신경은 하부 직장과 심부회음낭, 천부 회음낭, 회음, 음경 등에 신경지배를 한다. 좌골궁(挫骨芎)을 통해 **음부관**을 지나면서 하직장 신경(inferior rectal n.)을 분지하고 앞쪽으로는 심부회음낭을 통하여 좌골직장와 쪽으로 하강하여 음경(여성의 음핵)배부신경 분지(Dorsal nerve of penis)를 낸다. 심부회음낭 에서는 3번째 분지인 회음신경 분지(perineal n.)를 낸다. 회음신경은 심부신경과 천부신경으로 다시 나뉘어진다. 심부회음신경은 심부회음낭에 있는 요도구와 요도괄약근에 인접하는 심부회음낭 내의 근육을 지배한다. 천부 회음신경은 천부 회음낭에 분지를 내고 후 음낭(여성의 음순) 신경 분지를 낸다. 음낭전부신경은 장골 서혜 신경에서 분지된다.

3) 골반내장신경(pelvic splanchnic nerve)

골반내장신경은 남성에서 방광, 요도, 전립선, 정낭 등에 분포하여 발기에도 영향을 미치기 때문에 발기 신경이라고도 한다. 3, 4, 5번 천골신경의 앞쪽 분지에서 나와 형성되는 음부신경총에서 갈라져 나온 신경섬유로 부교감신경에 속한다. 이 신경은 골반내의 직장·방광·요도·전립선·정낭·자궁·질 등과 같은 골반의 내장의

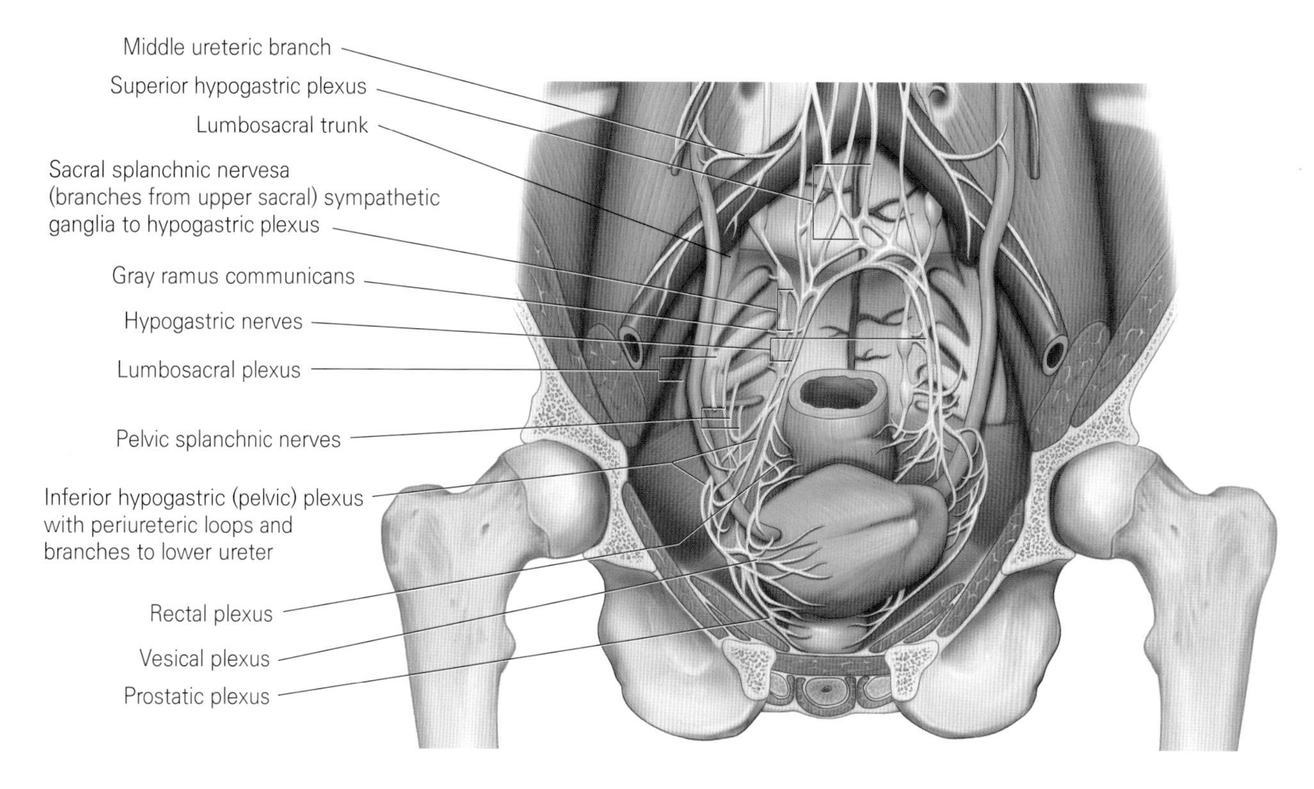

그림 4-17. **음부 신경의 주행(1)**

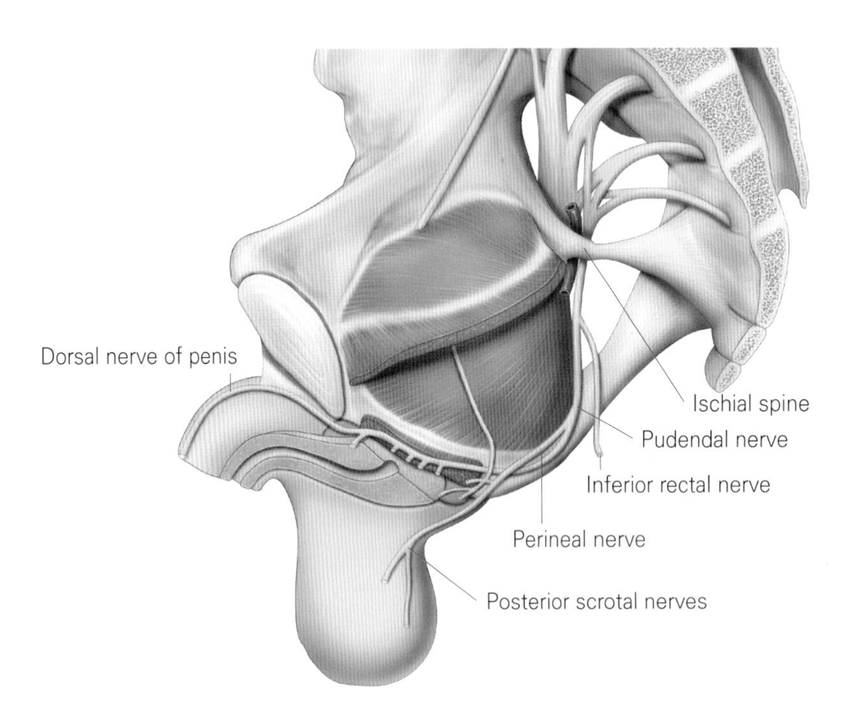

그림 4-18. **음부 신경의 주행**

기능에 관여하고 그들의 자율기능(배변·배뇨·사정·분만·발기 등)을 조절한다.

발기신경의 전달체계를 살펴보면, 먼저 중추신경계는 대뇌 시상하부 등의 변연계에 위치하며 성기능을 조절한다. 이곳에서 시각, 촉각, 상상적 사고 등을 통하여 성적 자극을 전달받게 되고 이들 자극의 대부분은 척수를 거쳐 자율신경계를 통해 음경으로 원심성 자극으로 전달되어 음경의 발기를 일으킨다. 후시상하부의 자극은 교감신경중추로, 전시상하부의 자극은 부교감신경 발기중추로 전달된다. 다음으로 성기능에 관여하는 자율신경은 교감신경과 부교감신경으로 나눈다. 교감신경은 척수의 흉요추절에서, 부교감신경은 2, 3, 4번 천추에서 나오는 천수절에서 시작한다. 이러한 자율신경은 골반신경총을 이루어 양측의 하하복신경총을 거쳐 해면체신경을 통해 음경으로 분포하며 방광 전립선 정낭 요도와 직장으로도 분포한다. 부교감신경은 발기를 일으키며, 교감신경이 활성화되면 사정에 관여하고 발기된 음경을 이완시킨다. 마지막으로 음경의 체신경은 음부신경에서 기원하여 배부신경을 통해 자극을 전달받으며 또한 운동신경으로 작동하기도 한다.

저위 직장, 방광, 여성의 자궁, 남성의 전립선 수술 등의 과정에서 골반내장신경(발기신경)의 손상이 발생하기도 한다. 이러한 경우 신경의 말단에서 발기를 위한 화학물질의 분비에 영향을 주게 되어 발기부전으로 진행된다.

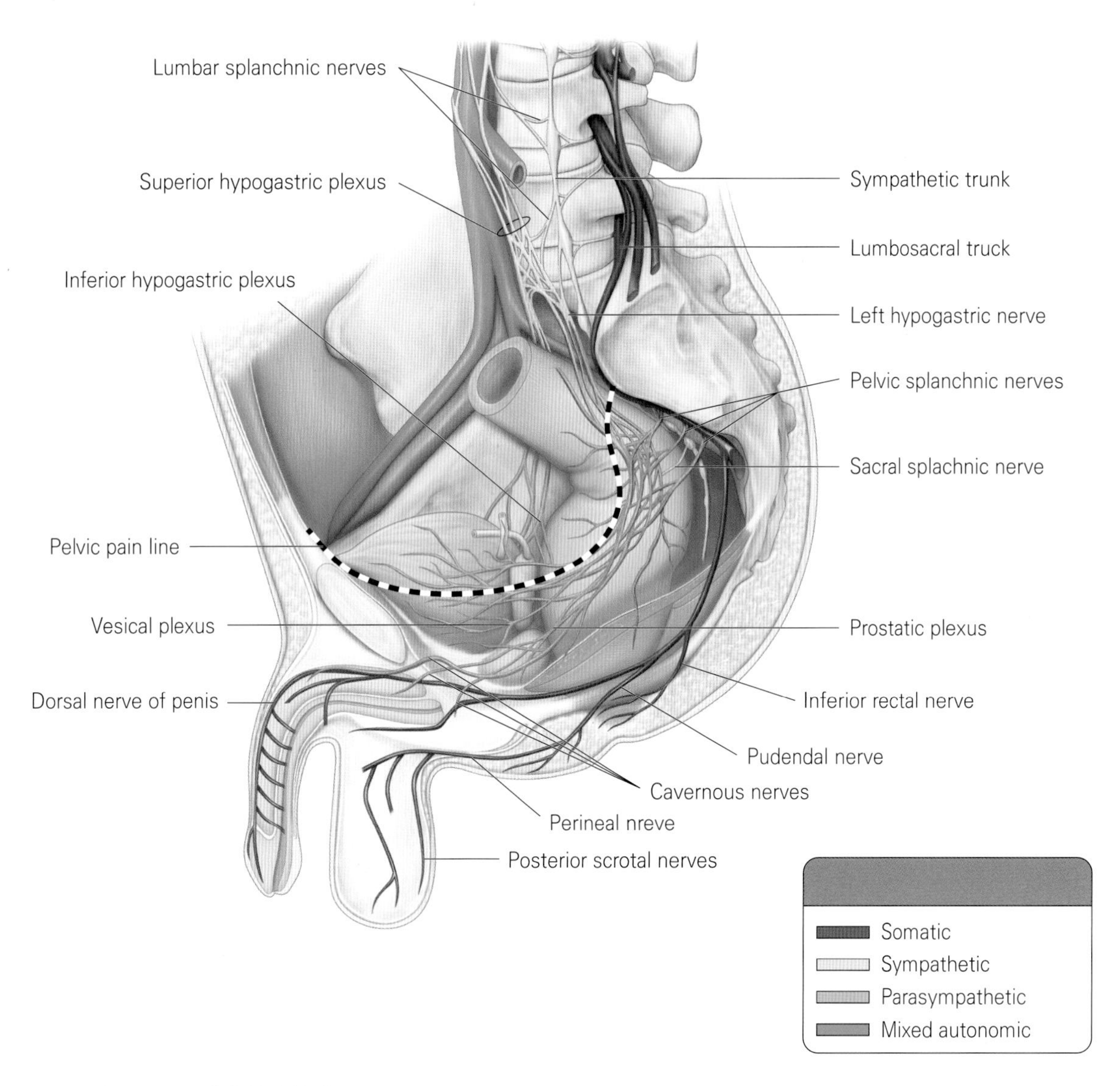

그림 4-19. **골반의 신경 분지**

References

1. P. E. Papa Petros. The pubourethral ligaments - an anatomical and histological study in the live patient. International Urogynecology Journal HYPERLINK "https://academic.naver.com/journal.naver?journal_id=2474216" and Pelvic Floor Dysfunction 1998;9:154-7.
2. Nivatvongs S, Stern HS, Fryd DS. The length of the anal canal. Dis Colon Rectum 1981;24:600-1.
3. Jong Min Lee, Nam Kyu Kim. Essential Anatomy of the Anorectum for Colorectal Surgeons Focused on the Gross Anatomy and Histologic Findings. Ann Coloproctol 2018;34:59-71.
4. S. NoSrby Rasmussen & P. Riis. Rectal Wall Thickness Measured by Ultrasound in Chronic Inflammatory Diseases of the Colon. Scandinavian Journal of Gastroenterology 1985;20:109-14.
5. H P Haber, N Benda, G Fitzke, A Lang, M Langenberg, J Riethmiiller, M Stem. Colonic wall thickness measured by ultrasound: striking differences in patients with cystic fibrosis versus healthy controls. Gut 1997;40:406-11.
6. Hans P. Haber, Martin Stern. Intestinal Ultrasonography in Children and Young Adults: Bowel Wall Thickness Is Age Dependent. J Ultrasound 2000;19:315-21.
7. P. E. Papa Petros. The Integral Theory System. A simplified clinical approach with illustrative case histories. Pelviperineology 2010;29:37-51.

변실금의 원인
(생리변화, 현상, 악화 요인)

1. 근육 손상

변실금 증상은 다양한 원인과 위해 요소가 복합적으로 작용하여 발생하는 경우가 많다. 변실금의 가장 중요한 원인은 항문과 직장 주위의 근육 손상과 기능 변화이다. 항문과 직장 주위의 근육에 손상이 발생하면 변을 참지 못하게 된다. 근육 손상의 가장 큰 원인은 출산이다. 골반저를 지지하는 크고 중요한 항문거근(levator ani muscle)은 출산 시 아기의 머리가 지나면서 늘어나고 찢어지는 손상을 입게 된다. 늘어난 근육은 출산 후 시간이 지나면서 원위치로 자리를 잡게 된다. 찢어져 손상이 있다고 하더라도 젊은 시절에는 그 손상의 크기가 현저하지 않다면 인지하지 못하고 그냥 지내는 경우가 많다. 이를 잠재적 분만 손상이라고 하는데 회음신경의 손상과 동반하는 경우가 많다. 젊은 시절에는 다른 요인들이 상호 보완적으로 골반을 보강하여 지탱하고 기능을 유지하게 되면서 별 다른 증상을 느끼지 못하게 된다.

Rojas 등은 320명의 초산 여성을 대상으로 분만에 의한 괄약근 손상의 발생을 조사하였고, 27.9%의 여성에서 출산 당시 발견하지 못한 괄약근 손상이 있었다. 이러한 상황에도 증상이 없는 것은 다른 건강한 조직들의 보완에 의하여 괄약근 손상 증상이 숨겨지기 때문이라고 생각하였다. 또한 겸자를 사용하여 출산을 보조할 경우 이러한 손상의 정도를 악화시키는 위험요소가 된다고 하였다. 분만에 의한 괄약근 손상은 젊고 건강한 여성들의 삶의 질을 현저하게 떨어뜨리는 큰 요인이다. Keriakos 등은 분만에 의한 괄약근 손상이 가장 큰 영향을 미치는 것으로 변실금을 손꼽았다. 변실금의 증상 외에도 분만 손상은 통증, 감염, 성교 통증, 성관계 시 기능부전 등을 초래한다고 보고하였다. 또한 다음 출산에도 영향을 미치고 경제적 부담을 증가시키게 된다고 하였다. Jacobs 등은 분만 손상으로 변실금이 발생한 30명의 여성 환자에서 지연 괄약근 복원을 시행하여 좋은 결과를 보고하였다. 퇴행성 변화가 없는 여성의 변실금 환자에서 치료가 지연되었다 하더라도 괄약근 복원으로 변실금 증상이 개선 될수 있음을 관찰하였다. Bharucha 등은 대조군 연구에서 MRI를 이용하여 변실금 환자의 골반을 관찰하였다. 실제 분만에 의한 골반저 손상은 직접 눈으로 확인되는 것 보다 많은데, 단독 원인으로 증상을 나타내기 보다는 변실금에 영향을 주는 큰 위험요소 중 하나라고 강조하였다. 내괄약근의 손상, 배변시 회음 하강의 정도 등을 독립적인 위험인자로 판단하고 회음절개를 줄이는 것이 변실금을 예방할 수 있다고 주장하였다.

젊은 시절에도 이 근육들이 대량으로 손상을 입게 되면 즉시 변실금의 증상이 나타날 수 있다. 특히 아기의 머리가 커서 난산을 하는 경우 회음 절개를 하여 분만하는 경우가 있는데 이 때 절개한 회음이 제대로 복원되지 못하여 근육 손상이 방치되는 경우가 생긴다. 또한 난산의 경우 아기 머리를 꺼내기 위해 겸자를 자궁으로 넣어 출산을 돕기도 하는데 이러한 경우에도 근육의 손상은 더 심해진다. 잠재적 괄약근 손상이 발생하면 젊은 시절에는 증상이 없던 여성도 노화가 진행되면서 어느 시점을 지나면 괄약근 손상에 의한 증상이 나타나기 시작한다.

2. 음부신경 손상

음부신경 손상은 항문과 직장 주위 골반내 장기의 감각, 이완 및 수축에 부정적인 영향을 미친다. 음부신경은 항문의 내외 괄약근, 항문주위의 피부를 지배하며 항문직장의 반사에 관여한다. 자율신경이나 체신경의 손상이 발생하게 되면 직장에 저장되는 변에 대한 감각

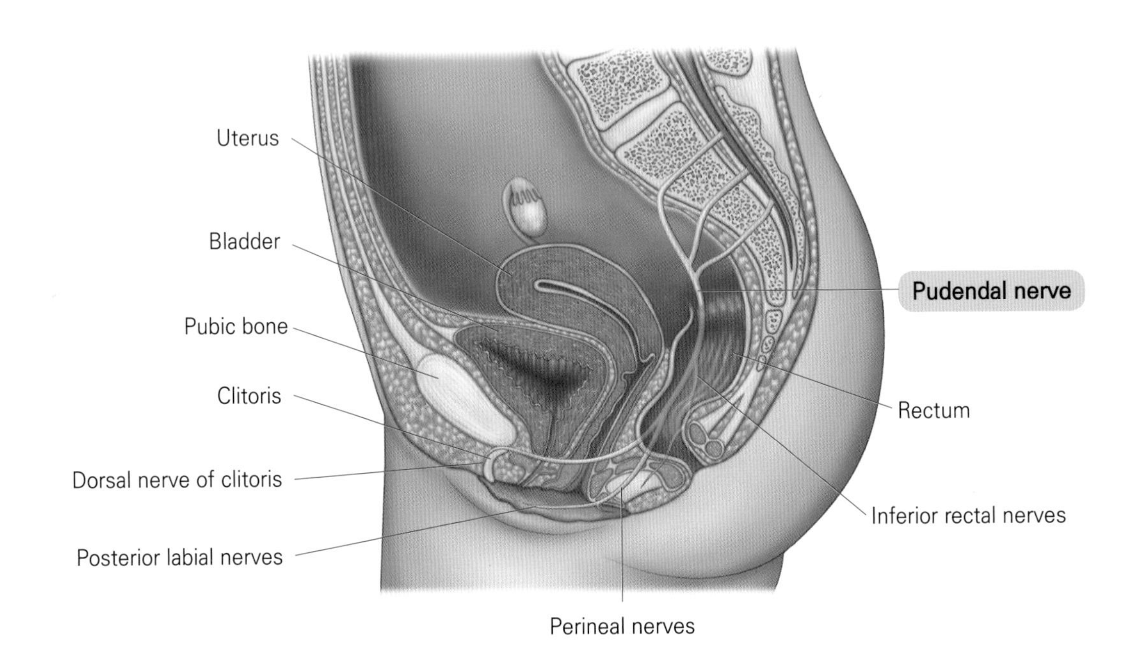

그림 5-1. **음부신경은 항문의 내외 괄약근, 항문주위의 피부를 지배하며 항문직장의 반사에 관여한다.**

이 저하될 수 있고, 항문 주위 괄약근은 변을 자제할 수 있는 조절 능력이 떨어지게 된다. 때로는 변과 가스를 구분하지 못하게 되기도 한다. 일반적으로 변실금과 음부신경 손상은 공존하는 경우가 많은 것으로 알려져 있고, 음부신경 장애가 변실금에 미치는 영향에 대하여 많은 연구도 지속되어 왔다.

항문 초음파의 발달로 괄약근 손상이 없는 변실금 환자에 대한 연구가 가능하게 되었다. 괄약근 손상이 없는 변실금 환자의 원인이 음부신경 장애로 인한 것이라고 추정하게 된 것이다. 사실 이것도 명확한 것은 아니다. 보다 복잡한 요인들이 변실금의 발생에 기여할 것으로 추정된다. 괄약근 손상은 발견되지 않으나 음부신경 장애가 있는 환자에서 괄약근의 긴장이 감소하고 항문관의 압력이 떨어져 있는 것이 확인된 많은 연구가 있었다. Suilleabhain 등은 66명의 변실금 환자에서 음부신경 말단 잠복 검사와 항문 초음파, 항문직장 내압검사를 통하여 음부신경 장애와 항문직장압력의 관계를 관찰하였다. 음부신경 장애가 항문직장의 수축기 압력과 반드시 연관이 있는 것은 아니고 음부신경이 정상인 경우라도 골반저의 약화를 배제하지 못한다고 주장하였다. 비 특이성 변실금 환자에서 골반저의 손상은 보다 복합적으로 발생하며 음부신경 장애만 단독으로 생기는 것은 아니라고 하였다.

Gooneratne 등도 923명(여성 745명)의 변실금 환자에서 음부신경 장애의 양상에 대하여 연구한 바 있다. 검사 항목으로는 경항문 초음파, 항문직장 내압검사, 직장감각, 음부신경 말단 잠복검사 등을 시행하였다. 결과는 변실금 환자의 56%에서 양측 음부신경 장애가 동반하였고 38%에서는 한쪽 음부신경 장애를 동반하였다. 양측 혹은 한쪽이라도 신경장애가 있는 경우 항문의 휴지기 압력은 감소하였다. 또한 수축기 압력의 약화도 확인되었다. 그러나 괄약근 손상 없이 한쪽만 음부신경 장애가 있는 경우에는 휴지기 압력의 약화는 있었으나 심각한 수축기 압력의 감소는 없었다.

Ricciardi 등은 1,404명의 변실금 환자 중 항문 괄약근 손상이나 항문직장의 탈출이 없는 환자를 대상으로 음부신경 장애가 직장항문 생리검사와 변실금의 정도에 미치는 영향에 대하여 연구하였다. 양쪽 음부신경 장애가 있는 환자에서 휴지기 압력이 떨어져 있고 변실금 점수는 높아져 있다고 보고하였다. 그러나 한쪽 음부신경 장애가 있는 환자에서 휴지기 및 수축기 압력과 변실금 점수는 유의미한 변화가 없는 것으로 보고하였다.

Loganathan 등은 괄약근 손상이 없는 환자에서 음부신경 말단 잠복검사 지연이 항문 괄약근의 휴지기 및 수축기 압력 저하와 연관되어 있다는 연구결과를 발표하였다. 음부신경 장애가 어느 한쪽 혹은 양쪽으로 온다면 괄약근의 기능이 떨어진다는 것이다. 이러한 결과는 음부신경의 자율신경 특히, 교감신경의 손상에 의한 것으로 생각하였다.

Roig 등은 72명의 여성과 24명의 남성의 변실금 환자에서 음부신경 장애의 유병률에 대한 연구결과를 보고하였다. 전체 환자 중 67명(69.8%)에서 음부신경 장애를 동반하였고 여성에서 75%, 남성에서 50%의 유병률을 보였다. 회음의 하강이 심한 경우, 난산의 병력이 있거나 과도한 배변 압박이 있는 경우 등이 위험인자에 해당되었다. 항문 내압검사를 통하여 음부신경의 손상이 있는 경우 항문 외괄약근의 손상도 흔하다는 것을 발견하였다. 이러한 장애는 항문의 휴지기 압력을 약화시키고 수축기 압력은 유지시키는 것으로 관찰되었다.

Tetzschner 등도 음부신경 손상을 동반하는 것이 괄약근 손상에 의한 변실금의 정도를 악화시키는 것으로 보고하였다. 94명의 괄약근 손상이 발생한 여성과 19명의 대조군의 항문직장 생리검사를 시행하여 비교 분석하였다. 분만 후 3개월째 측정한 음부신경 말단 잠복검사에서 음부신경 손상이 있는 여성에서 변실금의 위험이 증가하는 결과를 나타냈다. 항문내압검사 및 근전도검사 소견, 음부신경차단, 출산시간의 지연, 기구의 도움을 받아 출산한 경우 등의 요인과 변실금이나 음부신경 기능과의 연관관계는 찾아내지 못했다.

한편 Saraidaridis 등은 음부신경 말단 잠복검사가 변실금의 치료를 결정하는 데 중요한 정보를 제공하지 못한다고 주장하였다. 그는 269명의 환자에서 음부신경

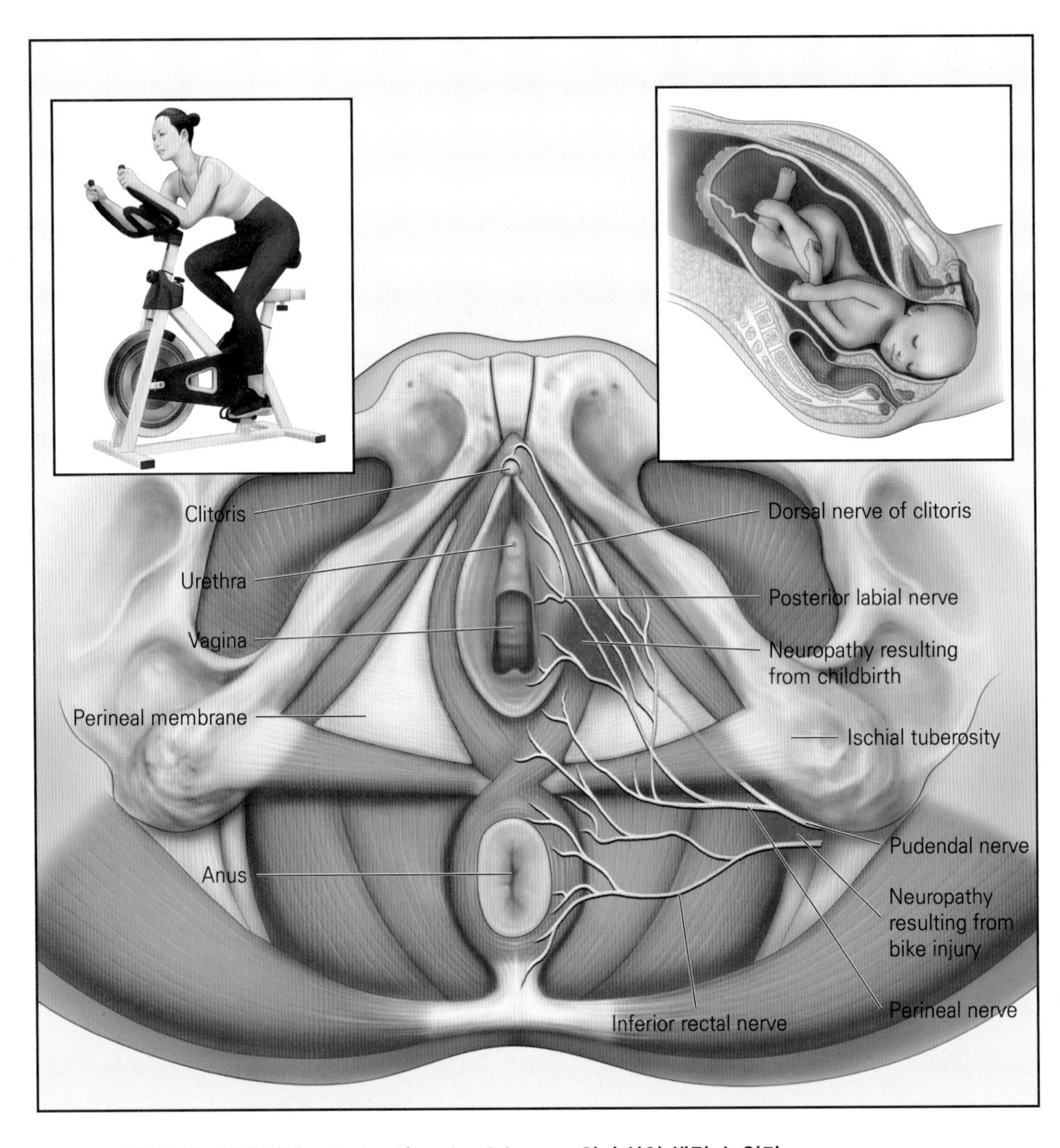

그림 5-2. **분만 시나 spinning시 pudendal nerve 의 손상이 생길 수 있다.**

말단 잠복검사, 항문직장 내압검사, 변실금 정도, 변실금에 의한 삶의 질 정도를 분석하였다. 음부신경 말단 잠복검사의 결과는 항문직장의 내압과 연관이 있으나 변실금의 정도, 삶의 질 정도, 휴지기 압력 등과는 연관이 없는 것으로 결론지었다. 따라서 변실금의 치료 알고리즘과 상관이 없다고 주장하며 변실금의 예후를 결정하는데 필수검사로서의 중요성에 의문을 제기하였다.

Rasmussen 등은 178명의 원인불명 변실금 여성에서 항문직장 생리검사, 음부신경 말단 잠복검사 등을 시행하여 노화와 음부신경 손상이 변실금에 미치는 영향을 조사하였다. 대부분의 변실금은 노화와 연관이 있는 것으로 나타났고, 한쪽 음부신경 손상은 변실금에 영향을 미치지 못하는 것으로 보였다. 일부 환자에서 양쪽 음부신경 손상이 신경학적 변실금과 연관이 있는 것으로 관찰되었다.

음부신경 손상의 중요한 원인은 분만 손상이고 신경장애를 악화시키는 요인은 노화에 따른 퇴행성 변화, 배변 시 과도한 힘주기와 회음의 하강이다. 생활습관이나 배변 습관이 음부신경 장애의 악화에 미치는 영향은 크다. 젊은 시절 발생한 신경의 손상은 증상이 나타나지 않는 경우가 많다. 노화에 의한 퇴행성 변화와 함께 골반의 지지조직이 약화되고 골반은 처지며 회음신경을 잡아당기게 된다. 음부신경 장애는 서서히 진행되다가 갑자기 증상이 나타나게 된다. 배변 조절에 대한 능력이 떨어지고 감각이 무뎌지게 되면 항문 주위에 변이 흐르거나 묻어 있는 것을 느끼지 못하게 된다. 이러한 경우를 수동적 변실금이라 한다. 노인성 변실금의 대표적인 증상이다.

3. 만성 변비

고령의 변실금 환자에서는 만성 변비가 동반되어 있는 것을 종종 볼 수 있다. 고령의 만성 변비의 원인은 대개 두 가지 기전으로 진행된다. 하나는 고령으로 인한 퇴행성 변화로 장 운동성이 떨어지게 되는 기능적인 문제에 의한 것이고 이를 이완형 변비라고 한다. 다른 하나는 항문직장 중첩이나 회음 하강, 항문직장의 기능약화 등으로 인한 것이고 이는 출구폐쇄 변비라고 한다. 환자의 상세한 병력을 들어보면 구분이 가능하지만 이를 감별하기 위하여 대장내시경, 대장 통과시간 검사, 배변영화조영술, 항문직장 내압검사, 항문직장 초음파 검사 등이 필요하다. 간혹 음부신경 말단 잠복검사를 통하여 음부신경 장애의 유무를 확인하기도 한다.

노인 환자에서 만성 변비는 분변 매복 형태를 보이며 이는 변실금을 일으키는 주요 원인이 된다. 노화로 인해 직장의 감각이 떨어지고 배출을 위한 수축능력이 감소하면서 직장에 변이 가득 차도 변이 마려운 느낌이 덜하게 된다. 변을 보는 시기를 놓치게 되면 변이 직장에 오래 머물게 되고 수분이 흡수되어 딱딱해진다. 변의 끝이 딱딱하게 되면 배출이 힘들어 져서 항문 주위를 만져주거나 손가락으로 파내야 겨우 변을 보는 노인들이 흔하다. 직장이 팽창되는 상태가 반복되면 변이 직장에 쌓이면서 그 양이 점점 많아지고 이를 원활히 배출하지 못하게 되면 직장은 더 늘어나고 탄력성이 떨어지게 된다. 그렇게 되면 직장은 수축할 수 있는 능력을 잃어버리게 되는 악순환이 반복된다. 직장의 배출 능력은 떨어지고 항문은 열리지 않아 스스로 변을 볼 수 없게 되어 배변 곤란, 복부팽만, 복통 등과 같은 증상으로 병원을 내원하게 되는데 이를 분변 매복이라 한다. 오랫동안 병상생활을 하는 노인에서 분변 매복이 지속되면 음부신경의 장애가 진행된다. 직장항문의 배출 기능은 더 떨어진다. 분변 매복이 해결되지 않는 상황에서 식이 조절 없이 많은 양의 변이 만들어지면 상부의 무른변이 하부 직장의 딱딱한 변을 타고 항문으로 흘러내리는 변 누출이 발생하게 된다. 이를 범람형 변실금이라 한다. Romero 등은 노인 변실금의 원인으로 분변 매복을 들었다. 분변 매복은 노쇠, 치매, 신경과 근육 부전, 약물 복용 등 여러 원인들에 의해서 발생할 수 있다고 하였다. 이는 노인성 변실금의 대표적인 증상 중 하나이다.

스스로 활동을 하지 못하는 노인들에게 발생하는 변비와 변실금은 치료에 어려움을 겪는다. 특히, 뇌졸중 환자나 치매 등으로 인해 활동력이 떨어진 환자에서는 장의 기능도 떨어져 있거나 변의 배출 능력이 현저히 감소되어 있다. 뇌졸중 환자의 약 60%가 변비에 노출된다. 뇌졸중 환자에서 변실금은 장기적으로 56%에서 발생하며 11%는 3개월 만에, 22%는 6개월 만에 생긴다. 뇌졸중 발생 후 급성으로 오는 변실금은 일시적으로 생길 수 있으며 동반되는 변비로 인한 분변 매복이 원인이 될 수 있다. Harari 등은 요양시설이나 병원에 입원 중인 환자를 대상으로 하루에 한번 혹은 이틀에 한번씩 직장항문 수지검사 및 자극으로 정상적으로 배변 활동을 유지할 수 있다고 했다. 식단관리와 함께 수분섭취 및 활동량을 늘리고, 주기적인 배변 자극을 통하여 원활한 배변 활동을 도울 수 있다고 했다.

변비와 변실금이 동반되는 환자의 치료는 쉽지 않다. 기저질환을 파악하고 인지력을 고려하여 개인의 특성에 맞는 치료법을 선택해야 한다.

4. 변의 성상

변실금 환자에서 액상변은 형태가 갖춰진 고형변보다 조절이 어렵다. 설사는 변실금의 증상을 악화시키는 강력한 요인이다. 장의 염증이나 음식물에 의해서 일시적으로 발생할 수 있지만 이러한 설사로 인한 변실금 증상은 짧게 진행된다. 과민성 장증후군이나 크론병과 같은 만성 질환은 활동기에 몇 주 혹은 몇 달 동안 설사가 지속되기도 한다. 기저질환이 있거나, 장기간 약물을 복용 중이거나, 혹은 지방이 장에서 흡수가 되지 않고 빠른 시간에 통과하게 되는 지방변 등은 변실금의 증상을 악화시킨다. 담낭을 제거하면 담즙의 분비가 과도하게 되어 설사를 유발한다. 비만에 사용되는 약물들은 지방의 흡수를 방해하여 지방변과 설사를 일으키고 변실금의 증상을 악화시키기도 한다. Madoff 등은 변실금은 단순히 노인에서만 발생하는 것이 아니고 젊은 층에서도 발생한다고 하였다. 영국의 15-64세 인구의 1,000명 중 남성은 4.2명, 여성은 1.7명에서 변실금 증상을 보인다고 하였다. Jorge 등은 변실금의 원인으로 골반과 괄약근의 기능저하, 항문직장의 감각변화, 직장의 저장 능력과 유순도 감소 외에도 변의 성상을 중요한 요인으로 꼽았다.

5. 직장의 저장 능력

직장은 변을 저장해야 하지만, 이 능력이 감소하거나 아예 변을 저장할 수 없는 상황이 생기는 경우도 있다. 정상적으로 직장은 변을 어느 정도 저장하고 참을 수 있는데, 수술 후 직장이 손상되거나 직장 벽이 딱딱하게 되어 팽창하지 못하는 경우가 발생할 수 있다. 염증이 있거나 방사선 치료를 받게 되면 직장이 팽창하지 못하게 되고 충분한 양의 변을 저장할 수 없게 되어 적은 양의 변이 내려와도 참지 못하고 변을 보게 된다.

암이나 염증 등으로 직장을 제거하고 상부의 소장이나 벽이 얇은 대장을 항문에 연결하는 경우가 있다. 소장이나 얇은 벽을 가진 대장은 직장과 같은 저장 능력을 갖지 못한다. 조금만 변이 차게 되더라도 팽만감과 통증을 느끼며 화장실을 달려가야 한다. 수술에 의한 직장 주위의 신경 손상이나 골반 바닥 근육의 손상으로 변실금이 발생할 수도 있다. 수술의 영향으로 항문직장의 각도가 변하기도 한다. 원래 항문과 직장은 직각과 같은 예각으로 꺾여 있어 변이 잘 흘러내리지 못하게 해 준다. 직장 절제술 이후 항문과 연결된 소장 또는 대장의 각도가 수직으로 서게 되면 묽은 변이나 설사를 참지 못하는 현상이 발생하게 된다. 이로 인해 하루에도 수십 번씩 화장실을 달려가게 되고 일상생활에 지장을 초래하여 결국은 장루를 해야 하는 상황이 발생하기도 한다.

6. 치질과 항문 탈출

항문의 혈관 덩어리인 치정맥총은 원래 배변 시 항문을 보호하기 위한 쿠션 역할을 한다. 치정맥총은 변 자제에도 역할을 한다. 항문의 치정맥총에 피가 몰리면서 울혈이 발생하는 경우가 있는데, 이 때 과도한 압력이 주어지면 출혈이나 혈전이 생기기도 한다. 노화, 변비, 반복된 자극이나 압력 상승에 의하여 쿠션을 잡고 있는 얇은 근육이 늘어나게 된다. 병적인 상태의 치정맥총을 치질 혹은 치핵이라 한다. 치질의 대표적인 증상 중 하나는 항문의 탈출이다. 항문의 지속적인 탈출로 인해 항문관의 상부가 넓어지고 항문관의 길이가 짧아지게 된다면, 항문의 압력 유지 및 변을 자제하는 능력은 약해진다. 이런 상태를 오래 방치하게 되면, 변 자제 능력의 저하와 함께 항문 주위 감각이 둔화되어 변실금이 진행된다.

7. 항문 수술

항문 수술 시, 항문 주위 조직의 손상이 있을 수 있다. 탈출로 인해 감돈 상태가 심하거나 괴사 상태에 빠진 치질, 원추형 항문 혹은 심한 환형 탈출 치질에 대한 수술을 하면서 항문주위 조직의 손상이 발생할 수 있다. 항문 쿠션이 완전 소실되거나 과도한 항문 상피의 절제는 변실금의 원인이 될 수 있다. 포니에르 괴저와 같이 항문 괄약근 주위 근육이나 회음 근육의 근막을 침범하는 광범위한 괴사를 동반하는 염증성 질환에서 괄약근이나 주위 조직의 손상이 발생할 수 있다. 항문 상피의 과도한 절제는 협착을 유발하거나 항문 조직의 손상을 유발하기도 하거니와 때로는 가스실금의 증상을 유발하기도 한다. 괄약근을 침범하고 있는 고위 치루 수술을 하고 나면 변실금을 호소하는 경우가 간혹 발생한다. 따라서 괄약근을 보존하기 위해 노력을 해야 하지만, 근치적 수술의 완성 가능성이 낮아 재발의 빈도가 높아진다는 단점이 있다.

8. 기타

직장 탈출증은 직장이 항문을 통하여 완전히 빠지는 질환이다. 반복적으로 직장이 빠지면서 항문 괄약근이 약해지고 항문직장 주위의 회음신경의 손상을 초래한다.

직장류는 여성의 직장과 질 사이가 약해져서 직장 벽이 질 쪽으로 밀려 주머니가 생기는 것을 의미한다. 골반의 중심을 잡아주는 주요 인대가 늘어나서 질 후방으로 탈출되는 것이다. 이때 음부신경의 손상도 동반되기도 한다. 직장류의 증상은 변비와 변 누출이다. 직장류로 인하여 항문직장 각도가 변형되어 배변이 힘들다. 변의 불완전한 배출로 변이 직장에 남아 변물이 흐르거나 점액과 찌꺼기, 분비물이 닦아도 깨끗이 닦이지 않고 계속 묻어 나온다. 항문 주위의 피부 오염과 반복된 자극으로 인하여 피부염, 항문소양증 등이 유발되기도 한다.

* 증상을 악화시키는 5대 요인

1) **노화:** 변실금은 모든 연령에서 올 수 있으나 65세 이상의 노인에서 더 많다.
2) **여성:** 남성보다 **여성**에서 절대적으로 많다. 출산의 과정을 거치면서 골반 및 항문 주위 괄약근의 잠재적 손상은 나이가 들면서 증상이 나타나고 퇴행성 변화가 증상을 악화시킨다.
3) **신경 손상:** 척수 손상이나 당뇨, 다발성 경화증 등

Anorectal angle

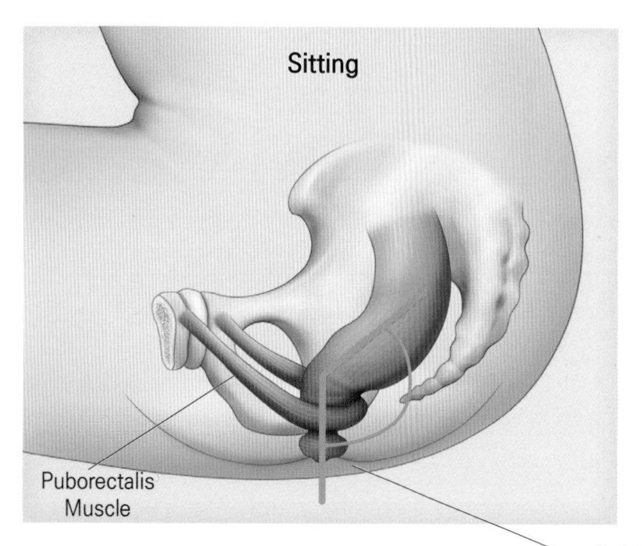

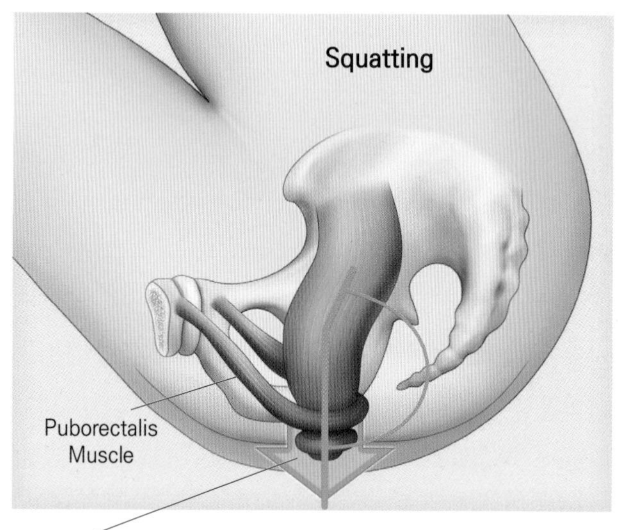

Sphincter

Squatting is the only natural defecation posture

그림 5-3. **평소에는 치골직장근의 수축으로 항문직장각이 작아지면서 항문이 닫히게 되고 쪼그려 앉는 경우나 변을 보려고 하는 경우 치골 직장근이 이완 되면서 항문직장각이 커져서 변이 나오게 된다.**

신경질환 환자에서 증상이 심하고 치료에 어려움을 겪는다.

4) **치매:** 치매환자의 변실금의 특징은 손으로 변을 만지고 닦는다.

5) **신체장애:** 뇌졸중 등 신체장애를 초래하는 환자에서는 주기적으로 항문 자극을 통하여 배변 활동을 개선할 수 있다.

9. 배변 자제

배변 자제에 영향을 미치는 항문직장주위의 생리는 크게 세 가지로 나누어 설명할 수 있다. 첫째, 괄약근 장벽으로 대변되는 항문 및 골반 주위의 괄약근과 항문관의 쿠션 역할이다. 괄약근과 항문 쿠션은 유기적으로 항문관의 휴지기 긴장을 유지하지만 배변 시는 이완되거나 항문직장각을 완화하여 원활한 배변을 유도한다. 항문의 내외 괄약근과 치골직장근을 비롯한 주요 괄약근은 항문관의 고압대를 형성하여 항문관을 굳게 닫을 수 있는 구조와 압력을 유지하여 변의 자제에 중요한 역할을 한다. 이 부분에 관련해서는 비교적 상세하게 연구가 진행되어 있다. 항문 고압대와 항문직장각, 항문 쿠션 등이 배변의 자제와 원활한 배변의 유지에 일차적으로 역할을 한다는 것에 대체적으로 공감하고 있다.

둘째, 액상변을 구분하여 가스만 배출할 수 있는 것은 이를 감지할 수 있는 감각체가 있기 때문이다. 이를 표본반사(sampling reflex)라고 한다. 골반근육은 가스와 고형변의 압력을 구분할 수 있다. 항문의 내외괄약근은 휴식기에서 긴장이 활성화된 수축 상태를 유지하지만 수면상태에서는 압력이 떨어진다. 그러나 이때는 직장내의 압력도 떨어지기 때문에 변 자제가 유지되는 것이다.

셋째, 직장 유순도로 대변되는 직장의 저장 능력과 팽창능력이다. 정상인에서 직장에 10 cc 정도의 물을 채워보면 이를 감지할 수 있다. 양을 늘려가면 변을 보고 싶은 느낌이 들지만 대략 300–400 cc까지 견딜 수 있다. 이를 직장의 저장 능력이라고 한다. 직장의 유순도는 단위 압력의 변화에 따른 부피의 변화이다. 이는 측정하는 용기의 팽창성을 의미한다. 규칙적이고 지속적인 직장수축은 직장 팽창에서 야기된다. 직장의 감각이상은 무차별적인 직장 팽창을 일으키거나 직장 수축력을 증가시켜서 정상적인 직장 팽창을 방해한다. 직장의 압력이 높아져도 직장의 팽창성으로 어느 정도의 양과 압력의 분변을 일정 기간 참을 수 있다. 인간은 어느 정도의 변 마려움은 참을 수 있도록 훈련되어 있다. 그러나 분변이 과도하게 차서 높은 압력을 수용하지 못하게 되면 결국 변을 봐야 한다. 고형변보다 액상변이, 액상변보다 가스가 더 참기 어렵다. 직장 탈출증이 있거나 항문의 내괄약근 손상을 동반한 변실금 환자에서 소량의 직장 팽창에도 지속적인 내괄약근의 억제가 생기는 것을 발견할 수 있다. 이는 직장 탈출증에서 직장이 중첩되는 자체가 덩어리로 인지되어 변이 없어도 변이 차 있는 것으로 오인될 수 있기 때문이다.

References

1. Adil E. Bharucha, J.G. Fletcher, L. Joseph Melton III, and Alan R. Zinsmeister, Obstetric trauma, pelvic floor injury and fecal incontinence: a population-based case-control study. Am J Gastroenterol 2012;107:902-11.
2. Danielle Harari, Christine Norton, Linda Lockwood and Cameron Swift. Treatment of constipation and fecal incontinence In strok patients: RCT. Stroke 2004;35:2549-55.
3. Gooneratne ML, Scott SM, Lunniss PJ. Unilateral pudendal neuropathy is common in patients with fecal incontinence. Dis Colon Rectum 2007;50:449-58.
4. J. Marcio N. Jorge. & Steven D. Wexner. Etiology and management of fecal incontinence Diseases of the Colon & Rectum 1993;36:77-97.
5. Loganathan A, Schloithe AC, Hakendorf P, Liyanage CM, Costa M, Wattchow D. Prolonged pudendal nerve terminal motor latency is associated with decreased resting and squeeze pressures in the intact anal sphincter. Colorectal Dis 2013;15:1410-5.
6. P. P. M. Jacobs, M. Scheuer, J. H. C. Kuijpers & M. H. Vingerhoets. Obstetric fecal incontinence. Role of pelvic floor denervation and results of delayed sphincter repair. Diseases of the Colon & Rectum 1990;33:494-7.
7. R. A. Guzm'an Rojas, K. L. Shek, S. M. Langer and H. P. Dietz. Prevalence of anal sphincter injury in primiparous women. Ultrasound Obstet Gynecol 2013;42:461-6.
8. Remon Keriakos, Deepa Gopinath. Obstetric anal sphincter injuries. Journal of Acute Disease 2015;4: 259-65.
9. Ricciardi R, Mellgren AF, Madoff RD, Baxter NN, Karulf RE, Parker SC. The utility of pudendal nerve terminal motor latencies in id iopathic incont inence. Dis Colon Rectum 2006;49:852-7.
10. Robert D. Madoff, J. Graham Williams, Philip F. Caushaj. Fecal Incontinence. N Engl J Med 1992; 326:1002-7.
11. Roig JV, Villoslada C, Lledó S, Solana A, Buch E, Alós R, Hinojosa J. Prevalence of pudendal neuropathy in fecal incontinence. Results of a prospective study. Dis Colon Rectum 1995;38:952-8.
12. Saraidaridis JT, Molina G, Savit LR, Milch H, Mei T, Chin S, Kuo J, Bordeianou L. Pudendal nerve terminal motor latency testing does not provide useful information in guiding therapy for fecal incontinence. Int J Colorectal Dis 2018;33:305-10.
13. Súilleabháin CB1, Horgan AF, McEnroe L, Poon FW, Anderson JH, Finlay IG, McKee RF. The relationship of pudendal nerve terminal motor latency to squeeze pressure in patients with idiopathic feca l incont inence. Dis Colon Rectum 2001;44:666-71.
14. Tetzschner T, Sørensen M, et al. Pudendal nerve damage increases the risk of fecal incontinence in women with anal sphincter rupture after childbirth. Acta Obstet Gynecol Scand 1995;74:434-40.
15. Yvonne Romero, Jonathan M. Evans, Kevin C. Fleming, Sidney F. Phillips. Constipation and Fecal Incontinence in the Elderly Population. Mayo clinic proceedings 1996;71:81-92.

CHAPTER

06

변실금의 병태 생리

변의 자제는 복잡한 기전을 통하여 유지된다. 항문과 직장의 해부 구조적인 완성과 함께 복합적인 기능의 보완 작용, 중추신경과 말초신경의 세밀한 조절작용, 골반의 강건한 지지가 복합적으로 상호 보완하며 정상 작동해야 한다. 변을 자제하기 위해서 휴지기에는 항문관이 적당히 닫혀 있어야 하고, 감각신경이 정상으로 작동하여 직장의 증가된 압력이 가스 때문인지 변 때문인지 구분할 수 있어야 한다. 팽창된 직장에 대한 괄약근의 반사기능이 정상이어야 하며, 배변 신호에 대한 인식과 인지능력, 적절한 직장의 저장 능력, 괄약근과 골반근육의 조절기능이 함께 유지되어야 한다. 여기에 변의 묽기나 위 장관의 생리학적 운동 기능도 한 몫을 한다. 이 중 어떤 한 곳의 해부학적인 문제나 생리학적인 문제라도 발생하면 변실금의 증상을 나타내는 위해 요소가 될 수 있다. Lam 등은 고령, 변의 성상, 항문 괄약근의 힘, 직장의 저장 능력, 괄약근 결손 등이 변실금의 예후에 영향을 미치는 것으로 보고하였다.

항문은 정상적으로 내괄약근의 긴장상태에 의하여 닫혀 있다. 이 긴장을 보조하는 것은 항문 쿠션이다. 이 긴장상태는 외괄약근과 치골직장근에 의하여 여러 높이의 레벨에서 보강되고 보조적인 도움을 받는다. 내괄약근이 항문의 긴장을 유지하는데 기여하는 비중은 연구결과에 따라 약 55-85%로 보고되고 있다. 이러한 연구의 결과는 검사 기법에 따라 차이가 나는 것으로 판단된다. Gibbons 등은 항문 내에서 최대수축기 압력은 전체 항문관에서 관찰되나 직장항문 억제반사는 항문관의 상부에서는 약화되어 있음을 관찰하였다. 또한 항문의 휴지기 압력의 25-30%는 외괄약근이 나머지 15%는 항문 쿠션에 의하여 유지되는 것으로 보고하였다. Lester 등은 휴지기에서 내괄약근은 완전히 닫혀 있지 않고 7 mm 정도 벌여져 있는 것을 관찰하였다. 그 갭은 항문의 쿠션이 차지하고 있었다. 항문 쿠션의 압력이 9 mmHg여서 휴지기 압력의 약 10-20%를 차지하는 것으로 추정된다. 나머지 휴지기 압력은 치골직장근이 항문각을 전방으로 당겨주며 유지한다. 직장 항문각이 변의 자제에 영향을 미칠 것인지는 약간의 논란이 있다. Hajivassiliou 등은 항문직장각은 반 고형변이 직장에 머무르는 것을 보조하고 액체는 직장의 닫는 힘만으로 직장내에 유지가 되는 것을 관찰하였다.

직장의 팽창으로 인해 복강 내 압력이 증가하게 되면 변 마려움을 느끼게 되고 직장의 수축과 함께 내괄약근의 이완과 외괄약근의 수축을 동반하게 된다. 팽창에 따른 직장의 수축과 복압의 상승은 말초신경과 척추, 대뇌 피질의 감각을 통한 반사기능이나 수의적 수축을 통하여 배출을 위한 운동과 힘이 강화된다. 그러나 우리가 변을 보기 위해선 적절한 주변 상황이나 환경이 준비된 장소에 가서야 정상적인 배변 활동을 할 수 있도록 훈련이 되어 있다. 화장실을 가기 전까지는 직장벽이 증가한 압력에 대하여 견딜 수 있게 팽창되어 늘어져 있어야 하고 항문 괄약근은 변을 참기 위해 최선의 노력을 해야 한다. 근육이 피로하여 더 이상 참을 수 없게 되기 전에 적절한 장소에서 변을 봐야 한다.

1. 변실금이 생기는 이유

변을 자제하기 위한 특정부위의 해부학적 손상이나 기능에 문제가 발생하면 변실금이 발생한다. 변의 자제에 역할을 하는 요인이 망가지게 되면 이를 보강하고 보상하는 다른 기능이 작동을 하게 된다. 그러나 이런 보상 기능의 몇 가지가 더 이상 버티지 못하면 변실금이

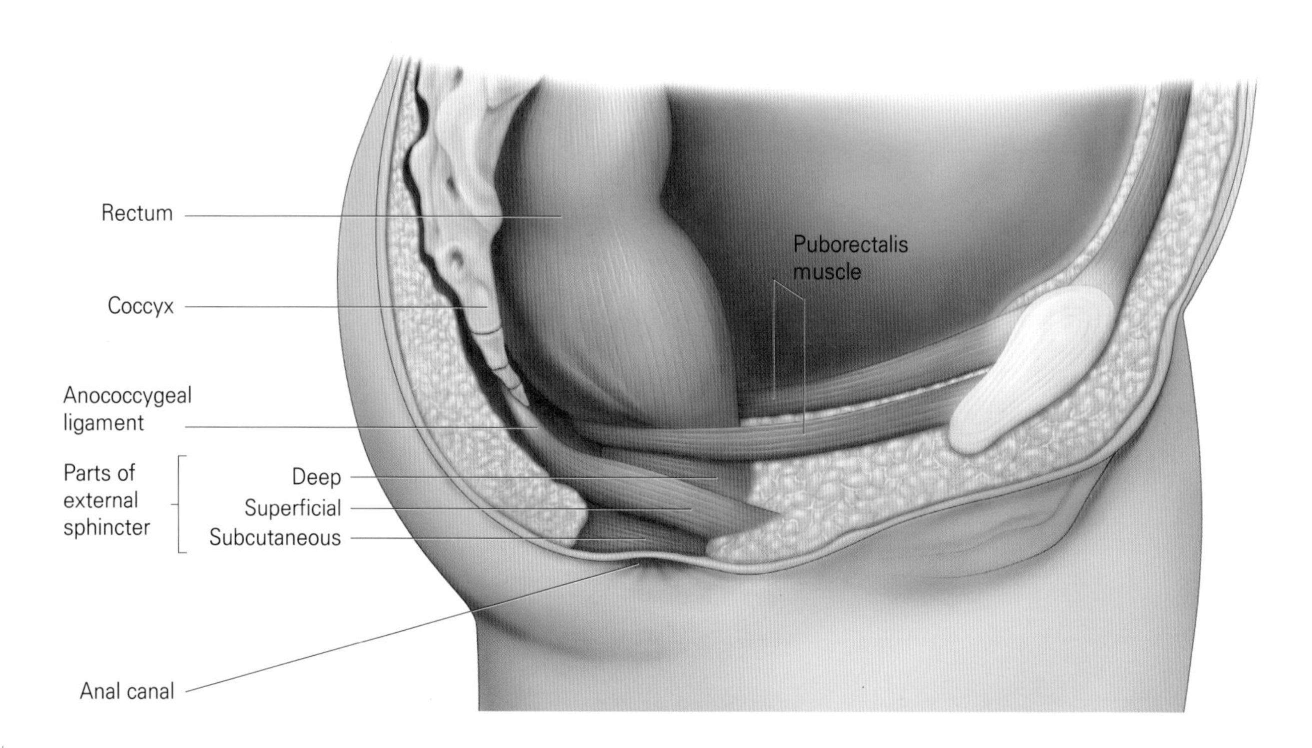

그림 6-1. 외괄약근 치골직장근이 서로 다른 위치에서 내괄약근 긴장상태를 유지하는데 도움을 준다.

발생하게 된다. 여러 가지 발병원인이 생기고 이 원인을 악화시키는 위해 요소가 동반될 경우 변실금의 증상이 발생하게 된다. 변실금 환자의 80%에서 한가지 이상의 병적인 이상 요인이 있는 것으로 보고하였고 이들의 복잡한 요인들 때문에 환자에서 변실금의 명확한 원인을 단정짓지 못하는 경우가 발생한다.

1) 수동적 변실금(Passive Incontinence)

항문이 완전히 닫히지 않고 감각이 소실된다면 자신도 모르게 변의 누출이나 변실금이 발생하게 된다. 지속적이고 만성적인 항문 탈출은 내괄약근의 긴장을 떨어뜨려 궁극적으로는 휴지기 상태의 항문관이 굳건하게 닫히는 것을 방해한다. 만성적인 항문직장 점막의 탈출이나 직장의 병변이 있는 경우에도 항문은 완전히 닫히지 않을 수 있다. Thomson 등은 항문관의 점막하에 위치하는 혈관, 평활근, 탄력 및 결합조직을 함유한 점막하 근육 형태의 조직을 항문 쿠션이라 하였다. 이 항문 쿠션이 팽창과 수축을 하여 틈새를 메워 배변 자제 능력이 더욱 섬세해지도록 하는 역할을 한다. 때에 따라 항문 쿠션이 소실되는 경우 항문관은 완전히 닫히지 않기도 한다. 항문의 점막하를 차지하는 혈관 덩어리는 신체의 다른 혈관과는 약간 다르다. 정상 크기의 동맥과 정맥이 서로 교통하는 동정맥의 형태로 혈관종과 같은 덩어리의 형태이다. 이 항문 점막하 혈관 덩어리를 치 정맥총이라고 하고 이 정맥 덩어리가 항문의 쿠션을 형성한다. 이 쿠션이 망가지면 항문관 밖으로 탈출이 발생하고 이것이 지속되면 변 누출이나 변지림 현상이 발생할 수 있다. Gibbons 등은 항문의 쿠션이 항문을 완전하게 닫게 하는데 필수적이라 하였다.

음부신경 손상이 있는 경우 점진적으로 변실금의 증상을 악화시킨다. 말초신경의 장애가 있거나 척추의 손상, 대뇌 피질의 기능장애 등으로 인하여 감각의 소실이 발생한다. 직장의 감각 저하가 발생하는 여러 가지 기저 질환에서 변 누출이 발생할 수 있다. 다발성 경화증이나 파킨슨병과 같은 신경병증에서 내괄약근의 약화나 퇴화가 발생할 수 있고 변 누출이 생긴다. 남성에서 항문 내압 검사에서 특별한 이상 소견이 없는데 변 누출이 발생하는 경우를 볼 수 있다. 항문직장각이 소실되고 쿠션이 부족하거나 변의 배출이 완전하지 않고 항문의 휴지기 압력이 떨어져 있는 상황에서 변 누출이 발생할 수 있다. 이런 현상을 유발할 수 있는 상황으로는 점막의 탈출, 치핵이나 직장의 염증, 직장 종괴, 항문직장 주위의 감각 소실 등을 들 수 있겠다.

2) 급박변(Urgency)

직장의 과민성, 변이 마려움에 대한 참을성이 낮은 경우 급박변이 발생할 것으로 보인다. 직장의 과민성은 복잡하고 이해하기 쉽지 않은 메커니즘에 의해서 작동되어 쉽게 설명하기 어렵다. Chan 등은 직장의 과민성이 변을 자주 보게 하고 급박함을 느끼게 하며 환자의 삶의 질에 영향을 미친다고 주장하였다. 직장이 정상적으로 존재하면서 급박변의 증상을 호소하는 258명의 환자를 대상으로 직장항문 생리검사를 하여 관찰하였다. 44%에서 직장의 과민성을 관찰할 수 있었다. 정상 직장 감각을 가지고 있는 급박변 환자보다 직장 과민성이 있는 급박변 환자에서 배변의 빈도가 증가되었고 패드를 많이 차야 했고 삶의 질 저하가 더 나타났다. 그러나 두 환자 군에서 변실금 횟수는 큰 차이가 없었다. 직장의 과민성이 영향을 미칠 수 있는 인자로서는 직장의 유순도 감소, 말초신경계통의 장애와 감각 증가, 중추신경의 장애 등을 들 수 있다.

3) 변실금

변실금은 변이나 가스를 참지 못하는 경우를 의미한다. 직장에 변이 차서 적절하게 저장하지 못하거나 항문괄약근이 수축하지 못하는 바람에 긴장을 유지하지 못하게 되면 변실금 증상이 생긴다. 방사선 치료나 직장의 염증 혹은 직장을 절제하고 난 후에는 직장의 저장 능력이 떨어진다. 근육 손상 중에 가장 흔한 것은 수술에 의하거나 분만에 의한 내괄약근의 손상이다. 외괄약근의 직접 손상은 출산 시에 많이 생긴다. 치골직장근이나 항문거근의 손상도 발생할 수 있다. 이 부위에 결손이 발생하면 수축 능력이 크게 떨어진다. 분만으로 인한 외괄약근의 손상을 동반한 항문거근의 대량 손상은 일반적으로 변실금의 진행을 더 심하게 하는 것으로 이해된다. 그러나 어떤 연구자들은 치골직장근의 손상이 변실금과의 관계가 없다고 주장하기도 하였다. Chantarasorn 등은 397명의 변실금 환자에서 4D 초음파로 치골직장근의 상태를 조사한 연구에서 근육의 손상과 열공성 계측, 근육의 손상과 변실금의 유관 관계가 없는 것을 발견하여 보고하였다. Morgan 등은 점막의 탈출이 변실금의 증상이나 변의 배출 장애에 영향을 미치는 것으로 판단하였고 이러한 환자의 세 명 중 한 명에서 증상이 나타날 것으로 추정하였다.

2. 변실금의 위험요소

변의 자제에 나쁜 영향을 미치는 요소가 몇 가지 있다. 여기서는 변실금의 증상을 유발시키거나 악화시키는 위험요소와 변실금의 발생에 영향을 미치는 조건들에 대해서 알아보기로 한다.

1) 노화

남녀를 불문하고 노화는 변실금의 발생을 증가시킨다. 이는 많은 연구에서 보고되고 있다. Bharucha 등은 미네소타 지역의 5,300명의 여성을 대상으로 변실금 여성의 유병률, 임상 양상, 건강관리를 위한 행동, 삶의 질 등의 항목에 대하여 조사를 하였다. 10명 중의 1명이 변실금 증상을 가지고 있었고 변실금 환자의 15명 중 1명은 삶의 질에 영향을 줄 정도로 심한 증상을 호소하였고 주로 심한 증상이 있는 사람들이 치료를 시작하였다. Rey 등은 50세 이상의 여성의 15%에서 증상을 나타낸 것으로 보고하였다. 그는 고위험군의 변실금 환자에서 배변 습관의 적절한 조절로 예방이 가능할 수 있다는 주장을 하였다. 노인에서 발생하는 변실금은 삶의 질을 떨어뜨리고 심리적인 충격이 깊으며 경제활동을 하지 못하게 한다. 사회생활이 안되므로 스스로 고립되는 원인으로 변실금이 치매 다음으로 흔하다.

노화에 따라 변실금이 증가한다는 증거는 충분하지만 노화가 변실금을 일으키는 생리학적인 메카니즘에 대한 이해는 명확하지 않다. 노화가 항문 휴지기 압력에 미치는 영향에 대해서는 서로 상충되는 연구 결과들이 존재한다. 몇몇의 연구에서는 변실금 유무에 상관없이 노인에서 항문 휴지기 압력이 감소했다고 보고 하였다.

한편 Barrett 등은 고령의 변실금 환자에서는 휴지기 압력이 감소하는 것을 확인했으나 변실금 증상이 없는 고령에서는 압력 감소가 보이지 않았다고 보고했다.

나이가 들면서 내괄약근의 두께가 두꺼워진다. 이는 정확히 입증되지는 않았지만 나이가 들면서 내괄약근에 섬유화가 진행되기 때문이라고 생각된다. 동물 실험을 통한 평활근의 수축에 대한 연구에서 노화가 진행되면서 수축력이 떨어지는 것을 관찰하였다. 그 원인은 세포 증식을 하는 신호분자의 염색체의 형태를 바꾸는 위치 변경에 대한 변화와 함께 수축을 하는 단백질의 인산화가 진행되기 때문으로 여겨진다.

노화로 괄약근의 수축기 압력이 떨어지는 것도 다수에서 관찰된다. 그러나 괄약근의 수축력이 떨어지는 것과 외괄약근이 쉽게 피로하게 된다는 것과는 연관관계가 부족해 보인다. 실제 괄약근의 수축력에 변화가 없거나 노화의 현상으로 외괄약근이 피로에 더욱 잘 견디는 것도 관찰된 바 있다. 노화로 인하여 골격근의 근육량이 감소한다는 것은 일반적인 상식이다. 그러나 피로에 잘 견디지 못하는 제II형 섬유가 감소하기 때문에 노인에서 괄약근은 약하지만 피로에는 더욱 잘 견딜 수 있는 근육이 된다. 괄약근이 약화되고 얇아지며 수축력이 감소하는 것은 외괄약근의 위축의 결과로 본다. Briel 등은 외괄약근에 대한 항문 MRI결과와 조직검사를 통하여 분석한 결과 영상에서 확인한 괄약근의 위축이 조직학적 위축 변화와 확연히 연관되어 있다는 것을 관찰하였다. 외괄약근 위축으로 두께가 얇아지는 것이 항문 초음파와 MRI에서 발견되었고 어떤 연구에서는 조직검사로 확인되기도 하였다

노화로 인한 음부신경 병증이 괄약근의 위축을 일으키는 것을 확인한 연구도 있었다. 노화에 의한 근육의 위축과 전각세포의 소실이 연관된다는 보고도 있었다. 나이가 들면 직장의 민감성이 떨어진다는 증거도 있다. 어떤 연구에서는 여성에서만 민감성이 떨어진다는 연구도 있었지만 이러한 현상이 변실금의 증상과 유관한지는 명확하지 않다. 조기의 증거들이 일관적이지 못한 면이 있지만 노화로 척수의 신경원, 배근 신경절의 변화와 간질세포의 약화로 장의 반사와 변의 자제에 영향을 미친다는 주장도 있다.

2) 성별

젊은층에서는 여성이 남성에 비해서 변실금의 발생빈도가 높다는 보고가 있다. 또 어떤 연구에서는 나이가 들면 여성과 남성에서 발생 빈도는 동일하다고 보고 하기도 한다. 통상 규모가 큰 역학조사에서 여성과 남성의 변실금 위험요소가 다른 것으로 나타났다. 여성에서는 노화, 우울증, 심장질환, 요실금, 여러 약을 먹는 것 등이 유의미한 위험 인자이고 남성에서는 영양 부족이 중요한 위험 요소였다. 남성에서 변실금의 발생 원인은 여성과 다른 면이 있다. 여성에서 괄약근의 손상이나 휴지기 압력의 감소, 골반 장기 탈출 등이 흔하고 남성에서는 직장의 과민성이나 배출 장애가 흔하다.

항문 괄약근에 에스트로겐과 프로게스테론 수용체가 발견되었다. 이러한 소견을 바탕으로 여성에서 폐경이 위험인자가 될 수 있다고 보는 견해도 있다. 그러나 노화와 폐경은 밀접하게 연관되어 있지만 폐경과 변실금의 독립적인 연관성을 증명하기는 어렵다. 에스트로겐을 섭취한 여성에서 변실금 증상의 호전이 있는 것으로 폐경과 변실금 연관관계를 뒷받침할 수 있으나 국소 에스트로겐과 위약을 사용한 경우를 비교한 연구에서는 두 군간의 차이가 없었다. 더욱이 어떤 연구에서는 경구 호

르몬제를 먹고 있는 환자에서 변실금 위험이 30% 증가한다는 보고도 있었다. 현재는 호르몬 수용체의 역할과 변실금의 시작과 폐경의 연관관계는 불분명하다.

3) 당뇨

당뇨는 몇 개의 연구에서 변실금의 위험요소로 보고되었다. 당뇨 환자에서 변실금의 위험이 40% 증가된다는 보고도 있었다. Joh 등은 한국인 노인의 변실금의 유병률은 15.5%였고 삶의 질을 현저히 떨어뜨리는 것으로 보고하였다. 그의 보고에서 당뇨에 의한 변실금은 남성에서 없었고 여성에서만 있었다. 환자 대조군 연구에서 당뇨병 환자가 변실금 횟수가 더 많았으며 변실금 정도가 더 심한 것으로 나타났다. 몇몇의 연구에서는 신경병증이나 망막증 같은 당뇨 합병증이 있는 환자에서 변실금 횟수가 더 많은 것으로 보고 되었다. 당뇨의 유병기간과의 연관성은 명확하지 않았다. 어떤 연구에서는 당의 조절이 안 되는 환자에서 변실금 증상이 연관됨을 주장하였으나 확인이 되지 않았다는 보고도 있었다.

Nieto 등은 노화, 우울증, 불량한 건강상태, 요실금, 배변 횟수가 잦은 환자에서 인종, 비만지수, 기저질환이나 변의 성상 등이 변실금에 대한 다양한 형태로 복합적인 영향을 미친다고 보고하였다. 당뇨를 조절하기 위해 먹는 메트포르민은 당뇨 환자에서 변실금 증상과 독립적으로 연관된 것이 밝혀졌다. 메트로포르민을 끊게 되면 변실금도 개선되었다. 설사는 변실금의 위험요소인데 당뇨 환자의 5–35%에서 설사가 발생하였다.

제1형 혹은 2형의 당뇨 환자에서 급성 고혈당증에 빠지는 경우 수축기 압력과 직장 유순도의 감소를 나타내는 것이 관찰되었다. 당뇨 환자가 혈당이 정상인 상황에서 검사했을 경우 정상인에서 보이는 것과 같은 결과를 나타냈다. 동물 실험에서 NO합성 길항제를 사용했을 때 이런 변화가 반대로 발생할 수 있는 결과가 나왔고 이로 인해서 항문 압력의 변화가 산화스트레스와 연관이 있다고 생각되었다. 원인을 설명하는 가설로 미세혈관의 변화가 골반저의 신경이나 근육에 손상을 초래한다고 생각하였다. 당뇨가 있는 변실금 환자, 다발성 경화 환자에서 변실금을 동반한 경우와 정상인 환자군에서 직장항문 생리기능을 비교한 연구에서 당뇨가 있는 변실금 환자에서 휴지기 압력과 수축기 압력이 떨어져 있고 감각의 역치가 증가한 것을 관찰할 수 있었다. 당뇨 환자에서 항문생리기능을 검사한 다른 연구에서는 항문 고압대의 휴지기, 수축기 압력이 떨어져 있었고 직장항문 억제반사, 항문피부의 반사가 소실되어 있었으며 직장팽창의 민감도도 감소해 있었다. 오랜 기간 당뇨병을 앓아온 환자에서 괄약근 압력이 더 감소해 있었고 더욱 둔화된 감각을 보였으며 변실금 증상이 있는 경우가 더 많았다. 다른 연구에서도 당뇨병 환자에서 직장의 감각이 떨어져 있고 내괄약근의 기능부전이 보였다. 또 다른 그룹에서 시행한 당뇨가 있는 변실금 환자와 초음파상 괄약근에 이상이 없는 당뇨 환자를 비교한 연구에서 당뇨를 가진 변실금 환자에서 휴지기 수축기 괄약근 압력이 떨어졌고 다변량 분석을 시행한 결과 직장항문 억제반사의 회복 시간이 증상의 정도와 연관성을 보이는 유일한 항목이라고 보고 하였다. 연구자들은 이러한 변화가 교감신경 분포 감소와 관련이 있다고 추정하였다. 당뇨 환자가 가지고 있는 신경병증 혹은 미세혈관의 변화와 일정한 연관성이 있다고 생각하였으나 이를 입증 할 만한 증거는 충분하지 않다.

4) 소화기 질환

설사는 꾸준히 변실금의 위험요소로 알려져 있다. 설사나 묽은 변은 급박변을 유발하는 것으로 알려져 있다. 변이 묽은 것은 독립적인 변수이고 분만에 의한 괄약근 손상 등의 위험요소와 동반되는 경우 변실금의 증상을 더욱 악화 시킨다. 골반의 방사선 치료 이후에 묽은 변에 의하여 유발되는 변실금이 보고되기도 하였다. Bharucha 등은 변의 성상의 변화는 분만 손상 후 뒤늦게 나타나는 지연 발생 변실금의 위험요소라고 보고하였다.

직장 절박감은 변실금의 독립된 위험요소이다. 변실금 환자에서 증상을 악화시킨다. 메커니즘은 명확하지 않지만 변의 직장으로의 빠른 이동이 직장의 저장 능력을 넘어서거나 여러가지 복합적인 요인으로 인하여 과민성변화를 나타내는 것으로 생각된다. 몇몇의 연구에서 직장의 과민성이 가장 흔한 소견이지만 이것이 바로 변실금과 연결되는 것은 아니었고 괄약근의 약화가 있는 경우에 연관되었다. Rodger 등은 심한 급박감을 동반한 변실금 환자는 직장의 과민성과 연관되어 있을 수 있고 과민성 장증후군과 유사한 폭넓은 결장의 운동장애와 연관되어 있을 수 있다고 설명하였다. Bharucha 등은 풍선을 이용하여 각 볼륨에 따른 직장벽의 두께와 직장의 곡선, 긴장, 압박, 스트레스 등을 계산하면서 풍선의 압력과 직장벽의 두께 등을 측정하였고 직장의 유순도를 측정하였다. 급박감이 심한 여성 변실금 환자에서 직장벽의 긴장, 스트레스, 강직 즉 뻣뻣함 등이 대조군 보다 심한 것을 관찰하였다. 또한 변실금 환자에서 직장의 강직을 해결할 수 있는 방안에 대한 연구의 필요성을 언급하였다.

변비와 직장내 **변의 불완전한 배출**이 변실금과 연관이 있다는 보고가 있었다. Kalantar 등은 990명을 대상으로 한 변실금의 유병률과 위험인자에 대한 연구에서 남성의 변실금의 발생이 예상보다 많다고 하였고 분만손상, 항문 수술, 불완전 배출, 설사, 급박변 등을 변실금 발생의 위험요소로 판단하였다. 또한 상당히 많은 발병율에도 불구하고 대부분의 경우 의사들에 의해 인지되지 못하였다고 밝혔다. Rey 등은 변실금이 시작될 때의 증상의 위험요소로 설사, 불완전 배변, 골반의 방사선 치료, 급박변 등을 추정했다. Boreham 등은 유병률, 위험요소와 삶의 질에 미치는 영향 등에 대한 연구에서 장의 과민성, 변비, 나이, 비만 등을 중요한 위험요소로 평가하였다.

노인 요양시설에 거주하고 있는 노인에서 분변 매복, 불완전한 변의 배출, 변비 등은 변실금과 상당히 연관이 있다. 정상적인 항문직장의 기능을 가지고 있지 않은 이상 이러한 증상이 어떻게 진행될지는 불명확하다. 분변매복환자에서는 범람형 변실금이 흔하다. 자극성 변비약을 사용하는 것은 문제를 더 악화시킨다. Read 등은 분변 매복이 있는 환자와 대조군을 비교한 연구에서 직장의 감각이 둔화되어 있는 것을 확인할 수 있었다. 직장의 팽창에 대하여 직장의 감각이 둔해지고 외괄약근의 수축력이 떨어져 있다고 보고하였다. 55명의 분변매복이 있으며 변실금이 있는 노인과 36명의 대조군을 비교한 결과 수축기 압력의 차이는 없었다. 회음 하강의 정도에도 차이가 없었다. 결론적으로 분변 매복이 있는 변실금 노인에서 항문직장각이 둔화되어 있으며 항문괄약근의 약화, 항문직장의 감각 소실 등을 관찰할 수 있었다. 내괄약근은 낮은 정도의 직장의 팽창에도 이완되어 있었다.

과민성 장증후군이 변실금 발생의 위험요소임을 강조한 연구는 많다. 과민성 장증후군이 미치는 영향으로는 설사나 묽은 변 등 변의 성상의 변화와 함께 증가된 직장의 운동성, 직장의 과민성 등이 변실금의 발생에 영향을 미치는 것으로 알려져 있다. 그러나 이러한 위험요소보다 더 많은 요인들이 변실금을 일으킨다. Robinson 등은 분만에 의한 괄약근 손상이 있는 환자에서 설사나 급박변이 있는 과민성 장증후군이 변실금의 발생에 미치는 영향을 조사하였다. 급박변이나 설사는 변실금의 독립적 위험요소이며 이러한 것이 분만 손상으로 발생하는 변실금의 증상과 발생 위험을 증가시킨다고 보고하였다. Keefe 등은 장의 운동성이 노인의 삶의 질에 미치는 연구에서 변비는 단순히 통증을, 설사는 기능적인 문제를 야기하지만 변실금 환자에서 장의 운동 증가로 인한 배변 횟수가 늘어나면 삶의 질에 현저한 영향을 미치는 것으로 보고하였다.

5) 신경학적 정신과적 질환

치매환자는 인지기능장애, 전두엽 기능의 장애, 행동심리적인 문제, 일상생활 능력의 손상에 의한 증상을 나타내는데 치매의 일반적인 행동 특징은 멍해지고, 우울증, 화를 잘 내고, 자극에 과민하며, 초조, 불안, 배회, 공격성, 들뜸, 수면의 변화, 식사의 변화 등이다. 치매가 중증으로 진행될 경우 용변보기, 옷 입기, 목욕하기 등 일상생활 수행능력이 급격히 떨어진다.

치매환자의 32%에서 변실금 증상이 발생한다는 보고가 있다. Hellstrom 등은 스웨덴의 도시 고덴버그의 85세 노인 485명을 대상으로 치매와 요실금, 변실금에 대한 조사를 한 결과 치매환자의 34.8%에서 변실금 증상이 있었으며 대조군의 6.7%에 비하여 그 발생 비율이 높았다. 치매가 심할수록 변실금의 발생 비율은 높았다. 치매와 설사가 동반되는 경우 증상 발현에 영향을 미친다. Nakanishi 등은 오사카의 작은 시에 거주하는 65세 이상의 1,405명의 노인을 대상으로 관찰한 결과 치매환자에서 요실금과 변실금이 동반되는 경우가 많았고 이 환자들의 삶의 질은 매우 떨어졌다. 신체와 심리적인 컨디션은 변실금 발생에 영향을 미친다. 치매환자에서 변실금이 생기는 것은 여러 정황에 대한 인지기능이 떨어지고 변이 마려운 것에 대한 인식과 감각이 소실되며 화장실에 가려는 욕구를 분명하게 표시하지 못하기 때문으로 판단된다. 치매환자는 항문에 묻은 자신의 변을 만지기도 한다(Scatolia).

우울증이 변실금의 위험요소로 알려져 있다. 증상이 심해지면서 발생하는 여러가지 심리적인 부담이 증상을 가중시키고 항우울제의 부작용으로 변실금이 나타난다. Bailey 등은 뇌의 신경전달물질과 항문직장 생리에 대한 연관관계를 명확하게 하기 위해서 우울증 환자에서 세로토닌이 소화기 기능에 대해 영향을 미치는 역할을 연구하였다. 세로토닌 수용체 길항제는 대장 통과 시간을 길게 하고 소장에서 분비를 억제하며 대장의 유순도를 떨어뜨린다. 라모세트론은 선택적 세로토닌(5-HT3) 수용체 길항제로 설사의 치료에 효능이 있다. 또한 우울증 노인 환자에서 영양상태의 결핍이 변실금에 영향을 미치고 다시 우울증을 더 악화시키는 경향이 있다.

척수의 손상은 소화기관의 기능에 영향을 미치며 척수 손상 환자에서 변비와 변실금이 동시에 발생할 수 있다. Glickman 등은 만성으로 진행된 척수의 손상 환자에서 오심, 설사, 변비와 변실금이 오는 것을 관찰하였다. 95% 환자에서 변을 제대로 보기 위하여 어떤 방법이라도 취해야 하고 49%의 환자에서 30분 이상 화장실에 있어야 한다고 보고하였다. 척수 손상의 레벨이 변실금에 영향을 끼친다. MacDonagh 등은 척수의 손상이 있는 환자에서 항문직장 생리변화를 관찰하였다. 휴지기 압력은 대조군과 같았으나 괄약근의 의식적 조절이 소실되었다. 직장을 팽창시킬 때 직장 감각의 변별 능력이 저하되었고 최대한 직장을 팽창했을 때 40%에서 둔한 통증을 느꼈다. 직장 팽창 시 외괄약근의 반응이 약화되었고 척수 손상의 레벨에 따라 항문의 압력의 감소에 차이를 나타냈다. 전각 상부의 척수 손상에서 배변 반사의 조절이 되지 않았고 변이 마려울 때 외괄약근의 수축과 이완이 약하거나 소실되었다. 척수 손상에 의하여 직장의 저장물을 의식적으로 배출하는 데 장애가 있음을 관찰하였다.

뇌졸중 뇌혈관 순환장애로 인한 국소적인 신경학적 결손을 수반하는 뇌혈관 질환이 변실금의 위험요소임은 많은 연구를 통하여 널리 알려져 있다. 뇌졸중으로 병상에 누워있는 환자의 30-40%가 변실금을 호소하는 것으로 알려져 있다. 코펜하겐 뇌졸중 연구회에 따르면 변실금의 발생 빈도는 40%였다. 뇌출혈 환자에서 출혈량이 많거나 대뇌 피질에 영향을 줄 때 변실금이 더 많이 발생하는 것으로 보고하였다. 뇌졸중 발생 후 급성으로 혹은 오랜 뒤에 변실금이 발생할 수 있다. 급성으로 생기는 경우는 나이, 출혈의 정도, 당뇨, 기저질환 등이 위험요소였다. 나이가 10살 많아질 때마다 변실금 빈도는 1.5배 증가하였고 출혈의 크기가 10 mm 커질 때 빈도가 1.3배 증가하였다. 뇌졸중 발병 후 오랜 기간이 지나서 변실금이 발생하는 경우는 항콜린 약물의 복용이나 스스로 배변하지 못하는 것과 연관이 있었다. Brocklehurst 등은 135명의 뇌졸중 환자에 대한 관찰 결과 23%에서 1년 이내 변실금이 발생했다고 보고하였다. 연관되는 요소는 병증의 심한 정도와 운동장애 정도였다.

6) 영양상태

비만은 변실금의 위험요소이다. 비만에서 정상 체중에 비하여 변실금의 발생 빈도가 16-68% 높다. BMI가 높은 경우 변실금의 빈도가 높았다. 비만 수술을 하고 체중이 감소함에 따라 변실금의 빈도가 떨어지는 것을 알 수 있다. Cuicchi 등은 100명의 비만 환자에서 비만 수술 전과 후에 항문 초음파, 직장 풍선 검사, MRI 검사를 하여 분석하였다. 81%에서 골반저 기능부전 증상을 나타냈으며 49%에서 이 증상이 삶의 질에 영향을 준다고 답하였다. 변실금은 24명에서, 골반 장기 탈출은 56명에서 발생하였다. BMI가 떨어지고 난 이후 삶의 질에 큰 변화를 관찰할 수 있었다. 체중 감소 후 85%에서 변실금 증상의 개선, 74%에서 골반 장기 탈출의 개선을 관찰하였다. Poyline 등은 비만과 비만 수술 후의 배변 기능의 변화에 대하여 체계적 논문 고찰을 시도하였다. 비만수술 이후 설사와 변실금의 증상이 개선되는 것을 관찰하게 되었다. 그러나 이러한 증상의 개선에 대한 기전은 명확하게 밝혀내지 못했다.

일반적으로 비만 수술 후에 변실금 증상의 개선이 오는 이유는 몇 가지로 설명된다. 첫째는 설사이다. 비만과 설사는 연관성이 있으며 설사는 그 자체만으로 변실금의 위험요소이다. 둘째는 비만 환자들이 식이 섬유를 적게 섭취한다는 것이다. 식습관이 비만 환자에서 변실금의 빈도를 높이는 데 역할을 한다. 복강 내 압력이 높다는 것도 변실금의 위험요소이다. 연구에 따르면 비만 환자의 복강 내 압력이 9-14 mmHg였고 정상인의 경우 5-7 mmHg였다. 복강 내 장기와 지방의 무게가 골반을 압박한다는 것이다. 복강 내 압력이 과도하게 증가하면 이에 대한 영향으로 괄약근의 인내력이 떨어지게 된다. 이것이 변실금 증상을 악화시킬 것으로 추정된다. 비만 환자에서 당뇨가 많고 디스크의 탈출로 인한 신경학적 변화가 변실금 증상에 영향을 미칠 것으로 추정된다. 당뇨와 신경병증도 위험요소이다.

Bharucha 등은 비만 수술을 한 환자의 변실금 증상이 여성에서는 수술 전후 48%에서 21%로 남성에서 42%에서 30%로 개선된 것을 관찰하였다. 체계적 고찰을 통하여 변의 점도가 높고 복강 내의 압력이 높은 것이 골반근육의 손상을 가져올 수 있다고 주장하였다. 또한 비만환자에서 대장 통과 시간이 빨라진다고 보고하였다.

비타민 D는 근육기능의 미세 영양의 핵심이다. 비타민 D결핍이 요실금과 연관이 있다. 변실금 환자에서 비타민 D의 결핍이나 부족이 발견되었다는 보고가 있다. Badalian 등은 20세 이상의 임신을 하지 않은 1,881명의 골반저 질환 여성환자에서 비타민 D의 결핍과 골반저 질환의 관계에 대하여 연구하였다. 여성의 23%에서 골반저 질환이 관찰되었다. 비타민 D의 레벨이 높은 여성에서 골반저 질환의 위험이 낮다고 주장하였다. 나이가 들면 피부에서 비타민 D의 흡수와 합성능력이 떨어지는 것으로 알려져 있다. 비타민 D에 의한 변실금의 발생위험이 높아지는 것에 대해 명확하게 설명하기 어렵다. 다만 노화의 현상으로 두가지 현상, 비타민 D의 낮은 농도와 변실금의 증가가 동시에 나타난다. 비타민 D의 항산화 능력이 노화에 의한 괄약근 세포의 사멸을 감소시킨다는 가설은 나름대로 긍정적으로 고려해 볼만한 가설이다. 이는 동물실험에서 산화 반응에 의한 세포의 생성 과정과 사멸에 비타민 D가 보호하는 역할을 하는 것을 확인했다는 가설에 근거한다.

7) 분만 손상

분만에 의한 괄약근 손상은 이미 잘 알려져 있다. 과도한 회음 주위의 괄약근 손상에 의한 변실금의 증상은 즉시 나타난다. 그러나 잠재적 분만 손상이 있는 여성의 경우에 젊었을 때는 그 증상이 없이 지내는 경우가 많다. 골반의 다른 기능이 이를 보강하거나 보상하기 때문이다. 이러한 원인이나 증상의 발현 시기에 대한 설명은 쉽지 않다. 그러나 외괄약근 손상에 의한 변실금의 증상은 괄약근 성형술을 하고 난 이후 호전되는 것이 관찰되었다. 괄약근 성형술의 즉각적인 효과는 시간이 지나면서 나빠지기도 한다. 그러나 괄약근 성형술의 성적은 수술의 완성도에 따라 차이가 난다. 정밀하고 정확한 괄약근 성형술의 결과는 시간이 지나서도 실망스럽지 않다. 괄약근 성형술의 결과는 경항문 초음파, 직장항문 내압검사, 배변조영술 등으로 확인할 수 있다. 치골 직장근이나 항문거근의 손상의 정도나 빈도가 변실금에 영향을 미치는 것은 명확하지 않다. 이러한 까닭에 여전히 괄약근 손상의 정도와 변실금에 미치는 영향 등에 대하여 많은 연구와 논의가 필요하다.

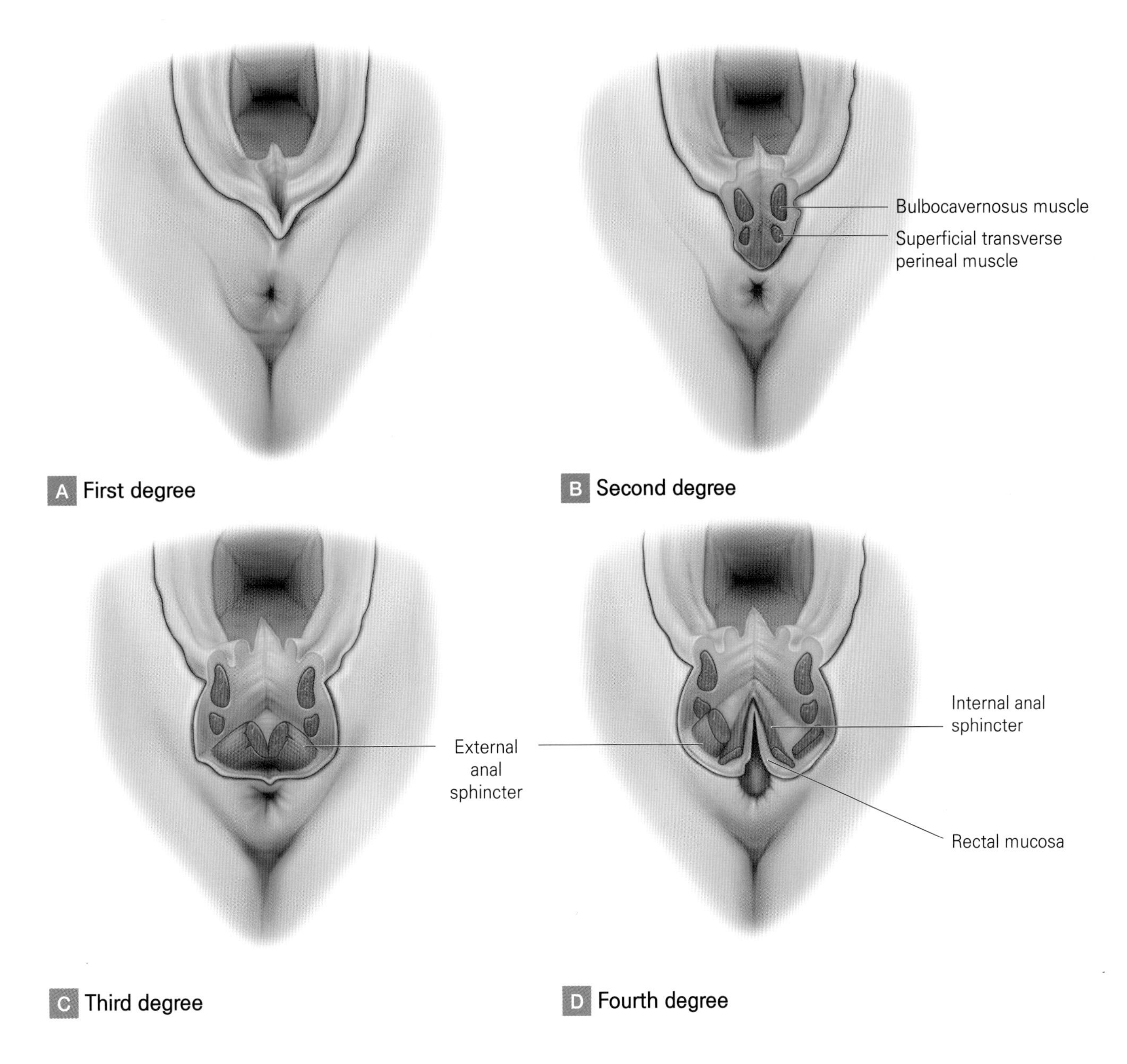

그림 6-2. **분만 손상 혹은 회음절개 시 괄약근 손상**

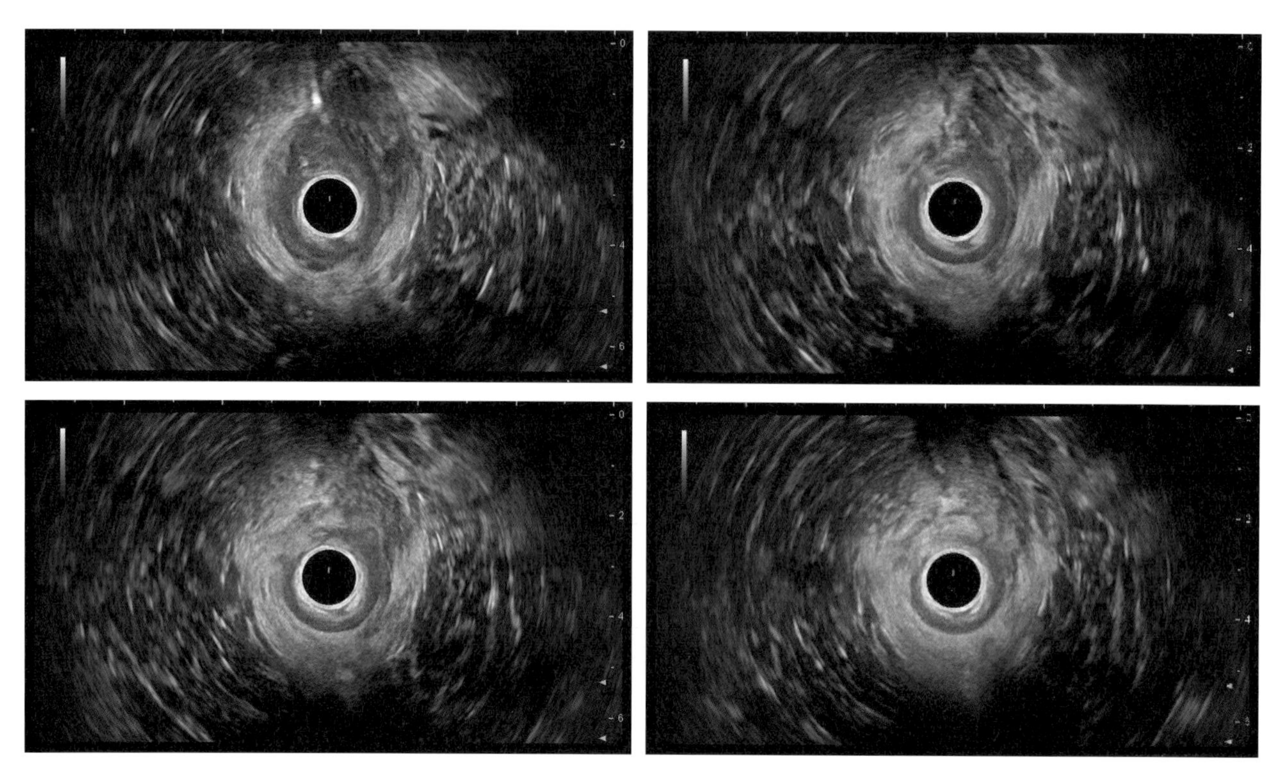

그림 6-3. **F/32 분만 시 생긴 손상 1시 2시 부위에 내괄약근 외괄약근 손상이 확인됨**

8) 거동장애

변이 급히 마려울 때 늦지 않게 화장실에 갈 수 있는 적절한 운동능력이 변 자제에 필요하다. 적절히 움직이지 못하는 것은 변실금의 발생에 위험요소이다. 가정 요양보호를 받으며 움직이지 못하는 경우 변실금을 호소하는 경향이 있다. 요양시설에 거주하는 사람의 20% 정도가 육체적 움직임에 제한이 있어 간호인의 도움을 받아야 한다. Borrie 등은 입원하여 간병을 받는 457명의 고령 환자에서 변실금과 운동성, 정신적 기능상태 등을 관찰하였다. 실금의 심한 정도와 그에 따른 비용, 간병시간, 세탁, 기저귀 등을 조사하였다. 변실금은 46%에서 관찰되었고 이러한 환자의 간병을 위하여 52.5분의 시간이 필요하였다. 한 명당 필요한 비용은 연간 9,771달러였다. 신체 운동성과 정신기능은 변실금에 대한 독립적 변수이다. 변실금의 횟수가 증가하면 이의 처리에 필요한 물품의 소모도 많아진다. 변실금의 횟수는 삶의 질에 가장 큰 영향을 미친다. 환자의 특성에 따라 변실금의 빈도는 달라진다. 신체 운동성이 양호한 환자에서 변실금의 관리에 필요한 비용이나 간병시간을 줄일 수 있다.

9) 방사선

전립선, 여성의 자궁 부속 기관, 항문이나 직장의 암의 치료를 위하여 골반 부위의 방사선 치료를 받은 경우에 변실금이 생길 수 있다. 한 조사에 따르면 방사선 치료를 받은 환자의 43%에서 변실금이 발생하였다. 직장을 절제하면 변실금이 생길 수 있는데 방사선 치료는 이를 악화시킨다. 동일한 방사선 용량을 조사한 경우라도 단일 시기의 방사선 용량이 높고 짧은 기간의 방사선 치료가 긴 기간의 방사선 치료보다 위험도가 더 크다.

Chen 등은 TME (Total Mesorectal Excision)를 시행한 직장암 환자에서 수술 전 방사선 치료를 받거나 받지 않은 경우 배변 장애에 대한 위험요소와 삶의 질에 미치는 영향 등에 대하여 연구하였다. 1,530명의 네덜란드 환자를 대상으로 수술한 이후 15년 정도가 지난 583명의 환자에 대하여 조사하였다. 478명이 질문에 응답하였고 응답자의 46%에서 심한 직장 절제증후군 증상을 겪었고 조사시점 기준으로 나이가 75세 이하에서 위험도가 높았다. 성별, 암의 위치, 문합부 누출, 방사선 치료의 간격, 당뇨 등의 기저질환 등은 중요한 위험요소가 아니었다.

변실금에 직접적인 영향을 미치는 방사선 치료는 항문 외괄약근과 치골직장근의 방사선 조사이다. 50 Gy 이상의 방사선을 항문 괄약근, S결장, 소장에 조사했을 때 변실금의 증상의 발현과 연관이 있었다. 방사선 치료가 어떤 영향으로 변실금을 일으키는지에 대한 많은 가설이 있다.

Krol 등이 체계적 문헌 고찰을 통한 연구결과 방사선 치료가 변실금에 미치는 영향을 항문의 휴지기 압력이 떨어지고 직장의 팽창능력이 떨어져 있으며 수축에 약간의 변화가 있는 것으로 정리하여 추정하였다. Varma 등은 방사선 치료 후 직장의 용량과 유순도를 측정하여 보고하였는데 감각 역치를 나타내는 직장의 용량, 지속적 감각, 최대 허용량, 직장의 유순도 등이 감소하였음을 관찰하였다. 조직학적으로 평활근의 비후와 근육간 신경총의 손상 소견이 관찰되어 이러한 변화가 변실금의 증상 발현에 영향을 미칠 것으로 추정하였다. Loganathan 등은 전립선암의 치료의 일환으로 사용되는 외부 방사선 조사(EBRT)가 골반의 신경 손상을 가져올 것이라 가정하였다. 전립선암에서 방사선 치료는 환자의 10년 생존율을 50% 이상 향상시키기 때문에 필수적이다. 그러나 전립선암 치료 후 발생하는 요실금과 변실금은 환자의 삶의 질을 현저히 떨어뜨린다. 74명의 전립선암 환자에서 변실금 점수, 음부신경 기능, 항문직장 내압검사, 직장 민감도 등을 측정하여 음부신경의 손상 가능성을 대조군과 비교 관찰하였다. 이 연구의 결론은 방사선 치료가 항문 괄약근의 기능을 떨어뜨리고 직장의 유순도를 감소시키며 직장벽을 뻣뻣하게 하여 직장의 용량을 감소시키는 것으로 나타났다. 높은 용량의 방사선 조사는 직접적으로 신경의 손상을 초래하여 신경의 기능을 떨어뜨린다. 15년 동안 전립선암으로 EBRT (External Beam Radiation Therapy)를 시행 받고 변실금이 발생한 114명의 환자를 대상으로 음부신경 말단 잠복검사, 직장항문 내압검사 등을 시행한 연구에서 높은 빈도의 음부신경 장애를 관찰할 수 있었다. 괄약근의 기능저하가 있었으나 항문 초음파로 형태를 관찰하면 특별한 변형이 관찰되지 않았다. 음부신경 장애는 좌측 결장과 S결장, 직장의 운동성에 간접적인 영향을 미칠 것으로 추정하였다.

10) 직장 탈출

직장 탈출, 치질 탈출, 직장항문 점막탈출 환자의 48–63%에서 변실금이 동반되는 것으로 알려져 있다. 이러한 증상은 탈출에 대한 치료를 하면서 좋아지기도 한다. 그러나 오랜 기간의 탈출로 내괄약근의 약화와 음부신경의 손상이 동반된 환자에서 탈출에 대한 수술 후에도 변실금의 증상이 지속되는 경우가 있다.

완전 직장 탈출 환자 66%에서 변실금이 동반되어 있다. 직장 탈출증이 진행되면서 반복된 괄약근의 확장으로 인하여 항문의 휴지기 압력을 유지하는 역할을 하는 내괄약근의 힘이 떨어져 있다는 것이 상식적으로 설명된다. 다른 한가지는 음부신경의 장애가 동반된다는 것이다. 명확한 증거는 제시되지 않지만 직장 탈출증이 오랫동안 지속되면서 음부신경을 잡아당겨 늘리게 되고 이것이 음부신경의 기능에 영향을 줄 수 있다는 것이다. Roig 등은 직장 탈출증과 변실금을 동반한 환자와 대조군에 대한 조사를 시행하여 항문직장 생리검사의 결과를 비교 분석하였다. 연구결과 직장 탈출 환자에서는 휴지기 압력이 떨어져 있었다. 휴지기 압력이 떨어져 있는 것이 변의 자제를 어렵게 하는 것과는 연관은 없었다. 변 자제가 가능한 사람에게서 음부신경 장애가 적었고 수의적 괄약근 수축의 변화도 적었다.

불완전 직장 탈출 환자에서도 때로 변실금이 동반되고 항문 괄약근의 압력이 떨어져 있는 것을 관찰할 수 있다. 다수의 연구 결과 직장의 중첩의 정도에 따라 변실금의 빈도나 정도도 심해졌다. 나이를 비롯한 다수의 변수가 증상에 영향을 미친다. 과거에는 수술에 대하여 망설였으나 최근에는 직장 고정술로 변실금의 증상이 호전된다는 연구 결과들이 나오고 있다. 변실금 환자에서 직장의 중첩증을 남겨둔 채 천수신경 조절술이나 바이오 피드백 치료를 시행하는 경우 효과를 감소시킨다는 보고가 있다. 변실금을 치료하기 전에 기저 병변을 치료하는 것이 옳다고 판단된다.

Prapasrivorakul 등은 중등도의 직장 중첩이 변실금의 여러 유발요인 중의 하나라고 판단하였다. 직장 중첩을 치료하지 않고 그대로 둔 채 천수신경 조절술을 시행한 환자에 대한 분석을 시행하였다. 연구결과, 중등도의 직장 중첩이 없는 환자에서 52%의 삶의 질의 개선을 보인데 비하여 중첩이 있는 환자에서 16%만이 개선을 보였다. 따라서 천수신경 조절술을 하기 전에 불완전 직장 탈출을 해결하고 시행하는 것이 옳다고 판단하였다.

원인을 알 수 없는 변실금 환자에서 직장 탈출증의 빈도는 얼마나 될까 하는 의문이 있겠다. Bloemendaal 등은 변실금 환자의 어느 정도에서 직장 탈출증이 동반되는지, 또한 직장 탈출증이 변실금에 어느 정도 영향을 미치는지에 대하여 연구를 하였다. 2,082명의 변실금 환자 중에서 출구폐쇄 변비가 없고 괄약근의 손상이 없는 환자 174명을 대상으로 배변조영술, 항문직장 생리검사 등의 골반 생리검사를 시행하고 변실금 점수를 살펴보았다. 수동적 변실금은 경미한 직장 탈출증이 있는 환자에서 더 많았다. 휴지기 압력은 노인을 비롯한 심한 직장 탈출 환자에서 더 많이 떨어졌다. 이러한 연구 결과 중등도의 직장 중첩이 발견된 빈도가 49%였고 이러한 경우에 절박 변실금과 연관이 있음을 보고하였다.

11) 수술

① 항문직장 수술

치료에 반응하지 않는 만성 치열의 치료로 내괄약근 절개술이 권장되어 왔다. 그러나 이런 수술의 결과로 가

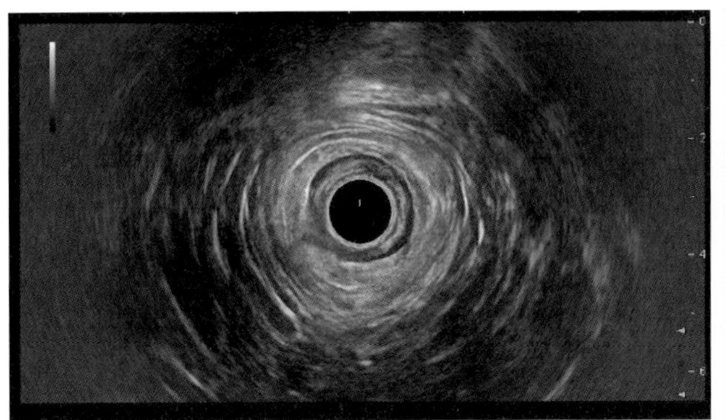
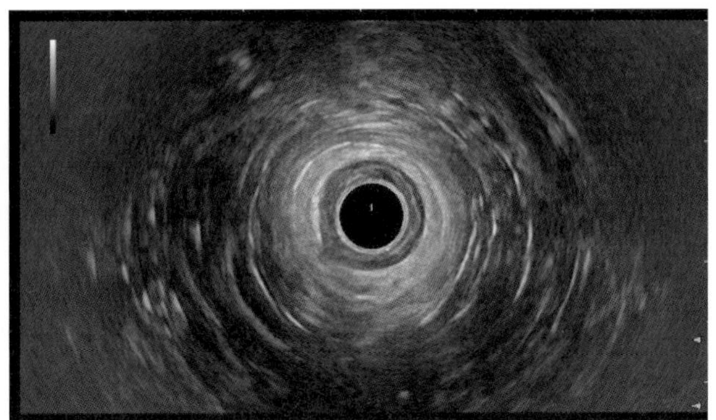

그림 6-4. M/41 치핵 수술 후 생긴 변실금으로 내원한 환자의 항문 초음파 8시 방향으로 외괄약근 손상이 보인다.

스 실금과 변실금이 발생할 수 있다는 여러 보고들이 있다. 따라서 치열의 치료는 내괄약근 절개술보다는 화학적 내괄약근 약화로 치열의 창상 치유를 돕고, 치질을 해결하여 항문관에 걸리는 부하를 감소시켜주는 방법이 더 낫다는 주장도 있다. 협착이 있는 경우 협착부위를 해결하고 스트레칭으로 항문관의 긴장을 떨어뜨려 주거나, 치열의 피부꼬리만 절제하기도 한다. 혹은 내괄약근 절개의 방향과 크기를 환자의 상태에 따라 달리 하는 등의 방법으로 치료하고 가급적 보존적 치료에 중점을 두는 세심함이 필요하다. 내괄약근 절개 이후에 발생하는 변실금의 비율은 0%에서 36%까지 다양하게 보고 되었다. 다양한 변실금 발생 비율은 변실금의 정의와 추적 관찰 형태, 괄약근 절개 길이 등에 기인한다.

내괄약근 절개에 의하여 변실금이 생기기 쉬운 환자는 고령, 여성, 질식 분만의 과거력이 있으면서 치질이나 치루 같은 항문 질환의 수술을 병행했을 때 등으로 이러한 경우에는 변실금에 노출되기 쉽다. 수술 당시 인지되지 않은 괄약근 손상이 있는 환자에서 재절개를 함으로써 변실금이 발생하기도 한다. 괄약근이 균등하지 않는 비대칭 환자를 간혹 볼 수 있다. 이러한 경우도 변실금이 생길 수 있다. 전방의 치열로 수술하는 경우(39%) 후방의 치열로 수술하는 경우(6%)보다 변실금이 더 많이 발생할 수 있다. 여성에서 분만 손상에 의한 변실금이 서서히 나타나듯이 내괄약근 절개로 인한 변실금도 지연되어 나타날 수 있다.

치핵 수술 후에 생기는 변실금은 드물게 발생한다고 알려져 있다. 치핵 수술을 하고 난 이후에 생기는 변실금의 빈도는 0-14%정도 보고되고 있다. 과거에 질식 분만을 한 여성에서 치핵 수술 후 변실금의 발생 빈도가 증가하는 것으로 알려져 있다. 치핵을 절제한 개수에 따라서 과도한 절제 후, 수술 시 병행한 내괄약근 절개의 결손이 큰 경우에서 변실금이 생길 수 있다. Johannsson 등은 418명의 환자에서 밀리간 모건의 고전적인 치핵 절제술을 시행한 결과 40명의 환자에서 수술로 인한 변실금의 증상이 있는 것으로 보고하였다. 이중 19명의 환자를 대상으로 직장내시경, 항문 내압검사, 식염수 주입 테스트, 항문 초음파 검사 등을 하여 변실금 증상이 없는 15명의 환자와 비교 분석하였다. 변실금이 발생한 환자에서 항문의 휴지기 압력이 떨어져 있으며 20%의 환자에서 외괄약근의 손상이 발견되었다. 생리 식염수를 주입하여 액상 물질을 자제하지 못하는 현상이 관찰되었다. 따라서 치질 수술을 할 때도 수술 전에 항문 초음파나 항문 내압검사 등을 시행하여 항문 괄약근의 이상 유무를 관찰하여 수술의 범위를 결정하는 것이 바람직하다.

Gibbons 등은 괄약근의 힘이 충분하다고 하더라도 두터운 상피와 피하 조직이 둥근 괄약근 속에서 항문의 둘레를 탄력 있게 잡아주지 않으면 변을 참을 수 없을 것이라고 하였다. Li 등은 항문 쿠션을 제거하는 것이 변실금에 미치는 영향을 관찰하였다. 치질 수술을 하기 전에 변실금의 증상이 있는 환자에서 수술 후 증상이 더 악화될 수 있기 때문에 밀리건 모건 수술 방식의 치질 수술을 하지 말아야 한다고 주장했다. Thekkinkattil 등은 항문관과 항문 쿠션의 비율을 측정하여 분석한 결과 변실금 환자에서 대조군보다 항문 쿠션의 비율이 낮은 것을 관찰하였다.

치루 수술은 변실금을 초래할 수 있다. 염증의 심한 정도에 따라 달라지지만 0–50%까지 보고되고 있다. 고위 치루나 괄약근을 많이 침범한 경우 변실금이 더 발생하고 피브린 글루를 이용하거나 직장 점막 전진 피판 등 괄약근 보존술식을 할수록 변실금의 빈도는 낮아졌다. Roig 등은 143명의 치루 환자에서 수술 전 후 항문 내압, 초음파, 음부신경 검사 등을 하였다. 수술 전 14.2%의 환자에서, 수술 후 49.2%의 환자에서 변실금이 관찰되었다. 치루 절개술과 점막 전진 피판을 병행한 환자에서 변실금은 더 심해졌고 치루 절개술을 하고 바로 재건을 한 경우에 개선되었다. 치루 절개술은 모든 경우에 초음파상 내괄약근과 외괄약근의 새로운 손상을 나타냈다. 몇몇의 연구에서는 괄약근의 손상이 발생할 경우 45세 이상 여성에서 변실금의 빈도는 높았다. 괄약근의 손상의 정도에 따라서 변실금의 발생도 증가한다.

② 직장 절제술

1978년에서 2004년 사이에 보고된 논문에 따르면 직장암 수술 후 3–79%의 환자에서 변실금이 발생하였다. 고형변은 0–40%, 액상변은 0–60%, 가스 실금은 9–76%였다. 전체 빈도는 고형변 14%, 액상변 29%였다. 암의 위치와 문합 레벨에 따라 변실금의 위험도는 차이가 난다. 이론적으로는 직장의 저장 능력의 변화가 변실금에 영향을 미친다고 본다. 연결하는 대장의 모양을 달리하여 저장 능력을 향상시키는 방법으로 변실금의 빈도를 줄이려는 노력이 시도되었으나 그 효과는 명확하지 않다. 자동 봉합기의 발달로 항문관에서 좀 더 가까운 곳까지 항문을 살리면서 항문의 내괄약근의 손상이 동반되는 수가 있다. 수기로 봉합하는 것과 봉합기를 사용하는 것의 결과에 큰 차이가 없다는 보고가 있었다.

신생 직장의 감각 저하와 운동성 저하, 음부신경 손상 등이 변실금의 발생에 영향을 미친다고 생각한다. 발기신경의 손상으로 직장의 감각과 변이 마려울 때 배출하는 능력이 현저히 떨어진다. 부교감신경의 기능부전이 오면 직장에 변이 차는 것을 단지 미세한 불편감으로만 느끼게 된다. 직장의 장간막을 제거하면 항문거근의 신경과 골반 체신경의 장애를 동반한다. 이러한 장애는 치골직장근의 기능에 영향을 미치게 된다. 직장 절제에 의한 여러가지 복합적인 영향이 변실금을 오게 한다.

③ 자궁 절제술

자궁 절제술이 변실금의 위험인자임은 여러 학자들이 주장해 왔다. Goode 등은 여성이면서 만성 설사, 요실금, 자궁 및 난소 절제, 낮은 건강상태, 기저질환 등이 있는 경우에 변실금의 위험이 높아진다고 하였다. 그러나 Varma 등은 비만, 만성폐질환, 과민성 장증후군, 요실금, 장절제 후에 변실금의 발생이 증가한다고 보고하였지만 자궁절제 후에는 변실금 위험성이 감소했다고 보고 하였다.

자궁 절제술에 의해서 주위 신경의 손상이 변실금을 일으키는 요인으로 작용할 가능성이 있다. 또한 자궁절제 시 골반의 중심을 잡아주는 인대의 약화로 변실금의 증상을 나쁘게 할 수도 있으나 이를 뒷받침할 연구는 여전히 부족하다. Ceccaroni 등은 56명의 자궁암 수술환자에서 표준 자궁 절제술과 신경보존 자궁 절제술을 시행한 결과를 비교하였다. 표준 자궁 절제술을 시행한 환자에서 요실금, 요저류, 변실금, 변비, 성관계에 불편함 등을 더 호소하였다. 첫 해에는 표준 자궁 절제술을 시행한 경우에 변실금의 발생 빈도가 높았으나 다음 2년 동안은 큰 차이를 발견할 수 없었다고 보고하였다. 수술 후 삶의 질은 신경 보존수술에서 더 나았다.

④ 담낭 절제술

담낭 절제술을 시행한 상당한 수의 환자에서 변실금의 증상을 호소하기도 한다. 그 정도는 사람에 따라 다르지만 간혹 액상변이 팬티에 묻는 것에서부터 좀 더 심한 정도의 변실금을 호소하는 경우도 있다. 담낭은 10 cm 정도 크기로 간에 붙어있다. 농축된 담즙이 저장된다. 음식물의 소화과정에 담즙을 소장에 분비하여 지방을 효과적으로 분해하는 것에 도움을 준다. 대개 담낭 절제술을 해야 하는 이유는 담석을 치료하기 위한 것이고 담석이 췌장의 염증을 일으키거나 담낭이나 담도 염증을 일으켜서 위험에 빠트릴 수 있기 때문이다.

담낭을 절제하면 담즙이 대장을 자극해서 노란 설사를 하거나 냄새가 심한 변을 볼 수 있다. 담즙산이 증가하여 장에 노출되면 장의 운동에 영향을 미치기도 하고 소화가 되지 않은 지방변으로 설사를 하기도 한다. 그러나 이러한 증상들은 수술 후 몇 주가 지나면 호전된다. 수술 후에 일시적으로 초래하는 설사가 담낭 절제술 후에 변실금을 악화시킨다고 생각하게 된다. 이러한 증상이 오래간다면 그것은 수술하기 이전에 변실금에 대한 위험요소가 존재하고 있었을 가능성이 크다. 따라서 변실금의 요인에 대하여 검토 후 치료 방침을 정해야 한다.

12) 기타

흡연은 중요한 변실금의 위험요소이다. Bharucha 등은 분만 손상을 제외하고 흡연, 비만, 설사, 과민성 장증후군, 담낭 절제, 직장류, 요실금 등을 변실금의 독립된 위험요소로 판단하였다. 흡연이 어떻게 변실금의 증상을 악화시키는가에 대한 가설의 기본은 기침이다. 담배를 오래 피는 사람은 만성폐질환으로 잦은 기침을 하게 된다. 기침은 상당한 양의 압력을 골반근육에 가한다. 따라서 장기간의 기침은 골반 근육을 약하게 하고 스트레스 실금을 야기시킨다. 또한 담배를 피면 변 마려움과 소변 마려움 때문에 화장실을 더 자주 간다. 흡연이 방광을 자극하기도 하고 방광암을 유발하기도 한다.

Townsend 등은 1976년도부터 자신의 의료기관을 이용한 64,559명의 고령의 여성(62–87세)에서 건강 정보와 생활 스타일에 대한 설문을 통하여 변실금의 위험요소를 평가하였다. 변실금의 위험요소는 임신, 비만, 운동부족, 거동장애, 흡연, 당뇨, 고혈압, 신경병증, 요실금 등으로 기술하였다. 그 중 강력한 위험요소는 비만, 운동부족, 흡연으로 나타났다. 흡연의 다른 영향은 니코틴의 항에스트로겐 효과로 설명하기도 한다. 또 니코틴의 영향으로 대장의 수축력이 증가하여 대장의 통과시간을 빠르게 한다고 보고 있다. Bharucha 등은 일 년에 20팩 넘게 담배를 피는 사람에서 MRI를 찍은 결과 외괄약근의 위축이 발견되었다고 하였으나 이것이 단일 위험요소로 단정짓기는 어렵다.

요실금은 변실금과 연관되어 있고 이 책의 많은 부분에서 언급된다. 요실금 자체가 변실금에 영향을 미치기보다는 요실금과 변실금 두 가지 증상이 유사한 원인과 기전에 의하여 유발된다고 본다.

References

1. Badalian, S.S. and P.F. Rosenbaum, Vitamin D and pelvic floor disorders in women: results from the National Health and Nutrition Examination Survey. Obstet Gynecol 2010.115:795-803.
2. Bailey, N. and D. Pares, Faecal incontinence and depression: cause or effect? Colorectal Dis 2010;12:397-8.
3. Bharucha AE, H.D., Haider C, Amador Carrascal C, Edge J, Manduca A, Zinsmeister AR. Increased Rectal Stiffness in Women with UrgePredominant Fecal Incontinence. Gastroenterology 2013;144:S-82.
4. Bharucha AE, Seide B, Guan Z, Andrews CN, Zinsmeister AR. Effect of tolterodine on gastrointestinal transit and bowel habits in healthy subjects. Neurogastroenterol Motil. 2008;20:643-8.
5. Bharucha AE. Incontinence: an underappreciated problem in obesity and bariatric surgery. Digestive Diseases and Sciences 2010;55:2428-30.
6. Bharucha, A.E., et al. Bowel disturbances are the most important risk factors for late onset fecal incontinence: a population-based case-control study in women. Gastroenterology 2010;139:1559-66.
7. Bharucha, A.E., et al. Prevalence and burden of fecal incontinence: a population-based study in women. Gastroenterology 2005;129:42-9.
8. Bloemendaal, A.L., et al. High-grade internal rectal prolapse: Does it explain so-called "idiopathic" faecal incontinence? Int J Surg 2016;25:118-22.
9. Boreham, M.K., et al. Anal incontinence in women presenting for gynecologic care: prevalence, risk factors, and impact upon quality of life. Am J Obstet Gynecol 2005;192:1637-42.
10. Borrie, M.J. and H.A. Davidson. Incontinence in institutions: costs and contributing factors. CMAJ 1992;147:322-8.
11. Briel, J.W., et al. Relationship between sphincter morphology on endoanal MRI and histopathological aspects of the external anal sphincter. Int J Colorectal Dis 2000;15:87-90.
12. Brocklehurst, J.C., et al. Incidence and correlates of incontinence in stroke patients. J Am Geriatr Soc 1985;33:540-2.
13. Ceccaroni, M., et al. Pelvic dysfunctions and quality of life after nerve-sparing radical hysterectomy: a multicenter comparative study. Anticancer Res 2012;32:581-8.
14. Chan, C.L., et al. Rectal hypersensitivity worsens stool frequency, urgency, and lifestyle in patients with urge fecal incontinence. Dis Colon Rectum 2005;48:134-40.
15. Chantarasorn, V., K.L. Shek, and H.P. Dietz. Sonographic detection of puborectalis muscle avulsion is not associated with anal incontinence. Aust N Z J Obstet Gynaecol 2011;51:130-5.
16. Chen, T.Y., et al. Bowel function 14 years after preoperative short-course radiotherapy and total mesorectal excision for rectal cancer: report of a multicenter randomized trial. Clin Colorectal Cancer 2015;14:106-14.
17. Cuicchi, D., et al. Clinical and instrumental evaluation of pelvic floor disorders before and after bariatric surgery in obese women. Surg Obes Relat Dis 2011;7:359
18. De La Luz Nieto, M., et al. Factors associated with fecal incontinence in a nationally representative sample of diabetic women. Int Urogynecol J 2015;26:1483-8.
19. Gibbons, C.P., et al. An analysis of anal sphincter pressure and anal compliance in normal subjects. Int J Colorectal Dis 1986;1:231-7.
20. Gibbons, C.P., et al. Role of anal cushions in maintaining continence. Lancet 1986;1:886-8.
21. Goode, P.S., et al. Prevalence and correlates of fecal incontinence in community-dwelling older adults. J Am Geriatr Soc 2005;53:629-35.
22. Hajivassiliou, C.A., K.B. Carter, and I.G. Finlay. Anorectal angle enhances faecal continence. Br J Surg 1996;83:53-6.

23. Hellstrom, L., et al. The influence of dementia on the prevalence of urinary and faecal incontinence in 85-year-old men and women. Arch Gerontol Geriatr 1994;19:11-20.
24. Joh, H.K., M.K. Seong, and S.W. Oh. Fecal incontinence in elderly Koreans. J Am Geriatr Soc 2010;58:116-21.
25. Johannsson, H.O., L. Pahlman, and W. Graf. Functional and structural abnormalities after milligan hemorrhoidectomy: a comparison with healthy subjects. Dis Colon Rectum 2013;56:903-8.
26. Krol, R., et al. Systematic review: anal and rectal changes after radiotherapy for prostate cancer. Int J Colorectal Dis 2014;29:273-83.
27. Lam, T.J., D.J. Kuik, and R.J. Felt-Bersma. Anorectal function evaluation and predictive factors for faecal incontinence in 600 patients. Colorectal Dis 2012;14:214-23.
28. Lestar, B., F. Penninckx, and R. Kerremans. The composition of anal basal pressure. An in vivo and in vitro study in man. Int J Colorectal Dis 1989;4:118-22.
29. Li, Y.D., et al. Excisional hemorrhoidal surgery and its effect on anal continence. World J Gastroenterol 2012;18:4059-63.
30. Loganathan, A., et al. Pudendal nerve injury in men with fecal incontinence after radiotherapy for prostate cancer. Acta Oncol 2015;54:882-8.
31. Morgan, D.M., et al. Symptoms of anal incontinence and difficult defecation among women with prolapse and a matched control cohort. Am J Obstet Gynecol 2007;197:509.
32. Nakayama, H., et al. Prevalence and risk factors of incontinence after stroke. The Copenhagen Stroke Study. Stroke 1997:28:58-62.
33. O'Keefe, E.A., et al. Bowel disorders impair functional status and quality of life in the elderly: a population-based study. J Gerontol A Biol Sci Med Sci 1995;50:184-9.
34. Poylin, V., et al. Obesity and bariatric surgery: a systematic review of associations with defecatory dysfunction. Colorectal Dis 2011;13:92-103.
35. Prapasrivorakul, S., et al. Erratum to: Sacral neuromodulation for faecal incontinence: is the outcome compromised in patients with highgrade internal rectal prolapse? Int J Colorectal Dis 2015;30:229-34.
36. R MacDonagh, W M Sun, D G Thomas, R Smallwood, N W Read. Anorectal function in patients with complete supraconal spinal cord lesions. Gut 1992;33:1532-8.
37. Read, N.W. and L. Abouzekry. Why do patients with faecal impaction have faecal incontinence. Gut 1986;27:283-7.
38. Rey, E., et al. Onset and risk factors for fecal incontinence in a US community. Am J Gastroenterol 2010;105:412-9.
39. Robinson, B.L., et al. Obstetric sphincter injury interacts with diarrhea and urgency to increase the risk of fecal incontinence in women with irritable bowel syndrome. Female Pelvic Med Reconstr Surg 2013;19:40-5.
40. Rodger, C.J., et al. Abnormal colonic motility: a possible association with urge fecal incontinence. Dis Colon Rectum 2010;53:409-13.
41. Roig, J.V., et al. Anorectal function in patients with complete rectal prolapse. Differences between continent and incontinent individuals. Rev Esp Enferm Dig 1998;90:794-805.
42. Roig, J.V., et al. Changes in anorectal morphologic and functional parameters after fistula-inano surgery. Dis Colon Rectum 2009;52:1462-9.
43. Thekkinkattil DK, Dunham RJ, O'Herlihy S, Finan PJ, Sagar PM, Burke DA. Measurement of anal cushions in idiopathic faecal incontinence. Br J Surg 2009;96:680-4.
44. Thomson, H. The anal cushions--a fresh concept in diagnosis. Postgrad Med J 1979:55:403-5.
45. Thomson, W.H. The nature of haemorrhoids. Br J Surg 1975;62:542-52.
46. Townsend MK, Matthews CA, Whitehead WE, Grodstein F. Risk factors for fecal incontinence in older women. Am J Gastroenterol, 2013;108:113-9.
47. Varma, J.S., A.N. Smith, and A. Busuttil, Correlation of clinical and manometric abnormalities of rectal function following chronic radiation injury. Br J Surg 1985;72:875-8.
48. Varma, M.G., et al., Fecal incontinence in females older than aged 40 years: who is at risk? Dis Colon Rectum, 2006;49:841-51.

Part 2

CHAPTER

07

변실금의 진단

변실금은 여러 가지 복합적인 원인이 함께 영향을 미쳐서 발생하는 것이어서 진단하는 것도 여러 가지 고려해야 할 변수들이 많다. 가장 기본으로 해야 할 일은 병력의 청취와 이학적 검사 등이다. 환자의 병력과 기간, 과거력 등을 면밀히 살피고 환자의 기초체력이나 건강 상태를 확인해야 한다. 환자의 병력 청취와 건강 상태에 대한 확인이 끝나면 직장 수지검사를 포함한 신체진찰을 통하여 항문과 직장을 살핀다. 변실금의 증거가 있는지 확인하고 원인을 파악한다. 진성 변실금과 치질, 치루 혹은 직장 항문의 병변 등에 의하여 점액의 누출이나 변이 묻어나는 것 등을 확인할 수 있다. 육안으로 괄약근의 손상이 있는지를 먼저 살펴야 한다. 항문 수술로 인한 항문의 손상도 쉽게 확인할 수 있다. 분만 손상으로 인한 흉터가 있는지 확인하고 치질 탈출이나 치루 등이 있는지 관찰한다. 항문 주위 감각의 둔감이나 소실이 있는지 확인한다. 회음이 제대로 유지되어 있는지 등을 관찰한다. 항문이 젖어 있는지도 바로 확인할 수 있다. 피부의 습진이나 피부의 비후화 등이 있는 경우는 항문의 자극이 오랫동안 지속되었다는 증거가 된다. 항문이 열려 있는지 항문관의 열쇠 구멍 형태의 괄약근 손상과 같은 결함이 있는지 등을 확인해야 한다. 과거 회음절개의 흉터나 현저한 분만 손상은 육안으로 간단히 확인된다.

육안으로 확인이 끝나면 직장 수지검사를 한다. 이때 여러 가지 확인해 봐야 할 것이 있다. 항문 주위의 감각 이상이 있는지를 확인하고 숨겨진 치핵이나 염증 등의 증거가 있는지 확인한다. 노인에서는 직장에 분변 매복이 있는지 확인한다. 직장에 변이 남아 있으면 범람형 변실금(overflow incontinence)을 의심해봐야 한다. 직장 수지검사 시 간접적으로 변의 성상을 확인할 수 있다. 직장암이나 혹이 있는지 만져보고 의심되면 대장내시경을 시행한다. 항문의 휴지기 압력을 확인한다. 수의적 수축기능을 체크하고 긴장의 정도를 확인한다. 환자에게 기침을 유도하여 항문의 긴장도를 확인할 수 있다. 항문 직장륜을 후방으로 당겨 치골 직장근의 기능을 확인한다. 음부신경을 눌러서 통증이 있는지도 알 수 있다. 직장과 항문 주위 조직의 뻣뻣함을 촉지하여 확인할 수 있고 항문 협착도 확인할 수 있다. 항문을 오므리게 하고 검사자의 손가락이 앞쪽으로 움직이는지를 확인한다. 좌우 대칭을 확인하여 괄약근의 손상을 확인한다. 역행적 치골직장 수축 유무를 확인한다. 직장류가 있는지 확인할 수 있고 동반하는 질 탈출 등도 확인이 가능하다. 항문의 협착이나 직장류가 동반된 경우 변의 불완전한 배출을 초래하고 범람형 변실금이 발생할 수 있다. 경험이 풍부한 항문외과의사의 직장 수지검사는 항문내압검사의 결과와 대개 일치한다. 때로는 항문 초음파의 결과를 예측할 수도 있다. 내시경 검사 장비가 발달하여 외래에서 간단히 항문과 하부 직장의 일부를 관찰할 수 있다.

변실금의 실체가 확인되면 여러 가지 검사를 하게 된다. 변실금의 진단에 도움이 되는 직장항문 생리검사는 직장경이나 대장내시경 혹은 S결장경, 항문직장 내압검사, 배변조영술, 항문 초음파, 음부신경말단 검사, CT와 MRI 등이 있다. 직장항문 생리검사는 각각 분석하려는 의도가 다르다. 회음과 항문직장 주위 괄약근의 결손 유무를 확인 할 수 있고 구조적으로 항문과 골반근육의 약화된 정도와 비정상적인 부분이 어디인지를 파악할 수 있다. 직장에서 항문을 통하여 변의 배출 과정에 이상이 없는지 확인한다. 변이 직접 흐르는지 혹은 변의 배출이 완전한지도 관찰할 수 있다. 직장항문의 생리기능상태를 확인하고 감각신경이나 체신경이 제대로 작동하는지 혹은 직장의 저장 능력은 적당한지를 확인한다. 또한 변의 자제에 대한 반대요인이 있는지 변 마려움에 대한 억제 반사가 정상적으로 작동하는지 등을 확인할 수 있다.

1. 항문직장 내압검사 (Anorectal manometry)

변비와 변실금 등 배변 장애 환자의 진단과정에서 항문 직장내압검사는 필수적이다. 항문 괄약근의 기능을 확인하는 것이 이 검사의 중요한 목표이다. 기능이 떨어진 부위를 추측할 수 있고 직장의 감각을 측정할 수 있다. 직장의 감각기능과 정상적인 배변 활동에 있어서 직장항문 억제 반사 등을 확인할 수 있다. 그리고 항문의 고압대를 측정하여 정상 기능을 하는 항문관의 길이와 압력 등을 측정할 수 있다. 검사하기 전에 약 2시간은 금식을 하는 것이 좋다. 검사하는 방법에는 관류시스템을 이용하여 측정하거나 근전도를 이용하기도 하고, 풍선을 직장에서 밀어내는 방식 등으로 측정할 수 있다.

환자를 좌측으로 눕힌 후 작고 유연한 센서가 달린 관을 직장에 집어넣고 천천히 빼면서 항문과 직장의 감각과 압력을 체크한다. 환자는 항문을 오므렸다가 밀었다가 이완시키는 행동을 반복하면서 항문관에 달린 센서를 통하여 컴퓨터로 연결되어 수치로 나타나게 된다. 환자는 항문을 오므리기 위하여 변을 참는 요령으로 항문 괄약근에 힘을 주어 조은다. 밀어내는 것은 배변을 하기 위하여 배와 항문과 직장에 힘을 주는 방식으로 항문을 아래로 힘을 준다.

작은 플러그 모양의 근전도 측정기를 항문에 끼우고 검사를 하기도 한다. 항문 괄약근의 전기적 활동이 컴퓨터 모니터에 표시되고 기록된다. 항문 괄약근의 정상적인 압력과 항문관의 고압대를 측정할 수 있다. 항문을 오므릴 때 항문 괄약근은 수축을 하고 항문을 밀 때 항문 괄약근은 이완을 하게 된다. 그러나 때로 환자는 오므리고 밀어달라는 검사자의 말에 거꾸로 반응을 하는 경우도 있다.

항문을 통하여 직장에 끼운 풍선에 일정량의 물을 집어넣어 밀어내는 방식으로 시간을 측정하여 항문 직장의 기능을 확인하는 방식이 있다. 밀어내는 시간을 측정하고 풍선에 집어넣는 물의 양을 측정하여 분석한다. Bharucha 등은 이동형 내압검사기와 고해상 검사기를 비교하여 보고한 바 있다. 직장의 감각 역치와 배변욕구, 절박 등을 검사하여 비교하였고 테크닉에 따라 검사의 결과는 의미 있게 연관되었다. 이동형 검사기는 간단히 검사할 수 있는 장점이 있지만 고해상 검사기의 검사 결과가 좀 더 유의미하게 나타났다.

항문직장 내압검사 시 측정 포인트는 대개 5가지 정도이다. 우선 밀어내기는 변을 보는 것처럼 항문을 밀어내는 것을 재현한다. 이때는 외괄약근의 이완이 이루어진다. 하지만 검사실에서 환자가 당황하여 검사의 결과에 오류가 발생할 수도 있다. 다음으로 휴지기 압력을 측정한다. 환자는 오므리거나 밀지 말고 약 20-30초 동안 긴장을 풀고 쉰다. 다음으로 기침을 시킨다. 복강의 압력의 증가에 따른 외괄약근 압력의 변화를 파악하기

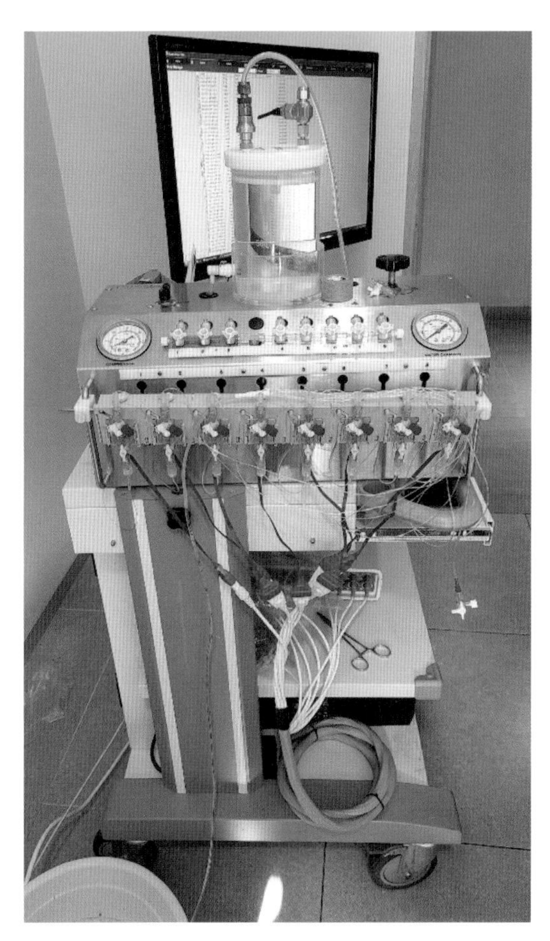

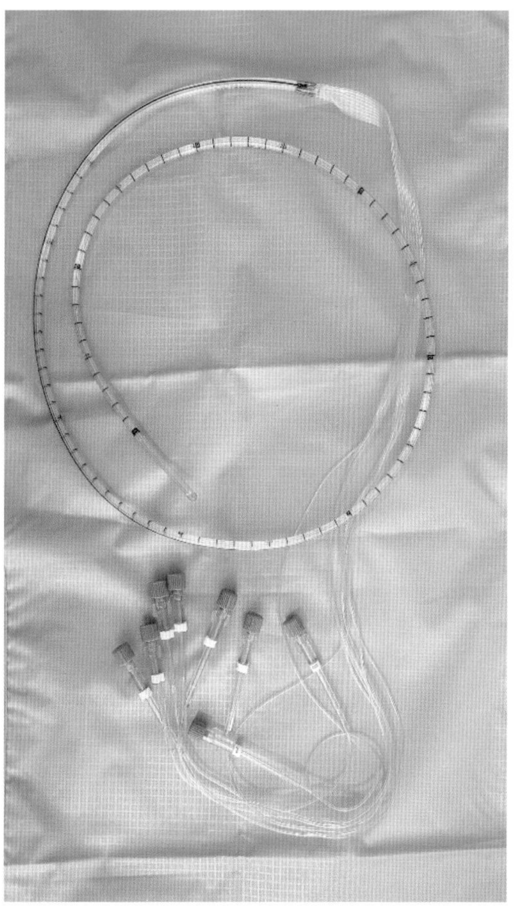

그림 7-1. **관류시스템을 이용한 항문 압력 측정기와 항문압력 측정 카테터.** 가압증류수를 일정한 속도로 흘려 증류수가 관류 구멍을 통해 빠져나갈 때 외부압력에 의해 받는 저항을 압력변환장치로 변화하여서 항문 압력을 측정한다.

위하여 시행한다. 환자에게 최소 20초 간격으로 1–2회 기침을 시켜 관찰한다. 직장항문 억제반사 항문직장 괄약근 반사인데 괄약근의 반사를 나타낼 최소의 양을 결정하기 위함이다. 10 cc의 물을 주입하여 풍선을 부풀린 다음 3–5초 이후 물을 빼낸다. 주입 양을 증가시키면서 풍선 부풀리기를 반복한다. 10, 20, 30, 40, 50 cc로 양을 증가시키면서 항문직장 괄약근 반사를 관찰한다. 50 cc를 부풀려 내괄약근이 이완하면 정상이다. 다음으로 직장의 감각, 저장 능력과 유순도를 측정한다. 먼저 10 cc의 물을 주입하고 환자의 느낌이 있는지 확인한다. 양을 점차 늘려 환자가 처음 느끼는 양, 변이 마려운 정도, 최대 허용치를 측정하고 주입된 양과 직장의 압력의 변화를 관찰하여 유순도를 측정한다.

항문에 힘을 주지 않고 압력을 체크한 것을 휴지기 항문 압력이라고 한다. Lestar 등은 항문의 휴지기 압력은 내괄약근이 55%, 외괄약근이 30%, 항문 쿠션이 15%를 담당한다고 보고하였다. 이때 환자는 긴장을 하지 않아야 하며 긴장을 하게 되면 외괄약근의 영향을 받게 된다. 항문의 휴지기 압력은 항문의 압력과 직장의 압력의 차이로 표현된다. 항문관에서 압력이 높은 부위를 항문 고압대라고 한다. 항문을 오므릴 때 압력이 증가하지 못하는 것을 그래프를 통하여 발견할 수 있는데 이를 항문 초음파와 대조하면서 항문 괄약근의 손상을 확인할 수 있다. 항문 압력의 세기와 압력이 높은 부위의 길이를 측정하여 항문관의 기능을 추정할 수 있다. 변실금 환자에서는 거의 항상 항문의 휴지기 압력이 정상보다 떨어져 있는 것을 관찰할 수 있다. 하지만 괄약근의 톤이 변실금의 정도를 결정하지는 않는다. 변의 자제를 보강하는 다른 요소가 복합적으로 작용하기 때문이다.

수축기 항문 압력은 외괄약근과 치골 직장근의 수축에 의해서 생긴다. 이는 항문의 휴지기 압력에서 최대로 항문을 오므릴 때 압력의 증가로 계산된다. 항문 고압대에서 수축기 압력의 변화를 관찰할 수 있다. Loganathan 등은 수축 압력이 떨어진 것은 항문의 외괄약근의 손상이나 신경 손상, 환자의 유순도가 불량하거나 수의적 조절이 되지 않는다는 것을 의미한다고 설명하였다.

직장과 항문의 압력 검사를 통하여 배변을 할 때 적절한 배출을 위한 괄약근의 운동을 추정할 수 있다. 직장에 센서를 넣고 소량의 물을 갑작스럽게 집어넣으면 항문의 괄약근은 변의 자제를 위하여 괄약근을 오므리게 되는데 이런 반사가 약하거나 소실되면 변실금이 있다는 증거의 일부로 생각할 수 있다. 정상적으로 항문을 밀어내거나 변을 보기 위해 힘을 주게 되면 항문 괄약근의 압력은 떨어지게 된다. 이때 괄약근이 오히려 수축하며 압력이 높아지게 되는 경우가 있는데 출구장애로 인한 변비환자에서 관찰할 수 있다. 세계실금학회에서 항문직장 내압검사의 적용에 대한 의견을 종합하여 설명한 바 있다. 항문직장 내압검사는 변실금 환자에서 항문 괄약근의 기능을 객관적으로 평가할 수 있다. 내압검사를 진행하면서 각 의료기관의 정상치를 정해야 한다. 이를 통해서 검사의 재현성을 확인할 수 있다.

2. 경항문 초음파 (Endoanal ultrasound)

항문 초음파는 변실금 환자에서 간단하게 시행할 수 있다. 해부적으로 괄약근을 비롯한 항문 직장의 구조가 정상인지 비정상인지를 판단하는 기준이 된다. 시간이 오래 걸리지 않고 환자에 부담이 없으며 비용대비 효율

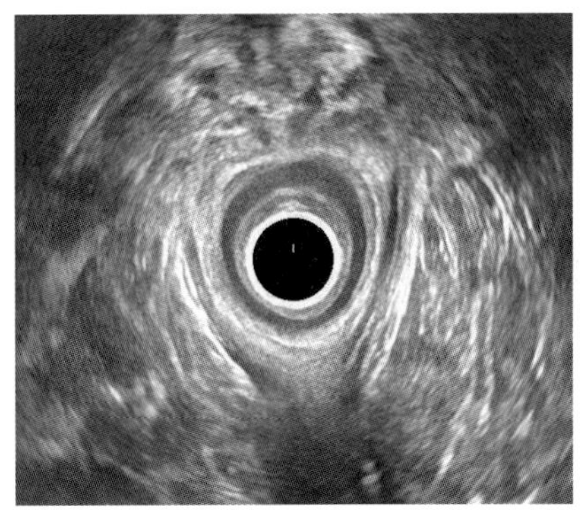
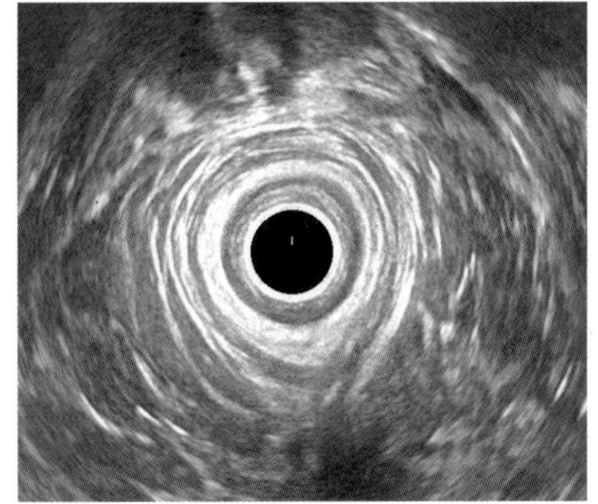
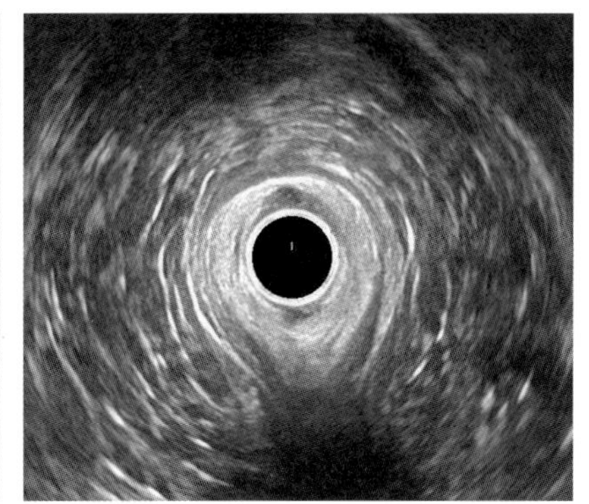

그림 7-2. **정상 항문 초음파 소견 좌측부터 항문관 상부 중부 하부**

이 높다. 대부분의 검사에서 괄약근의 손상을 발견하는 데 높은 정확도를 나타낸다. 초음파로 과거 항문 수술이나 분만 손상에 의한 괄약근의 결손, 상처, 흉터, 두께의 변화, 위축 등을 관찰할 수 있다. 항문 초음파로 괄약근의 결손뿐만 아니라 항문 괄약근의 전체 이미지를 재현할 수 있고 항문의 농양이나 종괴를 확인할 수도 있다.

1989년 Law 등에 의하여 항문 초음파의 테크닉과 항문 주위의 정상 해부구조에 대한 논문이 보고 되면서 항문 초음파는 항문 괄약근의 손상으로 인한 장애에 대하여 연구를 시행함에 있어 결정적으로 중요한 기여를 하게 되었다. 항문 초음파가 개발되기 전에 항문관의 손상 유무를 알 수 있는 방법은 육안적 소견과 항문직장 수지 검사 및 항문직장 내압검사나 근전도 검사 등을 이용할 수밖에 없었고 괄약근을 확인하여 영상이나 화상으로 나타낼 수 있는 직접적인 방법이 없었다.

항문 초음파에서 제공받은 이미지의 도움으로 학자들은 항문관의 정상적인 해부구조에 대하여 이해도를 높이게 되었다. 또한 괄약근의 손상부위를 정확하게 알 수 있게 되었다. 항문 초음파를 이용하여 외괄약근의 손상을 파악하게 되면서 근전도를 이용하여 항문관의 지도를 그릴 수 있게 되었다. 이를 통하여 괄약근 손상의 양적인 분석이 가능하게 되었다. 초음파에서 확인된 손상의 부위와 크기가 수술 필드에서 정확한지 확인하는 과정을 거치면서 항문 초음파에 대한 신뢰가 상승하게 되었다.

초음파는 시행 의사의 기술과 판독에 따라 정확도에 차이가 있으며 MRI와 비교하여 영상의 질과 종합적인 판단을 함에 있어 다소 부족한 점이 있었다. 그러나 항문 초음파의 기술은 1989년 초기의 초음파 수준에 가만히 머물러 있지 않았다. 과거에 비하여 기기의 발전과 항문 초음파의 기술은 훨씬 진전되었을 뿐만 아니라 이미지의 질적인 향상과 개선이 지속되어 360도를 관찰할 수 있는 원형 초음파가 개발되어 보다 입체적인 분석이 가능하게 되었다.

항문 초음파로 판단할 수 있는 변실금의 가장 유의미한 소견은 괄약근 손상이다. 괄약근 손상은 분만이나 항문 직장의 수술 등이 원인이다. 노인성 변실금에서는 항문관의 상피 하 조직이 늘어나 있거나 직장 점막의 항문관내 함입을 관찰할 수 있다. 항문관의 길이가 짧아져 있거나 항문 쿠션이 소실되어 있고 항문의 내괄약근이 얇아져 있거나 괄약근간 경계가 소실되어 있는 것을 발견할 수 있다. 항문 괄약근의 상처를 확인할 수 있어 과거에 어떤 손상을 받았는지 추정할 수 있다. 상처는 정상 구조의 소실과 정상 조직이 없는 무정형 소견이 관찰되고 음영이 낮아진다. 손상의 숫자, 둘레, 길이 등을 측정할 수 있다. 둘레는 시계의 방향이나 둘레의 각도 정도로 표현하고 길이는 근위, 원위, 전체등의 방식으로 표현한다.

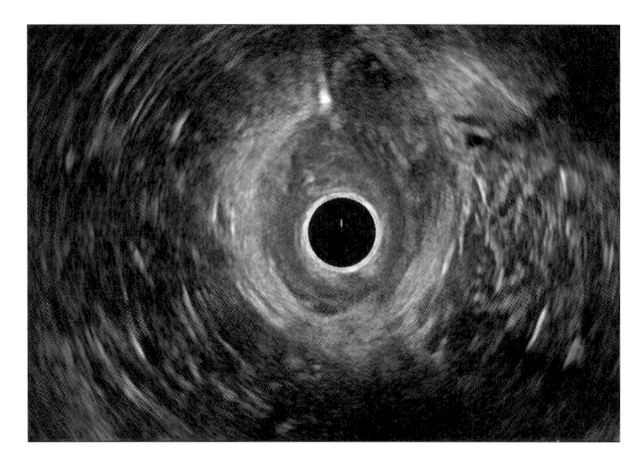

그림 7-3. **F/32 분만으로 인한 1시에서 2시방향에 이르는 내괄약근 외괄약근 손상**

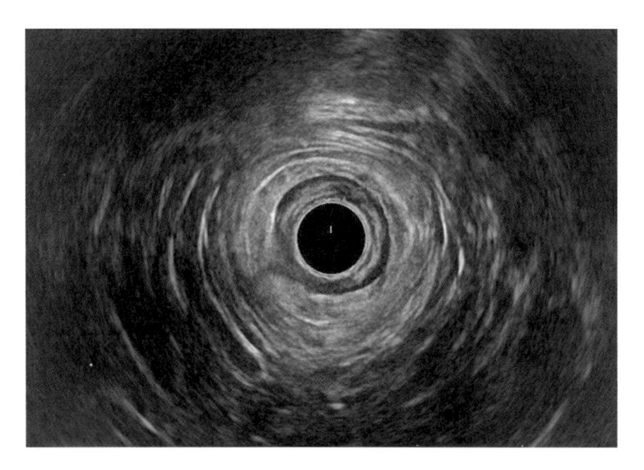

그림 7-4. **M/41 치핵 수술 후 변실금으로 내원한 환자 8시 방향 외괄약근**

분만에 의한 괄약근 손상은 출산 중 회음에 발생하는 3도 혹은 4도의 괄약근 복합 손상을 의미한다. 3도는 내괄약근과 외괄약근의 손상이 있는 경우 4도는 회음과 내괄약근, 외괄약근, 항문 상피의 손상이 있는 경우를 의미한다. Harvey 등은 분만 2개월 이내에 항문 초음파를 시행하면 초산에서 27-35%의 괄약근 손상이 발견되고 다산의 경우 4-8.5%의 새로운 괄약근 손상이 있는 것을 관찰하였다. 또한 괄약근의 분만 손상은 시간이 지나면서 변실금 발생의 위험을 높인다. 회음절개를 현장에서 복원한 경우에도 약 39%에서 변실금이 발생할 수 있다고 보고하였다. 이러한 데이터는 분만 현장에서 회음절개의 복원이 제대로 이루어지지 않고 있다는 것을 반증한다.

3. 배변조영술(Defecography)

배변조영술은 변의 배출 과정을 재현하여 항문과 직장의 이상소견을 관찰하는 방법이다. 조영제로 사용하는 바륨에 적절한 농도의 전분을 섞고 생리식염수로 희석시켜 변과 유사한 점도의 물질을 만들어서 적당량을 직장내로 주입한다. 이후 항문의 휴지기, 수축기, 밀어내기, 배변 후의 직장의 변화 등을 관찰하는 방법으로 직장에서 변의 배출 과정과 배출 후의 결과를 촬영하게 된다. 배변 장애 환자나 직장항문 탈출 환자에서 배변 과정에 나타나는 현상을 관찰하고 병변의 정도와 직장항문 주위의 해부학적, 기능적 문제점을 관찰할 수 있다.

환자는 왼쪽으로 누운 자세에서 조영물질을 직장으로 주입한다. 주입량은 약 150 cc정도이며 환자가 변 마려움을 느낄 정도의 양이다. 항문 가까이 조영물질을 붙여서 치골과 꼬리뼈 사이의 선을 긋고 움직임을 관찰할 수 있다. 질 내에 바륨을 묻힌 거즈를 넣으면 장류나 직장 전반, 중간부위의 전방으로의 움직임이나 탈출을 더 세밀하게 관찰할 수 있다. 배변조영술에서 관찰할 수 있는 소견은 항문관의 길이, 변 자제 시 닫혀 있는 정도, 항문과 직장의 각도, 변 자제와 배변 시 항문 주위 괄약근의 움직임, 치골 직장근의 이완이나 수축 시의 움직임, 회음이 하강하는 정도 등을 관찰할 수 있다. 또한 직장의 팽창과 저장 능력이나 직장 점막의 늘어진 정도, 중첩이 되었는지, 배출 과정은 원만한지, 변을 참을 수 있는지 등을 관찰할 수 있다. 변을 어느 정도 보고 난 다음 이중 조영 기법으로 항문과 직장내의 이상 소견을 관찰한다. 또한 완전히 배출하고 난 다음 직장과 항문의 변화 등을 관찰하여 직장에 변이 남게 되는지 등을 알 수 있다. 정상인에서는 직장내 조영물질의 2/3 이상을 30초 이내에 배출할 수 있다.

배변조영술은 출구폐쇄 변비의 진단과 치료에 널리 사용되어 왔으나 일부 변실금 환자에서 복강경 전방 직장 고정술의 시행이 도움이 되는 것에 대한 보고가 있으면서 더 많은 수요가 발생하고 있다. D'Hoore 등은 42명의 직장 탈출 환자에서 복강경 전방 직장 고정술을 시행하여 5년 이상 추적 관찰한 결과를 보고한 바 있다. 복강경을 이용하여 자율신경을 보존하는 직장의 박리와 함께 인공막을 이용한 자궁천골 인대의 재구성을 통하여 직장 탈출의 치료를 시도하였다. 직장 탈출로 인한 변실금이 동반된 31명의 환자 중 28명에서 실금이 유의미한 개선이 있었다고 보고하였다. 모든 환자에서 적용되는 것은 아니지만 직장 탈출의 치료로 직장의 중첩이 교정되면서 배변 장애의 증상들이 해결되는 것을 관찰할 수 있다.

Rao 등은 배변조영술이 변실금의 진단에 중요한 증거를 제시하지 못한다고 하였고 미국 소화기외과학회에서도 배변조영술이 반드시 필요한 것은 아니라는 의견을 제시한바 있다. 2015년까지도미국 대장항문학회에서조차 변실금의 진단에 필수적인 검사에 포함하지 않았다. 그러나 최근에 직장류와 직장의 중첩을 외과적으로 해결하는 것이 변실금의 치료에 의미가 있다는 사실들이 보고되었고 D'Hoore 등이 전방 직장 고정술의 술기에 대한 자세한 설명과 이 수술의 결과를 발표하면서 이러한 수술이 변실금의 치료에 유의미하다는 결과에 수긍하게 되었다. 배변조영술의 소견과 변실금이나 출구폐쇄 변비의 증상과의 연관성이나 일치율에 대한 논란이 있어 왔고 배변조영술에서 이상소견이 있는 경우에도 정상적인 배변을 하는 사람이 있기 때문에 많은 갈등과 의견의 차이를 보였다. 그러나 최근 직장의 중첩이 변비와 변실금의 증상과 연관이 있다는 많은 보고가 쏟아져 나왔다. 이러한 까닭에 배변조영술이 변실금과 변비 환자를 평가하고 동반되는 직장류와 직장 중첩, 직장 탈출 등 환자의 상태를 파악하는 데 큰 도움이 되어 그 활용도가 높아졌고 배변 장애환자의 진단에 필수적인 검사 항목이 되었다.

변실금 환자에서 배변조영술은 간접적이고 추정적인 증거를 제공한다. 배변조영술을 시행하기 30분 전에 적당량의 가스트로그라핀을 환자에 복용시킨 다음 촬영을하게되면 골반강내로 하강하는 장류를 발견할 수 있기도 하다. 이러한 소견은 변실금뿐만 아니라 출구폐쇄 변비의 진단에도 유용하다. 회음 하강을 동반하는 변실금 환자에서 직장과 자궁 사이의 병변을 확인하는 진단적 가치를 가지기도 한다.

제5회 국제실금학회에서는 변실금 환자에서 배변조영술이 진단과 치료에 항상 반드시 필요한 것은 아니지만 선택적인 가치를 가진다고 보고하였다. 또한 배변조영술로 골반의 하강과 항문직장각의 변화와 항문 주위의 움직임을 관찰할 수 있고 불수의적 조영물질의 누출과 직장 중첩이나 직장류 등을 구분할 수 있다고 하였다. 2009년 Collinson 등은 원인 불명의 변실금 환자에서 직장조영술을 통해 직장 중첩에 관하여 조사하였다. 직장 중첩 시 일반적으로 출구폐쇄 변비를 동반하는 것으로 알려져 있었으나 자세히 병력을 살펴보면 50%의 환자에서 변실금의 증상이 나타나는 것을 발견하였고, 이로 인해 변실금의 여러 가지 원인 중에 직장 중첩의 역할이 간과되어 왔음을 알 수 있었다. 따라서 그는 변실금의 필수 검사의 일환으로 직장조영술의 필요성을 강조하였다.

직장 중첩에서 변실금이 생기는 이유에 대하여 Collinson 등은 중첩이 직장 내에서 변과 같은 역할을 하기 때문에 직장항문 억제반사가 수시로 일어나는 것과 직장내의 변의 배출이 불완전하여 직장내에 남아 있는 변

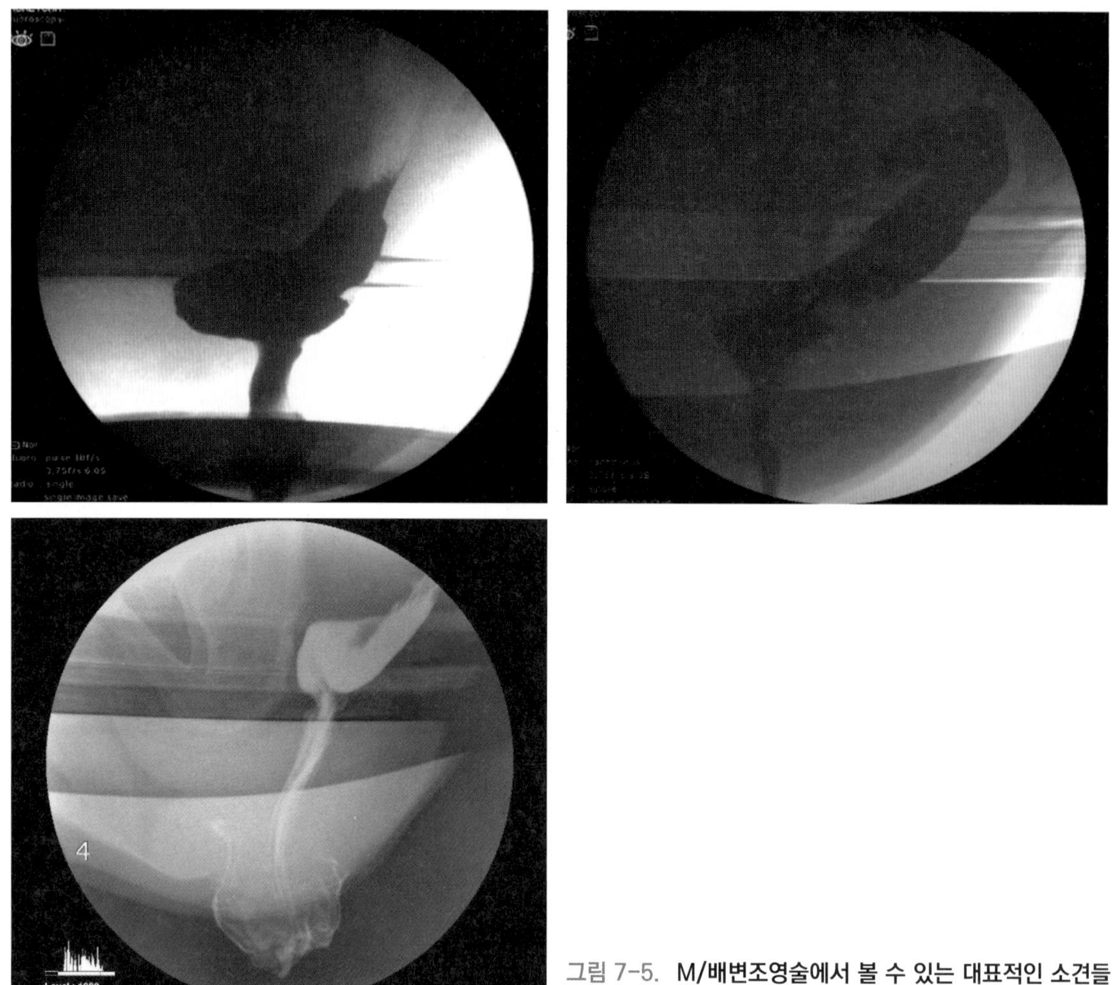

그림 7-5. **M/배변조영술에서 볼 수 있는 대표적인 소견들 직장류, 직장항문 중첩, 직장 탈출증**

이 배변 후에 누출되는 것으로 생각하였다. Harmston 등은 또한 직장 중첩의 정도가 심해지면 내괄약근의 압력이 떨어지고 이러한 것들이 복합적으로 변 누출이나 실금의 증상을 나타낸다고 주장하였다. 직장류에서 변실금이 생기는 기전에 대해서도 변의 불완전한 배출이 배변 후 누출로 이어지는 것으로 판단하였다. Formijne 등은 장류와 직장류가 동반된 환자에서 복강경 전방 직장 고정술을 시행한 결과 수술 후 변실금이 63%에서 18%로 감소하였다고 보고하였다. Wong 등은 84명의 환자에서 복강경 전방 직장 고정술을 시행한 결과 변실금의 증상에는 변함이 없었고 질의 불편함과 출구폐쇄형 변비의 증상이 유의미하게 개선되었다고 보고하였다.

각도가 둔하게 변하며 기침하거나 밀어낼 때 더 심해진다. 항문의 벽과 점막 폴더가 완전히 닫히지 않고 힘을 주어도 항문직장 고리가 약화되어 있으며 직장의 저장 능력이 줄어져 있거나 수축력이 감소되어 있고 조영물질을 중단하는 능력이 약화되어 있음을 발견할 수 있다고 설명하였다.

배변조영술은 직장류, 직장 중첩, 직장 탈출, 거대직장, 직장과 항문의 협착, 장류와 S상결장류, 회음 하강, 배출 장애, 괄약근 이완부전과 변실금 등을 진단하는데 도움이 된다. 배변조영술은 이들의 기저질환을 명확히 밝혀서 변실금의 정확한 원인을 파악함으로써 치료의 방침과 방향을 결정하는데 큰 도움이 되는 매우 중요한 검사 방법이다.

4. 자기공명영상(MRI)

MRI는 비 이온화 방사선 기술로 항문관과 골반저 근육에 대하여 고 해상도의 영상을 제공한다. 변실금에서 MRI의 검사 빈도는 증가하고 있지만 아직은 항문 초음파를 하고 나서 의문이 생기는 경우에 보다 상세한 영상

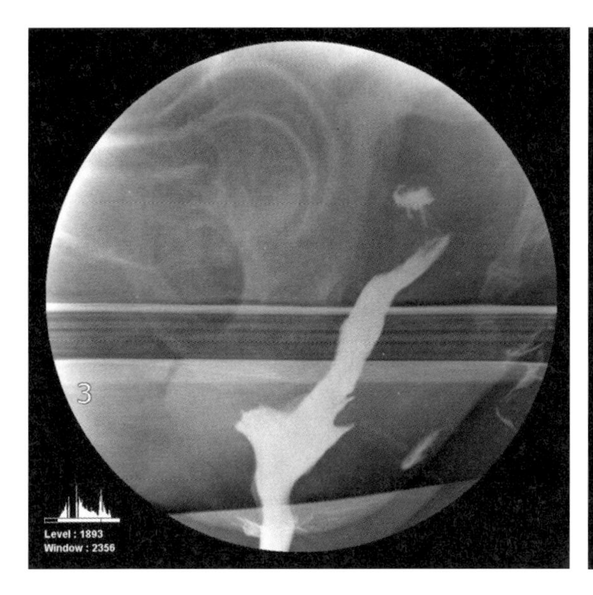

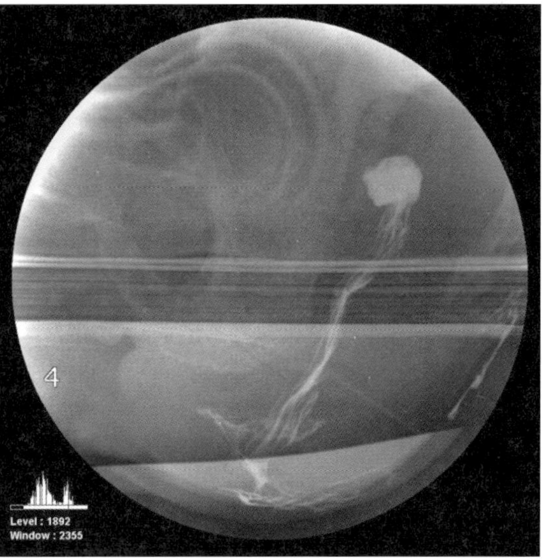

그림 7-6. **F/72 변실금 환자에서 defecography 상에서 내직장 탈출(internal rectal prolapse) 소견이 보인다.**

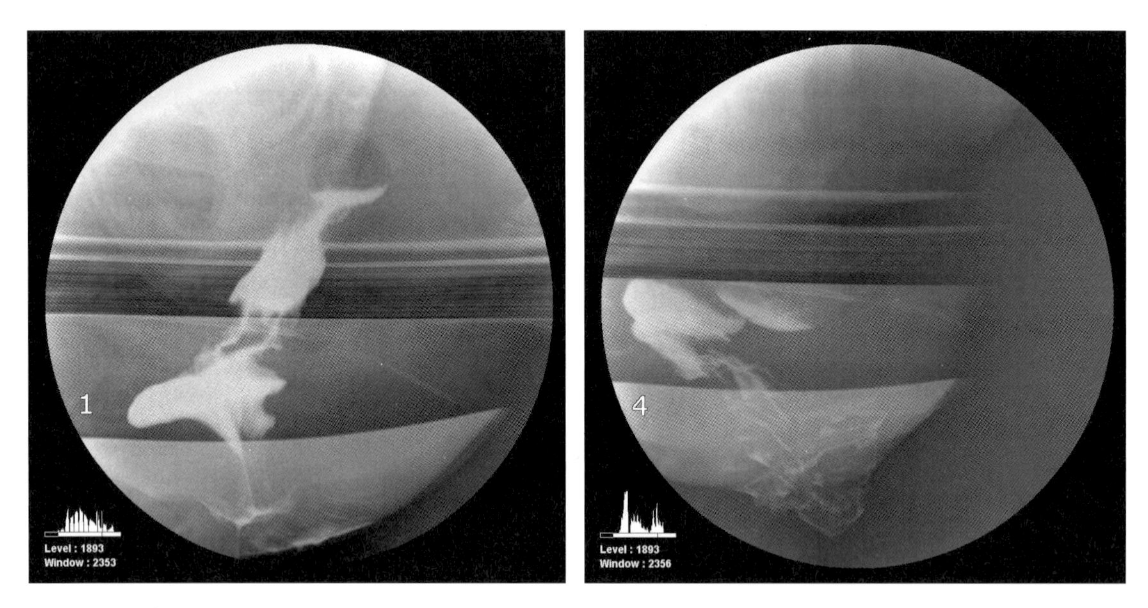

그림 7-7. **F/61 배변 장애 변실금을 호소한 환자. 전방직장류 직장 탈출증이 같이 동반되고 있다.**

을 획득하기 위하여 시행한다. 인체에 무해하고, 3-D 영상화가 가능하며 컴퓨터 단층촬영(CT)에 비해 대조도와 해상도가 더 뛰어나다. 관상면과 시상면도 촬영할 수 있고, 필요한 각도의 영상을 검사자가 선택하여 관찰할 수 있는 큰 장점이 있다. 초음파에 비하여 괄약근과 골반바닥의 월등한 영상을 제공하며 위축이 있는 것 등을 자세히 관찰할 수 있다.

Malouf 등은 괄약근 성형이나 분만 손상 후 발생하는 외괄약근의 결손에 대한 괄약근 성형에 대하여 연구하였다. 음부신경 손상과 동반된 괄약근의 위축이 있을 경우 장기적으로 괄약근 기능이 떨어진다고 설명하였다. 이러한 경우 MRI는 근육의 위축을 자세히 관찰할 수 있다는 점에서 외괄약근의 위축을 확인하는 데 항문 초음파보다 월등한 정확도를 나타낸다고 주장하였다.

항문 괄약근의 해부구조는 T2 이미지에서 근육과 주위의 지방 사이의 대조를 최고로 하기 때문에 가장 명확하고 고해상도의 영상을 제공한다. 휴지기에서 근육의 양과 길이를 측정하는 것이 가능하며 임상적 적용에 도움이 된다. Rociu 등은 100명의 정상인에서 MRI영상으로 항문 괄약근의 두께와 항문관의 길이를 측정한 결과 여성에서 남성보다 항문의 외괄약근이 짧은 것을 관찰하였다. 또 그는 변실금 환자에서 항문 괄약근의 근위축을 발견할 수 있다고 설명하였고 나이가 들면서 외괄약근과 종주 근육이 얇아지는 것을 관찰할 수 있다고 하였다.

변실금의 MRI 소견으로 항문 초음파와 유사하게 정상의 중간 시그널 근육의 구조에서 외괄약근의 결손을 관찰할 수 있고 저 시그널 섬유화가 간혹 발견된다. MRI의 장점은 이미지의 다층 획득이 가능하다는 것이다. 즉 세밀한 구조를 얻을 수 있어 여러 방향으로 항문 괄약근 복합체를 관찰할 수 있다. 또한 주위종주 근육이나 지방의 형태를 관찰하여 괄약근의 손상 여부를 확인할 수 있다. 다만 여러 형태의 정상 해부구조의 변형이 항문 괄약근 결손으로 나타날 수도 있어 감별에 주의를 요한다. T2 이미지에서 외괄약근의 시그널보다 내괄약근의 시그널이 더 강하게 나타난다. 괄약근의 손상은 연결이 끊어지거나 얇아지고 다시 정상적인 섬유조직으로 대치되는 모양을 나타낸다. 따라서 변실금 환자에서 과거의 항문 수술 당시 내괄약근 절개로 인한 손상을 자세히 관찰할 수 있다. 외괄약근의 손상에 대한 진단 정확도는 95%에 달한다.

MRI로 외괄약근의 손상을 정확하게 알 수 있다는 것은 여러 연구결과를 통해서 이미 잘 알려져 있다. Briel 등은 수술 전 MRI로 관찰한 근 위축에 대하여 근육 조직검사를 통하여 비교하였다. MRI의 근 위축 소견은 근육이 얇아지고 지방으로 대치되는 것으로 정의된다. 조직검사와 비교하여 MRI영상은 89%의 민감도와 94%의 특이도를 나타낸다고 보고하였다. 그들은 또한 다른 연구에서 근 위축이 있는 환자의 수술이 좀 더 나쁜 결과를 가져오는 것으로 보고하였다

골반저 질환 환자에서 MRI영상 자료는 거의 필수적이다. 방광과 질, 자궁, 직장의 종합적인 구조와 항문과 직장, 골반의 근육과 인대의 세심한 양상을 관찰하는데 탁월한 장점을 가지고 있다. 영상의 질이 탁월하고 종합적인 판단을 할 때 큰 도움이 된다. 항문 초음파와 비교하여 괄약근의 손상 정도를 측정하는데 있어 검사자의 숙련도와 상관없이 객관적인 진단이 가능하다. MRI로 돈 주머니처럼 둥근 모양의 영상의 획득이 가능하고 회음체나 횡행 회음근육, 망울해면근육의 대칭적 관찰이 가능하다. 근육의 위축에 의한 변실금을 확인하는 데 도움이 되며 괄약근과 회음 및 골반저 근육의 손상을 파악할 수 있다. 수술 후 항문 괄약근의 상태를 확인할 수 있다.

5. 음부신경 말단 잠복검사 (pudendal nerve terminal motor latency, PNTML)

여성 변실금에서 분만 손상에 동반할 수 있는 음부신경 손상 유무를 확인해야 한다. 잠재적 분만 손상을 입은 젊은 여성은 그 증상을 느끼지 못하는 경우가 많다. 분만 당시 태아의 출산을 용이하게 하고 회음 주위의 손상을 막기 위하여 회음절개를 하고 제대로 재건하지 못하는 경우 잠재적 결손을 남기고 지나치기도 한다. 분만 손상으로 인한 괄약근 손상이 발생하면서 음부신경의 손상을 동반할 수 있다. 음부신경 손상은 젊었을 때 그 증상을 느끼지 못하고 나이가 들면서 증상을 나타난다. 요실금이나 직장통, 성교통 등이 동반되지만 환자나 의사들 모두 세심한 관심을 갖지 않는 것이 현실이다.

음부신경검사는 장비에 대한 투자도 필요하지만 숙련된 검사자의 양성이 필요하다. 낮게 측정된 의료수가 때문에 장비운영상 어려움이 따른다. 여러 가지 이유로 검사하는 병원이 많지 않다. 변실금 환자에서 치료 방침을 결정하고 예후를 예측하기 위하여 참고하여야 할 검사 항목이지만 널리 시행되지 않고 있다. 음부신경 전도검사는 음부신경의 원위부에서 전기 자극을 주어 항문의 외괄약근에 근전도의 활동이 전달되는 속도를 측정하는 검사 방법이다. 음부신경은 혈관 등과 함께 음부관을 통과하여 골반내로 진입하는데 폐쇄공의 하부에 위치한다. 특수하게 고안된 전기 자극기를 집게 손가락에 끼워서 항문을 통하여 좌골극을 찾아서 음부신경에 직접 전기 자극을 가하면 외괄약근에 부착된 연결부위를 통하여 전달된 전기활동이 관찰된다.

신경학적 검사가 변실금 환자를 진단하는 데 있어 원

인규명에 명확한 역할을 하지는 못하지만 음부신경검사는 수술 전에 시행함으로써 괄약근 성형이나 천수신경 조절술의 수술 전후 경과 관찰과 평가에 활용할 수 있다. 음부신경의 손상이 의심되는 환자에서 신경의 손상 유무를 확인하는 데 도움이 된다. 동심원 세침 근전도는 초음파나 MRI 검사가 애매할 때 도움이 된다.

음부신경검사가 정확히 신경의 손상의 정도를 측정하지 못한다는 것은 아쉬운 점이 많다. 어느 정도의 신경 손상이 있다고 하더라도 신경전도의 속도가 가장 빠른 신경섬유를 통하여 신호가 전달될 수 있기 때문이다. 통상 2.0 msec 이하의 잠복속도는 정상으로 본다. 그러나 검사 결과는 검사자의 술기에 영향을 받는 경우가 간혹 발생하고 젊은 사람에서 신경 손상의 유무를 정확하게 반영하지 못하는 경향이 있다. 모든 검사가 부분적으로 불명확성의 문제점을 안고 있지만 특히 항문직장 주위의 신경학적 검사는 그 결과가 아주 현저한 경우를 제외하고는 100% 신뢰하기 어렵다는 단점이 있다. 또한 음부신경 전도검사에서 지연되어 있는 경우를 항문직장 내압검사와 비교하여 조사한 보고에 따르면 신경전달속도가 지연되어 있는 것이 항문의 최대 수축기 압력의 평균과 연관되어 있으나 변실금의 정도를 정확하게 반영하지는 못한다는 주장도 있다. 실제로 변실금의 심한 정도와 밀접하게 일치하지 못하는 경향이 종종 발견된다.

항문 초음파검사에서 항문 괄약근이 충분히 보존되어 있다고 하더라도 한쪽 혹은 양쪽으로 전기 자극에 의한 근전도의 전달속도가 지연되어 있는 경우 항문직

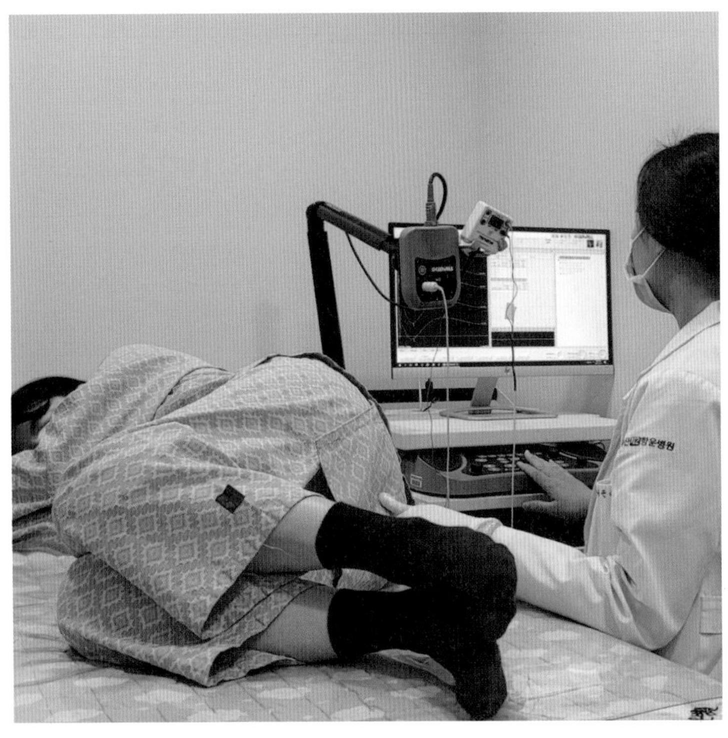

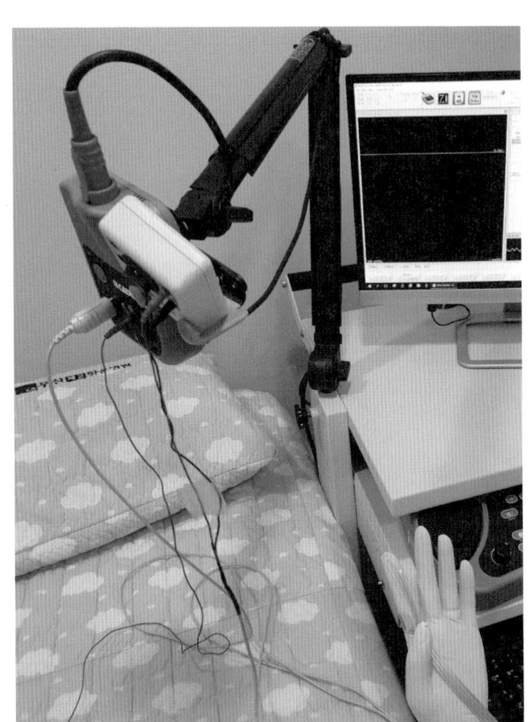

그림 7-8. PNTML test (pudendal nerve terminal motor latency test)

장 내압검사에서 휴지기 압력과 수축기 압력이 떨어져 있는 것을 발견할 수가 있다. 이러한 현상은 항문 괄약근의 기능이 자율신경, 정확하게는 음부신경에서 전달되는 교감신경의 손상으로 인하여 발생할 수 있다는 의미이다. 음부신경 손상이 있는 경우 변실금 치료의 예후가 좋지 않을 것으로 예상하기도 한다.

일부 회의적인 주장이 있고, 명확하지 않은 여러가지 논쟁에도 불구하고 음부신경 전도검사는 변실금 환자의 기초 검사로서 필요하다. 그 이유는 음부신경 손상이 있는 환자에서 유의미한 결과를 도출하는 수가 더 많고 또한 치료의 방향을 결정할 때 기초 데이터로 필요하기 때문이다. 아직까지 의학적인 근거가 부족한 경향이 있으나 바이오피드백 치료나 신경자극 치료를 시작할 때 그 치료의 효과를 예측할 수 있다. 검사의 결과를 반영하여 단기간 시험적 치료를 시행해 보고 성과가 미미할 경우 치료를 지속할 것인지 혹은 다른 방법으로 치료의 방향을 전환할 것인지 등을 판단하는 데 유의미하다.

음부신경검사에서 통상 좌측과 우측의 유의미한 차이는 발견되지 않는다. 변실금이나 변비 환자에서도 지연되는 경우를 잘 볼 수 없다. 그러나 직장 탈출 환자에서는 신경 근전도의 전달속도가 지연되어 있는 것을 발견할 수 있다. 또한 일반적으로 노인, 분만 손상이 발생한 사람에서 음부신경 전달의 지연이 관찰되는 것으로 알려져 있다. 음부신경 전도검사는 수술 전후의 모니터링을 통하여 노인의 변실금 수술의 방향을 결정하는 데 도움이 된다. 외괄약근의 손상 유무와 상관없이 바이오피드백 치료에 대한 반응이나 효과를 판단하는 데 도움이 된다는 주장도 있다. Leroi 등은 바이오피드백 치료에 음부신경 장애의 유무와 증상의 중등도가 영향을 미친다고 판단하여 27명의 환자를 대상으로 바이오피드백 치료를 시행하기 전과 후의 내압검사, 음부신경 검사, 항문 초음파 등을 시행하여 관찰한 결과를 비교 분석하였다. 중등도의 변실금 증상이 있거나 음부신경 손상이 동반되는 경우 증상의 개선에 실패하였다고 보고하였다.

6. 대장내시경(Colonoscopy)

대장내시경 검사는 배변 장애 환자의 진단에 보조적 역할을 한다. 대장과 직장을 직접 시야로 관찰하여 허혈성 질환이나 염증, 용종, 암 등의 유무를 확인한다. 항문이나 직장의 손상에 의한 구축 현상은 항문직장 부위의 팽창성을 저해하여 저장 능력을 떨어뜨리고 유순도가 감소하게 된다. 암의 수술 과정에 골반 속의 장기나 혈관 신경에 대한 손상으로 허혈성 변화나 신경 장애 등으로 인한 증상이 나타날 수 있다. 특히 방사선 치료를 받은 환자에서는 특유의 섬유화와 직장의 염증이 동반되어 이로 인한 급박변이나 변실금의 증상을 나타내는 경우가 많다.

References

1. Bharucha AE, Stroetz R, Feuerhak K, Szarka LA, Zinsmeister AR. A novel technique for bedside anorectal manometry in humans. NeurogastroenterolMotil 2015;27:1504-8.
2. Briel J, Stoker J, Rociu E, Lameris J, Hop W, Schouten W. External anal sphincter atrophy on endoanal magnetic resonance imaging adversely affects continence after sphincteroplasty. Br J Surg 1999;86:1322-7.
3. Briel J, Zimmerman D, Stoker J, Rociu E, Lameris J, Mooi W, et

al. Relationship between sphincter morphology on endoanal MRI and histopathological aspects of the external anal sphincter. Int J Colorectal Dis 2000;15:87-90.

4. Collinson R, Cunningham C, D'Costa H, Lindsey I. Rectal intussusception and unex-plainedfaecal incontinence: findings of a proc-tographic study. Colorectal Dis 2009;11:77-83.
5. D'Hoore A, Cadoni R, Penninckx F. Long term outcome of laparoscopic ventral rectopexy for total rectal prolapse. Br J Surg 2004;91:1500-5.
6. FormijneJonkers H, Poierrié N, Draaisma W, Broeders I, Consten E. Laparoscopic ventral rectopexy for rectal prolapse and symptomatic rectocele: an analysis of 245 consecutive patients. Colorectal Dis 2013;15:695-9.
7. Harmston C, Jones O, Cunningham C, Lindsey I. The relationship between internal rectal prolapse and internal anal sphincter func-tion. Colorectal Dis 2011;13:791-5.
8. Harvey M, Pierce M, Urogynaecology Committee, Alter JW, Chou Q, Diamond P, et al. Obstetrical Anal Sphincter Injuries (OASIS): Prevention, Recognition, and Repair. J ObstetGynaecolCananda 2015;37:1131-48.
9. Law PJ, Bartram CI. Anal endosonography: technique and normal anatomy. GastrointestRadiol 1989;14:349-53.
10. Leroi A, Dorival M, Lecouturier M, Saiter C, Welter M, Touchais J, et al. Pudendal neuropathy and severity of incontinence but not presence of an anal sphincter defect may determine the response to biofeedback therapy in fecal incontinence. Dis Colon Rectum 1999; 42:762-9.
11. Lestar B, Penninckx F, Rigauts H, Kerre-mans R. The internal anal sphincter cannot close the anal canal completely. Int J Colorectal Dis 1992;7:159-61.
12. Loganathan A, Schloithe A, Hakendorf P, Liyanage C, Costa M, Wattchow D. Prolonged pudendal nerve terminal motor latency is associated with decreased resting and squeeze pressures in the intact anal sphincter. Colorectal Dis 2013;15:1410-5.
13. Malouf AJ, Williams AB, Halligan S, Bar-tram CI, Dhillon S, Kamm MA. Prospective as-sessment of accuracy of endoanal MR imaging and endosonography in patients with fecal incontinence. Am J Roentgenol 2000;175:741-5.
14. Piloni V. Dephecography. Transit time and imaging techniques. Diagnosis and treatment of fecal incontinence. Idelson-Gnocchi. p.84.
15. Rao SSC. Advances in diagnostic as-sessment of fecal incontinence and dyssyner-gicdefaecation. Clin Gastroenterol Hepatol 2010;8:910-9.
16. Rociu E, Stoker J, Eijkemans MJ, Laméris JS. Normal Anal Sphincter Anatomy and Age-and Sex-related Variations at High-Spatial-Resolution Endoanal MR Imaging 1. Radiol 2000;217:395-401.
17. Wong M, Meurette G, Abet E, Podevin J, Lehur P. Safety and efficacy of laparoscopic ventral mesh rectopexy for complex rectocele. Colorectal Dis 2011;13:1019-23.

CHAPTER

08

변실금의 보존적 치료

치료를 시작하기 전에 변의 자제를 유지하는데 미치는 여러 요인을 살펴봐야 한다. 변실금이 발생하는 것은 이러한 여러 가지 복합적인 원인의 결과이다. 따라서 우선 변의 묽은 정도, 항문관과 항문 괄약근의 해부와 기능, 항문직장의 감각, 항문직장 내압, 직장의 저장 능력과 유순도, 대장의 기능, 환자의 인지기능과 거동 능력 등 환자의 장애 유무나 변 자제에 영향을 미치는 문제점에 대하여 종합적으로 파악하여야 한다. 초기치료를 시작하기 전에 임상적인 분석과 상세한 병력 및 과거력 등을 파악하는 것이 중요하다. 또한 고령으로 인하여 거동 장애를 동반한 경우, 혹은 치매 등으로 인지 능력이 떨어져 있어 환자 자신과의 소통이 어려운 경우라면 변실금의 치료를 시작하기 전에는 반드시 배우자와 가족의 동의를 받고 협조를 구해야 한다.

치료를 시작하기 전에 환자 개개인의 변실금의 원인 분석을 통하여 전체 치료 방향을 설계하여야 한다. 치료의 알고리즘을 미리 정리하고 계획을 설명하며 각각의 변실금의 치료 방법에 따른 기대 효과나 목표를 설정하는 것이 매우 중요하다. 치료를 하는 도중에 수차례의 항문직장 생리검사를 통하여 치료의 과정과 경과를 기록하고 치료 방향을 수정해야 하는 수도 많다. 개개인의 변실금의 원인이 조금씩 차이가 나기 때문에 변실금은 개인의 실정에 맞는 맞춤 치료를 시작하여야 한다. 이를 위하여 심도 깊은 상담과 배변 일지 작성 및 항문직장 생리검사 등을 통하여 변실금 증상의 정도와 불편한 부분의 원인을 파악하여 치료의 방침을 결정한다.

변실금의 일반적인 치료의 기본원칙은 보존적 치료로 지지요법과 약물치료 및 바이오피드백 치료를 하고 보존적 치료에 반응하지 않는 경우 수술이나 시술을 하게 된다. 그러나 변비를 동반하거나 불완전한 배출 장애 등을 남겨둔 상태에서 바이오피드백이나 생체적합물질 주입, 항문관 보강시술이나 천수신경 조절술과 같은 변실금의 치료를 하게 되면 치료의 성적이 떨어진다. 이는 다수의 연구의 결과에서 보여진다. 따라서 항문직장의 점막 탈출이나 중첩, 직장류 등의 동반질환이 있다면 먼저 수술을 하여 동반질환을 교정하는 것이 현명하다. 현저한 괄약근 손상이 있는 경우라면 괄약근 성형술을 먼저 시행하는 것이 원칙이다. 직장의 잉여점막에 의해 간섭이 발생하지 않는 조건을 만들고 항문 주위 괄약근과 항문관이 해부학적으로 최소한 정상인 교정하여 유지하는 것이 변실금 치료의 첫 걸음이다. 이러한 해부학적인 구조를 복원하고 나서도 변실금의 증상이 해결되지 않는다면 지지요법이나 보존적인 치료, 혹은 시술을 포함하는 여러가지 포괄적인 변실금의 치료를 진행하게 된다.

변실금은 수동적 변실금(passive fecal incontinence), 급박 변실금(urge fecal incontinence), 기능적 변실금(functional fecal incontinence)으로 구분하여 설명하기도 한다. 수동적 변실금은 예기치 않게 발생하는 불수의적 변실금으로 설명한다. 스스로 조절이 가능하지 않고 항문 주위의 감각이 떨어져 있어 당황스럽다. 변의 소량 누출이나 새어 나오는 것이 엉덩이나 패드 혹은 속옷에 묻는 것으로 시작된다. 수동적 변실금은 많은 경우 내괄약근의 기능부전으로 생긴다. Hill 등은 237명의 특발성 변실금 환자를 대상으로 병력청취와 이학적 검사를 통하여 항문직장 생리검사와 연관성을 연구하였다. 특발성 변실금 환자에서 휴지기 압력과 수축기 압력이 떨어져 있으며 휴지기 최대 압력은 대개 내괄약근에 의해서 지배되고 수축기 압력이 떨어지는 것은 수의적 괄약근 결손에 의한다고 설명하면서 휴지기 최대 압력이 변의 누출과 연관이 있고 항문관의 갭이 관찰되거나 수지검사상 톤이 떨어져 있는 것을 관찰하였다. 수축기 최대 압력이 떨어져 있는 환자에서 절박, 스트레스 요실금의 현상과 함께 항문 괄약근의 수축력은 떨어지고 항문직장각이 늘어나 있는 것을 보고하였다. 급박 변실금은 변이 마려우면 화장실을 갈 때까지 참지 못하고 뛰어 가야 하는 현상을 의미한다. 급박 변실금은 직장의 저장 능력이 떨어져 있거나 직장의 감각이 과도하게 예민한 경우이다. 기능적 변실금은 거동이 불편한 환자에서 나타난다. 옷을 입거나 화장실을 가야 할 때 요양보호사의 도움을 받아서 가야 하는 환자들에서 발생한다. 요실금과 비유하면 기능적 변실금은 의존성 변실금이라고 표현할 수 있을 듯하다. 이런 기능적 변실금은 화장실을 갈 때까지 항문 마개와 같은 장치를 함으로써 지연시킬 수 있다. 변실금이 항상 괄약근의 손상만으로 발생하는 것은 아니다. 예를 들면 과민성장증후군 환자에서는 급박 변실금이 발생할 수 있고 수동적 변실금은 기능적이나 해부학적으로 항문 괄약근이 정상인 사람에서 발생하는 변비나 분변 매복에 의해 범람형 형태로 발생할 수도 있다. 경미한 수동적 변실금이 발생할 수 있고 이러한 것은 직장 중첩과 같은 기저질환이나 만성 변비를 동반한 퇴행성 변화로 인한 내괄약근의 기능부전에 의하여 발생할 수도 있다.

변실금의 치료를 시작하게 된다면 치료에 대한 성과분석을 해야 한다. 그러나 치료에 대한 성과를 측정하는 것이 쉽지 않고 만족도 조사도 그 접근 방식이 다양하여 치료의 결과를 명확하게 분석하기가 쉽지 않다. Graf, Matzel 등은 생체적합물질의 항문 주입시술을 통한 변실금의 결과분석으로 50% 이상의 증상 개선이 있는 것을 치료 성과의 목표로 잡았다. 클리블랜드 클리닉의 Hull, Wexner 등도 만성 변실금 환자에서 천수신경자극술의 치료 목표를 역시 50% 이상 증상개선으로 설정하였고 이러한 목표 설정은 다른 많은 연구보고에서도 마찬가지이다. 그만큼 변실금의 증상에 복합적인 요인들이 작용하는 결과로 생각할 수 있다. 그러나 Wald는 환자의 입장에서는 50%의 증상개선은 만족할 정도의 치료효과로 볼 수 없다고 주장한다. 일주일에 5회 변실금의 증상이 있던 환자에서 2.5회 발생한다는 것은 언제 어느 때에 변실금의 증상이 발생할지 모를 걱정으로 안심할 수 없다는 것이다. 따라서 삶의 질 점수나 만족도 점수와 비교할 때 약간의 차이가 발생할 정도라서 50% 이하, 50–75% 사이, 75–95% 정도로 구간을 나누어서 평가하는 것이 옳다는 주장을 하기도 했다. 이런 주장이 엇갈리면서 최소한의 인지할 정도의 변화가 있다면 효과가 있다고 봐야 한다는 MCID (minimal clinically important difference) 주장도 제기되었다.

보존적 치료는 지지요법과 약물요법, 골반강화 운동과 바이오피드백 치료 등으로 시작한다.

1. 지지요법

지지요법은 음식이나 수분의 섭취에 대환 관리와 배변 활동에 대한 관리를 통한 증상의 개선을 목표로 한다. 보존적 치료의 전략은 스스로 인지하고 관리하는 자기관리방법과 거동이 불편하여 요양보호사나 가족의 도움을 받는 두 가지 형태가 있다. 자기 관리의 첫번째 전략은 음식관리이다. 배변을 유발하는 음식의 섭취를 자제한다. 자신이 섭취한 어떤 음식이 배변 활동을 유발하는지 체크리스트를 작성하는 것이 좋다. 기름진 음식, 밀가루 음식, 육회, 회, 굴, 전복, 고동, 멍게, 해삼 등의 해산물과 같은 날 음식, 아이스크림과 같은 찬 음식, 카페인의 섭취나 음주를 하고 난 다음 이러한 음식의 섭취가 설사를 유발하고 변실금의 증상을 악화시킨다면 이러한 종류의 음식물에 대한 섭취를 자제하는 것이 좋다. 음식 섭취의 시간을 조절하는 것도 필요하다. 대개 음식을 먹게 되면 위 대장 반사를 자극하여 배변 활동을 하게 되기 때문에 이를 파악하여 외출 일정이 있다면 그 시기를 피하여 음식을 먹는다.

니코틴은 상부 위장관의 운동성을 떨어뜨리고 장 통과시간 전체를 느리게 하는데 영향을 끼친다. 그러나 직장과 S결장에서 통과가 빨라지고 좌측 결장과 직장에서의 운동성을 자극하기 때문에 변 마려움을 자극하거나 급박 변을 유발시킨다는 것으로 알려져 있다. 이러한 배경으로 담배를 피우면 소변이나 변 마려움을 유발한다. 또한 담배를 피우게 되면 만성폐쇄성호흡기 질환으로 진행되어 기침을 자주 하게 되고 복압을 상승시켜 요실금이나 질 탈출, 직장 탈출을 유발하게 된다는 것이다. 이러한 이유로 담배를 끊는 것이 배변의 급박감을 줄인다는 보고가 있다.

다음은 배변 활동의 관리이다. 외출을 하거나 활동을 하기 전에 직장의 변을 비우는 것이다. 직장에 변이 남아 있는 상태에서 활동을 시작하는 것을 피한다. 일정한 시간을 정하여 장을 비우는 노력을 통하여 배변 활동을 정례화하는 노력이 필요하다. 외출하기 몇 시간 전에는 음식이나 물을 마시는 행동을 자제하고 외출하기 직전에 배변하거나 여의치 않는 경우 부드러운 관장 등을 통하여 직장을 비우고 외출하는 등의 노력이 필요하다. 외출 시에는 화장실이 어디에 있는지를 반드시 확인한다. 유럽의 일부 국가에서는 가장 가까운 화장실의 위치를 파악할 수 있는 화장실 앱이 개발되어 있기도 하다. 외출 일정이 있는 날에는 지사제를 복용하여 배변 활동을 중단시키는 방법도 있다. 또한 외출 시에는 위급할 경우에 사용할 수 있는 기저귀나 준비물을 챙긴다. 항문 마개는 아직 국내에 소개되어 있지 않다.

이러한 지지요법은 어느 정도 적응하기 전까지는 시행과 착오를 경험하게 된다. 많은 환자나 요양보호사들은 환자의 장기능의 문제점을 명확하게 파악하지 못한 경우가 많다. 특히 치매환자에서는 어떤 생활 패턴이 변실금에 영향을 미칠지를 알 수 없다. 몸무게를 줄이거나 담배를 끊는 정도의 생활 변화가 변실금의 빈도를 줄이기도 한다.

국제실금학회에서 권장하는 변실금 환자에 대한 교육과 생활습관의 변화를 살펴보면 우선 의료진이 시행하는 교육이나 조언, 바이오피드백 치료 및 골반근육 강화 운동 등이 변실금의 빈도를 줄일 수 있으며 식이, 복용약품 정리, 배변 훈련 등이 도움이 된다. 학회에서는 치매환자를 도와주는 요양보호사에 대하여 비디오나 교육지침서를 통한 꾸준한 교육이 필요하다고 규정하고 있다. 요실금이 동반되거나 비만의 정도가 심한 환자에서 변실금의 치료가 쉽지 않은 경우 비만 수술을 하여 체중이 감소된 환자에서 변실금의 횟수가 줄었다는 보고가 있다. 여러 약품의 부수작용으로 작동하는 묽은 변과 설사는 변실금 증상을 악화시킨다. 따라서 복용하는 약물에 대한 전반적인 확인 절차가 필요하다. 변의 양을 줄이기 위해 음식을 거르는 것도 변실금을 줄이는 한 가지 방법이다. 어떤 연구는 탈수나 변비를 예방하기 위해 수분 섭취를 증가시키는 것을 권유하기도 한다.

White 등은 장애인에 있어서 배변 활동을 더 힘들게 하는 환경적인 장애를 열거한 바 있다. 사용할 수 있는 화장실의 수가 너무 적거나 화장실 사이의 간격이 멀리 위치하는 것, 계단이 있어 거동장애 환자들의 접근이 어렵거나 열쇠를 열고 화장실을 들어가야 하는 경우, 돈을 주고 화장실을 사용하거나 공공화장실이 없는 등이 환경적인 장애라고 설명하였다. 다른 장애 요인은 옷을 입고 벗기에 불편하거나, 변기가 너무 높거나 낮은 경우, 화장실에서 휠체어를 조절하기가 힘든 경우라고 하였다. 변실금 환자의 심리에 도움이 되는 치료는 요가, 인지치료, 최면치료, 바이오피드백 치료 등이다.

2. 약물요법

약물을 사용하여 어떻게 변실금을 막을 수 있다는 말인가? 항문을 강화하고 괄약근의 힘을 키워주는 약이 있을까? 신경의 기능을 정상으로 회복시키거나 움직이지 않는 항문과 직장의 수축과 이완을 도와주는 약들이 있는가? 노화를 중단시키고 퇴행성 변화를 예방하거나 되돌리는 등 자연의 섭리를 거스르는 약은 없다. 내괄약근의 힘이 떨어진 노인은 묽은 변, 특히 설사를 하게 되면 변을 잘 참지 못한다. 따라서 대부분의 변실금 환자에서 약물치료는 장의 과도한 운동을 억제하거나 대변의 경도를 굳게 하여 대변의 횟수를 줄이려는 방향으로 처방을 하게 된다. 변실금의 약물요법의 치료 목표는 우선 설사를 줄이는 것이다. 설사는 변실금의 강력한 위해요소이다. 내괄약근의 압력을 증가시키는 약물의 사용이 제안되었다. 항문의 낮은 휴지기 압력이 수동적 변실금의 위해요소이기 때문이다. 항문직장의 수술 후에 이러한 현상을 관찰할 수 있다. 마지막으로 변비의 교정이다. 변비는 소아나 노인에서 흔히 볼 수 있는 범람형 변실금의 위해요소이다.

약물치료의 목표는 환자의 원인과 증상에 맞는 적절한 약제를 선택하여 변의 양이나 성상을 변화시켜 대변 횟수를 줄이거나 대변의 경도를 정상화하여 과도한 장의 움직임을 억제하는 것을 생각해 볼 수 있다. 우선 대변의 경도를 부드러운 덩어리로 만들려는 목적으로 팽창성 하제를 사용할 수 있다. 혹은 아예 변을 굳게 만드는 지사제를 사용하기도 한다. 다음으로 과도한 장 운동을 억제하는 목적으로 진경제를 사용하거나 과민한 장의 운동을 잠잠하게 해주는 과민성 장증후군에 사용되는 약물을 사용하기도 한다.

설사에는 스멕타이트(dioctahedral smectite)나 로페라마이드(loperamide), 황화 아트로핀–디페녹시산(diphenoxylate hydrochloride & atropine sulfate)과 같은 지사제를 사용하기도 한다. 식도나 위 십이지장과 관련된 복통에 사용하는 스멕타이트는 로페라마이드보다는 좀 약하게 지사제의 역할을 하여 묽은 변으로 기인한 경도의 변실금 환자에서 사용하여 적당한 효능을 기대할 수 있다. 1회 20 mL를 하루 1–2회 정도 복용하면 변을 굳게 만들게 된다. 로페라마이드는 처음에는 하루에 2–4 mg으로 시작해서 하루에 최대 16 mg까지 증량할 수 있다. 로페라마이드가 변실금의 증상을 일시적으로 개선시키고 항문의 내괄약근을 강화하며 직장의 탄력성이 생기게 한다는 보고도 있다. 로페라마이드는 디페녹시산에 비하여 중추신경계의 부작용도 적은 것으로 알려져 있으나 복부팽만, 복통, 변비, 구역, 구토, 대변 막힘 등의 현상이 발생할 수 있다. 일부 연구에서 원인불명의 변실금에서 일부 항우울제의 사용이 도움이 된다는 결과를 보고한 바가 있다. 삼환계 항우울제가 직장운동을 저하시키고 민감도를 낮추는 것으로 추정한다는 보고가 있다.

Markland 등은 요양시설에 입원해 있는 80명의 변실금환자를 대상으로 로페라마이드와 차전자(psyllium husk)를 교차 병용 방식으로 복용하게 하여 관찰하였다. 첫 2주를 로페라마이드나 차전자를 투여하고 그 이후 4주 동안 약제를 교차하여 투여하였다. 로페라마이드 투여량은 하루 2 mg였고 차전자는 3.4 mg였다. 관찰 포인트는 변실금의 횟수와 변실금 점수, 삶의 질 개선 점수, 부작용, 개선의 느낌, 내압검사 등이었다. 두 그룹 간의 큰 차이는 발견할 수 없었다. 변실금의 횟수는 줄었으며 변실금 점수도 좋아졌고 개선의 느낌도 좋아졌다. 로페라마이드를 사용한 경우 변비와 두통을 호소하였으나 다른 특별한 부작용은 없었다. 작은 용량의 차전자의 사용이 로페라마이드를 사용하는 것과 같은 효과를 나타냈다.

Sze 등은 메틸셀루로즈(methyl cellulose)와 변을 굳게 하는 로페라마이드를 병용하여 대조군과 비교하여 46%의 변 누출 환자에서 증상 개선을 보였다고 보고하였다. 또 다른 보고에서는 48%의 환자에서 차전자 복용과 항문직장 관장을 통하여 변 누출의 증상 개선이 있었다고 하였다. 차전자는 시중에 유통되는 대표적인 팽창성 하제다. 차전자는 변을 부풀리고 부드럽게 만드는 경향이 있다. 소장에서 흡수되거나 분해되지 않고 통과하면서 적절한 장의 통과시간을 유지한다. 장관 내에서 수분을 흡수하여 변의 점도를 높이고 용적이 증가됨에 따라 장관벽에 생리적인 자극을 준다. 장의 점막에 직접적이고 부드러운 자극을 가하여 장의 운동을 정상적으로 회복시켜 자연상태에 가까운 배변 효과를 나타내는 것으로 알려져 있다. 드물지만 사람에 따라 가스의 양이 증가되어 장이 팽만하는 경향이 있어 모든 사람들이 만족스럽지 않다는 사실은 단점으로 지적된다. 차전자는 주로 가루로 만들어져 물에 타서 복용하는데 그 양이나 끈적임 때문에 먹기 힘들어하거나 가스팽만, 구역, 불쾌감으로 못 먹는 사람들도 꽤 있다. 그러나 오래 복용해도 인체에 해가 없고 과민성 장이나 변비와 변실금의 치료에 보조요법으로 상당한 효과가 있다. 점도를 높이는 목적으로 곧잘 사용되는 메틸셀룰로스와 같은 식품첨가물이나 치질 수술 후 부드러운 변을 유도하기 위한 폴리카보필(polycarbophil)과 같은 약제를 사용하기도 한다.

페닐레프린 겔이나 알파1 아드레날린길항제 등이 내괄약근의 수축기 압력을 상승시키고 휴지기 압력을 상승시킨다고 알려져 직장암의 수술 후 회장 항문 연결 환자에 사용하기도 한다. Carapeti 등은 12명의 건강한 사람에서 페닐레프린 겔을 적용한 결과 내괄약근의 수축을 유도하고 휴지기 압력을 상승시키는 것을 관찰하였다. 그는 이러한 약제의 사용으로 수동적 변실금의 증상개선에 효과가 있을 것으로 기대하였다. 그러나 Carapeti 등은 초음파검사상 항문 괄약근이 정상인 36명의 변실금환자에서 10% 페닐레프린 겔을 사용하여 대조군과 비교한 결과 6명의 환자에서만 주관적인 증상의 개선을 가져왔고 3명에서 항문주위 알레르기 피부염이 발생하여 만족할 결과를 얻지 못했다. 반면에 Cheetham 등은 10명의 수동적 변실금 환자에서 10%, 20%, 30%, 40% 페닐레프린 겔을 적용하여 휴지기 압력의 변화를 관찰하였다. 모든 환자에서 2시간 정도에 압력은 20% 상승하였고 최대 용량에서 최대휴지기 압력이 정상 레벨로 상승한 것을 관찰하였다. 독성은 발견되지 않았고 항문의 혈행이나 압력, 맥박에 영향을 주지 않았다. 로페라마이드도 그 기전은 밝혀지지 않았으나 항문의 휴지기 압력을 상승시키는 것으로 알려져 있다. 로페라마이드가 설사와 연관된 변실금의 빈도를 낮춘다는 것이 알려져 있으나 변 성상의 변화와 어떤 연관관계가 있는지는 알려지지 않았다.

변비와 연관된 변실금의 치료는 소아와 노인의 범람형 변실금의 치료에 대한 기본적인 개념이라 보면 된다. 위장관운동 촉진제인 시사프라이드와 바이오피드백 치료의 병용요법으로 소아의 변실금에 대한 치료를 시도한 연구가 있으나 큰 효과를 보지 못했고 시사프라이드의 사용은 FDA에서 금지되었다. Plas 등이 소아의 변지림에서 변 완화제와 바이오피드백의 치료를 병용하는 것이 높은 치료 결과를 나타낸다고 보고하였다.

정상적인 장내 세균의 유익성에 관한 관심이 증가하면서 프리바이오틱, 프로바이오틱, 신바이오틱에 대한 궁금증이 커졌다. 프리바이오틱은 소장에서 흡수되지 않고 장내 세균의 성장을 촉진하는 식이성분으로 식이섬유, 갈락토 올리고사카라이드, 프락토 올리고 사카라이드 등이 프리바이오틱이다. 프로바이오틱은 알약, 가루, 혹은 식품으로 만들어진 비병원성, 무독성균으로 비피도박테리아, 락토바실루스 등이 대표적이며 장내 미생물 균의 균형을 맞추어 주는 능력을 가지고 있다. 요구르트와 같은 활동 균은 프로바이오틱이다. 신바이오틱은 프리바이오틱과 프로바이오틱의 혼합물이다. 활생균과 영양원이 함께 들어있어 섭취하게 되면 장내 세균이 유용하게 활성화되는 것을 도와줄 것으로 기대된다. 특정한 장내 세균이 변의 성상에 영향을 미쳐 과민성장증후군 환자에서 설사를 유발한다는 연구보고가 있었다. 이러한 장내 세균의 정상적인 재 분배를 도와주는 역할을 프리, 프로, 신 바이오틱 제재가 해 줄 수 있을 것으로 기대되어 상품화되고 있다. 이러한 물질의 섭취가 몸에 유익한 장내 미생물 무리를 활성화하여 정상적인 변의 형성을 도와 변실금의 치료에 도움이 될 것이라 주장을 하나 이에 대한 근거가 될 만한 의학적 연구결과는 아직 부족하다.

변실금의 약물치료는 이러한 여러가지 약물을 환자 개개인의 변실금의 원인과 병태 생리에 따라 의사가 조합하여 사용하게 된다. 이러한 약제의 선택에는 환자의 병태 생리에 따라 적절히 사용하고 용량의 조절이 필요하기 때문에 절대적으로 전문가의 세심한 도움이 필요하고 환자가 무작정 복용하는 것은 금물이다.

3. 바이오피드백과 괄약근 및 골반근육 강화 운동

생체의 상태를 나타내는 반응이나 변화 중 예를 들면 근육의 긴장, 뇌파, 심박수, 피부의 온도 같은 것들은 자율신경의 지배를 받는 생리활동이다. 이러한 자율신경의 지배하에 있는 생리활동과 변화는 자신의 의지대로 강하게 혹은 약하게 하거나 멈추게 하는 등의 제어를 할 수 없다. 바이오피드백이란 이러한 생리적 기능의 자율적 반응에 대한 정보를 컴퓨터 등을 이용하여 수치화하거나 그래프를 통하여 청각이나 시각으로 관찰하면서 자신의 행동 수정을 통하여 조절하고자 하는 치료 기법이다.

"피드백"이란 용어는 러시아의 생리학자 파블로프에 의해 제안된 반사의 개념에서 시작한다. 무조건 반사는 외부의 자극을 인지한 감각수용체가 구심성 신경으로 신호를 전달하고 이 신호가 자신의 의지와 상관없이 원심성 신경으로 직접 전달되어 근육이 수축하거나 심장박동이 빨라지거나 땀을 흘리는 등의 변화를 보이는 현상을 의미한다. 조건 반사는 이러한 조건 자극이 감각신경을 통하여 중추신경을 거쳐 대뇌로 전달되고 정보 처리를 거쳐 다시 운동신경으로 전달되는 과정을 거치는 것을 의미한다.

가장 초기의 바이오피드백 치료는 1973년 Kohlenberg에 의해서 시도되었다. 그는 거대결장으로 장루 수술 예정이었던 13세의 변지림 환자에서 직장에 주입한 풍선을 이용한 단순한 방식으로 항문 괄약근을 수축시키는 치료를 시도하였다. 그는 이러한 치료가 소년의 내괄약근의 압력을 증가시켜 준다는 사실을 확인하여 보고하였다. 오래전 Kegel이 분만으로 인한 괄약근의 손상에 대한 회복을 위하여 적극적인 회음주위 근육운동을 시도하는 것이 신경의 회복과 골격근의 기능을 회복시켜준다고 하였고 이 운동을 빨리 할수록 좋다고 주장한 것과 같은 맥락의 치료 방법이었다. 바이오피드백 치료는 직장의 팽창감각에 대한 인지 능력과 외괄약근의 짧은 수축, 직장의 압력을 증가시키는 운동을 최소화하는 것 등 몇 가지 목표로 이루어진다. 이 모든 목표를 위한 프로토콜은 최종적으로 직장의 팽창에 대한 내괄약근의 억제 반사를 정상으로 하는 외괄약근의 반사기능을 강화하는 방향으로 진행된다.

바이오피드백의 치료는 매우 다양한 방법으로 진행된다. 아직까지 표준화가 덜 되어 있어 바이오피드백의 결과에 대한 직접적인 비교와 수치의 분석이 쉽지 않다. 바이오피드백의 치료에 대한 몇 가지 방법이 있다. 우선 괄약근과 골반근육의 힘을 키우는 방법이다. 직장의 팽창 감각에 대한 예민한 느낌이 없이 항문 외괄약근의 힘을 키우기 위한 것이다. 다음으로 감각 훈련이다. 직장을 팽창시키면서 볼륨에 대한 민감도를 개선시키는 방법이다. 그리고 직장의 민감도를 개선하면서 짧은 기간의 외괄약근의 반사를 강화하는 병행요법이 있는데 이는 괄약근의 힘을 키우면서 직장에 점진적으로 팽창할 수 있는 볼륨을 늘려서 급박한 느낌을 감소시키려는 목적이다. 바이오피드백에는 공기를 집어넣은 풍선을 이용하거나 관류 압력계, 내압검사기, 표면 근전도와 항문초음파 등을 이용한다.

2003년 Park은 "대장항문 질환에서 바이오피드백 치료는 배변을 조절하는 골반과 항문 괄약근이 수축 혹은 이완하는 생체신호를 모니터를 통해 환자가 지켜보거나 소리를 들어서 혹은 청각과 시각을 동시에 사용하여 환자 스스로 괄약근 조절기능을 터득하게 하는 행동과학 치료의 일종"이라고 정의한 바 있다. 처음에는 환자의 마음대로 잘 조절되지 않는 항문의 수의근이 시행착오를 경험하면서 점차로 조절하는 능력을 기르게 된다. 행

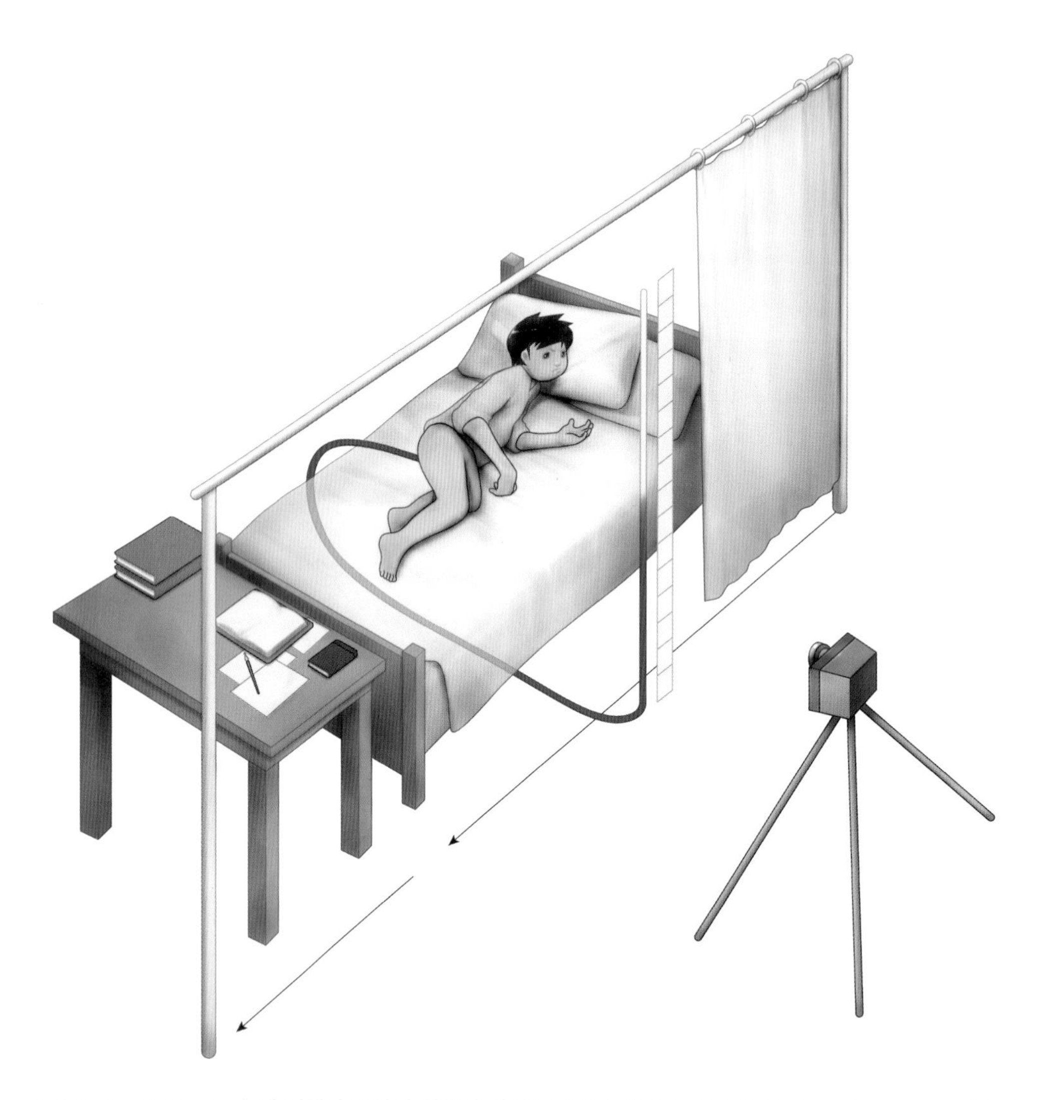

그림 8-1. **Kohlenberg에 의해서 고안된 최초의 바이오피드백 치료기.** R.J. Kohlenberg Operant conditioning of human anal sphincter pressure. J Appl Behav Anal 1973;6: 201-8

동의학에서 사용하는 '바이오피드백'이라는 용어를 사용하는 이유가 여기에 있다. 변실금을 치료할 때는 하부 직장의 변에 대한 감지 능력과 외괄약근의 수축력을 강화하는 것이 중요하다. 하부 직장에 풍선을 삽입한 후에 환자가 풍선에 대한 감각을 느낄 때까지 점차 부풀리는 방법으로 훈련을 반복하면 변 마려움에 대한 감각기능을 향상시키거나 변과 가스를 구별하는 능력(sampling reflex)을 개선시킨다고 설명한다.

바이오피드백 치료에는 병원에서 구비한 장비에 따라 항문 근전도를 이용하는 방법, 항문 압력계를 이용하는 방법, 측정기의 끝에 달려있는 풍선을 이용하는 방법, 가정치료기를 사용하는 방법 등이 있다. 항문 괄약근의 간략한 근전도 신호를 도출할 수 있는 항문 근전도 기기를 최근까지 가장 많이 사용하고 있다. 최근에는 항문에 삽입을 하지 않고 옷을 입은 채로 치료를 하는 기계가 개발되어 있어 환자가 편하게 치료를 할 수 있게 되었다.

골반강화 운동은 바이오피드백 치료와 함께 변실금의 치료에 이용되고 있다. 골반강화 운동은 바이오피드백을 하기 전에 시도된다. 기존의 골반강화 운동이 요실금의 치료에 적용되었던 동일한 방법으로 변실금의 증상을 개선할 수 있다. Fernandez 등은 항문 실금환자에서 항문 거근의 역할에 대해 관찰하였다. 53명의 항문 실금환자에서 직장내 내압계를 이용하여 골반근육의 수축을 측정하였다. 골반강화 운동을 통하여 평균 변실금 점수가 7.9에서 4.4로 증상의 개선이 되었다고 보고하였다. 이를 통해 골반강화 운동과 바이오피드백을 병용하여 보다 나은 변실금의 증상 개선을 기대할 수 있다고 보고하였다. 그러나 어떤 보고에서는 변실금의 치료에는 대개 골반강화 운동만을 하는 것이 아니라 다른 보존적인 치료를 병행하기 때문에 반드시 골반강화 운동의 효과가 있다고 단정짓기 어렵다는 주장도 있었다. 하지만 골반강화 운동은 인체에 무해하고 이론적으로 보아 증상의 개선에 도움이 될 것이며 치료를 하는 환자에 긍정적인 메시지를 전달할 수 있을 것으로 생각되어 치료의 한 프로토콜로 사용할 충분한 가치가 있다.

4. 자기장 치료기

자기장을 이용하여 변실금과 요실금을 치료하는 방법이 있다. 환자는 옷을 입은 채로 의자에 앉아서 자기장

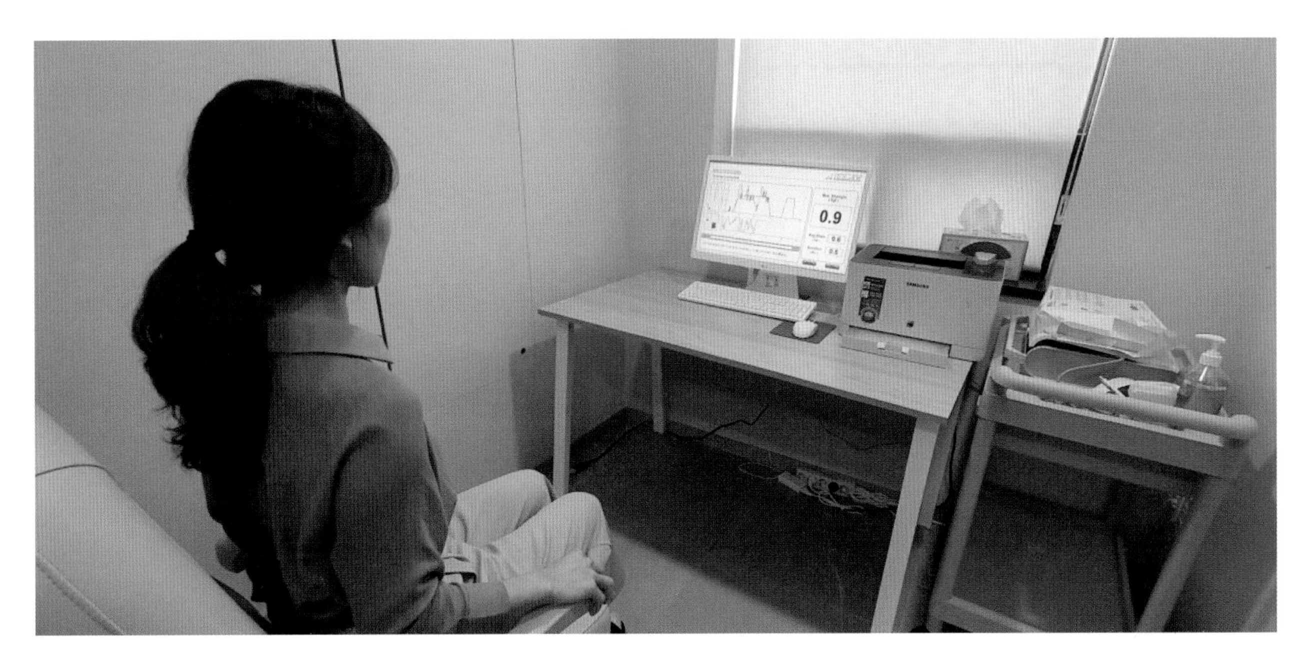

그림 8-2. **바이오피드백** 의자에 센서가 달려있어서 괄약근의 움직임을 감지하 고 환자는 모니터를 보면서 자신이 힘주는 정도를 확인 할 수 있다.

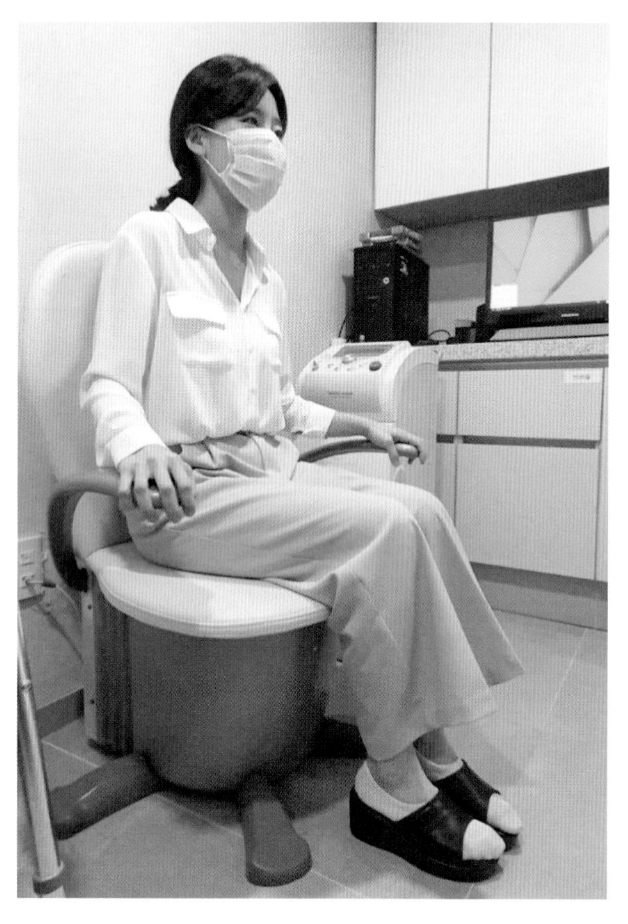

그림 8-3. **자기장 치료**

치료를 받게 된다. 자기장 치료기는 외부에서 괄약근의 강제적인 수축을 유도하여 치료의 효과를 증대하려는 목적으로 개발되었다. 처음에는 요실금의 치료를 위하여 개발되었다. 의자의 바닥에 부착된 자기장 발생기는 1분에 200회 정도의 골반근육의 인위적인 수축을 강제할 수 있게 하며 20분 가량 환자가 직접 강도를 조절하면서 치료를 할 수 있다.

케겔운동이나 바이오피드백 치료를 잘 따라하지 못하는 경우 이용할 수 있다. 요실금에서 약 80% 환자에서 증상의 개선 효과를 보고한 연구가 있다. 그러나 장기 효과에 대한 보고는 여전히 부족하다. 변실금의 치료에 대한 효과를 유지하기 위하여 병원을 지속하여 내원하여야 하는 불편감이 있고 치료하는 과정 중에 치료기에 의한 골반의 통증이나 불편, 불쾌감을 표현하는 환자들도 있다. 초기 모델보다 진전된 모델에서 환자 스스로 세기를 조절하면서 치료를 한다. 일주일에 2회 정도 약 8주간 치료를 한다. 치료를 하기 전에 직장항문 내압검사나 배변조영술 등 항문과 직장의 기능검사를 하고 8주 치료를 하고 난 이후에 비교 분석하여 치료를 지속할 것인지를 결정한다. 근본적인 치료로 적합한지는 의문이 있으나 단기간의 효과가 있고, 심리적인 치료 효과와 안정감을 기대할 수 있다.

임산부나 심장박동기, 신경조절기 등을 부착한 환자에서는 치료를 할 수 없다. 감각신경에 대한 손상으로 통증을 느끼지 못하거나 자기장 치료의 세기를 느끼지 못하는 환자에서도 치료를 할 수 없다. 생리 중에 치료하는 것은 큰 문제가 없으며 치료를 하면서 책을 보거나 아이와 같이 대화할 수 있다.

5. 가정 치료기

바이오피드백 치료나 자기장 치료는 보통 일주일에 2회 정도 시행을 하게 된다. 가정 치료기가 개발되기 이전에는 환자가 집에서 케겔운동을 시행하고 외래를 방문하도록 하였다. 치료를 받지 않는 기간 동안 집에서 케겔운동을 지속하는데 환자들이 제대로 따라하지 못하는 경우가 대부분이다. 그러나 최근 가정용 바이오피드백 치료기가 개발되었고 가정용 자기장 치료기도 개발되었다. 따라서 병원에 오지 않는 기간 동안에도 가정에서 치료에 대한 동기와 의욕을 북돋우면서 치료하는 방법이 시행되면서 환자의 순응도가 향상되었다.

References

1. AH Kegel. Progressive resistance exercise in the functional restoration of the perineal muscles. American Journal of Ob & Gyn 1948;56:238-8.
2. C.C. Park. Biofeedback therapy in patients with functional evacuation disorders. J Korean Soc Coloproctol 2003;19:260-9.
3. Cheetham MJ, Kamm MA, Phillips RK. Topical phenylephrine increases anal canal resting pressure in patients with faecal incontinence. Gut 2001;48:356-9.
4. E. A. Carapeti, M. A. Kamm, R. K. S. Phillips. Randomized controlled trial of topical phenylephrine in the treatment of faecal incontinence. BJS (British Journal of Surgery) 2000;87:38-42.
5. E. A. Carapeti, M. A. Kamm, R. K. S. Phillips. Topical phenylephrine increases anal sphincter resting pressure. Br J Surg 1999;86:267-70.
6. Graf W, Mellgren A, Matzel KE, Hull T, Jo-hansson C, Bernstein M, et al. Efficacy of dextranomer in stabilised hyaluronic acid for treatment of faecal incontinence: a randomised, sham-controlled trial. Lancet 2011;377:997-1003.
7. Hill J, Corson RJ, Brandon H, Redford J, Faragher EB, Kiff ES. History and examination in the assessment of patients with idiopathic fecal incontinence. Dis Colon Rectum 1994;37:473-7.
8. Hull T, Giese C, Wexner SD, Mellgren A, Devroede G, Madoff RD, et al. Long-term durability of sacral nerve stimulation therapy for chronic fecal incontinence. Dis Colon Rectum 2013;56:234-45.
9. Markland AD, Burgio KL, Whitehead WE, Richter HE, Wilcox CM, Redden DT, et al. Loperamide Versus Psyllium Fiber for Treatment of Fecal Incontinence: The Fecal Incontinence Prescription (Rx) Management (FIRM) Randomized Clinical Trial. Dis Colon Rectum 2015;58:983-93.
10. R.J. Kohlenberg Operant conditioning of human anal sphincter pressure. J Appl Behav Anal 1973;6:201-8.
11. Sze EH, Hobbs G. Efficacy of methyl-cellulose and loperamide in managing fecal incontinence. Acta Obstet Gynecol Scand 2009;88:766-71.
12. Van der Plas, Benninga MA, Redekop WK, Taminiau JA, Buller HA. Randomised trial of biofeedback training for encopresis. Archives of Disease in Childhood 1996;75:367-74.
13. Wald A. Clonidine and botulinum toxin: a tale of two treatments. Clin Gastroenterol Hepa-tol 2014;12: 852-3.
14. White H. Making toilets more accessible for individuals with a disability. Bowel Continence Nurs 2004:161-77.
15. X Fernandez-Fraga, F Azpiroz, JR Malagelada. Significance of pelvic floor muscles in anal incontinence. Gastroenterology 2002;123:1441-50.

CHAPTER

09

변실금의 외과적 치료

변실금의 치료 방법을 선택하기 위해서는 변실금의 원인 분석이 필요하다. 그 다음으로 중요하게 고려할 부분은 환자의 나이와 전신상태다. 변실금 환자의 대부분은 고령이고 치료 기간이 오래 걸리기 때문에 환자의 체력이나 전반적인 건강상태가 중요하다. 또한 최소 몇 개월의 치료 기간을 견뎌내고 극복해 내려는 의지도 중요하다. 환자의 의지뿐만 아니라 보호자의 의지 및 역할도 중요하다. 치료 기간 동안 생활습관의 교정이나 바이오피드백 치료에 순응할 수 있는 인지 능력도 필요하다. 거동능력이 떨어지고 인지 능력이 저하된 노쇠한 노인 환자에게 적극적인 외과수술이나 바이오피드백과 같은 행동과학 치료는 효과를 보기 힘들다.

어떤 치료법에 반응하여 변실금 증상이 호전되더라도 대부분 치료 기간이 오래 걸린다. 환자의 위해 요소를 하나씩 치료하다 보면 어느새 증상이 되기도 한다. 그러나 치료의 알고리즘을 따라가다 보면 6개월씩, 혹은 1년 넘게 걸리는 경우도 있고 변실금의 증상이 완전히 해결되지 않고 증상이 조금 남는 경우도 있다. 이런 연유로 환자나 가족이 중도에 지쳐 치료를 포기하기도 한다.

변실금의 치료에는 보존적 치료와 외과적 치료가 있다. 보존적 치료를 실패하는 경우에는 외과적 치료를 고려해야 한다. 전통적으로 가장 많이 시행되어 온 수술 방법은 괄약근 성형술이다. 손상된 항문의 외괄약근을 찾아서 오버랩 방식으로 괄약근을 연결해 주는 수술이다. 이 수술 방법은 오랜 기간 외과의사들에게 변실금 치료의 가장 근본적이고 효과적인 치료 방법으로 인식되어 왔다. 그러나 확실한 치료법으로 인식되었던 괄약근 복원수술이 최근에 제안되는 여러 가지 효과적인 치료 방법의 개발로 인해 그 치료 알고리즘에 약간의 변화를 가져왔다. 국제 실금학회의 치료 정책이 수년에 조금씩 바뀌는 이유이다. 과거 괄약근 성형술을 시행했던 환자를 대상으로 체계적인 고찰을 통해 분석한 결과를 살펴보면 초기 결과가 좋았던 경우에라도 시간이 지남에 따라 조금씩 다시 변실금의 증상이 나타나게 됨을 알 수 있었다. 그럼에도 불구하고 현저한 괄약근의 손상이 있는 환자에서 괄약근 성형술은 우선 선행되어야 할 기본적인 수술 방법이라는 것이 대다수 외과의사들의 보편적인 견해이다.

변실금 치료에 오래 전부터 많은 수술 방법이 시도되어 왔다. 영국의 대장항문 외과의사인 Alan Parks는 1975년 항문직장륜 후방의 치골미골근을 보강하는 항문 후방복원술을 시행하여 아주 좋은 성적을 보고하였다. 그는 항문직장 점막의 하강이나 골반 바닥을 구성하고 있는 근육의 약화로 인하여 발생하는 변실금 환자에서 항문 후방복원을 시행함으로써 좋은 결과를 가져왔다고 보고했다. 이는 변실금의 원인이 단순히 괄약근의 손상으로 발생하는 것이 아님을 알려주는 계기가 되었다. 당시에 Alan Parks는 실금과 골반 생리에 대해 관심이 많았고 수 많은 아이디어로 영국을 비롯하여 전 세계를 놀라게 하였으나 62세 되던 해에 갑자기 사무실에서 심장마비로 사망하였다. 그의 사후 Alan Parks의 수술을 흉내 내어 많은 외과의사들이 항문 후방복원술을 시도하였으나 그 결과는 Alan의 성적에 미치지 못하였고 새로운 수술 방법들이 개발됨에 따라 더 이상 시행하지 않는 수술 방법이 되었다.

Pickrell 등은 1952년 넓적다리 안쪽의 긴 근육인 박근(gracilis m.)을 항문 주위로 이동시켜 항문 괄약근을 대체할 수 있는 근육 치환술을 시행하는 창의적인 방법을 시도하였다. 엉덩이의 큰 근육인 둔근(gluteus m.)이나 치골에서 정강이를 연결시켜주는 박근과 같이 항문에 가까우면서 항문의 괄약근을 대체할 수 있는 근육을 항문 주위에 옮기는 괄약근 치환술은 항문에 새 괄약근을 만들어주는 창의적인 방법으로 유럽에서 크게 유행하였고 항문 괄약근의 손실로 인하여 발생하는 변실금 치료의 표준 수술로 자리잡았다. 그러나 훌륭한 아이디어임에도 불구하고 수술 난이도에 비하여 그 치료성적은 월등하지 못함에 따라 퇴보하는 듯 하였다.

1980년대 중반 Cavina 등은 저위 직장암 환자에서 암을 완전히 제거하기 위해 항문 주위 괄약근을 포함하는 광역 절제 수술인 복회음 절제술의 시행으로 항문을 살리지 못한 경우, 양측 박근을 이식하고 이 이식된 박근에 전기 자극을 주어 근육 위축을 방지하는 시술을 같이 시행하는 수술을 하여 큰 이목을 끌게 되었다. 이렇게 시행한 역동적 박근 성형술을 변실금 환자의 수술에도 적용하면서 다시금 항문 주위 괄약근의 대량 손상이나 선천적 부전 등으로 인한 변실금 환자의 치료 방법에 큰 획을 긋는 계기가 되었다.

Matzel은 요실금 환자에서 시행하는 천수신경 자극술이 변실금 환자에서도 증상을 개선할수 있다는 것을 알게 되었고 1992년 변실금 환자에 최초로 천수신경 조절술을 시행하게 되었다. 천수신경 조절술은 이 요실금과 변실금이 동반된 환자에게 치료 효과가 있다는 것이 여러 문헌을 통하여 알려지게 되었고 유럽에서는 항문 괄약근이 정상이거나 작은 손상을 가진 변실금 환자에서 우선적인 치료 방법으로 자리잡게 되었다. 천수신경 조절술을 시행한 환자의 55% 정도에서 증상이 개선되었을 뿐만 아니라 대량 괄약근 손상이 있는 환자에서도 증상 개선이 확인되어 서구에서는 크게 유행하고 있다. 그러나 앞서 나열한 괄약근 성형술이나 항문 후방복원 수술, 역동적 항문 괄약근 치환 수술 등은 수술의 범위가 크고 천수신경 조절술은 까다로운 조건으로 인해 수술을 하기까지 시간이 오래 걸리는 단점이 있어 최소 침습 수술에 대한 아이디어가 개발되어 왔다.

날이 감에 따라 외과의 수술 술기는 더욱 더 최소 침습 수술의 방향으로 진행되는 것이 최근의 추세여서 괄약근 치환수술과 같은 침습적인 수술은 극히 제한된 환자에서만 시행되게 되었다. 변실금 치료에서 최소 침습 수술의 예로는 생체적합물질의 항문 주입요법, 고주파에너지 치료, 질 페서리, 항문관 실리콘 삽입, 골반 슬링, 자가 지방이식과 같은 수술 방법 등이 있다. 줄기세포 치료 등의 수술 방법은 아직 연구 단계에 있다.

많은 수술 방법이 고안되었고 치료에 따른 다양한 결과들이 있으나 이러한 내용들이 과연 신뢰할 수 있는지에 대한 의문을 가질 수 있다. 이에 변실금의 치료 방법을 제안할 때에는 몇 가지 원칙을 지켜야 한다. 우선 많은 연구 보고들이 후향적 연구라는 단점이 있어 치료의 결과에 대한 신뢰를 얻기 위해서는 보다 많은 무작위 대조군 실험의 결과가 필요하다. 다음으로는 치료의 성과를 측정하는 측도가 필요하다. 많은 정량적인 측도가 이용되어 왔으나 삶의 질 측도가 보다 바람직하다. 또한 성공적인 성과라는 표현이 다양하므로 성공적인 결과에 대한 기준이 필요하다. 마지막으로 이전보다 상당히 보완되어 신뢰도가 높아지는 추세이지만 시술자와 환자의 주관적인 관점에서 성공여부를 판단을 하는 것보다 제3자의 객관적인 인터뷰와 측도를 사용함으로써 치료의 성적을 수치화 하는 과정이 필요하다.

환자의 치료결과를 판단할 수 있는 방법으로는 배변일지가 중요한 객관적인 척도가 될 수 있다. 환자의 만족도와 삶의 질을 평가하는 방법에는 여러 기관에서 제안한 도구들이 있다. 클리블랜드 클리닉의 CCFIS (Cleveland Clinic Fecal Incontinence Score)나 삶의 질 평가도구(FIQOL)등이 그러한 것이다. 그러나 이러한 평가도구를 사용하여 치료의 성적을 평가할 때 누가 어떻게 평가하는지에 따라 그 결과에 미세한 차이가 나타날 수 있어 경험이 풍부한 의사와 전문가 그룹이 협업하여 결과를 객관화시킬 수 있도록 세심한 노력이 필요하다.

1. 괄약근 복원수술 (Sphincter Repair)

항문 괄약근 복원수술 혹은 괄약근 재건술로 표현할 수 있는 이 수술 방법은 항문 괄약근의 직접적인 기계적 손상에 대한 단순 봉합술을 지칭하는 것으로 쓰인다. 가장 흔한 적응증은 출산 중 발생하는 손상으로 주로 산부인과 의사나 경험 있는 대장항문 외과의사에 의해 시행된다. 둔상 또는 관통상 등으로도 발생할 수 있다. 또한 항문 괄약근 손상은 치루나 치질 등의 항문질환 수술 중 괄약근 절개를 하는 경우에 발생하기도 한다.

선진국의 경우, 숙련된 전문의들의 관리하에 진행되는 출산 현장에서 3도 혹은 4도 정도의 중등도 항문 괄약근 손상의 발생률은 상당히 낮다. 분만에 의한 괄약근 손상의 3–5%는 초산에서 발생하고, 0.5–1%는 두번째 분만 혹은 그 이후 분만에서 발생한다. 항문 초음파 검사에서 항문 괄약근 손상의 발견은 점차 증가하고 있다. 자연 분만 환자의 메타 분석 결과 초산에서 새로운 항문 괄약근 손상은 27%에서 발생하고, 다산의 경우는 9%정도에서 발생하였다.

괄약근 손상의 위험인자는 기계적 자연분만, 분만단계의 연장, 과체중아, 지속적인 태아 둔위 등이 있다. 분만을 원활하게 유도하기 위하여 회음절개를 할 때 측방의 절개보다 정중앙 절개를 하는 경우 항문 괄약근 손상과 더 깊은 연관이 있으며 내외측 방향 회음부 절개의 각도도 괄약근 손상에 미치는 영향이 있으리라 여겨진다. 이에 회음절개의 정확한 규정을 정하는 것이 괄약근 손상을 줄일 수 있는 방법이라 생각된다.

분만 손상에 대한 단순 봉합은 정확하게는 항문 괄약근 재건(anal sphincter repair)이라는 용어로 정의되

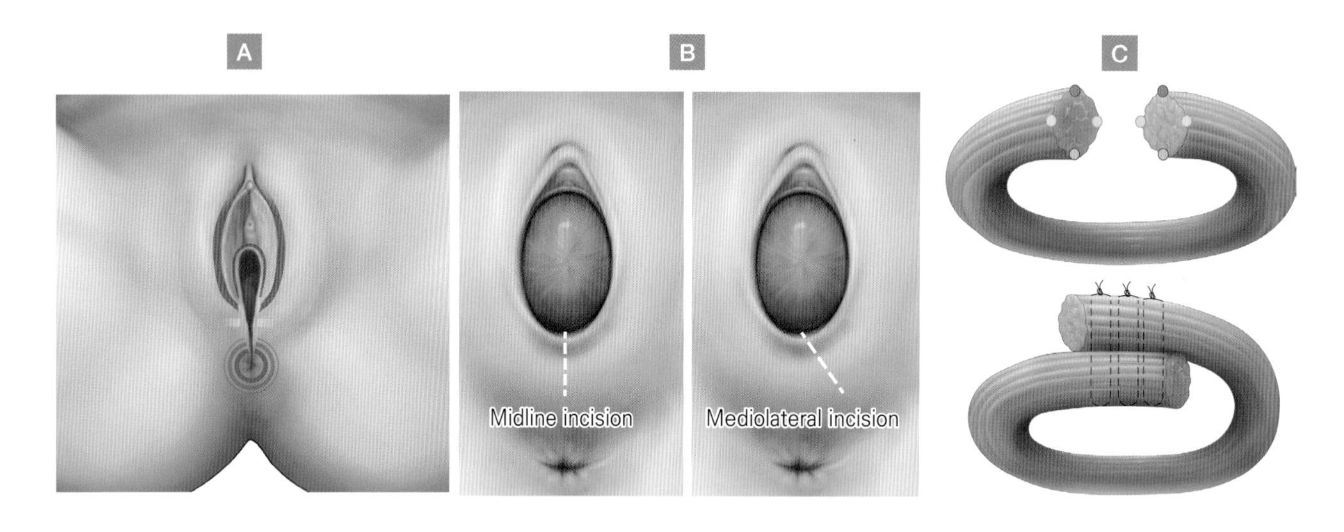

그림 9-1. A. **분만 시 발생할 수 있는 괄약근 손상** B. **정중절개 와 내외측 절개 회음절개 시 괄약근 손상이 올 수 있다.** C. **오버랩 테크닉으로 찢어진 괄약근을 봉합한다.**

고, 산부인과 의사에 의해 분만 현장에서 즉시 시행된다. 최근 영국 산부인과학회(Royal College of Obstetricians and Gynaecologists in the UK)의 가이드라인에서는 이와 같은 재건을 적절한 마취 하에 수술 부위를 잘 볼 수 있도록 밝은 조명기구가 구비되어 있는 수술실에서 시행할 것을 권고하고 있다. 전통적인 재건 기술은 찢어진 외괄약근을 반대편에다가 꿰매는 것이지만, 일반적으로 그냥 끝 선만을 연결하는 수술 방식은 시간이 지나면 약해져서 벌어지는 경우가 많다. 따라서 괄약근 손상을 받은 후 상당 시간이 경과한 환자에서의 지연봉합을 할 때에는 오버랩 테크닉이 찢어진 외괄약근을 더 적절하고 안전하게 봉합할 수 있다고 권고되어 왔다.

4도 손상에서 내괄약근의 손상이 동반될 때, 찢어진 내, 외괄약근의 끝을 정확히 구분하여 찾아내는 것이 힘든 경우가 대분분이기 때문에 일반적으로 항문관 점막과 내, 외괄약근을 한 번에 꿰매게 된다. Mahoney 등은 3도 또는 4도의 중등도의 회음손상에서 내괄약근이 봉합되지 않은 부분이 있을 때, 그로 인한 결과가 변실금의 발생률에 영향을 미치고 변실금 증상의 심한 정도에도 연관이 있을 것이라 하였다. 이런 여성들에서 더 좋지 않은 기능적 결과가 보이기 때문에 괄약근 재건 시, 가능하면 끊어진 내괄약근의 부분을 세밀하게 찾아서 각각 재건하는 방법이 현재 권고되고 있다.

분만 손상에서 시행하는 즉각적인 재건술에 관하여 다양한 수술 방법들이 연구되어 왔다. 단순하게 괄약근의 끝 선을 봉합하는 것과 비교하여, 즉각적인 외괄약근의 적절 부위를 오버랩 봉합하는 것이 변실금 발생률을 낮추는 것으로 생각된다. 그러나 무작위 임상연구나 메타 분석 또는 체계적 문헌 고찰 등을 살펴보면 36개월간 추적 관찰한 결과, 두 방법에서 차이를 발견할 수 없었다고 보고하고 있다. 또한 미국 산부인과 학회 가이드라인에 따르면 외괄약근의 완전 손상이 있는 경우에도 괄약근의 끝선 봉합이나 혹은 오버랩 재건의 두 가지 방법이 모두 합당하다고 설명하고 있다. Norderval 등은 항문 괄약근의 분만 손상이 있는 여성에서 외괄약근 전층 재건과 함께 내괄약근의 부분적 재건이 효과가 있다고 보고하였다. Cochrane Review에서는 재건 기술의 최적화를 위해 더 많은 근거들을 모으고 있는 중이다.

일반적으로 대장항문 외과의사가 항문관의 해부구조에 대하여 더 친숙하므로, 항문 괄약근 손상이 발생하여 즉시 봉합하는 상황이 발생한다면 산부인과 의사보다 대장항문 외과의사가 일차적인 재건술을 시행하는 것이 더 낫다. Nordenstam 등은 의사의 기술과 숙련도가 항문 괄약근 재건수술을 시행한 이후의 예후에 큰 영향을 준다고 주장한다. 해부 구조를 잘 모르는 의사가 단순 봉합하는 경우, 불완전한 수술로 인하여 나쁜 결과를 가져오거나 시기가 지난 후에 더 큰 수술로 연결될 수 있다. 이러한 부적절한 상황을 피하기 위하여 분만 현장에서 과도한 괄약근 손상이 발생한다면 하루 정도 시간이 지연되거나 병원을 옮기는 한이 있더라도 숙련된 의사가 재건을 시행할 수 있도록 하는 것이 환자의 예후에 도움이 될 것으로 설명하였다. Soerensen 등은 비슷한 연구에서 괄약근의 지연 봉합 시에도 이에 따른 부작용이 없다고 보고하였다. 그는 산부인과 의사와 대장항문 외과의사의 협동수술이 더 나은 결과를 가져온다고 하였다. 또한 산부인과 수련 중인 의사에게도 체계화된 수련 프로그램이 있다면 더 나은 결과를 나타낼 수 있다고 주장하였다.

일차 항문 괄약근 봉합 이후의 장관리에 대한 견해를 몇 가지 무작위 연구를 통하여 살펴보면, 우선 변비약보다는 지사제가 도움이 된다는 결과가 있다. 초산을 경험한 여성 중 대략 13–17%에서 괄약근 열상이 없는 것이 확인되었음에도 불구하고, 변 자제력의 변화가 발생한다. 예를 들면 배변 절박 증상의 발생률이 훨씬 높아진다. MacArthur 등은 출산 후 12주가 지난 7879명 여성의 27%에서 일과성 실금이 발견되었음을 보고하였다. Fenner 등은 3도와 4도 열상이 있었던 여성들에서 출산 후 6개월 동안 항문 괄약근 손상이 없는 여성들에 비해 변실금이 더 많이 발생한다는 것을 발견하였다. 이것은 4도 열상의 과거력이 있는 여성에서 더 명확하게 나타났다. Samarasekera 등은 항문 괄약근의 분만 손상이 변실금과 삶의 질에 오랜 기간 영향을 미친다고 주장하였다. Oom 등은 골반 바닥의 손상과 괄약근 재건의 적합성이 예후와 관련이 있음을 주장하였고 항문 괄약근의 분만 손상에 대한 재건술을 시행한 이후 골반 바닥의 기능회복을 위한 물리치료의 필요성을 강조하였다.

첫 분만 시 항문 괄약근의 손상을 입었던 여성이, 다음 출산 즉, 다산을 하는 경우에 발생한 변실금의 치료에 있어서 분만의 위험인자, 변실금의 증상과 더불어 환자에 어떤 방식의 분만이 필요한지 혹은, 출산 후에 재차 발생하게 될 괄약근의 손상에 대하여 어떠한 대처나 치료가 적합한 것인지 등을 염두에 두어야 한다. Harkin 등은 초산에서 괄약근 손상을 입었던 환자가 두 번째 출산을 할 경우 이전의 괄약근 손상이 다시 발생할 확률이 5배 더 증가한다고 보고하였다. Fynes 등도 첫 출산에서 질식 분만 이후 변실금이 발생한 경우 두 번째 출산 시 질식 분만으로 변실금이 발생할 위험이 아주 높음을 보고하였다. 이러한 경우 2단계의 산통이 시작하기 전에 제왕절개수술을 받는 것이 변실금의 증상 발생을 예방할 수 있다고 발표하였다. 그러나, Nelson 등은 체계적 문헌 고찰을 통하여 분만보다 임신 그 자체가 출산 후 변실금 증상 발생에 더 큰 영향을 미친다고 주장하였다. Scheer 등은 초산 시 3도 열상이 있었던 무증상 여성에서 성공적인 괄약근 복원을 시행하여 변실금의 증상이 없는 산모라면 두 번째 분만 시에도 질식 분만을 하는 것이 합리적이라고 보고하였다.

다수의 연구에서 3–4도 열상에 대한 괄약근 복원수술 이후 오랜 기간이 지난 이후의 예후를 관찰하였고, 거의 모든 연구에서 나이가 들어감에 따라 변실금의 발생이 증가하는 것을 보고하였다. 이러한 소견들은 출산 경험이 있으나 괄약근 손상이 인지되지 않은 여성들의 일반적인 유병률과 비슷한 것으로 나타난다. Eogan 등은 출산 후 10년, 20년, 30년이 지난 여성들을 대상으로 한 연구에서 폐경이 증상 발현에 가장 중요한 요인이라고 보고하였고, 반면에 Mous 등은 변실금의 발생률은 폐경과는 무관하게 오직 나이에 따라 증가한다고 주장하였다. Fornell 등은 항문 괄약근 손상이 발생하면 항문 기능은 시간이 지남에 따라, 그리고 출산을 경험함에 따라 나빠지는 것을 주관적으로 또한 객관적으로 밝히는 작업을 하였다. Mahony 등은 항문 내괄약근의 결함이 지속되는 것이 중요한 악화 요인임을 보고하였다. 폐경 후 변실금의 증상이 심해질 때 호르몬 대체 요법이 증상의 완화에 효과가 있다는 보고들이 있다.

요약

분만현장에서 발생하는 항문 괄약근 복원술은 적절한 조건 하에 경험 있는 집도의에 의하여 시행되어야 한다. 괄약근의 선단을 연결하는 직접봉합과 오버랩 봉합술의 결과는차이가 없다. 괄약근이 복합적으로 찢어졌을 때는 가능하다면 내괄약근을 구분하여 봉합하는 것이 좋다. 분만 손상 이후 재 출산할 경우 분만 방법의 결정은 분만의 위험인자, 변실금의 증상과 더불어 환자에 어떤 치료가 적합한지를 고려하여 접근해야 한다.

2. 괄약근 성형술(Sphicteroplasty)

'항문 괄약근 성형술'은 괄약근 손상이 발생할 당시에 발견되지 않았거나 괄약근 손상 후 시행한 단순 봉합술이 실패하여 예후가 좋지 않은 경우에 수술하게 되는 이차적 혹은 지연 항문 괄약근 재건술을 의미한다. 괄약근 성형술은 통상 첫 손상으로부터 최소 3개월의 기간이 지난 이후에 시행된다. 전방 괄약근 성형술은 분만 손상과 연관이 있을 경우 가장 많이 사용되는 재건 수술 방법이다.

분만 손상으로 인한 결손은 항문 괄약근 근육의 전방 회음 부위에 말발굽 모양의 형태로 나타난다. 때로 항문과 질 점막만 연결되어 있는 선천성 배설 강 결손(Cloacal defect)과 같은 형태로 남기도 한다. 치루 수술과 같은 항문 수술이나 직접적 외상으로 생기는 괄약근 결손은 조직의 심한 소실로 인해 완전히 떨어져 나가는 정도의 결손이 아니라면 분만 손상에 의해 생기는 것보다 덜 복잡하고 회음의 결손을 동반하는 경우도 드물다.

항문 괄약근 성형술의 시행 여부는 증상의 심한 정도, 괄약근 결손의 해부학적 정도에 따라 결정된다. 변실금의 증상이나 변실금의 정도를 나타내는 수치 등을 이용할 수 있다. 변실금 점수는 CCFIS와 St. Mark's incontinence score 두 가지를 가장 많이 사용한다. 또한 삶의 질에 대한 평가도 고려되어야 한다.

항문직장의 기능은 여러 방법을 이용하여 명확하게 측정되어야 한다. 예를 들면 대장 통과시간, 항문직장 내압검사, 직장 민감도, 직장 유순도, 배변조영술 등이 기본적으로 측정 및 관찰되어야 하며 음부신경 전도검사, 항문직장 초음파, MRI 등 골반저 생리검사 등을 제한하지 않고 시행하여 환자의 변실금의 원인 분석에 도움이 되도록 해야한다. 객관적 검사에 의한 결과로 변실금 정도를 주의 깊게 관찰할 수 있으며 치료의 방침을 결정할 수 있다. 이러한 객관적 검사를 하지 않는다면 때로 환자 상태의 심각도나 증상의 악화 등을 단지 심증만으로 부적절하게 판단할 수 있다. 미국 대장항문 학회에서는 손상의 심함 정도를 기준으로 수술을 결정하지 않는다고 하였다. 그들은 국소 항문 괄약근 손상이라도 변실금의 증상이 있는 환자에서는 수술의 적응으로 고려하고 있다.

염증성 장질환, 대장직장암, 신경학적 병변과 같은 다른 원인으로 인한 변실금이 있을 경우는 수술에서 배제되어야 한다. 염증성 장질환을 동반하는 환자는 잦은 배변 습관들로 인해 동등한 항문 괄약근 결손 환자에 비해 증상이 더 심각하게 나타난다. 반드시 해야 하는 검사는 아니지만 골반저 생리검사 등을 시행하게 된다면, 포괄적으로 사용되어야 하며, 음부신경 전도검사만 국한되어서는 안 된다.

국제 실금학회(International Continence Society)에서는 1/4 이하의 항문 괄약근 결손이 있는 변실금 환자에서는 식이 요법, 약물요법, 물리치료 등과 같은 보존적 치료를 시행하는 것을 권장한다. 변실금의 초기 치료로 골반근육 강화훈련이나 바이오피드백 치료 등을 시행할 수 있다. 그러나 아직 치료의 표준화가 이루어지지 않았고 이에 대한 장점도 확인되지 않았다. 최근 Cochrane review에서 바이오피드백 치료와 괄약근 운동이 치료에 효과가 있을 수 있다고 나타났지만 아직 근거가 충분하지 않다. 확실히 검증된 치료 방법을 제안하기 위해서는 보다 많은 잘 디자인된 연구 근거가 필요하다.

1/4 이상의 항문 괄약근 결손이 있는 환자에서는 항문 괄약근 성형술을 시행하는 것을 권고한다. 수술 전 상담 시 수술 후 상처가 잘 회복되지 않을 수 있음을 명확하게 설명하여야 한다. 대부분의 환자들은 수술 후 유의미한 변실금의 호전을 기대할 수 있다. 단기 성적을 살펴보면 66%에서 아주 좋은 혹은 좋은 결과를 나타내지만 시간이 지남에 따라 결과의 만족도가 떨어지는 현상이 나타난다. 보고에 따르면 수술 후 만족도가 80개월 후 30−80% 감소하며, 120개월 후에는 6%까지 감소한다. 배설 강 결손이나 직장질루의 복원이 병행되어야 한다. 수술 상처에 대한 분변오염의 예방목적으로 일시적 장루가 결과를 좋게 한다는 근거는 없다.

항문 괄약근 성형술은 쇄석위 자세 또는 복와위 잭나이프자세로 시행할 수 있다. 술 전 관장을 시행하지만 완전 장 정결을 할 필요는 없다. Parks 등이 시행한 전통적인 절개 방식은 'V'자 절개를 하여 'Y'자로 닫는다. 전방 항문거근 성형술이나 직장류 수술을 생각한다면 환자를 쇄석위 자세로 하고 질 후방절개를 통하는 것이 도움이 된다. 항문 괄약근을 분리하여 확인하거나 내괄약근을 교정하지 않는다면 대개 오버랩 방식의 외괄약근 성형술을 시행한다. 그러나 Maslekar 등은 내외 괄약근을 각각 봉합하는 경우 장기 성적을 향상시킨다고 하였다. 괄약근의 직접 봉합과 오버랩 항문 괄약근 성형술의 결과가 유사하다는 작은 규모의 무작위 연구 결과도 있다. 봉합 부위가 터지고 수술이 실패하는 것을 방지하기 위해서는 외괄약근의 양쪽 선단에 적절한 혈액 순환이 제공되어야 하고 괄약근을 봉합할 때는 과도하게 긴장이 주어지지 않도록 해야 한다. 외괄약근이 완전히 끊어지지 않은 경우라면 오버랩 봉합을 수월하게 하기 위하여 남아 있는 근육을 잘라야 하는 수가 있다. Oberwalder 등은 조사 환자군이 적었으나 기와장을 겹치는 형태의 중첩 봉합으로도 전형적인 오버랩 항문 괄약근 성형술과 유사한 결과를 나타낸다고 보고하였다.

Zutshi 등은 최근 무균 돼지에서 획득한 생체적합 콜라겐 메쉬를 이용한 변형 괄약근 성형술을 고안하였으나, 아직 10여명의 환자들을 대상으로 한 것이라서 보다 큰 숫자의 연구가 필요하다. 전방 항문거근 성형술은 외괄약근 재건술과 같이 시행하거나 단독으로 시술할 수 있다. 월등한 수술 술기는 없으며 환자 개인의 특성에 맞추어 적용되어야 한다.

항문 괄약근 성형술의 초기 성공은 괄약근 결손의 교정 여부에 달려있다. 초기실패의 경우를 살펴보면 보통 항문 내 초음파 검사상 결손이 여전히 관찰된다. 이것을 해결하기 위해 수술 당시 더 많은 노력이 필요하다. 또한 괄약근 성형술의 장기 성적은 시간이 지남에 따라 점점 나빠진다는 증거들이 증가하고 있어 이를 보완하는 아이디어가 필요하다. 수술 당시의 환자 나이가 연관이 있는지는 명확하지 않다. 그러나 노화로 인한 퇴행이나 폐경이 괄약근의 위축과 연관되어 있는 것으로 판단된다.

수술 전 생리 검사는 변실금 환자들의 전반적 관리에 도움을 주지만 항문직장 내압검사나 골반저 생리검사가 괄약근 성형술 이후의 성적을 판단하기 위한 예후의 척도가 될지에 대해서는 논란의 여지가 있다. 항문 괄약근 성형술 후의 성적을 예측하기 위한 기준은 아직 정립되어 있지 않다. 항문 괄약근 성형술을 받은 이후 임상경과가 만족스럽지 않은 환자에서 증상이 현저하다면 천수신경 조절술을 고려해 볼 수 있다.

요약

항문 괄약근 성형술은 외괄약근 결손이 명확하며 증상이 있는 환자에서 고려되어야 한다. 외괄약근의 오버랩 봉합술이 통상 시행된다. 시간이 지나면서 결과는 나빠질 수 있지만 우선으로 시행되어야 한다. 변실금 치료의 결과가 좋지 않은 환자에서 다시 시행할 수 있다. 증상이 호전되지 않는 경우 천수신경 조절을 고려한다.

3. 항문 후방복원술 (Post Anal Repair)

항문 후방복원술은 1975년 Sir. Alan Parks에 의해 처음으로 제안되었다. 이 수술의 핵심은 항문과 직장을 연결하는 항문직장각을 복원하는 것이다. 그는 변을 자제하는 능력을 유지하는 데 필수적인 부분이 항문직장각을 유지하는 것이라 생각하였다. 이 수술 방법의 기본 개념은 항문관을 길게 하고 항문직장각을 복원시켜 골반바닥의 판막을 재건하는 "Flap valve" 이론이다. Flap valve 란 평소 직장의 전방 점막이 항문의 후방 직장각을 덮어주어 적당한 양의 변을 참을 수 있게 한다는 이론이다. 수술 방법은 내외 괄약근 사이로 항문거근까지 접근한 다음 항문직장륜 후방의 치골미골근을 보강하는 것이다. Parks의 초기 성적은 아주 좋은 것으로 보고되었다. Parks의 사망 이후에도 수술은 지속되어 왔다. 성공의 기준, 관찰 기간, 변실금의 가능한 원인을 분석하여 수술 결과의 성공률은 15%에서 83% 정도였다.

한때 항문 후방복원술에 관한 많은 논문이 발표되었다. 4개의 무작위 통계 연구들의 체계적 문헌 고찰, 2개의 무작위 대조군 연구, 2개의 비무작위 코호트 연구, 양질의 8개의 증례 보고와 낮은 수준이지만 11개의 증례 보고가 있었다. 그러나 2012년 이후 변실금 치료에서 항문 후방복원술의 성과에 대한 연구는 특별히 보고된 것이 없을 정도로 대장항문 의사들의 관심에서 멀어지

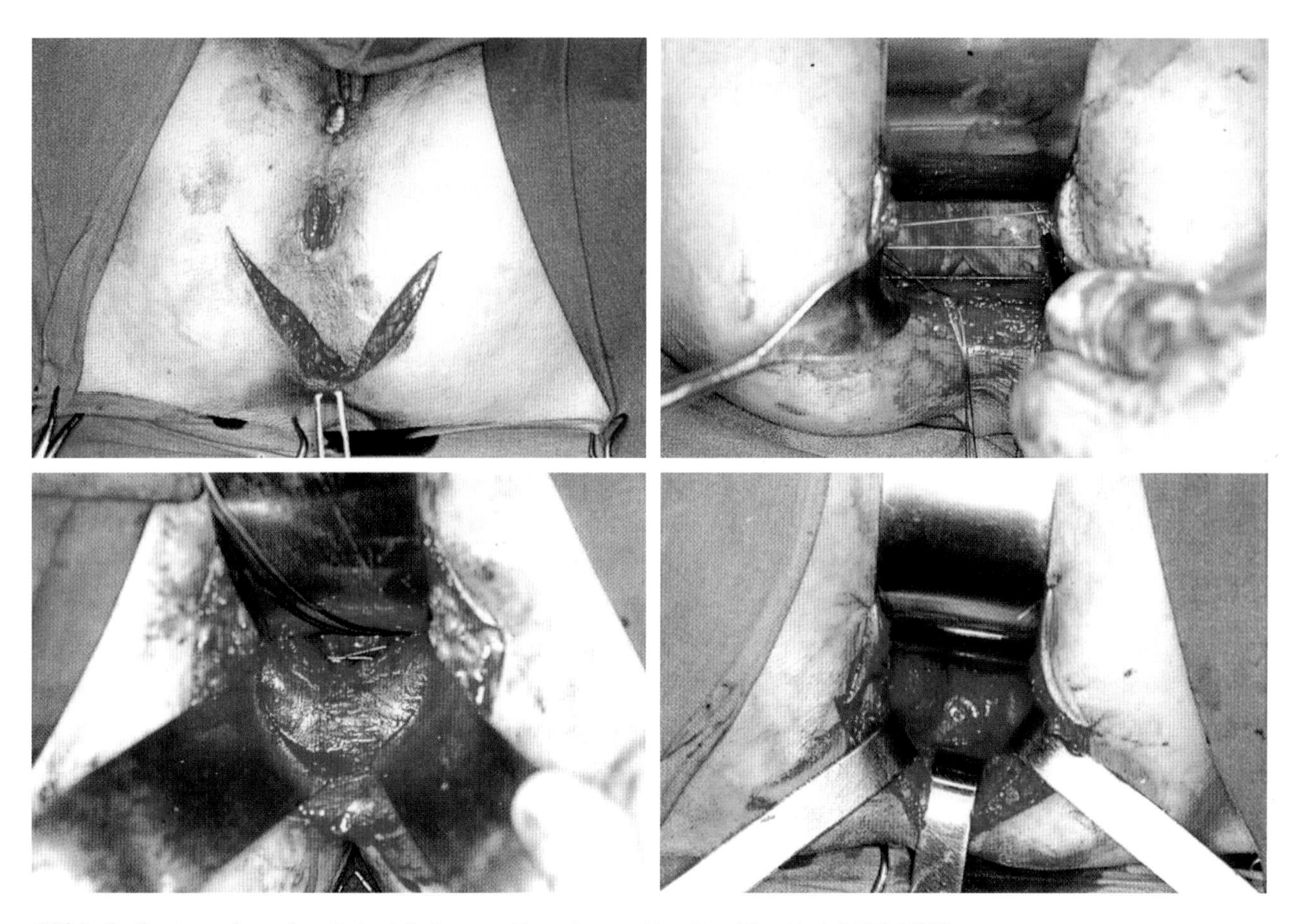

그림 9-2. **Post-anal repair .** Parks A G. Anorectal incontinence. Proc Royal Soc Med. (1975);68(11).

게 되었다.

5년 이상 추적 관찰한 후향적 연구에서 시간이 지남에 따라 변 자제 능력은 저하되는 것으로 보고되었다. 60-80%의 환자들에서 증상 호전이 지속되었다고 보고하였지만, 1/3 정도에서 실질적으로 무르거나 된 변을 참을 수 있는 것으로 나타났다. 이 수술 방법의 가장 마지막 논문에 해당하는 2010년에 발표한 장기 추적 논문의 결과에 따르면 오직 26%에서만 실금이 없거나 Wexner score상 0-5 사이의 경미한 실금이 있는 정도였다. 79%에서는 평균 9.1년의 장기 추적 결과 증상이 호전되지 않았다고 보고하였다. 시간이 지남에 따라 증상이 악화되는 이유를 판단해 보면 확인되지 않는 신경의 손상과 음부신경증의 악화, 괄약근과 골반바닥 근육의 동반손상, 인지되지 않은 항문 괄약근의 파열 등으로 설명된다. 특히 대부분의 논문들은 항문 초음파나 골반 MRI 검사가 가능하기 전에 진행되었던 경우가 많아 정확하고 객관적인 근거가 뒷받침되지 않은 점이 아쉽다. 항문 후방복원술 전후의 생리검사나 영상평가가 이루어지지 않아 항문관의 길이나 휴지기 압력, 수축기 압력, 항문직장의 민감도나 항문직장각의 변화를 증명하지 못한 아쉬움도 있다. 이후 나쁜 수술 결과에 대한 보고가 증가함에 따라 이 수술 방법은 유행하지 못하였다.

Deen 등은 신경학적 변실금이 있는 36명의 여성에서 시행한 세 가지 수술 방법에 대한 결과를 보고하였다. 항문 후방복원술은 42%, 전방항문거근 복원술은 33%, 전 골반복원술(항문 후방복원술 + 전방 항문거근 복원술+ 외괄약근 성형술)은 67%에서 변실금의 증상이 회복되었음을 발견하였다. 반면 Van Tets 등은 신경학적 변실금이 있는 20명의 여성에서 항문 후방복원술은 27%, 전 골반복원술은 22%에서 변실금 증상이 완전히 좋아지는 것으로 관찰하였다.

요약

항문 후방복원술은 선별적인 적응 대상의 환자에서 성공적으로 시행할 수 있을 것이다. 그러나 이 수술은 최근 새로운 치료법의 등장으로 거의 시행되지 않고 있다.

4. 근육 치환술(Non-Stimulated Muscle Transposition)

변실금 치료를 위해 주위의 근육을 이동하여 항문주위를 보강함으로써 괄약근의 역할을 대신하게 하는 다양한 근육 이동술이 고안되었다. 초기에는 괄약근의 손상이나 기능의 약화를 보강하기 위해서 골격근을 옮겨 심는 방법에 초점이 맞춰졌었다. 20세기 초반에 새로운 괄약근을 만들기 위해서 엉덩이의 큰 근육인 대둔근(gluteus maximus muscle) 치환술을 시도하였다. 또한, 1952년 Pickrell 등은 소아 변실금 환자에서 허벅지의 안쪽 근육인 박근(gracillis muscle)을 치환하여 항문 괄약근으로 만들어 주는 것을 보고하였고 이는 큰 공감으로 서구의 많은 의사들에게 큰 반향을 얻었고 대 유행하는 계기가 되었다. 또한 몇 개의 대조군 조사 연구에서 다양한 성공률을 보였다.

Prochiantz 등은 박근 치환술을 시행한 22명의 환자에서 63개월을 관찰하여 보고하였다. 18명(81%)의 환자에서 6개월 후 어느정도 증상 호전을 보였으나 변실금이 완전 회복된 것은 단 한 명이었다. 시간이 지남에 따라 5명의 환자가 다시 나빠졌다. 환자 숫자가 적기는 하였으나 양측 박근 치환술이 좋은 결과를 보였다는 논문도 있다.

대둔근 치환술의 성공률은 다양하였다. 출산 후 음부신경 손상으로 변실금이 있는 여성들을 대상으로 시행한 전향적 무작위 연구에서 대둔근 치환술과 전골반 복원술의 결과는 비슷하였다. 25명의 대둔근 치환술을 시행한 후향적 연구에서 18명(72%)의 환자에서 정상적으로 돌아왔고 추가적으로 4명(16%)의 환자에서 일부 좋아진 것으로 보고하였다. 64%의 환자에서 근육을 떼어 낸 부위와 직장 주위에 합병증이 발생하는 문제점도 있었다.

요약

근육 치환술은 좋은 아이디어였음에도 불구하고 수술의 범위가 크고 합병증의 발생률이 높다.

5. 역동적 근육 치환술(Stimulated Muscle Transposition)

Baeten 등은 1988년 박근(gracilis muscle)을 치환하면서 전기 자극을 주어 증상이 호전되는 것을 관찰하여 발표하였다. 이후 1990년에는 6명의 환자 중 5명의 증상이 호전되어 더 이상 필요 없게 된 장루의 복원 결과를 발표하기도 하였다. 이후로 20명의 환자를 대상으로 한 보고가 발표되었다. 여기에는 이전에 수술로 항문을 없앴거나 선천적으로 항문이 없었던 12명이 포함되었다. 20명의 환자 중에서 12명에서 실금증상이 호전되었다. 1991년에 Beaten 등은 다시 10명 중 8명에서 증상이 호전된 결과를 정리하여 발표하였다.

과거에 근육 치환술(muscle transposition)이 성공적으로 진행되더라도 수술의 결과를 제한하는 두 가지의 생리적인 요소가 있었다. 첫째 치환된 골격근은 오랜 시간 수축을 하며 긴장을 유지할 수 없다. 더구나 비록 환자가 노력을 하더라도 박근은 긴장 수축에 적합하지 않다. 항문 외괄약근은 천천히 수축하며 쉽게 지치지 않는(Slow-twitch, fatigue-resistant) 특성의 Type I 근섬유(Type 1 muscle fiber)이지만 박근은 골격근이기 때문에 빠르게 수축하고 쉽게 지치는(Fast-twitch rapidly fatiguable) 특성을 가진 Type II 근섬유이기 때문이다. 그러나 단계적이고 지속적으로 전기 자극을 주어 Type II 근섬유를 Type I 근섬유로 변환시킬 수 있다는 것을 알게 되었다. 박근을 치환하면서 지속적으로 일정한 세

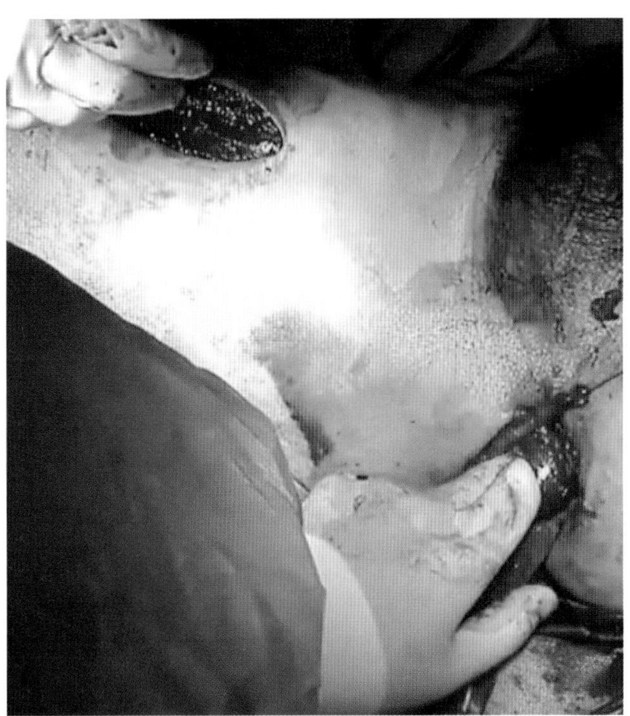
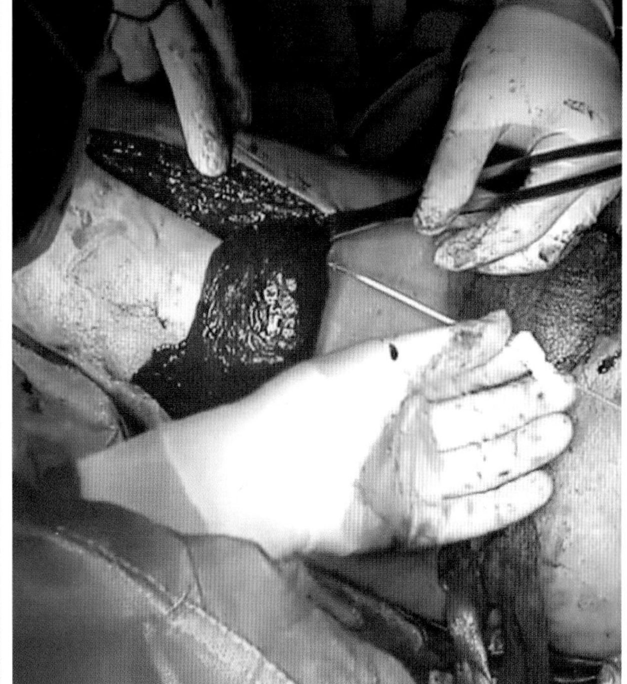

그림 9-3. Dynamic Graciloplasty 수술 중 사진

기와 주파수를 가진 전기조절기를 삽입하여 치환된 박근이 Type I의 특성을 지닌 근섬유로 변환하는 것을 관찰하게 되었다. 더군다나 신경, 혈관의 경로가 일정한 위치로 주행하기 때문에 이를 수술 시야에서 확인할 수 있고 전기 자극을 주게 되면 근육의 움직임을 직접 확인할 수 있다. 필자는 항문 주위 괄약근의 대량손실이 있는 두 명의 남자 환자에서 역동적 박근 치환술(Dynamic Graciloplasty)을 시행한 바 있다. 두 명의 수술경과는 양호하였고 수술의 결과에 모두 만족하였다.

1995년 Baeten은 52명의 환자를 대상으로 한 연구를 발표하였다. 그는 이 수술 방법으로 38명(72%)의 환자에서 성공적인 결과를 확인하였다. 2003년 200명의 많은 환자를 대상으로 평균 261주 동안 추적 관찰한 논문이 발표되었고 성공률은 72%였다. 괄약근의 손상으로 발생한 변실금 환자에서는 성공률이 82%로 아주 좋았으며 선천적 항문직장 기형이 원인인 변실금 환자에서는 성공률이 52%로 나빴다. 그러나 138명의 환자에서 합병증이 발생하였다. 32명(16%)에서 배출 장애를 호소했고 24명(12%)에서 감염이 생겼다. 16명(8%)은 심한 통증을 호소하였고 12명(6%)에서 신경 조절기가 제자리에 고정되지 않고 움직이는 현상이 발생하였다. 10명(5%)에서 항문직장 천공이 발생하였으나 그 중 7명은 잘 회복되었다. Rosen 등은 'split−sling' 형태로 감싸는 창의적인 방식의 근육 치환술을 10명의 환자에서 시행하였고 9명에서 성공적인 결과를 보고하였다.

3개의 다기관 후향적 연구가 진행되었다. 이들은 각각 자신들의 기준에 의해서 환자들을 선정하였고 무작위 전향적 연구는 시행되지 않았다. Madoff 등은 12개의 기관에서 139명을 대상으로 체계적 문헌 고찰을 진행하였다. 128명은 박근으로, 11명은 대둔근으로 치환하였다. 104명의 환자에서는 변실금으로 수술하였고 35명은 암으로 복회음 절제 후 총 항문직장 재건술을 시행하였다. 138명에서 합병증이 발생하였다. 창상 부위의 합병증(중증 41명, 경증 35명)이 가장 흔한 합병증이었다. 28명(22%)에서 통증을 호소하였고 14명(11%)에서 기계문제가 있었으며 4명(3%)에서는 인대가 끊어졌다. 수술 경험이 풍부한 센터에서 주요 상처 합병증이 낮았고(17.4% vs. 33.1%) 높은 성공률을 보였다(80% vs 47%).

Mander 등은 7개 기관에서 변실금의 치료에 반응하지 않는 64명의 환자를 대상으로 이 수술을 시행한 결과를 발표하였다. 24명의 감염성 합병증이 있었고 5명에서 회음부 상처가 벌어졌고 3명이 재수술을 받았다. 44명(69%)의 환자에서 장루를 복원하고 한 달 동안 경과를 관찰한 결과 고형변에 대해서 변 자제를 할 수 있게 되었다. 그러나 16명(25%)에서 배출 장애가 발생하였고 이 문제로 인하여 14명에서 치료에 실패하였다. 평균 10개월 사이에 29명의 환자에서 기능적으로 호전하는 결과를 관찰할 수 있었다.

Baeten 등은 20개 기관을 통합하여 Dynamic Graciloplasty Therapy Study Group (DGTSG)을 만들었고 123명의 환자를 대상으로 이 수술을 시행한 결과를 발표했다. 이 연구의 목적은 수술의 안정성과 효용성을 평가하는 것이었다. 91명의 환자에서 189건의 부정적 결과가 발생했다. 1명은 폐색전증으로 사망하기도 하였다. 18명에서 심각한 염증이 발생하였고 31명에서 경미한 염증이 발생하였다. 42명이 심한 통증을 호소하였고 근육을 공여한 부위, 항문관, 신경 조절기를 심은 장소에서 다양한 염증이 발생하였다. 11명에서 전선이 제자리에 위치하지 못했으나 전선이 끊어지거나 조절기가 작동을 하지 않는 등의 문제는 발생하지 않았다. 특별한 치료를 하지 않고도 87%의 환자에서 이러한 합병증은 해결되었다. 이 연구는 다른 연구와 달리 배변 일지의 데이터에 기반하고 있다. 1년 뒤에 63%의 환자에서 성공적인 결과를 관찰할 수 있게 되었다. 또 다른 코호트 방식의 조사 결과 18개월 시점에서 55%, 24개월 시점에서 56%로 수술의 성공적인 결과가 안정적으로 유지되는 것을 관찰하였다.

벨기에의 다기관 후향적 연구에서 60명의 환자를 대상으로 이 수술을 시행하였으나 27명에서 치료에 실패하였다. 수술에 성공한 환자의 78%에서 증상의 호전이 관찰되었다. 그러나 절반 이상(26명)에서 하행 자제 관장(Antegrade continence enema)이나 다른 방법으로 변실금을 치료해야 되었다. 결국 7명의 환자는 영구적인 장루를 가지게 되었다. 75건의 합병증이 발생했고 61건의 재수술을 시행하였다. 22명의 환자에서 근육 자극이 실패하였다. 이 중 10명은 신경 조절기나 전선의 문제 혹은 수술 기술의 실패로 인한 것이었다. 이 수술의 기능적인 결과를 좋게 하려면 최소 50일 이내에 전기 자극을 시작하고 지속해야 한다.

많진 않지만 역동적 근육 치환술의 장기추적 결과를 발표한 논문들이 있다. Thornton 등은 38명의 역동적 박근 치환술 환자의 5년간 추적 관찰 결과를 발표했다. [illegible] 에서 출구폐쇄 변비가 있었고 16%에서는 영구 장루 수 [illegible] 금 점수는 12점 이하였고, 50%에서 출구폐쇄를 호소하였다. 64%에서는 배변 활동이 삶의 질에 나쁜 영향을 미친다고 생각하였다. 장기 합병증은 신경 조절기와 연관되어 10명의 환자에서 15차례 자극기의 부품교환을 위해 수술하였다. 72%에서 근육 공여부위의 통증, 부종, 감각 이상을 호소하였고 27%에서 성기능 이상을 호소하였다.

Hasson 등은 박근 치환술 후 주기적인 전기 자극과 추가로 바이오피드백 치료를 시행한 31명의 환자의 관찰 결과를 발표하였다. 5년이 지난 시점에 22명의 환자에서 치료의 효과가 있었다. 9명(29%)의 환자에서 치료가 실패하였거나 추가적인 수술(장루 조성, 반대쪽 박근 치환, 인공 괄약근 삽입)을 하게 되었다. 6명의 환자에서 회음 상처 감염이 있었으나 5명은 항생제로 치료하였고 1명은 배농하여 해결하였다. 2명의 환자는 배변 장애로 인하여 주기적으로 관장을 해야 했다. 선천적 변실금으로 수술한 환자(55% 호전)보다 괄약근손상으로 수술을 시행한 환자(82% 호전)에서 좋은 결과를 보였다.

Tillin 등은 전향적 환자 대조군 연구를 시행하였다. 49명의 역동적 박근 치환술 환자와 수술을 시행하지 않은 87명의 환자를 비교 분석하였다. 주요 평가내용은 증상, 삶의 질, 불안과 우울이었다. 수술 환자군의 15명에서 완전한 치료실패가 있었다. 2년 후 경과 관찰시점에서 수술 환자의 3분의 2에서 배변과 관련된 삶의 질, 배변 자제가 20프로 이상 좋아졌다. 성공적인 결과가 있던 환자의 50%이상에서 출구 배변 장애를 호소했고 8명의 환자는 이 문제로 수술 실패로 분류되었다.

호주의 Chapman 등은 역동적 박근 치환술에 대하여 [illegible] 체계적 문헌 고찰을 시행하였다. [illegible] 는 모두가 환자 사례 보고였다. 유일한 비교연구는 과거 대조군을 사용한 연구였다. [illegible] 제외하고 사망률은 1%였고 환자 한 명당 합병증 발병은 1.12건이었다. 수술의 성공에 대한 정의가 다양하였으나 성공률은 42–58%였다. 이 조사는 결국 '불완전 하거나 혹은 낮은 질의 근거로 인하여 시술의 안정성은 현재 시점에서 결정될 수 없다' 하였고 '효용성은 인정된다'고 결론을 내렸다.

2008년에 Tan 등은 변실금 치료로 역동적 박근 치환술과 인공 항문 괄약근, 장루 조성의 3가지 치료 방법을 비교 분석하였다. 그는 이 논문에서 가장 경제적이고 효과적인 치료는 장루를 조성하는 것이고 인공 항문 괄약근은 10년 뒤에 가장 비용대비 효과적이고, 역동적 박근 치환술은 매우 전문화된 센터에서 변실금의 대체적 치료 방법으로 고려해야 한다고 결론을 내렸다. 이 논문의 허점은 장루는 변 자제를 회복하려는 치료가 아니고 두 가지 치료 방법은 변 자제를 회복하려는 치료라는 점에서 비교에 문제가 있다는 비판을 받게 되었다.

요약

역동적 근육 치환술은 항문 주위의 괄약근의 손상이나 선천적인 원인으로 인하여 괄약근 조직의 대량 결손이 발생한 상황에서 다른 치료 방법이 실패한 환자들을 대상으로 선택적으로 시행되어야 한다. 이러한 경우가 아니면 이 수술 방법은 전반적으로 천수신경 조절술로 대체되는 경향이다.

6. 인공 항문 괄약근 (Artificial Anal Sphicter)

변실금 증상이 심한 환자에서 현재 인정되고 일부 승인된 신경자극시술과 병행하여 시행할 수 있도록 여러 가지 유형의 인공 항문 괄약근 장치들이 개발되고 제안되어 왔다. 이 치료법들은 몇 가지 공통적인 특징을 가지고 있다. 이를테면, 비뇨기과와 같은 연관 전문분야의 혁신과 경험에서 제안되기도 하고 상부 위장관 수술을 하다 아이디어가 나오기도 한다. 이러한 치료법의 개발은 시장진입을 위해 새로운 치료법에 많은 투자를 하는 의료기 회사들의 열정과도 연관되어 있다. 이러한 치료법은 아직 널리 승인되지 않았으며 현재 많은 측면에서 조사나 실험단계에 있는 것으로 보인다. 실현 가능성, 비용 효율성, 내구성이나 재현 가능성 등의 측면에서 여전히 강력한 증거가 부족하기 때문이다.

인공 항문 괄약근(Artificial bowel sphincter, ABS) – Acticon™ Neosphincter.

이 혁신적인 수술 방법은 1990년대에 개발되었다. 이 기법은 티어쉬 와이어(Thiersch wire) 삽입을 정교하게 개조한 것이다. 압력을 조절할 수 있는 동그란 실리콘 팽창 커프를 항문관의 상방에 위치시키고 용액을 주입할 수 있는 튜브를 회음을 통하여 남성의 음낭이나 여성의 음순에 위치한 펌프와 연결한다. 방광 앞 공간에 이식된 압력조절 풍선에 연결한다. 풍선 안에는 대략 100 cmH_2O 압력을 항문 커프에 가하는 등장성 방사선 비투과용액 40 mL가 들어 있다. 컨트롤 펌프는 커프에서 풍선으로 용액이 전달되도록 한다. 환자가 커프를 비우면 항문관이 열려서 배변 활동이 가능하고 배변 후에는 액체가 천천히 커프로 되돌아와 항문관이 닫혀서 배변 자제가 유지된다.

ABS 삽입의 장기 결과를 두 논문에서 발표하였다. 처음 논문은 미국의 클리블랜드 클리닉 플로리다의 ABS 이식 관련 위험인자를 단일기관 연구로 진행했다. 1998년부터 2007년까지 변실금 환자 47명을 대상으로 51건의 ABS 삽입을 시행하였다. 수술 중 23명(41.2%)에서 감염이 발생하였고 이 중 18명(35.3%)은 초기단계 감염, 5명(5.9%)은 후기단계 감염이었다. 첫 배변까지 걸리는 시간은 초기 ABS 감염의 독립적 위험인자로, 2일 이

전에 첫 배변이 발생한 사람에게서 현저하게 높았다. 장루가 있는 환자들도 감염률이 높은 경향이 있었다. 흔히 발생하는 후기단계의 합병증은 기기 오작동, 기기 부식, 지속적인 항문주위 통증, 기기의 위치이동 및 변비였다. 궁극적으로 33명의 대상자 중 3분의 1은 기기 오작동으로 ABS를 제거해야 했다. 이식 후 시간이 지날수록 더 많이 제거해야 했다. ABS를 오래 사용할수록 합병증 발생은 더 많아졌고 때문에 기기도 더 많이 제거하게 되었다.

프랑스 Nantes에서 발표한 두번째 논문은 1996년부터 2010년 사이 인공 괄약근 삽입을 시행한 52명의 환자를 대상으로 ABS의 기능적 결과에 초점을 맞췄다. 최소 1년 동안 약물치료와 골반근육 강화 재활치료에 효과가 없었던 환자들을 대상으로 인공 괄약근 삽입을 시행하였다. 시술의 적응증은 괄약근 파괴, 음부신경증, 회장루, 선천기형이었다. 평균 추적 기간은 64.3±46.5개월로, 52명의 환자에서 26명(50%)은 커프 누출에 의한 기기 오작동으로 인해 교정을 하게 되었고 그들 중 7명(13.5%)은 2회 교정을 하였다. 35명(67.3%)은 마지막 평가까지 기기를 안정적으로 유지하고 있었다. 2명에서 기기가 작동하지 않았으며 14명(26.9%)은 제거하게 되었다. 제거하게 된 대부분의 원인은 감염(42.9%)때문이었다. 수술이 성공적인 35명의 환자에서 최종 추적 관찰을 통하여 변실금 점수와 삶의 질 점수가 현저히 향상되었음을 보고하였다.

Wang 등은 클리브랜드클리닉 플로리다에서 시행한 ABS의 재 삽입을 포함하는 전반적인 결과에 대하여 발표하였다. ABS 수술은 72%에서 높은 수술 실패율을 보여 제거해야 했다. 그 중 커프 천공에 의한 비 감염 합병증으로 다시 삽입을 할 경우 47%의 성공률을 보여 감염에 의한 재 삽입보다는 좀 더 나은 결과를 보였다. 이 시리즈에서 재 삽입한 경우 단기 및 장기결과를 초기삽입과 비교할 수 있었다.

ABS에 대한 체계적 문헌 고찰의 결과 수술 후 교정을 해야 하는 경우가 많고 시간이 흐르면서 효과도 유지되지 못하는 것으로 나타났다. 5년간의 추적 결과로 기기의 작동은 59%의 비율로 안정화되지만 변실금 점수는 시간이 지남에 따라 감소하였다. 그러나 기기가 작동하는 동안에는 환자의 삶의 질에 대한 만족도는 높았다. 출구폐쇄 장애가 빈번하게 발생하였고 심각한 증상은 8%의 환자에서 발생하였다. 수술 전 출구폐쇄 장애의 유무와 추적 기간 동안 배변완하제 및 관장의 사용 정도 등이 좋은 기능적 결과를 나타내는데 유의미한 것으로 보였다. 수술의 결과를 좋게 하기 위하여 제조업자에 의한 기기의 개선과 수술 시 세심한 무균방식의 수술실 환경을 조성하는 것이 필요하다고 결론을 내렸다.

Forte 등도 체계적 문헌 고찰을 통하여, 중증의 변실금 환자에서 ABS 수술은 침습적 이어서 권고안과 맞지 않다고 주장하였다. 그들은 미국 대장항문학회에서 작성한 권고안 내용이 ABS 사용에 호의적이라는 점을 지적하면서 증거가 부족하고 증거의 질이 낮다는 점을 강조하였다. 미국 위장관 학회(the American College of Gastroenterology)는 ABS 증거가 충분하지 않다는 점을 들어 이에 대해 권고 등급을 낮추었다. Forte등은 고찰 결과 ABS의 효과에 대한 결론을 내리기 어렵다고 하였다. 기기가 충분히 작동하는 환자의 경우 변실금의 증상으로부터 양호하게 회복하고 삶의 질에 긍정적인 영향을 가져왔다고 보고하고 있기 때문이었다. 그러나 중요한 것은 감염률이 20-45%로 너무 높다는 것이었다. 이미 알고 있는 것처럼 기기 관련 합병증으로 커프가 접히면서 미세 천공이 발생하거나 시간이 지나면서 마모와 찢어지는 현상 등이 발생하는 문제점도 나타났다. ABS

기기의 교정은 추적 기간이 길수록 증가한다. 이에 따라 ABS의 삽입 건수가 현저히 감소하였다. ABS에 대한 관심과 경험이 풍부한 전문센터에서도 수술 건수가 현저히 감소하면서 ABS는 더 이상 상업적으로 생산되지 않게 되었다. 기존에 기기 삽입으로 만족한 생활을 유지하는 환자에서는 교체할 수 있는 기기의 생산이 중단되는 것은 매우 불행한 일이다. 현재 이를 대체하거나 이용할 수 있는 다른 선택방법이 없기 때문이다.

요약

인공 항문 괄약근은 다른 종류의 치료에 실패한 환자들을 위한 치료법이다. 출구폐쇄 장애와 기기 손상의 문제가 제기되어 왔다. 현재 이 장치는 더 이상 상업적으로 사용할 수 없다.

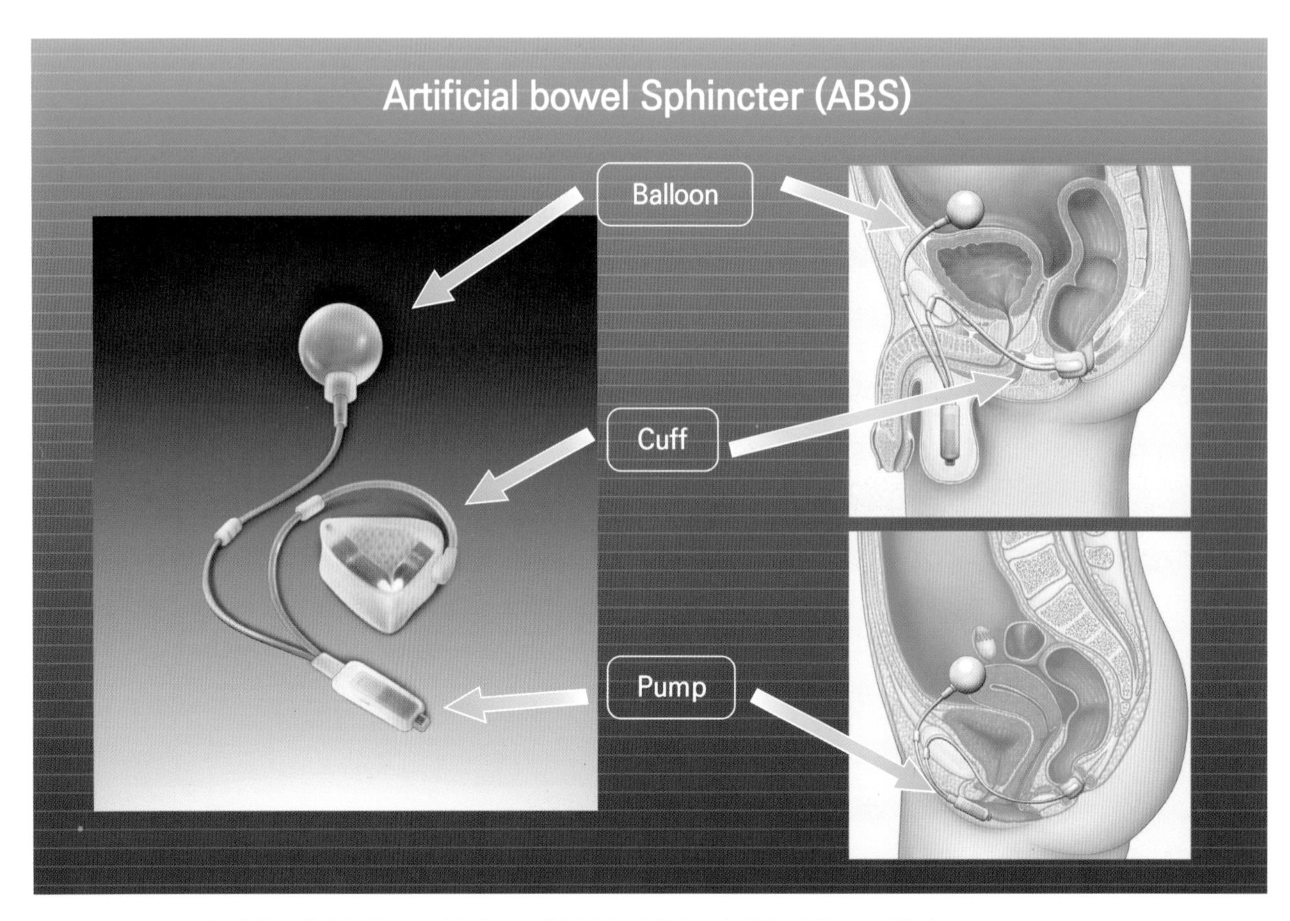

그림 9-4. **펌프를 통해서 풍선의 용액을 조절해서 커프의 압력을 변화시켜서 배변 자제를 조절한다.**

7. 자기 항문 괄약근 (Magnetic Anal Sphincter)

자기 항문 괄약근(Magnetic Anal Sphincter: MAS – Fenix™)은 항문 괄약근의 보강을 위하여 최근에 새롭게 고안된 장치이다. 티타늄 구슬을 여러 개 연결하여 둥글게 만들어 항문에 삽입한다. 구슬은 독립된 티타늄 와이어로 안쪽에서 연결되어 있고 외괄약근 주변에 원형으로 삽입하여 유연한 고리를 만든다. 항문의 크기에 맞추어 제작되고 과거 인공 항문 괄약근(ABS) 삽입보다 수술 방법이 쉽고 간단하다.

회음의 앞쪽으로 절개를 하여 직장질중격을 3–5 cm 깊이로 박리한다. 적절한 크기의 MAS 장치 삽입을 위하여 항문관의 크기를 측정하고 기구를 이용하여 항문 뒤쪽까지 통과시켜 터널을 만든다. MAS를 터널을 통하여 삽입한 다음 장치의 경계 부위를 위쪽항문관 주변에 고정되게 묶고 절개 부위는 배액관 없이 닫는다. 이 수술기기의 안정성 및 단기, 중기 변 자제 효과에 대한 초기 결과는 양호한 편이지만 여전히 조사 중에 있으며 현재 미국과 유럽시장에서 조건부로 사용 가능하다.

ABS와 달리 MAS는 한번 심게 되면 의사나 환자의 추가적인 조작없이 즉시 작동한다. 방사선 투시영상을 보면서 이 기기를 위치시키는데 항문관 둘레를 효과적으로 적절히 측정하는데 도움이 되었다. 이 장치를 삽입한 후 일반 X–ray로 수술 후 장치를 확인할 수 있다. 장치를 삽입하고 나면 MRI는 사용할 수 없다.

다기관 연구를 통하여 우선 단기적으로 합병증이 크지 않고 변 자제 기능 회복이 입증되었다. 이러한 연구 결과를 바탕으로 MAS는 2011년 11월에 유럽의 지정된 기관에서 상업적으로 사용되기 시작했다. Barussaud 등은 23명의 환자를 대상으로 연구를 지속하였고 변실금 점수가 감소하였고 삶의 질 점수는 상승 했으며 2명에서 제거 하였다는 중간결과를 발표했다. 독일에서도 MAS를 심은 18명의 변실금 환자에 대한 결과를 발표했다. 감염사례는 없었고 장치를 제거한 경우는 없었다. 변실금 점수는 17.5점에서 7.3점으로 감소했고 삶의 질 만족도는 4개 항목 모두 개선되었다. 환자가 작성한 배변 일지를 통하여 장치를 심은 76%의 환자에서 50%이상 주당 변실금 횟수가 감소되는 것을 확인하였다.

Sugrue 등은 4개 센터에서 장치를 심은 35명(34명 여성)을 대상으로 이 수술을 시행 받은 환자의 5년 결과를 분석하였다. 23명의 환자에서 5년 추적평가가 이루어졌다. 8명의 환자가 재수술을 받았고, 7명의 환자에서는 기기의 결함과 합병증으로 MAS가 제거되었다. 대부분 장치를 심은지 1년 내에 발생하였다. 20명의 환자에서 배출 장애(20%), 통증(14%), 미란(11%), 감염(11%) 등 13 종류의 불편감을 호소하였다. 성공률은 63%였다. 1년 시점에는 66%였고 3년과 5년 시점에는 53%였다. 수술에 성공한 환자에서 주당 변실금 횟수와 CCFIS 점수는 시술 전보다 상당하게 감소하였고 삶의 질 또한 많이 좋아졌다. Sugrue는 오랫동안 MAS가 잘 기능하고 유지되는 환자의 장기관찰에서 매우 훌륭한 효과를 보였으므로 초기의 합병증을 줄이는 노력이 전체의 결과를 향상시키는 데 중요할 것이라고 결론지었다.

현재 변실금 치료 알고리즘에서 MAS의 역할은 아직 결정되지 않았다. 걱정없이 이 수술 방법이 혁신적인 치료로 선택되기 위해서는 좀 더 많은 수술의 결과와 기술적인 보완이 필요하고 특히 어떠한 환자에게 수술을 하는 것이 좋은 것일지를 선택하는 것이 더 중요한 부분으로 생각된다.

아직까지는 치료받은 환자의 수가 적고 충분히 길지 않은 기간의 경과 관찰만 보고되어 MAS가 오랜 기간

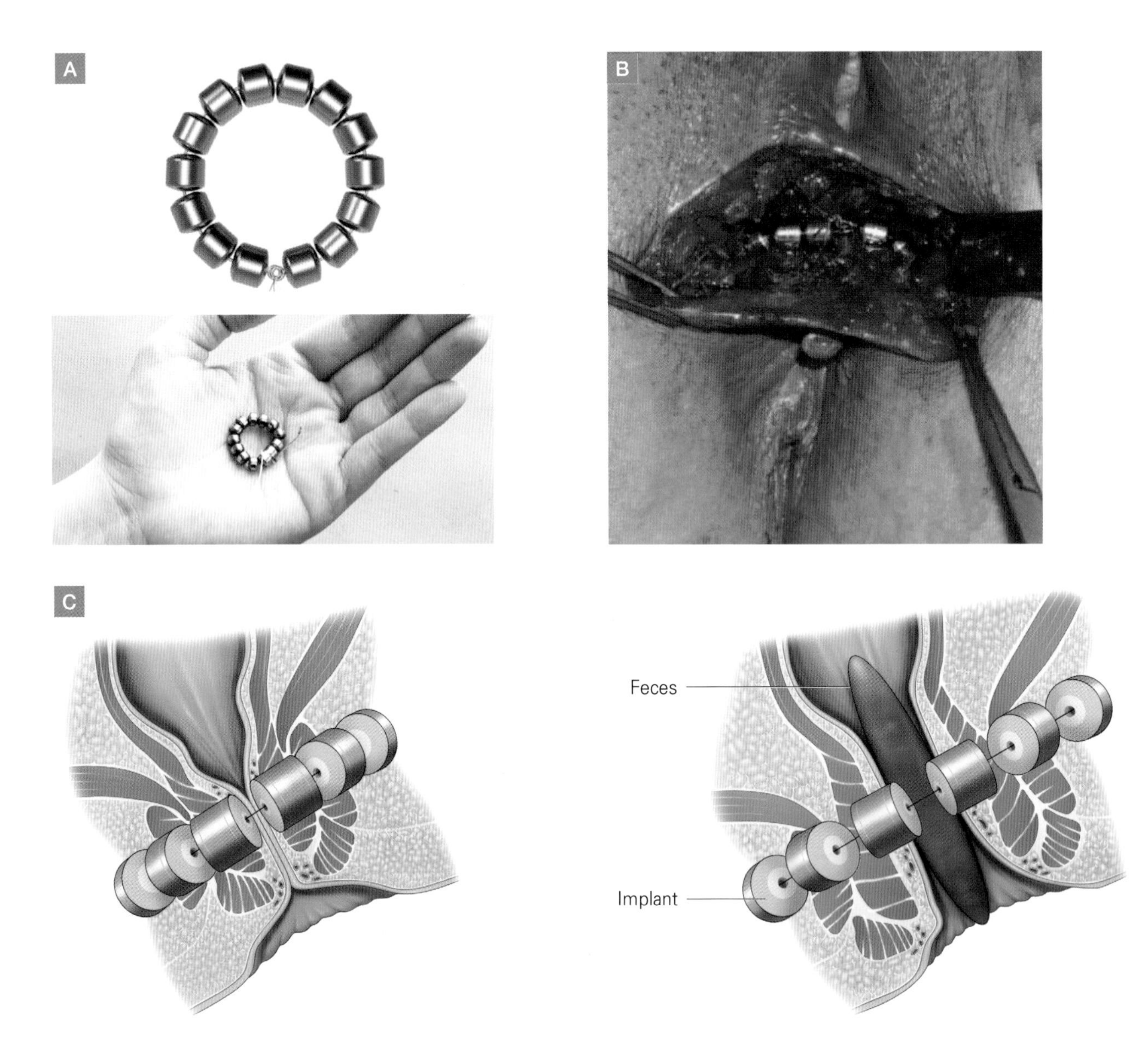

그림 9-5. A. Magnetic Anal Sphincter: MAS 모양 B. 항문 괄약근 주변으로 삽입함 C. 평상시에 수축해 있다가 변이 내려올 때는 벌어짐

어느 정도의 결과를 나타내게 될 것인지는 좀 더 지켜봐야 한다. 프랑스와 영국에서 현재 연구가 진행되고 있고 이 결과가 우리의 궁금증을 풀어주는 데 도움이 될 것이다. 이 무작위 대조연구들은 연구 디자인이 비슷하게 설정되어 있고 변실금치료의 성공과 가격대비 효율에 있어서 MAS를 SNM에 비교하는데 목적을 두고 있다. 조만간 각각 150명 이상과 350명 이상의 무작위 대조군 환자들에 대한 연구결과가 나올 것으로 예상된다.

요약

자기 항문 괄약근은 다른 치료에 실패한 환자들을 위한 새로운 치료이다. 초기 결과는 유망하지만 장기 연구 및 비교연구가 필요하다.

8. 천수신경 조절술(Sacral neuromodulation, SNM)

이 시술은 천수신경자극술(sacral nerve stimulation, SNS)로도 불리운다. 1994년 독일 엘랑겐대학의 Matzel은 요실금 치료에 쓰이는 천수신경 조절술이 변실금 환자의 치료에도 도움이 될 것이라 판단하여 항문 괄약근의 형태적 결함이 없는 변실금 환자를 대상으로 이 시술을 시행하였다. 항문직장의 배변 자제를 담당하는 말초신경, 천수신경의 전기 자극에 의해 불충분한 배변 자제 기관의 잔존기능을 강화하는 개념은 1981년 이후 사용되었다. Tanagho와 Schmidt 등은 3번 천수의 뿌리에 지속적인 전기 자극을 전달하여 배뇨근과 요도 괄약근의 기능을 조절하여 증상이 호전되는 것을 발견하였다. 이 시술방법은 요실금의 치료로는 1997년에 승인을, 빈뇨, 절박뇨 및 만성 비폐쇄성 요정체의 치료로는 1999년도에 FDA의 승인을 받게 되었다. 그 이후 천수신경 조절술은 방광의 기능부전뿐만 아니라 만성 골반통, 방광염 및 변실금의 치료에도 강력한 효과가 있음이 증명되어 왔다.

변실금에서 천수신경 조절술을 적용하는 근거는 환자에 대한 임상적 관찰과 해부학적인 입증을 통하여 가능하게 되었다. 상세히 설명하면 첫째, 항문직장의 변 자제기능, 항문직장각의 개선, 항문을 닫는 압력이 증가하는 등 호전되는 효과가 임상적으로 관찰되었고 둘째, 변 자제에 영향을 미치는 골반저 근육에 분포하는 말초신경과 가장 먼 곳에 분포하는 천수신경의 해부학적 연결고리가 입증되었다. 이러한 관찰결과가 천수신경 조절술이 변실금의 치료에 효과가 있을 것으로 판단하는 근거가 되었다. 즉 천수신경을 자극하면 배변 조절에 영향을 미치는 생리기능을 강화하고 변실금의 증상을 개선할 수 있다는 가설을 세운 것이다.

1) 천수신경 조절술기

천수신경 조절술은 합병증이 적고 안전한 최소 침습

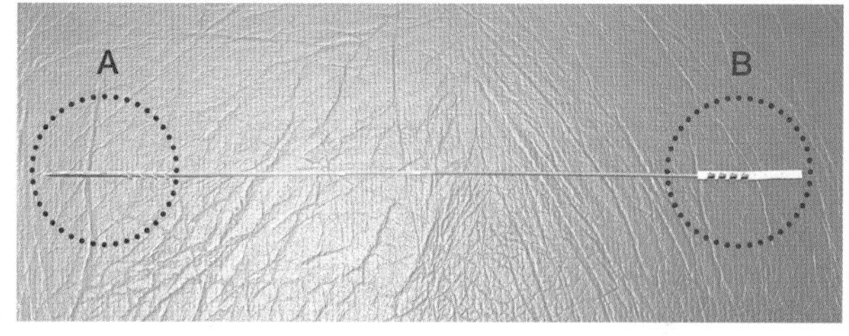

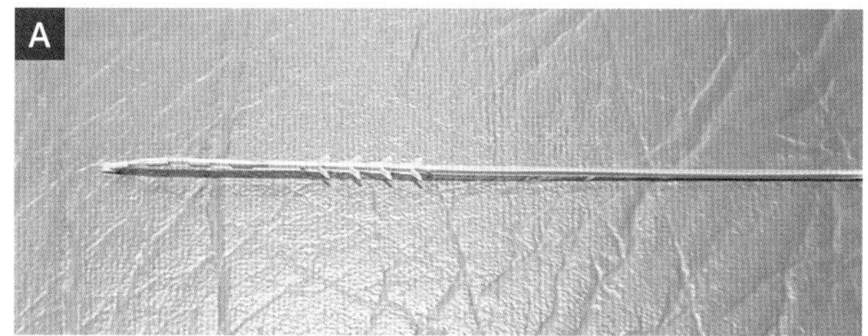

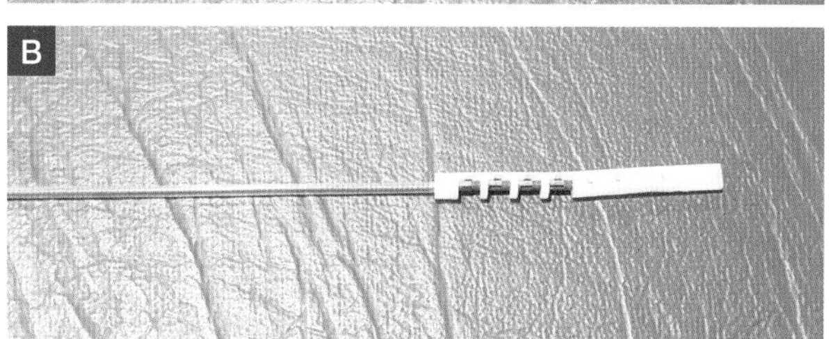

그림 9-6. **Tine lead 앞쪽은 lead가 고정되게 하는 가시(tine)이 있고 뒤쪽은는 신호를 보내는 전극이 있다.**

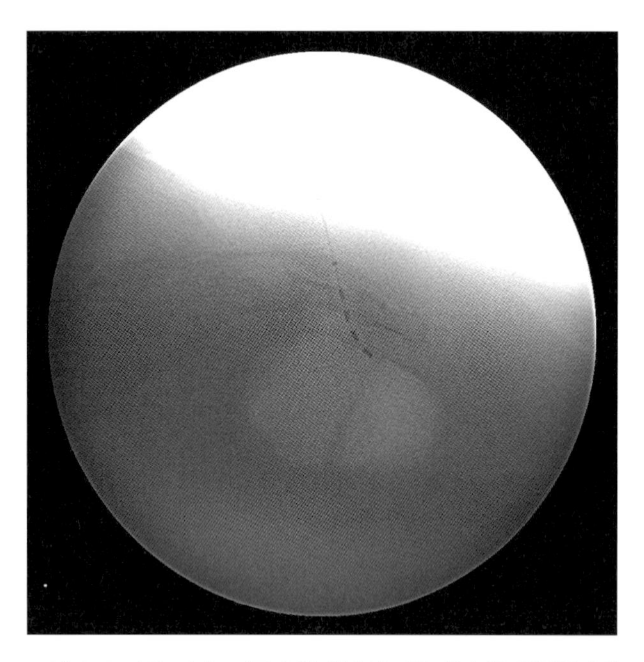

그림 9-7. **Tinel lead를 3번 천수나 4번 천수에 위치시켜서 sacral nerve가 가는 방향대로 tracking 한다. 주로 C-arm을 보면서 위치를 찾고 환자의 below response 등을 보면서 적당한 위치를 조절 한다.**

시술이다. 술기는 두 단계로 나뉜다. 천수신경 조절술의 결과를 예측할 수 있는 특별한 방법이 없기 때문에 시험적 거치술을 통한 신경자극을 통하여 임상적 증상의 개선이 있는지를 확인하는 단계를 거친다. 시험적 거치술을 통하여 변실금의 증상 개선에 효과가 있다고 판단되는 환자를 대상으로 영구 조절기인 펄스발생기(implantable pulse generator, IPG)를 삽입하게 된다.

1단계 시험적 거치술을 경피 신경평가(Percutaneous Nerve Evaluation, PNE)라 한다. 이 단계는 천수신경 조절이 환자에 치료 효과가 있는지를 평가하는 작업이다. 펄스발생기를 영구적으로 삽입하기 전에 신경 조절에 의한 만족스러운 신경의 반응이 있는지를 확인하고 신경 조절의 임상효과를 판단하기 위하여 시행한다. 통상 우리나라에서는 시험 거치술은 2주간 수행되며 배변 일지 작성을 통하여 이 기간 동안 변실금의 빈도가 50% 이상

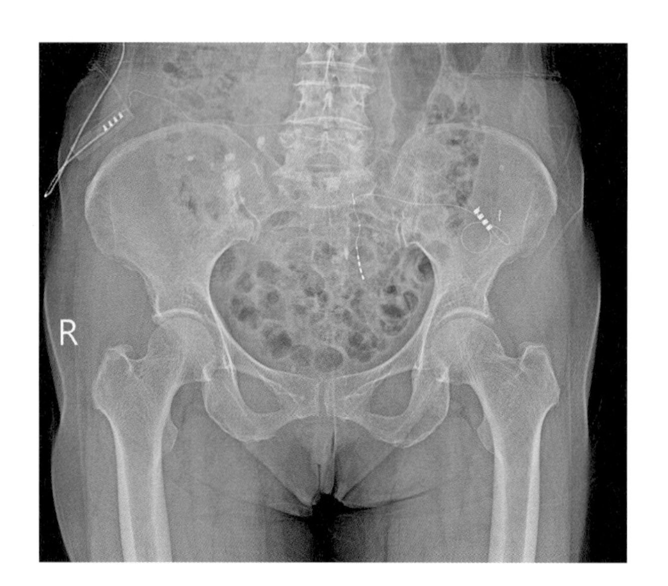

그림 9-8. **PNE를 시행한 사람의 X-ray 사진.** 외부 확장 케이블을 통해서 tine lead가 심겨진 반대쪽으로 외부 자극기가 연결되어 있다.

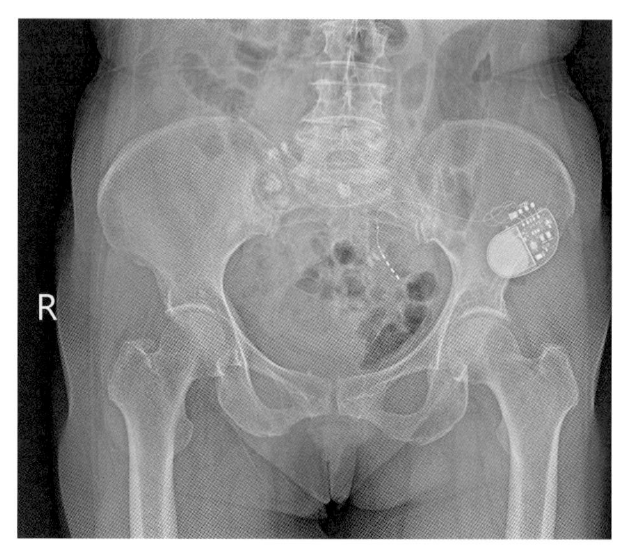

그림 9-9. **IPG를 심고 난 뒤 X-ray.** 외부 확장 케이블을 제거 하고 IPG를 삽입하였다.

감소하는지 또는 자극을 중단하게 될 경우 원래의 변실금의 상태로 돌아가는지를 확인하여 이 시술방법이 효과가 있는지를 판단한다. PNE에는 과거에 두 가지 기술 옵션이 있었다. 임시로 단극의 시험전극을 거치하거나 소위 'Foramen electrode'라고 하는 4중 전극을 3번 천수나 4번 천수에 위치하여 타겟 신경에 가까이 위치시키는 방법이다. 한 방향으로 고정되게 고안되어 있는 전극은 제 자리에 머물며 잘 움직이지 않게 고안되어 있다. 그러나 최근에는 더 이상 두 가지 방법의 시험 방식을 사용하지 않고 있다.

본원에서 사용하고 있는 안전하고 안정적인 최소 침습시술 방법은 소위 'Tined lead'라 하는 전극을 정확한 위치를 확인하고 고정시키는 방법이다. 이 방법은 전극을 정확한 위치에 삽입 고정하기 위하여 앞 쪽이 구부러진 부드러운 리드를 통하여 음부신경의 주행을 따라 보다 정확하게 전극을 표적신경의 뿌리에 위치시킬 수 있게 된다. 표적신경에 정확하게 전극이 위치하게 되면 두 개의 분리된 선을 통하여 영구적으로 펄스발생기를 삽입할 위치에서 멀리 떨어진 피부를 통하여 외부확장 케이블로 연결시킨다. 이는 전극 선과 펄스 발생기 삽입부위의 감염을 방지하기 위한 개선된 방법이다.

다음 단계는 시험적 거치술이 효과가 있음을 확인하고 성공적으로 변실금의 증상개선이 확인될 경우 펄스발생기를 안전한 위치에 삽입하게 된다. 펄스발생기의

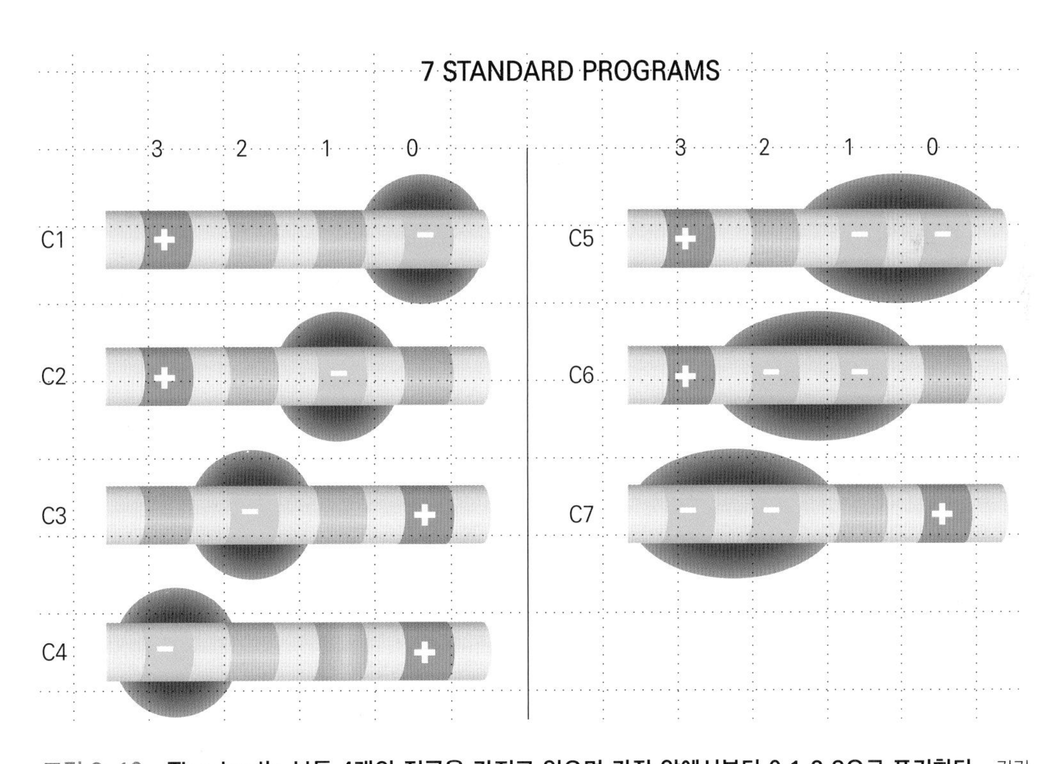

그림 9-10. **Tine lead는 보통 4개의 전극을 가지고 있으며 가장 앞에서부터 0 1 2 3으로 표기한다.** 각각 전극에 양극과 음극을 설정한다. 일반적으로 7개의 프로그램을 두고 있으며 lead의 위치와 자극을 주었을 때 환자의 반응을 보면서 적당한 프로그램을 설정한다. 7개의 프로그램으로 적당한 효과를 보지 못하는 경우 다르게 설정할 수도 있다.

삽입에 따른 치료의 예후는 시험 거치술 때 환자가 느끼는 감각이나 항문 반사(below response), 발가락 굴곡 반응(toe flexion) 등이 모두 달성될 때 결과가 가장 좋을 것으로 기대한다. 시험적 거치를 시행하는 환자는 통상 2주 동안 이 시술이 제대로 반응하는지를 확인하고 심사평가원의 허가를 기다리게 된다. 필자는 2017년 천수신경 조절술을 처음 시작하였고, 여전히 국내에서는 아직까지 확산되지 않은 초기단계의 시술이다. 때로는 심사평가원으로부터 펄스발생기 삽입에 대한 허가가 지연되는 수가 있다. 이러한 때는 전선으로 인한 감염의 발생을 예방하기 위하여 외부 확장 케이블을 제거하게 된다. 특별한 사연이 없는 경우 4주–8주 정도 지나 허가가 나고 영구적으로 펄스발생기를 삽입하게 된다. 과거 치료 효율을 높이기 위하여 양방향으로 신경자극 리드를 거치하기도 하였으나 최근의 연구 결과 양방향 거치가 단방향 거치보다 추가적인 이득이 없는 것으로 나타나 더 이상 양방향 거치는 하지 않는다.

펄스발생기는 일반적으로 앉거나 누워 있을 때 환자가 불편하지 않고 잘 움직이지 않는 엉덩이의 깊은 위치에 심어주게 된다. 펄스발생기를 작동시키고 펄스의 양상과 빈도, 세기, 주기 등은 외부 조절기로 프로그래밍하여 조절하고 설정할 수 있다. 전극의 위치나 펄스의 빈도, 주기는 주로 의사나 기기회사의 프로그래머가 초기에 설정해 주고 있다. 환자는 소형 휴대용 프로그램 조절기를 이용하여 스스로 세기를 조절하거나 기기를 활성화시키는 정도의 작동을 할 수 있다. 통상 프로그래머는 사전에 설정된 4가지 상황의 프로그램이나 변형된 3가지를 포함하여 7가지 이상의 프로그램으로 기기를 설정할 수 있으며 환자의 경과를 지켜보면서 프로그램을 변환하기도 한다.

2) 환자의 선정과 적응증

천수신경 조절술이 도입된 초기에는 항문 괄약근과 항문거근의 결함이 없는 변실금 환자만을 대상으로 이 시술을 시행하였다. 그러나 최근에는 다양한 원인으로 인해 발생되는 변실금을 천수신경 조절술로 치료를 하고 있다. 시험적 거치로 인한 시술결과가 예측이 가능하게 됨에 따라 시행착오를 통하여 보다 실용적이고 실질적인 접근 방식으로 환자의 선택이 이루어지고 그 결과는 진화되고 있다. 더 이상 작동 메카니즘의 개념에 따른 고민보다는 실제적으로 시험적 거치를 통하여 이 방법이 효과가 있는지를 판단하고 나서 시술을 진행하게 되었다. 시술자는 명확한 항문피부의 반응과 같은 전극을 이용한 음부신경 자극에 대한 근육반응을 육안으로 직접 확인 할 수 있게 되었다. 따라서 시험적 거치를 받은 환자에서 반사 활동이 명백히 존재하면서 시험적 거치가 완성되고 이후에 2주간의 평가기간을 거치면서 환자의 만족도를 확인한 이후 영구적 펄스발생기를 삽입하는 단계를 거치면서 이 시술의 최종 선택과 성공률은 높아지게 되었다.

현재 시험적 거치술은 IPG(펄스발생기)를 영구목적으로 심어서 이익을 얻을 가능성이 있는 환자를 판단하고 선택하는 데 있어 신뢰할 수 있는 유일한 방법이다. 천수신경 조절술의 잠재적 성공 예측인자를 파악하기 위한 다양한 연구들이 시도되어 왔다. 그 중 흥미로운 것은 항문 괄약근 손상은 시험자극을 하는 동안 실패와 더 큰 관련이 있지만 영구 삽입술의 결과와는 관련이 없다는 것이다. 시험자극을 시행한 245명의 환자와 영구자극기 거치를 시행한 169명의 환자를 대상으로 한 대규모 단일기관 연구에서 Govaert 등은 단변량 분석에서 나이(70세 이상), 손상의 크기와 상관없이 외괄약근 결손의 존재유무, 초기 시험 거치에 실패하여 반복적인 시술을 한 경우 등이 유의미하게 시험적 거치가 실패할 수 있는 요인이 됨을 밝혀냈다. 다변량 회귀분석에서 외괄약근 결손이 있거나 반복적인 시술을 하는 등의 변수가 시험 거치의 성공여부와 연관관계가 있음을 알 수 있었다.

Brouwer와 Duthie 등은 IPG(펄스발생기)를 삽입한 55명의 환자에 대한 코호트 분석에서 괄약근 결손, 음부신경증, 괄약근 재건술의 과거력이 있는 환자들에게 실금 점수가 큰 차이가 없다는 것을 보고하였다. Melenhorst 등은 괄약근 재건술을 한 환자 및 최대 33%의 외괄약근 손상을 가진 환자에서 영구적 SNM(천수신경 조절술)의 결과의 차이를 발견하지 못했다. 그들은 괄약근이 형태학적으로 완전한 경우가 성공적인 SNM를 위한 전제조건이 아니라고 결론지었다. Maeda 등은 성공률 78.3%의 시험자극을 받은 244명의 환자에서 시험적 거치 중 감각의 역치가 낮거나 천골 피질 전방의 리드 위치 등이 PNE의 결과의 긍정적 예측 변수로 보고하였다. 변의 낮은 점도, 설사, 자극에 대한 강도 등이 SNM의 성패에 대한 독립적인 예측 요인임을 확인하는 여러 연구들이 있었다.

Vallet 등은 45명 환자를 대상으로 시행한 코호트 연구에서 32명(71%)에서 시험자극이 성공했다. 33개월의 중간 추적에서 IPG는 25명(55%)에서 제자리에 있었고, 23명(51%)에서 작동하였다. 항문 생리검사 등은 IPG를 삽입한 32명의 환자와 그렇지 않은 13명의 환자 혹은 IPG가 작동하는 23명의 환자와 비교하여 통계적으로 유의한 차이를 발견할 수 없었다.

Altomare 등은 228명의 SNS환자를 대상으로 한 60개월간 추적 관찰한 결과 결정적인 성공의 변수를 찾아낼 수 없었다. 그가 조사한 변수는 인구통계, 테크닉, 증상의 심한 정도 및 원인(연령, 성별, PNE와 Tined lead 테스트 방법, IPG 삽입방향, IPG 삽입위치, 괄약근 손상유무, 손상 범위, 변실금의 유형 및 변실금의 기본 횟수, CCFIS 변실금 점수, 성 마크 변실금 점수) 등이었다. 일주일에 6회 이하 발생하는 변실금, 변실금 점수가 8점 이하인 변수들이 실패율이 낮은 것과 연관되는 것으로 보고하였다.

SNM에 대한 금기에는 척수의 선천기형과 같이 천골의 병적 상태로 인하여 리드를 적절하게 거치하지 못하거나, 거치 부위의 피부질환, 대량 괄약근 손상, 외상의 후유증으로 배뇨장애 또는 방광 용적이 낮은 경우, 임신, 출혈 경향, 심리적으로 불안해하거나 낮은 정신연령, 신경 조절기의 작동을 방해할 만한 인지기능저하, MRI를 시행해야 하는 경우, 제세동기나 심장 박동기를 달고 있는 경우 등이 있다. 수술 중 모니터 가능한 심장박동기를 심고 있으면서 기기 간의 거리가 8인치 이상일 경우 간섭 가능성이 낮다는 증례 보고가 있다.

3) 천수신경 조절술의 작동 기전

SNM (sacral neuromodulation)의 작동 기전은 어떤 점에서는 불확실하다. 항문직장 생리검사에서 연관관계를 발견한 임상결과도 있으나 장기적인 자극의 효과는 매우 다양하게 보고되고 있다. 결장, 직장, 항문기능 데이터를 모니터링한 결과 모순되는 점도 많고 또 결론을 내리지 못하거나 다시 재현할 수 없는 경우가 많았다. 대개 그 효과는 체운동신경(somatomotor), 체감각신경(somatosensory), 자율신경(autonomic nervous system)을 기반으로 체 내장 반사(somatovisceral reflex)를 조율하는 것으로 설명된다. 그 효과는 변 자체를 담당하는 장기 자체에 국한되지 않고 중추신경계에도 영향을 미치는 것으로 보인다. SNM을 시행한 환자에서 대뇌 피질을 통한 항문의 흥분이 감소하는 것을 발견할 수 있었다. SNM이 성공적으로 시행된 환자에서 대뇌 체신경유발전위 지연은 정상인보다 기준치가 높았으나 SNM에서 실패한 환자에서는 정상이었다. 또한 시술의 성공여부가 신경유발전위 지연 시간이 40 Hz에서 한 달 동안 신경조절을 한 후 정상 범위로 떨어지는 것과 관련이 있었다. Giani 등은 SNM으로 대뇌 피질에 항문영역표시의 변화를 유도하는 것을 보고하였다. SNM에 의해 유도된 중추신경계의 영향은 SNM의 시기에 따라 변화한다. 초기에는 전두엽 피질에서 초점 집중에서 관찰되며 이후에는 학습과 관련된 영역인 같은 방향의 미상핵(caudate nucleus)에서 확인할 수 있다.

항문직장 및 대장 운동의 질적 변화가 관찰된다. 예를 들면 자발적 직장운동복합체의 감소, 자발적 항문괄약근 이완, 상행결장에서 순방향 운반의 감소 혹은 변화 없음, 배변 시 하행결장에서 역방향 운반이 증가, 직장 인지 역치의 증가 및 SNM 중 골반 바닥 수축 개선 등이 발견된다. 직장용적은 일정하지 않거나 변화가 없거나 증가하였다. 또한 위 정체, 위 유출, 소장 운반, 대장통과의 변화는 발견되지 않았다. 항문직장의 외부 생리기능이 천수신경을 통한 구심성 신경섬유자극에 의해 영향을 받는다는 연구가 있었다. 대뇌 피질 항문간 경로, 뇌간이나 중추신경계와 척수의 특정부분이 연관이 있는 것으로 보인다. 특정 병리학적 조건에서는 세밀한 관련성이 입증되지 않았지만, 점막의 신경화학 반사에 대한 영향도 나타났으며, Substance P와 TRPV1 수준의 상승이 관찰되었다. 작동 메커니즘은 여러가지 복합적일 가능성이 높고 변실금의 원인과 기저 질환에 따라 달라진다.

4) 천수신경 조절술의 결과

SNM의 실행과 시행착오, 환자 선택의 결과를 보고한 많은 연구들이 있다. 대부분의 연구에서 각기 다른 병태 생리를 가진 환자를 대상으로 하였고 연구의 설계와 환자의 수도 다양하였으나 IPG를 영구 삽입하는데 대한 시험적 자극의 기준에 대해서는 같은 견해를 가지고 있었다. 임상의 결과는 대개 시술 후 관찰 기간 동안 변실금의 발생의 유무, 변실금 횟수의 개선, 이러한 개선의 비율, 변실금 점수 및 삶의 질 변화 등으로 보고되었다.

적응증을 국한시켜 이에 부합하는 환자에서 시행한 다기관 전향적 임상연구가 있었다. Matzel 등은 37명의 환자중 34명에서 IPG 삽입을 하였다. 그는 변실금 발생의 빈도와 변실금 점수가 크게 향상되고, 변을 참는 능력도 크게 향상되는 것으로 보고하였다. 이러한 효능은 시술 즉시 나타났다. 다수의 사례연구가 발표되었지만, 무작위 대조 연구의 수는 적었다.

Melenhorst 등은 100명의 환자에서 시행한 연구에서 성과를 조사하였다. 후기 실패는 50% 이상 증상호전이 없는 경우, 다른 방식의 치료법을 시행해야 하는 경우, 환자의 불만이 있는 경우로 규정하였고 총 21명의 환자에서 발생하였다. 실패까지 평균 기간은 13.6개월이었으며 이들에서 전극의 이동이나 파손과 같은 기술적인 실패의 증거는 없었다.

Wexner 등은 좀 더 큰 규모의 다기관 연구를 진행했는데, 역시 변실금 증상의 완화로 SNM의 효과를 정의하였다. 112명의 SNM 환자 중 83%에서 50%이상의 증상개선을 얻었고 효과가 입증된 환자의 41%(12개월)에서 완전히 호전되었다. 평균 추적 관찰 기간은 28개월이었다. Mellgren 등은 평균 3.1년 추적기간에서 전체 혹은 부분적인 데이터를 사용할 수 있는 환자를 대상으로 86%에서 변실금 발생이 50% 이상 감소했으며, 40%가 완전한 증상의 호전을 보였다. 증상개선으로 삶의 질은 향상되었고 관찰 당시 안정적이었다. 최종 관찰 결과 분석을 보면, 3년간 증상의 50% 감소로 보인 시술의 성공률은 78%이며, 누락된 데이터가 실패로 분류된 경우에서는 3년 후의 성공률은 59%였다. 5년(환자 중 63%)에서 8년 이상으로 장기 추적결과도 있었는데 변실금 에피소드가 5년간 일주일에 평균 9.1회에서 1.7회로 감소했으며 89%에서 변실금이 50% 이상 개선되었고 36%는 완전 호전된 것으로 보고하였다. 5년 후 환자의 81%에서 치료 효과가 있었다.

Thin 등은 2001년부터 2012년까지 61건의 체계적 문헌 고찰을 통하여 성공적인 PNE 후 IPG를 삽입한 경우(Per protocol: PP)를 PNE를 한 경우(intention to treat, ITT)와 비교해보면 주 당 변실금 에피소드가 50%이상 호전되는 비율이 더 높은 것을 발견했다. 2015년까지 발표된 SNM 장기 결과 요약에는 745명의 환자에서 평균 추적 관찰 85개월(44–118)의 12개의 연구 결과가 포함되었는데 과거의 Thin 등의 연구 보고와 마찬가지로 PP가 ITT보다 증상개선의 효과가 더 큰 것으로 보고하였다. 증상개선은 78% 대 50%, 완전 호전도 평균 36% 대 20%로 높았다.

임상적 효과를 입증하기 위하여 많은 연구에서 변실금 에피소드의 횟수, 관찰 기간 중 변실금 에피소드, 배변을 참을 수 있는 능력, 시술에 대한 호전 비율 등을 정량적 측정 방법으로 사용한다. 2000–2008년 동안 790명의 환자를 대상으로 시행한 메타 분석에서, SNM 이전과 이후 주당 변실금 에피소드의 횟수를 비교한 28개의 연구와 변실금 점수를 비교한 14개의 연구를 살펴보면, 치료 결과가 크게 개선되는 것을 발견할 수 있었다. 또 다른 9개의 연구에서도 변을 참을 수 있는 능력이 향상됨이 입증되었다.

최근 SNM에 대한 코크란 리뷰에 적은 수의 무작위 대조군 연구(RCT)가 포함되어 있었다. Tjandra 등은 SNM을 시행한 환자 군과 케겔운동, 팽창성 식품, 식이요법 등으로 구성된 보존적 치료를 시행한 환자군을 12개월간 추적 관찰하여 비교 분석하였다. 53명의 SNM 환자의 결과는 60명의 보존적 치료 환자보다 월등하였다. 여기에는 변실금 에피소드 횟수, 생활양식, 변실금에 대한 대처, 우울증이나 자가 인지, 당혹감 등에 대한 조사가 있었다. 모든 항목에서 SNM의 결과가 월등하게 좋은 것으로 보고되었다.

SNM과 PTNS(경피 경골신경 자극)를 비교한 연구도 있었다. Thin 등은 이 연구를 통해 SNM의 치료 효과가 좋음을 보였는데 평균 변실금 에피소드는 SNM 직후부터 3개월, 6개월 각각 11.4, 4.0, 4.9회였다. 반면 PTNS는 10.6, 5.8, 6.3회였다. 변실금 점수는 SNM의 경우 16.2, 11.1, 10.4 였고 PTNS의 경우 15.1, 11.7, 12.1였다.

Vaizy 등은 기기를 2주간 껐다가 다시 켜는 것을 반복하여 기기를 켰을 때 효과가 있는 것을 확인하여 보고하였다. Leroi 등은 34명의 환자를 대상으로 이중 맹검 교차 다기관 연구를 보고했다. IPG 삽입 후 참가자들은 펄스발생기를 켠 상태에서 1–3개월 조절하는 단계를 거쳐 가장 효과적인 자극의 지표를 결정하였다. 이후 무작위로 전원을 켠 모드와 끈 모드로 군을 나누어 1개월간 관찰하였고 다음 1개월간 모드를 반대로 바꾸어 관찰하였다. 그 후 본인이 더 효과가 좋았던 모드로 유지하여 3개월간 관찰하였다. 24명에서 임상시험을 마친 결과 자극이 있는 기간(전원을 켠 모드) 동안 변실금의 빈도수는 뚜렷하게 감소하였다. 변 절박 에피소드 빈도, 변 자제의 시간지연 또는 주당 배변 활동 평균 수에 대해 자극이 있는 것과 없는 것 사이에 유의미한 차이가 관찰되지 않았다. 자극이 있는 동안 변실금 점수가 개선되는 경향을 보였다. 24명에서 모두 자극이 있는 동안 호전되었다고 생각했지만 자극이 없는 동안에도 17명(63%)이 호전되었다고 느꼈다. Kahlke 등은 크로스오버 실험을 통하여 평균 26.8개월 SNM을 가지고 있던 31명의 환자 중 16명에서 각각 자극을 켜고 끄는 2, 3주간의 교차 설계에서 무작위로 추출하여 조사하였다. 6주 후, 환자들이 선호하는 자극기간을 선택하도록 하였는데 16명 중 14명에서 켜진 모드를 선택하였다. 이 때 자극이 없는 기간에 비해 주당 변실금의 발생 횟수가 현저히 줄었다. 주간 전체 배변 횟수도 유의미하게 감소하였다.

5) 항문 괄약근 결손이 있는 환자에서 천수신경 조절술

SNM의 초기 경험에서는 항문 괄약근이 손상 없이 완전히 보존되어 있고 기능적인 이상이 있는 경우만 시술의 적응으로 판단하여 왔다. 그러나 시술의 경험이 더해 감에 따라 항문 괄약근 손상의 복원 후에도 변실금의 증상이 있는 환자에서 또는 괄약근의 손상이 있는 경우에도 SNM이 치료의 한 방법이 될 수 있다는 증거들이 증가하기 시작하였다.

Dudding 등은 경항문 초음파 검사에서 항문 내괄약근 결손이 있는 경우라도 SNM의 성공과는 무관하다고 주장했다. 초음파에서 괄약근의 25-33%의 손상이 있는 환자 5명 중 3명에서 SNM후 증상의 호전이 있었다는 첫 번째 보고 이후에 여러 연구가 발표되었다. 이들 연구에서 괄약근 결손의 정도에 관한 기원과 형태적 소견은 서로 다르지만 180도까지의 병변이 있는 경우도 치료된 바 있었다. 임상증상의 개선은 변실금 에피소드의 빈도 또는 변실금 점수로 측정된다. 모든 연구에서 상당한 수의 환자에서 임상증상의 개선이 관찰되었다. 그러나 아직 추적 관찰은 여전히 제한되어 있다.

Melenhorst 등의 연구에 따르면 둘레의 17-33%에 괄약근 결손이 있는 환자에서 일차적으로 SNM을 사용하는 것이 괄약근 복원술에 실패한 후 SNM을 사용한 경우와 유사한 결과를 초래한다고 밝혔다. 어떤 연구에서는 30-150도 이상의 분만에 의한 괄약근 손상을 받은 8명의 환자에서 6명이 SNM을 통해 26.5개월 관찰한 결과 변실금 횟수가 감소하였고, 변 자제 능력이 향상하였으며 삶의 질 평가 지수의 향상을 보였다. 괄약근 결손의 범위와 증상의 개선 사이에 상관관계는 보이지 않았다. 크론병으로 인한 괄약근 손상 환자에서 SNM이 유익함을 입증한 연구도 있었다.

1995년-2011년 사이에 괄약근 손상이 있는 변실금의 SNM치료에 대한 10개의 연구 자료에 대한 고찰이 있었으며 대상 환자는 119명이었다. 이 중 106명(89%)에서 PNE 이후 IPG 삽입을 하게 되었다. 이 환자들은 항문 초음파로 항문 괄약근의 병변을 확인하였으나 결과 보고는 일정하지 않았다. 추적 관찰의 범위는 4.5개월에서 48개월이었다. 변실금 에피소드 수는 12.1에서 2.3으로, 변실금 점수는 16.5에서 3.8로 개선되었다. 배변 자제의 능력은 크게 개선되었고 거의 모든 연구에서 삶의 질이 현저하게 향상되었다.

SNM은 또한 명확한 병리적 소견을 가지거나 항문직장 병태 생리를 가진 환자에서 그 숫자는 적으나 여러 증례 보고를 통하여 치료의 가능성을 보여주었다. 예를 들면 근 위축증, 대장직장 전 절제 후 회장항문 J 낭 재건, 척추 디스크 탈출과 같은 신경 기능장애, 직장 탈출증 교정, 직장암 절제술 및 항암 방사선 요법, 자궁내막이나 항문직장암 환자에서 방사선 치료, 외상으로 인한 음부신경증, 척추 이분증, 외괄약근 위축으로 인한 변실금 등의 환자에서 SNM의 치료 효과를 보인 연구들이 있었다.

6) 삶의 질

SNM의 치료 효과는 시술에 따른 삶의 질의 향상을 평가하는 방법이나 측정도구가 개발되면서 정량적인 분석이 가능하게 되었다. 이에 따라 시술의 성과에 대한 평가도 진전을 보였다. 현재까지 개발된 삶의 질에 대한 평가 방법 중에 CCIS, SF-36, FIQOL과 ASCRS FIQL 측도가 보편적으로 사용된다.

Matzel 등은 다기관 연구를 통해 미국 대장항문 학회 삶의 질 평가도구(American Society of Colon and Rectal Surgeons Fecal Incontinence Quality of Life, ASCRS FIQL)를 사용하였는데 SNM을 한 환자에서 ASCRS FIQL의 4가지 측도가 모두 크게 향상되었다. SF-36 점수는 8개의 측도 중 7개에서 향상되었고 가장 뚜렷한 것은 사회성과 정신 건강 삶의 질 측도가 적용되었을 때 제일 명확하게 나타났다. 사회성 회복이 통계적으로 중요하게 개선됨을 보였다. Leroi 등이 ASCRS FIQL의 프랑스버전을 사용하여 비슷한 결과를 보였고 환자의 마지막 추적 당시에 생활패턴의 변화와 변실금 발생 시 대처 방법, 우울증, 자기 인식이나 당황함 등에서 의미 있게 개선되었다. Hetzer 등은 6개월 관찰을 통하여 소화기협회 변실금 점수를 사용하여 96점에서 107점으로 좋아지는 것을 보고하였다.

대부분의 연구에서, 결과를 판단함에 있어 삶의 질을 평가하는 것은 2차적인 결론이다. 이 방법을 사용할 때 증상 완화와 관련되어 더 긴 관찰 기간 동안 안정된 상태를 유지하는 것을 파악할 수 있다. 실제로 다수의 5년 이상 추적 관찰한 장기 데이터에서 삶의 질 평가지수의 4가지 측도가 모두 크게 개선되었음을 관찰할 수 있었다.

총 790명의 환자를 대상으로 한 34개 연구를 체계적 문헌 고찰을 통해 분석했다. 98-102명의 환자를 대상으로 한 7개 연구와 199명의 환자를 대상으로 한 9개 연구에서 ASCRS FIQL 데이터를 분석한 결과와 SF-36 결과는 통증을 제외한 모든 범주, 즉 육체적 기능, 사회적 기능, 신체적 역할, 정서적 역할, 정신적 건강, 생명력, 전신건강 항목에서 크게 개선되었다. 삶의 질 지수평가 결과는 생활패턴, 대처나 행동 능력, 우울증 및 자기 인식, 당황함 등에서 의미 있게 향상되었다. 평균 46개월 동안 SNM 환자를 관찰한 2개 기관의 연구에서 127명 중 108명에서 배변과 삶의 질에 대해 설문하였다. 검증되지 않은 점수를 사용하여 75.8%가 만족하다고 보고하였는데 대부분 임상증상 개선과 연관이 있었다. 마지막 추적 관찰에서 변실금 에피소드의 50% 감소를 달성하지 못한 23명의 환자 중 11명이 만족하다 표현하였으나 그 중 6명에서는 기준보다 변실금 에피소드가 많았다.

위에서 언급한 연구 중 무작위 대조군 연구 4건은, SNM의 임상 효과와 삶의 질을 판단함에 있어 SF-12, ASCRS FIQL; SF-36; ASCRS FIQL French version; 및 ASCRS FIQL, SF-36, EQ-5D; 등의 다양한 측정 도구를 사용하였다. EQ-5D를 제외하고 모두 개선된 것으로 나타났다.

7) 경제적 효율성

SNM의 전체 시술에 필요한 비용은 만만치 않은 가격이어서 비용 효율성에 대해 궁금할 것이다. 효율성에 대한 문제는 유럽의 연구에서 수차례 입증되었다. Hetzer 등은 34명에서 SNM의 비용을 보존적 치료, 전방 괄약근 성형술, 역동적 박근 치환술, 장루 설치 등과 비교했다. 5년간 누적 비용을 계산해 봤을 때 2020년 2월 환율 기준으로 SNM에 필요한 비용은 2천5백만 원이었으며, 장루를 했을 때 4천6백만 원(연간 6백8십만 원), 역동적 박근 이식은 4천5백만 원과 비교된다. 보존적 치료는 연간 약 5백만 원, 괄약근 성형술은 7백만 원 정도였다.

Muñoz-Duyos 등이 시행한 연구에서 평균 34.7개월간 관찰한 57회의 PNE를 시행한 47명의 환자와 영구적인 단방향 이식 수술을 시행한 29명의 환자를 대상으로 SNM의 의료비를 분석했다. 전체 비용은 5억 원(371,434유로)에 달했다. 괄약근 손상이 없는 환자에서 SNM은 0.34년 동안 변실금이 없게 하여 1,054유로의 추가 비용을 덜게 되어질 보정 생존년(quality-adjusted life-year, QALY)당 16,181유로의 비용 대비 효율이 발생하였다. 전국적으로 허용되는 한계치는 약 30,000유로/QALY이다. 2008년 데이터를 기반으로 SNM을 시행하는 것은 이들 환자의 관리에 0.07-0.1%의 비용을 더하는 것으로 보고되었다.

SNM의 시험적 거치 및 영구기기 삽입을 받은 70명의 환자에서 미리 제공된 데이터를 기반으로 한 의사결정 분석 모델에서 주당 변실금 에피소드를 기준치 6에서 0.5로 줄였다. Dudding 등은 직접 의료 및 비 의료 비용을 기반으로 한 결과, QALY당 25,070파운드의 SNM으로 증분 비용 효율성 비율(incremental cost-effectiveness ratio, ICER)을 발견했다. 변실금 238회의 증상을 감소시키는데 연간 1,038파운드가 들었고, 횟수로 따지면 3.61파운드이다. ICER는 QALY당 25,070파운드로 영국 전역에서 승인된 QALY 한계값당 30,000파운드의 범위 내에 있었다. Indinnimeo 등은 여러 보고와 전문가의 의견을 종합한 결론과 유사한 연구를 통하여 ICER이 항문 괄약근의 결손이 있는 환자에서 얻은 QALY당 28,285유로, 결손이 없는 환자에서 QALY당 30,662유로로 분석하였다. 이 액수는 둘 다 관련 국가 한계치인 QALY당 40,000유로를 밑돈다. 예산에 대한 영향력의 분석은 SNM의 구현이 5년 동안 변실금 치료를 위한 예산에 0.56%의 영향을 미칠 것이라는 분석이었다.

프랑스에서도 결과 및 비용편익 분석이 있었다. 24개월의 추적 관찰 동안 369명의 요 절박 또는 변실금이 있거나 요 절박과 변실금이 같이 있는 환자를 포함하는 다기관 코호트 연구를 하였다. 이 결과는 변실금 점수의 50% 향상에 필요한 비용증가로 표현되었다. 국민 건강 관점에서 볼 때, 변실금 점수 50% 이상의 개선을 효과의 기준으로 할 경우 대체 치료법과 비교해서 변실금의 평균 SNM비용은 처음 2년 동안 6,581유로가 더 들었다. SNM의 비용대비 증가비율은 24개월간의 요실금 및 변실금 추적 관찰에서 각각 94,204유로와 185,160유로로 나타났다. 연구의 결과는 일반적으로 인정되는 비용 효과 범위 이상이었지만, SNM은 변실금 환자에게 현저한 건강 혜택을 제공하는 것으로 간주되었다.

8) 천수신경 조절술의 안전성

SNM은 비교적 안전한 시술이다. 이 시술의 안전성에 대한 분석은 이미 충분하게 보고되어 있다. 메타 분석

결과, 합병증 비율은 낮았고 효과가 없거나 증상이 악화하거나 통증이나 감염으로 인해 기기를 제거할 확률은 약 5% 정도였다. 2000-2008년 동안 IPG를 삽입한 665명의 환자를 대상으로 한 체계적 문헌 고찰을 하였고, 보다 침습적이고 개방적인(open-approach) 전극배치기법을 사용한 환자들이 포함되었다. 이 연구결과 15% 미만의 사소한 합병증이 발견되었다. 그러나 3%에서 장치를 제거하게 되었고 감염으로 IPG를 제거한 환자는 다시 이식할 수 있었다.

부작용에 대한 모니터링을 좀 더 엄격히 시행한 FDA 연구에서는 99명의 환자를 대상으로 3년간 334회 추적 관찰한 것이 보고되었다. 부작용의 67%가 첫 해에 발생하였고, 대부분 별도의 시술이 필요하지 않았거나 최소한의 중재적 시술을 필요로 하였다. 보고되어 있는 부작용으로는 IPG 부위의 통증(28%), 감각 이상(15%), 자극 시 감각 변화(12%), 삽입 부위의 감염(10%), 요실금(6%), 설사(6%), 사지 통증(6%) 등이 있었다. 감염의 절반에서 치료가 필요하였으며 6명 중 5명에서는 IPG를 제거했다. 비슷한 방식의 다른 보고에서는 39%에서 기기 수정이나 교체 또는 제거를 한 경우도 있었다. 5년 뒤에 26.3%의 환자에서 배터리 부족 외의 이유로 기기를 수정, 교체 또는 제거했다.

평균 48.5개월간 87명을 추적 관찰한 보고에 따르면 41%에서 revision 수술을 하였고(1/3은 기기자체결함 때문이었음) 이중 24%에서는 기기 자체를 제거해야 했다. 평균 12개월간 200명의 환자를 추적한 프랑스의 다기관 연구에서 기기 관련 부작용의 발생률이 24.5%로 나타났다. 그러나 주요 합병증의 발생 빈도는 드물었다. 그리고 매우 드문 예였지만 전극을 제거하고 다량의 출혈로 인하여 사망할 뻔했던 환자가 한 명 있었다.

45건의 변실금과 3건의 변비에 관한 총 48개 코호트 연구를 통해 PNE환자 1661명과 IPG 삽입 환자 1,600명의 수술 후 문제를 분석한 논문이 있다. 최적의 결과를 얻지 못한 비율은 12.1%, 통증 13%, 감염률 3.9%로 나타났다. PNE 중 가장 흔한 문제는 전극이 움직여 제자리에 위치하지 않는 것(lead migration)(5.3%)이었다. 체계적 문헌 고찰에서 최적의 결과 및 부작용에 대하여 제대로 보고를 하지 않았을 가능성이 우려된다. 단일기관 연구에서 부작용의 발생률은 평균 11개월 추적 관찰한 환자에서 최대 85.2%였다. 효과가 없어지거나 통증, 불편감을 호소하는 것이 88.5%를 차지하였다. 1953명의 환자를 포함한 45개 연구에서 통합 감염률은 5.1% (4.1-6.4)로 연구들 사이의 상당한 이질성은 없었다.

Altomare 등은 70-118개월 간의 장기추적의 결과 경미한 합병증이 79명(PP, 29%; ITT, 19.4%)였고 그 중 기구의 문제가 64명(PP, 23.5%; ITT, 15.7%)이었다고 보고하였다. 피하 IPG 삽입 부위의 통증(23명)이 가장 흔한 것으로 나타나 12명의 환자에서는 기기를 제거하였고 7명의 환자에서는 기기를 교체했다. 전극의 위치변화, 재배치를 하거나 배터리 방전으로 재설정한 환자도 17명이나 되었다.

요약

SNM은 보존적 치료에 반응하지 않는 중증 변실금 환자에서 효과적인 치료법이다. 항문 괄약근 결함을 가진 환자에서도 1차 치료로 선택하여 효과적일 수 있다. 치료상의 이익은 중 장기적으로 지속된다. 작동 메커니즘이 불확실하지만 구심성 신경의 감각에 대한 영향이 가장 가능성이 높은 것으로 보인다.

9. 치골직장 슬링수술 (Puborectal Sling)

1974년 O'Rourke는 7명의 변실금을 동반한 직장 탈출증 환자에서 회음절개를 통하여 항문직장륜 부위에 슬링을 삽입하는 수술을 시도하였다. 지금까지 이 수술은 치골직장 슬링수술의 효시로 알려져 있다. 이 수술은 슬링을 항문직장 접합부 뒤쪽에 위치시키고 양쪽 끝을 치골에 고정하여, 항문직장 접합부에 적절한 긴장도가 걸리는 방향으로 위쪽으로 당겨 놓는 것이다. 이 수술의 근거는 항문 후방 재건술과 유사한 효과로 치골직장근을 정상적으로 유지시켜 항문직장각을 복원하는 것이다.

변실금 환자에서 치골직장 슬링수술에 대한 통계적 고찰이나 무작위 대조 연구, 코호트 연구, 환자 대조군 연구는 아직 없지만, 1건의 전향적 비교 연구, 3건의 양질의 전향적 증례 보고, 3건의 낮은 수준의 후향적 증례 보고가 있었다. O'Rourke 등은 3명의 완전 직장 탈출 환자와 4명의 변실금을 동반하면서 부분 직장 탈출이 있는 환자에서 Dacron® mesh를 사용하여 치골직장 슬링수술을 시행하였다. 비록 변실금에 대한 전형적인 검사는 시행되지 않았고 추적 관찰 기간에 대한 언급도 없었

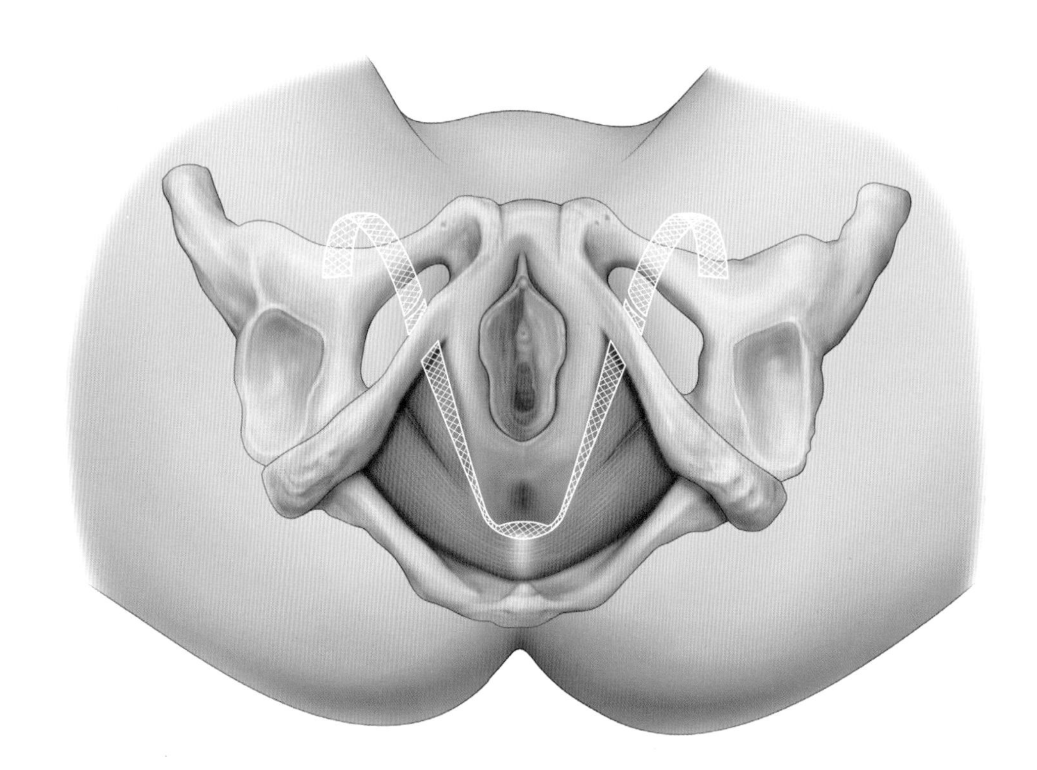

그림 9-11. **TOPAS (Trans-obturator posterior anal sling).** Mellgren A, Zutshi M, Lucente VR, Culligan P, Fenner DE, Group TS. A pos-terior anal sling for fecal incontinence: re-sults of a 152-patient prospective multicenter study. Am J Obstet Gynecol. 2016;214(3):349 e1-8.

으나, 직장 점막의 부분 탈출이 있는 변실금 환자 4명 중 3명이 해당 시술에 의해 "상당한 이득이 있음"으로 기술되었다. O'Rourke는 10여년 뒤 직장 탈출을 동반한 변실금 환자의 치료 방법으로 Mersilene® mesh를 사용한 치골직장 슬링수술을 시행하였고, 이 24명의 환자에 대한 고찰을 보고하였다. 그러나 사실 이 수술을 시행한 24명의 환자 중 단 두 명만이 변실금을 이유로 수술하였고, 나머지 환자에서는 직장 탈출증 치료에 초점이 맞추어 졌기 때문에 변실금에 대한 검사를 따로 시행하지는 않았다.

Shafik 등은 대퇴근막을 이용하여 슬링수술을 시행하였는데, 두 개의 대퇴근막을 이용한 이중 루프 수술을 받은 22명의 환자와 한개의 대퇴근막을 이용한 단일 루프 수술을 받은 22명의 환자에 대해서 전향적 비교연구를 하였다. 그는 12개월 동안 추적 관찰하였고, 이중 루프와 단일 루프 수술을 시행한 환자들 중 각각 14명(64%)과 8명(36%)에서 좋은 결과를 보였다고 보고하였다.

Yamana 등은 8명의 변실금 환자에서 폴리에스테르 메쉬(polyester mesh)를 사용하여 회음 접근법으로 치골직장 슬링수술을 시행하였다. 그러나 결과는 훌륭하지 않았다. 이에 Yamana는 당시 실험적 관점에서 수술을 시행하였으며 더 이상 수술을 시행하지 않는다고 고백하였다. 8명의 환자 중 직장 궤양이 발생한 1명에서는 슬링을 제거해야 했다. 그러나 그의 연구결과에서 6개월 관찰 이후 7명의 환자에서 모두 어느 정도 변실금 증상의 호전을 보였다. 두 종류의 변실금 점수가 의미 있게 호전되었다. 삶의 질 평가에서도 모든 기준들이 의미 있게 개선되었다.

TOPAS™ (transobturator posterior anal sling)는 상업적 목적으로 고안된 최초의 치골직장 슬링수술을 위한 기구이다. 여성의 요실금에서 폐쇄공을 통한 슬링수술로 치료하는 것과 같은 원리로, 특별하게 고안된 폴리프로필렌 메쉬와 이를 통과시키는 기구를 말한다. 허벅지 안 쪽에서 항문 후방으로 절개한 작은 절개창을 통하여 메쉬를 항문직장경계에 위치시키고 폐쇄공을 통하여 잡아당긴다. 메쉬가 자리잡은 부위에서 새로운 조직이 메쉬 내로 자라게 되어 영구적으로 항문직장에 추가적인 지지를 하게 된다. 초기의 전향적 다기관 연구를 통해 29명의 변실금 여성에서 시행한 TOPAS™에 대한 보고가 있었다. 15명(52%)의 환자에서 성공적인 치료 결과(변실금 50% 이상 개선)를 얻었고 그 중 33%에서 변실금은 완전히 해결되었다. 24개월 추적 결과 변실금 에피소드는 평균 14일당 6.9회에서(14일당) 3.5회로 감소하였다. 추적 기간 동안 변실금 점수와 삶의 질 평가의 4가지 영역에서 모두 호전되었다. 12명의 환자에서 다시 수술하기도 하였으나 기구에 의해 궤양이 발생하거나 메쉬가 빠져 나온 경우는 없었다.

FDA를 통한 다기관 대량 연구에서 152명의 환자에서 TOPAS™를 시행한 바 있다. 12개월 추적하여 69%의 환자에서 증상의 호전을 보였고 19%에서 완전하게 변을 자제할 수 있게 되었다. 변실금 에피소드는 12개월 되는 시기에 초기 점수 9에서 2.5로 낮아지게 되었다. 변실금 점수와 삶의 질 평가의 4가지 항목에서 개선을 보였다. 66명(43%)의 환자에서 104례의 추가적인 시술 또는 합병증이 발생하였으나 대부분은 짧은 시간에 해결되었고, 97%는 경과관찰 및 비 수술적 치료로 해결하였다. 치료와 연관된 사망이나 미란, 탈출, 재교정 등은 없었다.

필자도 항문직장각이 느슨한 11명의 남성 변실금 환자에서 선택적으로 단독 치료 방법으로 폴리프로필렌 메쉬를 이용한 치골직장 슬링수술을 시행하였다. 필자가 선택한 환자는 직장 항문각이 넓어져 있고 항문 내의 직장 점막의 하강이 없거나 항문 후방의 쿠션이 소실되어 항문 고압대 상방의 압력이 낮아져 있는 전형적인 노인성 남성 변실금 환자가 주된 대상이었다. 필자는 전통적인 치골직장 슬링수술을 시행한 첫번째 환자에서 오히려 출구폐쇄로 인한 배변 장애를 가져와 슬링을 느슨하게 한 경험이 있다. 슬링을 너무 꽉 조이면 치골직장근 이완 부전과 같은 합병증이 생기게 된다. 따라서 적절한 장력으로 당기는 힘이 필요하며 오랫동안 장력을 유지해야 하지만 메쉬를 정확하게 고정하는 고형 구조물이 없다면 이러한 장력을 유지하는 것이 쉽지 않다. 두 번째 환자 이후 모든 환자에서 즉각적인 증상의 호전을 관찰할 수 있었으나 전방에서 메쉬를 강력하고 지속적인 장력으로 잡아주는 것이 어려운 수가 많기 때문에 시간이 지나면서 변실금 증상이 조금씩 다시 나타나게 되었다. 5명의 환자에서는 메쉬가 약해지면서 1년 이내에 변실금이 재발하게 되었고, 이들 환자에서는 추가적인 조치가 필요하게 되었다. 수술 술기가 쉽고 적절한 무균 처리 하에 수술을 시행하게 되면 메쉬로 인한 감염의 문제는 발생하지 않는다. 필자의 경험에도 슬링의 감염으로 인한 합병증은 없었다. 그러나 문헌 고찰을 보면 항상 슬링의 감염이 동반될 가능성이 있고 미란이나 궤양, 탈출과 같은 합병증이 발생할 수 있기 때문에 유의해야 한다.

TOPAS™와 같은 치골직장 슬링수술은 간단한 시술이며 비용면에서 효과적이고, 심각한 합병증이 잘 생기지 않는다는 점에서 유용해 보인다. 그러나 좀 더 장기적인 추적 관찰에 대한 전향적 연구가 요구된다. 더불어 메쉬를 사용하는 특성 상 슬링 제거술을 요하는 슬링의 감염, 미란이나 직장 궤양의 발생과 같은 합병증에 대한 면밀한 연구도 함께 시행되어야 할 것이다.

그러나 미국 FDA에서 2019년 4월 회음 접근을 통한 골반 장기 탈출의 수술에 이러한 메쉬를 사용하는 것을 금지하게 되었고 이어서 호주 등 서구에서 점차적으로 판매와 사용을 중지시킴에 따라 현재는 TOPAS™는 상업적으로 더 이상 사용되지 않고 있다.

요약

치골직장 슬링의 사용은 증명되지 않은 부분이 있으나 선택적 환자군에서 효과가 있다고 볼 수 있다.

10. 생체적합물질 주입 (Biomaterial injection)

변실금의 치료에서 생체적합 팽창물질의 주입은 1993년 Shafik에 의해서 보고된 이후로 서구에서 끊임없이 연구가 지속되어 왔다. 그러나 우리나라에서는 아직까지 팽창성 물질 주입하는 수술 방법으로 변실금을 치료하는 것이 의료 급여로 등록되어 있지 않다. 요실금에 대한 주입 요법은 이미 많은 경험으로 다양한 성공률을 보였다. 전신 마취가 필요없고 심각한 합병증도 유발하지 않아 외래에서 시술을 할 수 있다는 장점이 있다. 사람의 몸에 거부 반응이 없는 주입식 생체적합 팽창물질을 요실금이나 변실금에 사용하기 위하여 여러 형태의 주입 가능한 약물에 대한 지속적인 연구로 귀결되었다. 주입을 위한 이상적인 물질은 생체에 적합해야 하며, 면역 거부반응이나 알레르기 반응을 일으키지 않고 비 발암 물질이어야 하며 주사하기 쉽고 조직 속에서 쉽게 이동하지 않아야 한다. 지름이 80 μm인 액체성분은 이동이 잘 되지 않지만 그 보다 입자 크기가 큰 물질은 큰 주사바늘을 필요로 하기 때문에 주입 부위에서 누출될 위험이 높다. 최근 맞춤형 삽입기를 통해 삽입한 후 확장되는 고형 주입 물질인 Hi-Hexpan™ [GateKeeper™-SphinKeeper™]에 대한 관심이 높다. 다양한 생체물질 주입의 치료 결과가 보고되고 있지만 변실금을 치료하기 위해 항문관에 액상 팽창물질을 주입하는 것은 2012년 이후 인기가 시들하게 되었다.

1993년 이집트의 외과의사인 Shafik이 항문점막하에 polytetrafluoroethylene paste (PTFE)를 주입해 환자 11명을 치료하면서 처음 사용됐다. 7명은 내괄약근 절개 후, 4명은 특발성 변실금으로 4년 이상 고생한 환자들이었다. 5 cc의 PTFE를 마취하지 않고 직접 주사하는 방식으로 항문직장륜 상부와 3시 9시 방향 상부 항문관에 주입 후 18-24개월의 추적 관찰한 결과 64%가 완치되었고 36%는 부분적으로 개선되었다고 보고하였다. Shafik은 주입된 팽창물질이 항문 상방의 쿠션 역할을 하면서 항문직장륜의 압력을 높여서 증상의 개선을 유도한다고 설명하였다. 그러나 PTFE가 제자리에 가만히 있지 않는 상황이 발생하거나 터지거나 염증이 발생하는 등 합병증이 생기면서 더 이상 시행하지 않고 있다.

1995년 Shafik은 자가 지방이식(autologous fat)을 시행한 14명의 환자에서 2-3개월간 100% 성공률을 보고했다. 모든 환자에서 반복 주사 후 가스나 대변실금이 없었다. Shafik이 시행한 PTFE와 자가 지방이식의 합병증은 보고되지 않았지만 다른 보고에서 PTFE가 폐나 뇌로 이동하는 심각한 합병증이 발생하였다. 또 다른 보고에서는 자가 지방 주입 후 폐색전증이 발생하여 사망하는 사례가 생김에 따라 두 방법은 모두 중지되었다.

필자는 Shafik의 시술방법의 단점을 보완한 자가 지방이식을 변실금 환자에서 시행하였다. 이 효용성에 관한 결과를 학회에 보고하였고 그 내용은 2019년 6월 대한대장항문학회지에 게재되었다. 2016년 7월부터 2017년 2월까지 35명의 변실금 환자에서 시행한 자가 지방이식의 결과 약 83%에서 증상의 개선을 관찰할 수 있었다. 증상의 개선여부는 환자와의 설문을 통하여 50% 이상 증상이 호전되는 경우로 정의하였다. 시술 방법은 자신의 복부나 허벅지에서 순수 지방을 채집하여 항문의 후상방, 항문직장륜의 경계 부위, 괄약근 사이에 주사를 하였다. 자가 지방이식 시술의 기대되는 효과는 항문직장륜의 각도를 교정하고, 항문 후방의 항문 쿠션을 보강하고 재배치하며, 항문관을 길고 좁게 하며, 지방이 자리를 잡으면서 생기는 섬유화 반응이 느슨해진 항문 후방의 약점을 보완할 것이라는 판단이었다. 그러나 시간이 지남에 따라 아주 많이 호전되는 부류와 나빠져서 다시 원래대로 돌아오는 상반된 결과를 나타내는 환자들이 있어 이에 대해 장기적인 결과를 좀 더 세밀하게 추적 관찰 하는 중이다.

Kumar 등은 1998년 소의 피부 콜라겐을 글루타알데하이드를 이용하여 고정시키기 쉬운 형태로 만든 Contigen™을 항문에 주입해서 변실금의 치료에 적용시킨 결과를 보고하였다. 17명에서 주사하였는데 그 중 11명(65%)이 8개월만에 뚜렷한 증상의 개선을 보였다. Stojkovic 등은 73명의 환자에서 콜라겐을 이용한 변실금치료 결과를 보고하였다. 항문관 바로 위의 세 개의 분리된 부위의 직장 점막하 조직에 1.7 mL의 콜라겐을 주사하였다. 12개월 후 63%의 환자에서 변실금 점수가 좋아졌으며 73%에서 증상의 개선을 관찰할 수 있었다. 특히 괄약근 손상이나 음부신경증이 없는 49명의 특발성 노인 변실금 환자에서 변실금 점수가 크게 좋아졌다. 합성 콜라겐 사용의 단점은 이물반응을 일으킬 가능성이 있고 시간이 지남에 따라 효과가 떨어질 가능성이 있다는 것이다.

Feretis 등은 2001년 6명의 변실금 환자에서 실리콘 마이크로 풍선과 생체 적합성 필러를 함께 주사하여 브라우닝-파크(Browning-Parks) 변실금 점수가 16점에서 5점으로 감소하는 결과를 발표하였다. 그러나 이 재료는 제품 멸균에 기술적 어려움이 있어 더 이상 사용되지 못했다.

Malouf와 Kenefick은 2001년과 2002년에 Polydimethylsiloxane (PDMS)입자를 생체적으로 배설 가능한 폴리비닐피롤리돈의 수용성겔 운반체에 연계시켜 만든 주사용 실리콘(Bioplastique™)을 변실금 치료에 적용한 논문을 발표했고 좋은 결과를 보고하였다. 이 두 차례의 연구 이후 PTQ™의 이름으로 주사용 실리콘이 개발되었고 이는 유럽에 큰 반향을 일으켜 한때 유행했었다. Malouf의 초기 시범 연구는 PDMS를 원형(circumferential)으로 주입하거나, 혹은 단일 부위에 주입한 10명을 대상으로 진행하였다. 6주 이후, 6명의 환자에서 변실금의 증상이 현저하게 개선되거나 완전히 해결되었으며, 2차 주입 후 한 명의 환자에서 현저하게 증상이 개선됨을 보고하였다. 그러나 6개월이 경과한 시점에서는 처음 증상의 개선이 있었던 7명의 환자에서 2명 만이 증상의 호전을 유지하게 되었다. 합병증으로 주사부위 궤양이 생기거나 항문의 통증을 호소하였다.

Tjandra 등은 2004년 82명의 환자를 무작위로 추출하여 항문 초음파 유도 하에 혹은 초음파 유도없이 PDMS주사를 이용하여 변실금 환자에서 치료를 시도한 결과를 발표하였다. 모든 환자에서 변실금 점수가 감소하였다. 12개월 이후 초음파 유도 하 실리콘 주사한 그룹에서 변실금 점수는 14.5에서 3으로 크게 감소하였고 초음파 유도 없이 주사한 그룹에서는 14.5에서 11로 감소하였다. 초음파 유도 그룹 2명을 포함하여 6명에서 주사부위 통증을 호소하였다. 그 외에 다른 합병증은 없었다. 초음파 유도 그룹에서 휴지기 압력과 삶의 질 점수에 있어 현저한 향상을 보였다. 또 Chan 등은 치핵 절제술 후 발생한 7명의 수동적 변실금 환자에게 PDMS를 주사한 결과 모든 환자에서 변실금 점수와 삶의 질 점수가 크게 개선되었다고 보고하였다.

이외 다수의 PDMS를 사용한 연구가 보고되었다. 이는 아마도 제품을 생산하는 회사가 표준 매뉴얼을 작성하여 의사들에게 배포한 이유로 생각된다. 모두 2.5 mL의 실리콘을 3-4 부위의 괄약근간 공간에 주입하는 방식을 사용하였고 변실금 점수가 뚜렷하게 감소하는 결과를 보였다. Portilla 등은 20명의 환자를 이 방법으로 치료한 결과, 변실금 점수는 1개월 후에 13.5에서 4.5로 크게 감소하였고, 2년 후에는 9.4로 서서히 증가하였지만 그래도 처음보다 유의미하게 개선이 있었다고 보고하였다. 이런 팽창제의 주입 결과로 삶의 질은 향상되었지만 항문 내압 검사상 휴지기나 수축기 항문압력은 치료 전과 치료 3개월 이후의 수치를 비교하면 차이는 없었다. 합병증으로는 70%의 환자에서 항문소양증을 호소하였고 주사 부위 감염이 1명 있었다. Soerensen 등은 33명의 환자를 대상으로 시술을 하였고 CCFIS 변실금 점수는 1년 동안 12.7에서 10.4로 줄었지만 삶의 질은 향상되지 않았다고 보고했다.

Bartlett 등이 보고한 주사요법은 환자 표본이 74명으로 가장 크다는 점과 환자의 절반이 남성이라는 점에서 주목을 받았다. 시술 대상 환자의 70%가 변실금 점수가 0으로 되어 완전한 만족을 보였다고 한다. 나머지 30%에서 CCFIS 변실금 지수는 33개월이 되는 시점에 12점에서 3.5점으로 감소했으며 이에 따라 삶의 질이 개선되었다고 하였다. 모든 환자들 특히 배변 자제가 되는 사람들은 휴지기 압력, 수축기 압력, 평균 항문관 길이에서 개선을 보였다. 흥미로운 점은 음부신경증을 앓고 있거나 바이오피드백 치료에 실패한 여성에서는 결과가 나쁜 것으로 보고되었다.

Maeda 등은 PTQ를 이용한 항문 주위주사에 대한 결과를 발표하였으며 이는 주입식 약물에 대한 유일한 장기 결과 보고였다. 1999년에 6명의 환자에게 주입하였고 5년간 추적 관찰 하였다. 1명은 장루를 하여 결과에서 제외되었고 5명의 환자에서 변실금 점수의 중앙값은 11(8-20)점에서 13점(9-19)으로 유의미한 변화는 없었다. 그런데 SF36 삶의 질 점수는 개선이 있었고 3명의 환자에서 증상의 개선이 있었다. 3명 중 한 명은 다시 주사하여 호전되었고 마지막 한 명은 바이오피드백 등으로 호전되었다고 보고하였다. 결국 5명중 4명의 환자에서 변실금 증상이 주관적으로 개선되고 삶의 질이 향상되었다고 보고했다.

Wunnik 등은 실리콘 주사 후에 거대 세포 이물질 반응이 일어난 2명의 환자를 보고하였다. 이 두 환자들은 수술로 주입 물질을 제거하고 변실금 치료를 다시 받아야 했다.

Maeda 등은 2008년 실시된 시범 연구를 통하여 새로운 주사치료물질인 Porcine dermal collagen (PDC) (Permacol™)과 Polyacrylamide hydrogel (PAH) (Bulkamid®)이라는 제품을 사용하여 비교 분석하였다. 기존의 변실금 치료에 실패한 10명의 수동적 변실금 환자에서 전향적이고 무작위로 두 제품 중 하나를 사용하여 치료하였다. 시술 방법은 주사바늘을 항문연에서 2 cm 떨어진 피부에 삽입하고 괄약근을 통과하여 주입하였다. 변 자제의 목적을 달성하기 위한 평균 주입 용량은 PDC의 경우 15 mL, PAH의 경우 9 mL였다. 변실금 점수는 두 그룹에서 6주 동안 감소하였다. 효과는 PAH그룹에서만 6개월까지 지속되었다. 그러나 이 선행연구는 변실금에 대한 두 가지 치료법이 기존의 치료와 비교하여 효과의 차이가 있는지의 여부를 판단하기에는 부족하였다.

Maslekar 등은 110명의 환자를 대상으로 PDC (Permacol™)를 항문의 내괄약근에 주입하였고 최소 36개월간 추적한 100명을 대상으로 분석한 후향적 보고를 하였다. 시술은 2.5 mL를 3회 주입하고, 추가로 2.5 mL를 항문 초음파에서 확인된 결함이 있는 부위에 주입하였다. 변실금 점수는 평균 14(5-14)점에서 평균 8(5-14)점으로 개선되었지만 통계적으로 유의하지는 않았다. 총 68%의 환자가 3년 후 주관적인 개선을 보였지만 시간이 지남에 따라 악화되었다. 38%의 환자는 주사를 두 번 맞았고 15%에서는 세 번째 주사를 맞아야 했다.

여러 가지 다른 종류의 주입 물질이 변실금 치료에 사용되어 왔다. 또한 이들의 시술 결과는 매우 다양하게 보고되고 있다. Siproudhis 등은 Elastomer주입제를 이용하여 44명의 환자를 대상으로 무작위 대조 연구를 시행하였다. 폴리디메틸실로잔엘라스토머 실리콘 바이오소재(PDMS)와 생리식염수를 국소마취 하에 각각 3차례에 걸쳐 2.5 mL씩 괄약근에 주사하여 비교하였다. 환자 본인은 어떤 치료를 했는지 알지 못하게 하였다. CCFIS 변실금 점수 8점 미만 또는 치료 후 변실금 점수 감소로 치료 성공률을 판단하였고, 무작위 대조연구 결과 두 그룹 간의 치료 성공률에서 차이가 없었다. 식염수 치료 그룹에서 더 잘 견뎌냈고 전반적으로 부작용도 적었다. 따라서 이 연구는 PDMS의 사용을 권장하지 않는다고 결론지었다.

Ganio 등은 칼슘 수산화질소 세라믹 마이크로스피어 (calcium hydroxylaptatite ceramic microspheres, HCM) (Coaptite™)와 에틸렌 비닐 알코올(ethylene vinyl alcohol, EVOH)을 사용하여 연구하였고 시행 과정이 조

금 덜 엄격하였지만 약간의 가능성을 비추었다. HCM을 국소마취 하에 괄약근을 통과하여 4군데 점막하 부위에 각각 1 mL씩 주입하였다. 10명의 환자에서 평균 변실금 점수는 12개월 만에 85.6점에서 28점으로 감소했다($p=0.008$). 변실금에 의한 삶의 질 평가에서 삶의 방식, 변실금 발생시 대처 및 행동, 당황스러움 등의 하위항목들이 개선되는 것으로 결론지었다($p<0.05$). 항문 내압검사에서 휴지기 압력(40-47 mmHg, $p=0.018$)의 개선이 있음을 확인하였다. 합병증은 없었고 주사부위로부터 약품 누출로 인해 재 주사한 환자가 있었다.

Stephens 등은 21명의 환자를 대상으로 전신 또는 국소 마취 하에 괄약근간 공간에 최대 8개 부위에 1-2 mL의 EVOH 주입을 시행하였다. 12개월 후 FISI 변실금 점수는 32.8에서 22로, CCFIS 변실금 지수는 11에서 6.9로 각각 떨어졌다. 삶의 질 평가에서 두 가지 하위 항목 점수가 크게 개선되었고 반복된 항문 내압검사에서 항문관 길이와 휴지기 압력이 어느 정도 개선되었음을 보고하였다.

우리나라에도 잠시 소개된 바 있는 **탄소강화 지르코늄 산화구슬**(pyrolytic carbon coated zirconium oxide beads, PCZO) (Durasphere®)은 이물반응이 없고 분해되지 않는다. 그러나 이 구슬이 조직 내에서 이동하는 것을 방지하기 위하여 큰 주입 바늘이 필요하다. 주입된 물질은 항문관을 통하거나 괄약근 간 주사를 통하여 항문관의 점막 하층에 위치한다. Davis 등은 보존적 치료에 효과가 없는 항문내괄약근 손상이 있는 18명 환자에서 장단기 효과를 연구하였다. 항문 괄약근이 대칭적으로 안정될 때까지 약 1.3 mL를 괄약근 결손 부위의 점막 하층에 1-4회 주입했다. 12개월에 CCFIS 변실금 점수와 환자 만족도가 크게 향상하였다. 18명의 환자 중 15명에서 변실금이 개선되었다고 보고했다. 또한 Weiss 등은 동일한 방법으로 3개월 동안 추적 관찰한 환자 10명에서 증상이 개선되었다고 보고하였다.

Altomare 등은 33명의 경증 혹은 중등도의 변실금 환자에서 평균 8.8 mL (범위 2-19 mL)의 PCZO (Durasphere®)를 1.5인치 18 G 바늘을 통하여 치상선점막 하층 4군데에 주입하였다. 21개월의 평균 추적 관찰 후 그룹의 CCFIS 변실금 점수는 12점에서 8점으로, 미국 변실금 점수는 89점에서 73점으로 감소했으나 삶의 질 개선 점수는 변함이 없었다. 주사 후 12개월이 경과한 시점에서 항문관의 휴지기와 수축기 압력은 증가하였다. 합병증으로 두 명이 통증을 호소하였고 주입 물질이 누출된 경우는 한 명, 주입 물질이 다른 곳으로 이동한 사람은 두 명 있었다. Aigner 등은 11명의 환자를 대상으로 약 2.8 mL의 PCZO를 3-4군데 부위에 주입하여 6개월 관찰한 결과 삶의 질 항목에서 대처방법과 당황스러움의 하위항목이 개선되었고 CCFIS 변실금 점수는 12.7에서 4.9로 개선되었음을 보고하였다. 시술 직후에는 항문내압검사에서 압력의 변화를 관찰할 수 없었으나 휴지기와 기침할 때 압력이 1년 후에 비하여 2년 후 더 높아진 것을 관찰하였다.

2010년 Beggs 등의 보고에서 23명의 환자를 대상으로 괄약근간 공간 4군데에 각각 2.8 mL의 PCZO (Durasphere®)를 주입하여 관찰하였다. 12개월 후 환자들의 변실금 점수는 18.7에서 10.9로 감소했고 삶의 질 평가 점수가 46에서 55.8로 개선되었다. 항문 내압검사에서 12개월 후에 평균 수축기 압력이 현저하게 증가함을 관찰하였다. 합병증으로 장기간 통증을 호소한 환자가 한 명이었고, 항문주위 체액 저류가 있었으나 환자는 불편함 없이 해결되었다.

Tjandra 등은 PDMS와 PCZO의 안전성과 효능을 비교하여 발표하였다. 변실금 점수가 50% 이상 개선을 나타내는 것으로 증상의 호전이 있음을 정의하였다. 변실금(평균 변실금 점수 11.45)을 가진 환자 40명을 무작위로 선정하여 PDMS나 PCZO를 주입하였다. 두 그룹 모두 항문 내압검사와 나이, 과거력, 변실금 중증도, 삶의 질 점수 등은 비슷하였다. PCZO 그룹은 항문통(5%), 점막 미란(10%), 관절염, 피부발진(5%) 등 여러 합병증이 있었다. 더욱이, PDMS 그룹은 PCZO 그룹에서 볼 수 없었던 일반적인 삶의 질 점수와 변실금 특화된 삶의 질 점수에서 유의미한 향상을 보여주었다. 따라서 결론은 PDMS가 PCZO보다 변실금의 치료에 더 안전하고 효과적이라는 것이다.

Morris 등은 2번째 연구에서 35명의 환자 중 17명은 PDMS를, 18명은 PCZO을 주입 받은 환자를 대상으로 연구를 수행하였다. 호주의 제약급여제도(Australian Pharmaceutical Benefits scheme)에서 PDMS가 제외되는 바람에 연구가 일찍 종결되었고 환자 수는 제한되었다. 원형 주입은 국소 마취와 진정 상태에서 수행되었다. SF-36 점수와 변실금 점수를 비교하였고 최대 휴지기 압력과 수축기 압력을 비교하였다. 추적기간은 최대 1년이었다. 초기에 증상의 개선이 있었으나 12개월 후 변실금 점수는 크게 개선되지 않았다. SF-36 점수는 추적관찰의 어느 단계에서도 유의미하게 개선되지 않았다. PDMS주입환자 중 한 명에서 항문 주위 농양이 발생하였다.

변실금의 치료에 사용된 액체 주입 물질로 **엑시드/덱스트라노머(NASHA Dx) 복합체(Zuidex™, Solesta®)**가 있다. 덱스트라노머는 비동물성 히알루론산에 매달려 안정화 되었다. 이것은 다른 주입 물질과 마찬가지로 처음에는 요실금 치료에 사용되어 왔으며, 4명의 환자를 대상으로 한 시범 연구 결과, 부작용은 없었고 St. Mark 변실금 점수는 평균 3.5점(19.25에서 15.75) 감소하였다. 34명의 환자를 대상으로 시행한 연구에서 덱스트라노머를 항문의 점막 하층에 주입(약 1 mL 용량을 4개 부위에 주입)하여 관찰한 결과 4주 동안 변실금 발생의 평균 횟수가 22회에서 9회로 감소하였다. 변실금의 증상이 50% 이상 감소하는 것을 효과가 있는 것으로 정의했을 때, 56%의 환자에서 12개월 후 효과가 있었다. 어떠한 부작용도 보고되지 않았다.

Graf 등은 206명의 환자를 대상으로 NASHA Dx 또는 위약 주사를 2:1 방식으로 주입하는 무작위 이중 맹검 대조실험을 시행하였다. 환자와 평가 조사자들은 치료 방법에 대하여 알지 못했다. 치료 그룹의 많은 환자에서 변실금 횟수가 50% 이상 감소하였으나(52% vs 대조군 31%, p=0.009) 변실금 점수의 변화(치료군 14에서 2.5, 대조군 13에서 1.7)는 두 그룹 간 차이가 없었다. 삶의 질은 대처 및 행동의 하위 항목 점수에서 대조군과 비교하여 개선되었다. 두 그룹 모두 재 치료율이 높았다. NASHA Dx 환자 그룹의 82%에서 재 주입을 받았고 대조군 환자의 87%에서 위약 재 주입을 받았다. NASHA Dx 그룹은 직장통과 출혈, 소양증, 설사, 변비, 발열, 그리고 직장 농양과 전립선 농양 등의 심각한 합병증이 발생하였고 이 외에도 많은 합병증이 발생했다. 대조군에서는 주사부위 출혈이 발생한 경우가 있었다.

2013년에 Maeda 등이 발표한 Cochrane 리뷰에서 수동적 변실금에 대한 주입식 충진제의 효능에 대한 장기 연구가 없다고 결론지었다. 비교적 안전하기는 하지만, 이들 물질에 대한 연구의 수준이 좋지 않아 그 검토가 끝날 때까지 확실한 결론에 도달할 수 없다고 하였다.

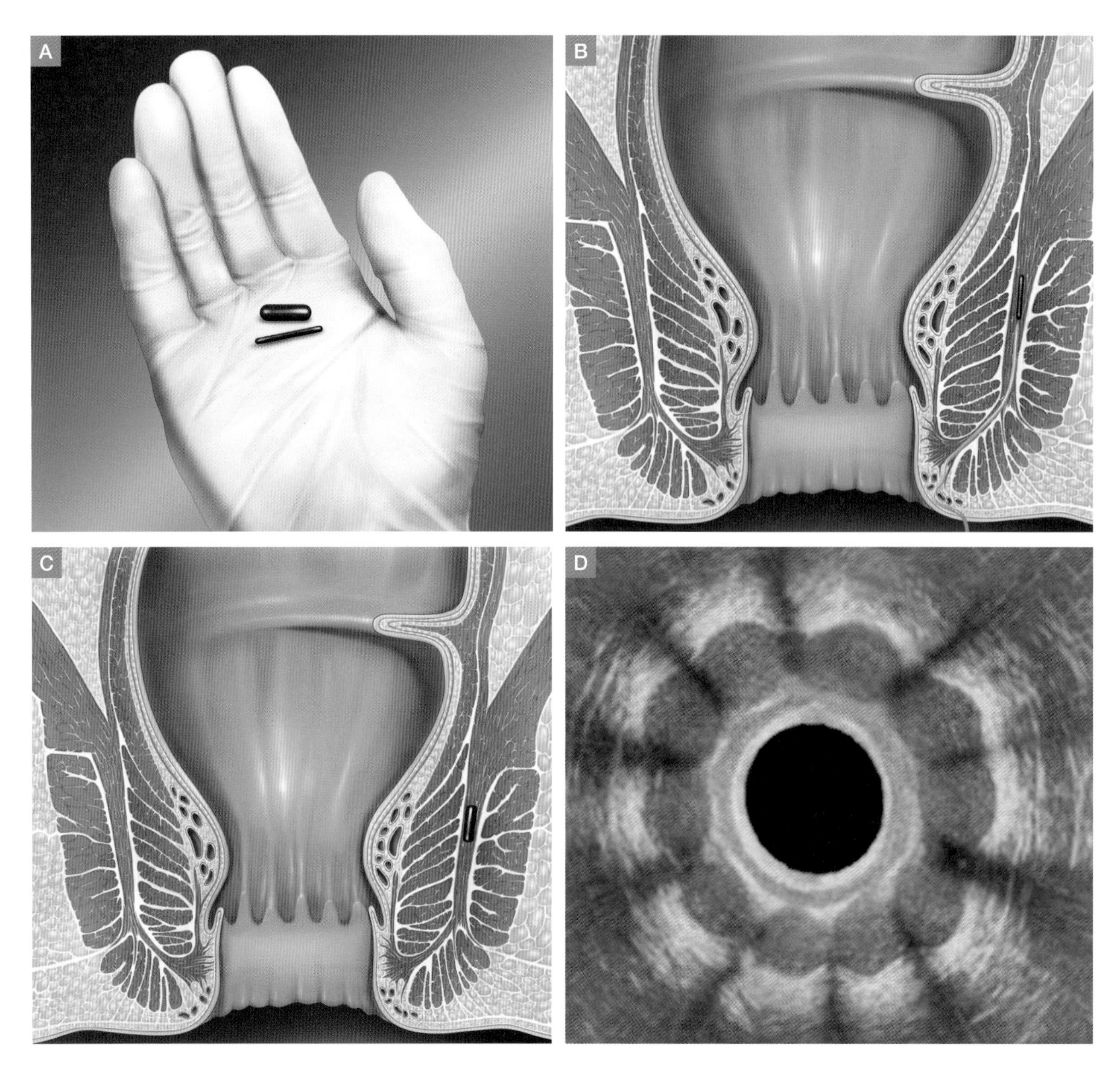

그림 9-12. **Gatekeeper™ 및 Sphin-Keeper™.** A. 액체와 접촉 전 보형물과 접촉하고 나서 확대된 보형물 B. 괄약근 사이에 보형물을 위치 시킴 C. 보형물이 물과 접촉 후 부풀어 오른다. D. 보형물을 삽입하고 난 뒤 항문 초음파 사진. 괄약근을 보강하고 있다.

2014년에 Mellgren, Matzel 등은 136명의 대규모 변실금 환자를 대상으로 NASHA Dx 주입 요법의 3년 추적 관찰 결과를 보고했다. 다른 연구와 마찬가지로 변실금 횟수를 기준 대비 50% 이상 개선되는 것을 효과가 있는 것으로 평가하였다. 변실금 점수와 삶의 질 개선을 관찰하여 6개월 후 환자의 52%에서 치료의 효과가 있는 것으로 나타났으며 12개월(57%)과 36개월(52%)후에도 지속되었다. 또한 평균 변실금 점수가 상당히 개선되었으며 36개월 추적 관찰 결과, 삶의 질 점수의 4개 영역 모두 크게 개선되었다.

최근에 각광을 받는 주입 물질은 Hi-Hexpan™이다. Gatekeeper™ 및 Sphin-Keeper™로 불리는 보형물이다. Ratto 등은 14명의 환자를 대상으로 괄약근간 공간에 폴리아크릴론 나이트릴을 피하 주입하여 보고하였다. 변실금 점수는 12.7점에서 5.1점($p<0.01$)으로 떨어졌고 합병증은 없었다. 주입 물질의 위치는 초음파로 기록되었으며 1년 후에도 위치이동이 없었다. 괄약근 간에 삽입한 6개의 Gatekeeper™ 이식의 효능에 대한 다기관 관찰 연구가 시행되었고 54명의 환자에 대한 결과를 기록하였다. 가스, 액체 및 고체 변에 대한 실금이 현저하게 개선되었고 모든 변실금 심각도 점수가 현저히 감소되었다. 12개월 동안 환자의 56%에서 변실금 지표에 대해 적어도 75%의 개선이 나타났으며, 7명(13%)은 완전하게 배변 자제가 가능하게 되었다. 세 명의 환자에서 각각 하나의 보형물이 밀려나왔고, 이것들은 교체되었다. 세 명의 환자에서 출혈이 있었지만 교체할 필요는 없었다.

Sphin-Keeper™보형물은 주입 전의 길이가 29 mm, 직경 3 mm이며, 액체와 접촉한 후 48시간 이내에 길이 23 mm, 직경 7 mm가 된다. 10개의 보형물이 국소 마취와 항문 초음파 유도 하에 항문관 상부 중간의 괄약근간 공간에 이식되었다. 한 명의 환자에서 항문불편감을 유발하는 보형물 중 하나가 부분적으로 이탈하였고 이는 초음파로 확인되었다. 불편감은 일주일 후에 해소되었다.

결론적으로 주입 가능한 생체 재료에 대한 연구는 단기간 유효성을 조사한 여러 개의 적은 환자를 대상으로 한 사례 연구와 3개의 무작위 연구만 있는 상태이다. 그 중 2개는 PDMS와 위약을, DHAC를 위약과 비교하였고, 나머지는 PDMS와 PCZO™와 비교한 것이다. PDMS와 위약을 연구한 결과는 내괄약근 손상과 연관된 심한 변실금 환자에서는 PDMS 사용이 추천 되지 않는다는 것으로 귀결되었다. PDMS가 PCZO보다 안정성과 효능 면에서 나은 것으로 보이며, NASHA Dx는 위약보다는 효과적이라는 것이 연구 결과에서 보였다.

두 개의 체계적 문헌 고찰 연구와 Cochrane 리뷰에서 이러한 물질의 효능을 뒷받침할 증거를 확립할 수 없었다. 하지만 한 리뷰에서 다변량 분석을 통해서 경항문 혹은 괄약근을 관통하는 주입경로 대신 괄약근 간 주입

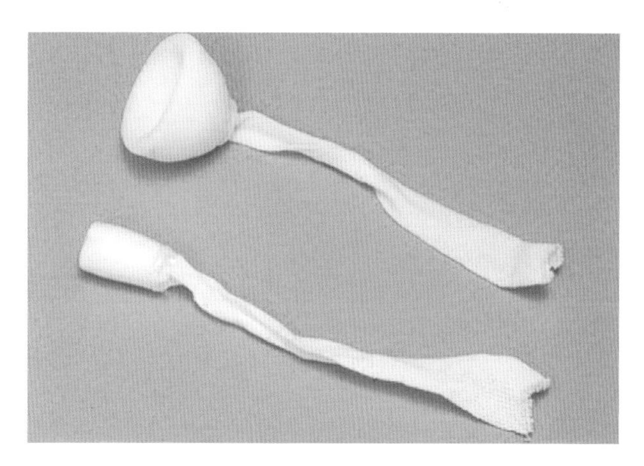

그림 9-13. **Anal plug 컵 모양 혹은 작은 탐폰 형태로 항문에 넣어서 변을 막는다.**

을 했을 때 합병증이 더 높은 결과를 보이는것을 확인하였다. 더욱이 PDMS와 HCM이 다른 주입제에 비해서 단기간 결과를 고려했을 때 더 효과적이었고 국소 마취를 이용한 주입 시술에서 성공률이 낮다는 결과를 보였다.

요약 변실금 치료에 있어 주입 가능한 생체 물질의 역할은 확립되어야 하지만 수동적 변실금의 치료에는 가치가 있을 수 있다. 최적의 충전제 및 적용방법은 아직 결정되지 않았다.

11. 삽입기구(Mechanical Insert)

삽입기구는 항문이나 질에 직접기구를 삽입하여 항문을 막음으로써 변실금의 증상을 개선시키려는 목적으로 디자인되었다. 항문에 직접 삽입하는 방식과 질로 삽입하여 항문과 직장의 경계 부위를 눌러서 항문관을 막는 방식으로 개발되었다. 외과수술 방법으로 항문팽창물질주입이나 고주파 조사, 천수신경 조절, 항문 괄약근 성형, 인공 괄약근, 자기장 기구 삽입 등 수많은 방법들이 소개되었다. 그러나 이러한 유용한 방법들도 모든 조건을 만족 시키기는 어렵고, 각각 수술에 따른 효용성 대비 단점이나 합병증을 동반하기도 한다. 또한 소개된 많은 치료 방법이 단편적인 부분을 만족시키는 경향이 있어 널리 적용하기 어려운 것이 사실이다. 따라서 사람들은 좀 더 비용이 적게 들고 편안하며 효율적이면서도 합병증이 적은 방법을 강구해 왔다. 적극적인 수술적 치료에도 불구하고 효과가 없을 때 생각할 수 있는 것은 항문이나 질을 통해 기구를 삽입하여 임시로 변이 흐르는 것을 막는 것이다. 이러한 목적으로 몇 가지 기구들이 개발되어 왔고 이것을 통틀어 삽입기구로 규정한다.

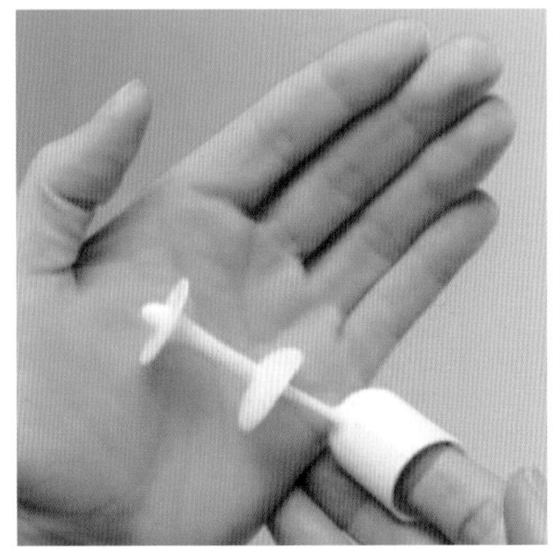
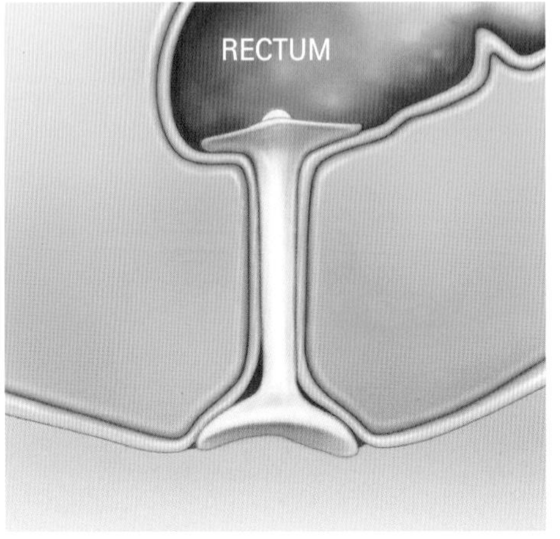

그림 9-14. **The Renew Insert Device.** Lukacz E, Segall M, M.D.2; Wexner S. Evaluation of an Anal Insert Device for the Conservative Management of Fecal Incontinence. Dis Colon Rectum: 2015;58(9):892-898.

1) 항문 플러그(Anal Plug)

항문 플러그는 발포 포말을 컵 모양으로 만들어 항문을 통하여 직장에 삽입함으로써 변실금의 증상을 개선하는 역할을 한다. 의료용 발포제를 사용하여 소량의 수분은 흡수하고 가스는 통과하지 않게 한다. 개인의 몸에 맞추어 크기와 모양을 다르게 하여 좌약이나 작은 탐폰 형태로 삽입하기 쉽게 고안되었다. 직장안에 놓이게 되면 흡수성 외장이 수분을 흡수하면서 플러그가 확대되어 항문관을 막아 변이 흐르지 않게 고안되었다.

Mortensen 등은 10명의 환자(남자 2명, 여자 8명, 평균나이 52세)에서 3가지 종류의 항문 플러그를 사용하여 조사하였다. 환자 한 명당 일주일에 평균 11개의 플러그를 필요로 하였다. 82%의 경우에서 액상변이나 고형변의 변실금 증상을 예방할 수 있었다. 플러그는 평균 12시간 동안 착용할 수 있었다. 이 논문의 결론은 항문 플러그는 항문 실금 치료의 대안으로 추천할 만하다는 것이었다.

Christiansen 등은 액상이나 고형변을 참지 못하는 14명의 환자를 대상으로 항문 플러그를 테스트한 결과를 보고하였다. 플러그가 제대로 위치하고 있을 때는 9명(64%)의 환자에서 변실금의 증상의 호전을 보였고, 43%의 확률로 플러그가 빠지는 상황을 경험하였다. 71%의 경우에 다양한 정도의 불편감을 호소하여 11명의 환자는 중간에 치료를 중단하였다. 항문직장 생리 검사와 플러그 사용의 불편함에 큰 연관관계는 없었다. 대부분의 환자는 변실금 발생의 두려움 때문에 특정한 경우에 어쩌다 한번 사용해 볼 수 있는 것으로 받아들였다. 하지만 플러그 사용의 불편함으로 지속적으로 사용하는 것에는 공감하지 못했다.

Deutekom 등은 2015년까지 CENTRAL, Medline, Medline in process, WHO, Clinical Trials.gov 등에 보고된 논문에 대한 체계적 문헌 고찰을 시행하였다. 결론은 잠정적이며 명확하지는 않지만 환자는 항문에 기구를 삽입하는데 불편감을 느낀다는 것이다. 그러나 항문 삽입기구에 잘 견딜 수 있는 특정 그룹에서 외출하는 짧은 시간 동안 변실금의 발생을 방지하는데 어느정도 효과가 있는 것을 확인하였다. 다른 형태의 보존적인 치료보다 부가적인 치료의 옵션으로서 좀더 효과적이다. 플러그는 다양한 모양과 형태, 크기로 고안되어 있고 폴리비닐 알코올로 만든 것 보다 폴리우레탄 플러그가 더 효과가 있는 것으로 인식되었다.

항문 플러그에 대한 다기관 연구도 있었다. Lukacz 등은 Renew™의 지원 하에 자사의 제품을 2009년부터 2011년까지 미국의 3개 기관에서 시험한 결과를 발표하였다. 18세 이상의 연령 중에, 일주일에 한 번 이상 액상변이나 고형변의 실금을 호소하며 CCFIS 변실금 지수 12점 이상인 97명의 환자를 대상으로 관찰하였다. 초기 결과는 배변 일지를 작성하고 심한 정도, 만족도, 부작용에 대하여 기술하였다. 시술의 성공 여부는 증상의 개선이 50% 이상인 경우로 정의하였다. 실험에 참가한 97명의 환자 중 73명이 12주간의 실험을 마쳤다. 하루에 2.6개의 플러그를 사용하였고 치료 목적으로 시행한 ITT Cohort환자의 62%(56/91)에서 50% 이상 횟수의 감소를 나타냈다. 끝까지 치료한 환자에서의 성공률은 77%(56/73)로 나타났다. 심각한 부작용은 없었고 배변 절박, 불쾌감, 치질의 출혈 등이 발생하였다. 51%에서 기구의 삽입에 의한 통증, 불쾌감, 쓰림, 배변 급박과 같은 불편감을 표현하였다.

항문 플러그를 효과적으로 사용하기 위해서는 외출하기 전에 깨끗이 변을 보고 난 다음 사용하고 삽입 시

윤활 작용을 할 수 있는 젤이나 연고를 항문에 발라 항문관의 손상을 예방해야 한다. 고령으로 인해 감각이 떨어지거나 자신의 손으로 직접 조절하지 못하는 환자에서는 사용하기 어렵다. 또한 완벽하게 변실금을 방지하지 못한다는 불안감 때문에 널리 사용되지는 않고 있다. 항문 플러그는 덴마크의 Coloplast에서 생산하는 폴리우레탄 스폰지 플러그에 흡수성 외장을 둘러싸서 항문에 삽입하는 플러그가 대표적이다.

2) 질 삽입기구 (Vaginal Bowel Control System)

미국 의료기 회사 제품인 Eclipse는 변실금 환자를 위해 산부인과 의사가 최근 개발한 압박 장치이다. 이 기구는 실리콘 코팅한 질 삽입용 페사리에 스테인리스를 축으로 후방으로 풍선이 달려있다. 탐폰을 삽입하는 것과 같은 요령으로 풍선을 질강 내로 삽입하고, 공기를

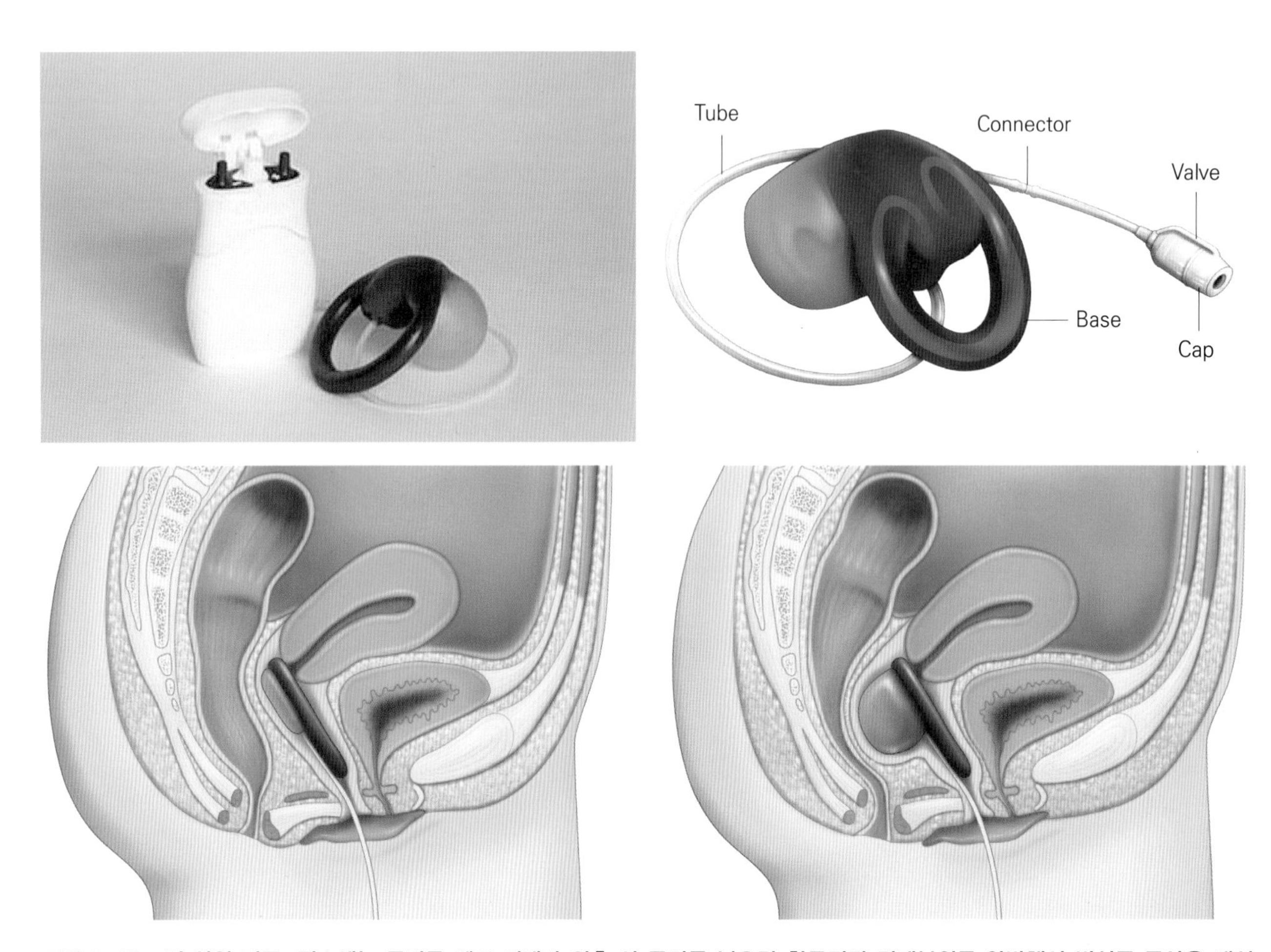

그림 9-15. **질 삽입 기구. 평소에는 공기를 빼고 지내다 외출 시 공기를 넣으면 항문직장 경계부위를 압박해서 변실금 증상을 개선할 수 있다. 근본적인 치료 방법은 아니며 삶의 질 개선 수준이다.** Richter HE, Matthews CA, Muir T, Takase-Sanchez MM, Hale DS, Van Drie D, et al. A vaginal bowel-control system for the treatment of fecal incontinence. Obstet Gynecol. 2015;125(3):540-7.

표 9-1. **삽입기구를 사용해서 변실금 치료를 한 연구들의 간략한 결과**

Study	Type	N	Outcome	FIQOL
Richter et al., 2015	VI	110	48/61> 50% FI reduction 39/56 >75% FI reduction 23/46 Complete continence	Increased FIQOL
Varma et al., 2016	VI	56	15% reduction in FI 28% reduction in urgency	N/A
Mortensen & Humphreys, 1991	AI	10	15% –19% in 3 different designs	
Christiansen & Roed-Petersen, 1993	AI	14	9/14 were continent	All 14 felt safe & better
Norton & Kamm, 2000	AI	20	10/20 were continent	4 (20%) want to use continuously
Pfrommer et al., 2000	AI	38	12/23 100% continent	15 dropped out (discomfort)
Giamundo et al., 2002	AI	18	Decreased CCFI (M 7.5 points)	5 (28%) CC
Lukacz et al., 2015	AI	97	56/73 > 50% FI reduction	78% satisfaction

VI: vaginal insertion AI: anal insertion

주입하면 질 쪽에서 직장항문 경계부위를 압박하여 변을 참을 수 있게 한다. 외출할 때는 공기를 주입하고 집으로 돌아와 대변을 볼 때 공기를 제거하게 된다. 개인에 따른 사이즈를 만들어 제공한다.

Varma 등은 다기관 전향적인 연구를 통하여 질 삽입기구의 효능에 대하여 보고하였다. 대학 병원과 개인 의원을 포함하여 미국 내의 6개 기관의 대장항문과 비뇨기과 부인과에서 실시되었다. 2주 동안 변실금의 횟수가 4회 이상인 110명의 환자군을 대상으로 하였다. 그러나 56명만이 치료를 끝까지 진행하였고 한 달간 관찰 후 완료하였다. 2주간의 배변 일지를 작성하였다. 이 연구의 주 목적은 질 삽입기구가 배변의 빈도, 절박감, 변의 성상과 배출 등에 미치는 영향을 관찰하는 것이었다. 이 장치는 관찰한 4가지 항목에 대하여 모두 호전되는 결과를 보였다. 하루 동안의 배변 횟수가 감소하며 무른 변을 더 적게 보았고 결과적으로 절박감이 적어지고 변실금 횟수가 줄어들었다. 주요한 부작용은 없었다.

Richter 등은 2015년 110명의 환자 중 안정적으로 적응이 된 61명에서 진행된 다기관 연구를 통해 질 삽입기구의 효과를 관찰한 결과, 치료목적(ITT)의 성공률 78.7%(48/61), 프로토콜 대비(PP) 성공률 85.7%(48/56)을 보고하였다. 변실금 삶의 질 개선에서 유의미한 개선을 보였고 3개월간의 성공률은 86.4%(38/44)였다. 심각한 부작용은 나타나지 않았다. 다만 22.7%(25/110)에서 골반 경련이나 불편감을 보였다.

Richter 등은 후속 연구를 계속하였다. 미국 내의 11개 다기관 연구를 통하여 연구자와 피실험자가 실험의 목적에 대하여 이해하고 시작하는 단계적 실험 방법인

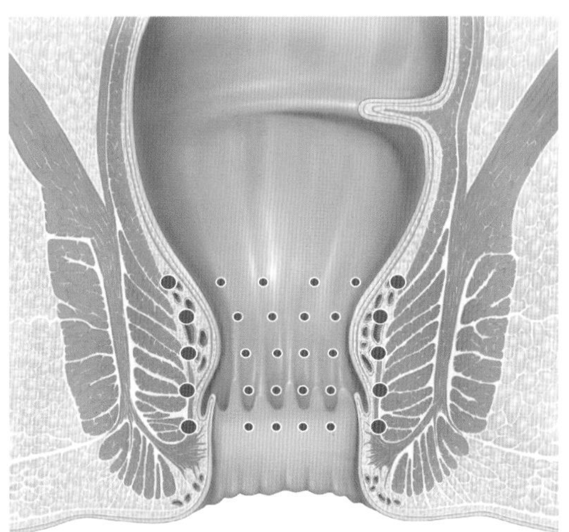

그림 9-16. SECCA®, 괄약근에 고주파를 통해서 항문관에 상처를 만든다.

Open-label 연구를 시도하였다. 초기 2주간 실험에 적응한 73명의 환자가 관찰 대상이었다. 임상적인 성공여부를 결정하고 삶의 질 지수를 관찰하고 최대 1년까지 여성의 변실금에 대하여 관찰하였다. 3개월 시기에 성공률은 72.6%(53/73)이었고 프로토콜 대비(Per Protocol) 성공률은 84.1%(53/63)였다. 환자의 만족도는 3, 6, 12개월에 각각 91.7%, 89.7%, 94.4%였다. 아주 좋거나 테스트 이전보다 좋다고 응답한 환자도 각각 77.4%, 77.6%, 79.6%였다. 앞의 두 연구에서 질 벽의 손상을 호소한 경우가 90/134으로 처음 적응 시기에 관찰되었다.

이 부분에서는 기구 생산회사와 이해관계가 없는 다기관 연구들이 필요하다. 또한 장기적인 추적 관찰을 통한 안전성의 연구 결과도 필요하다. 그러기 위하여 보다 긴 시간 동안의 관찰 기간이 필요하지만, 이 방법은 비교적 사용하기 간단하며 보존적 치료에 반응하지 않는 중등도 변실금 환자에서 시도해 볼 수 있다.

요약

질 삽입기구는 아직 완전히 증명되지는 않았으나, 절박성, 수동성 변실금에서 선택적으로 사용해 볼 만한 치료이다.

12. 고주파에너지 치료(Radiofrequency Energy Treatment)

고주파에너지를 이용한 온도 조절은 위 식도 역류질환의 치료에 처음 사용되었다. 동물 실험을 진행한 후 이 기술(SECCA®)은 Takahashi 등에 의하여 시도되었다. 그는 10명의 여자 변실금 환자에서 코호트 연구를 시행하였다. 12개월간 대상 환자 10명 중 9명이 변실금 점수의 개선을 보였고 이들의 중간 값은 13.5에서 5.0으로 떨어졌다. Takahashi는 후속 연구를 계속 진행했는데 2년 뒤에도 증상의 호전이 유지됨을 보고하였다. 5년 뒤에는 19명의 더 많은 환자를 대상으로 코호트 연구를 시도하였다. 다기관에서 50명의 환자를 대상으로 시도하였고 6개월 뒤에는 괄목할 정도의 호전은 아니었으나 유의미한 증상의 개선을 보였다. 변실금 점수는 14.5에서 11.1로 개선되었다.

유럽의 연구로서 Bersma 등과 Lefebure 등이 각각 11명과 15명의 적은 그룹에서 시행하여 적정한 수준의 증상 개선을 보고하였다. 반면에 Kim 등은 8명의 환자들에게서 시행하였으나 효과가 없다고 보고하였다. Lam 등이 31명의 환자들을 대상으로 3년에 걸쳐 전향적 코호트 연구를 시행하였으나 오직 6%만이 변실금 점수에서 50%의 감소를 보였다. Abbas 등은 27명의 환자에서 단 6명(22%)에게 치료의 효과가 오랜 기간 지속되었으며 14명(52%)은 40개월 관찰하였으나 추가적인 변실금 치료를 하게 되었다고 보고했다. Frascio 등은 체계적 문헌고찰을 통하여 검토한 결과 SECCA에 완전히 포함된 환자가 220명 있었고, 어느 정도의 임상적 효과는 있음을 확인하였다. 작동의 원리는 불명확하다. Bersma 등은 SECCA의 메커니즘으로 고주파로 인한 열 발생의 결과로 항문관의 상처를 통한 반흔 구축과 이에 의한 조직의 섬유화에 의하여 탄력을 유지해 줄 것이라는 설명을 하고 있다. Herman 등은 최근 돼지를 이용한 연구에서, 고주파 소작을 통한 심근 재구성과 유사하게, 평활근인 내괄약근의 비후와 비대가 관찰되었다. 무작위 연구와 위약을 대조한 연구 결과는 아직 없다.

요약

고주파에너지를 이용한 온도조절은 일시적으로 환자의 변실금 증상을 호전시키는 수도 있었으나, 장기적으로는 결과가 불만족스럽다. 무작위 연구가 아직 진행 중이다.

13. 줄기세포 치료 및 기타 조직 재생 기법(Stem Cell Therapy and Other Tissue Regeneration Techniques)

항문 괄약근의 잃어버린 기능을 증강시키거나 대체하기 위한 여러 가지 수술 방법이나 기구 및 장치의 개발에도 불구하고, 생체적합한 방법의 조직재생과 항문 괄약근의 기능의 회복이 가장 이상적인 해결책일 것이라는 것은 두말 할 나위가 없다.

Frudinger 등은 2010년 변실금 환자에서 자가 근원세포(myoblast)를 이용한 변실금의 치료의 결과를 보고하였다. 연구 대상환자는 분만 손상에 의한 변실금으로 다른 치료로 해결되지 않는 10명의 여성이었다. 가슴의 대흉근에서 근육을 추출하여 배양 및 증식한 자가 근원세포를 초음파 유도를 통한 외부 항문 괄약근 결손 부위에 주입하였다. 특별한 부작용은 보고되지 않았으며 CCFIS 변실금 점수는 평균 13.7점 개선되었다. 삶의 질 지수도 30점 나아졌다. 그는 분만에 의한 괄약근 손상이 있는 환자에서 자가 근원세포를 이용하여 변실금의 증상을 안전하고 편안하게 개선시킬 수 있음을 보고하였다.

Frudinger 등은 5년 뒤 그 효능을 관찰하였는데 시술 전 항문직장 기능검사를 시술 후 1, 2, 5년과 비교하였다. 또한 부작용, 변실금 지수, 변실금 횟수, 수축기 항문 압력, 삶의 질 지수 등을 5년 동안 관찰하였다. 시술 관련 합병증은 없었으며 혈액학적 검사와 생화학적 검사결과는 정상 범위에서 유지되었다. 지속적으로 변실금 지수의 개선과 변실금의 횟수의 감소를 관찰할 수 있었다. 항문 내압 검사에서 휴지기 압력과 수축기 압력의 지속적인 향상을 나타냈고 삶의 질도 개선되었고 다른 하부 지표들도 향상된 결과를 보였다.

Frudinger 등은 또 다시 3년 후인 2018년 다시 자가 근육추출 세포를 이용한 개선된 방법으로 연구를 계속 하였다. 그 숫자를 확대하여 항문 괄약근의 손상이나 위축을 동반하면서 변실금의 증상이 있는 39명의 남녀 환자를 대상으로 관찰하였다. 또한 투입되는 세포의 숫자를 줄이고 냉동 보관된 세포를 투입하는 방법도 연구하였다. 이러한 방법은 개선된 방식으로 비용이나 절차 등 실행의 편의성을 높이고 성적을 좋게 하기 위한 노력의 일환으로 볼 수 있다. 연구 항목은 변실금 점수는 물론 삶의 질 점수, 항문직장 내압검사, 안전성에 관해서 평가하였다.

비슷한 시기에 Romaniszyn 등도 10명의 환자를 대상으로 대퇴의 외측 광근(vastus lateralis muscle)에서 채집한 자가 근원세포를 이용하여 성공한 사례도 발표되었다. 환자의 66.7%에서 주관적인 증상의 개선을 표현하였고 55.6%의 환자에서는 휴지기와 수축기 항문 압력의 개선과 항문 고압대의 길이가 길어지는 현상을 관찰할 수 있었다.

미시간 대학의 Raghavan 등은 2011년 사람의 내괄약근과 쥐의 내장 뉴론을 함께 생명공학 방식으로 배양하는 실험을 통해 인체에 적용할 수 있는 항문의 내괄약근을 만들었다고 보고하였다. 또한 2014년에는 동물 실험 모델에서 내괄약근을 양성하는 연구를 하였다. 키토산을 이용하여 지지 역할의 비계를 만들고, 숙성된 민무늬근과 신경 전구세포를 배양, 증식하여 고리형태의 민무늬근 내괄약근을 생명공학 방식으로 만들어 쥐의 항문 주위에 심었다. 혈소판 추출 성장세포를 같이 주입하였고 4주 후 추출하였다. 이 추출된 근육 구조물로 내괄약근의 기능을 보강하기 위하여 사용할 수 있는 가능성을 보고하였다.

괄약근을 배양 증폭하여 증가된 양을 만들어 내거나 신경조직을 포함한 내괄약근을 보강할 수 있는 이러한 기법은 미래에 희망을 준다. 그러나 세포를 어디에서 가져올 것인지, 다량의 조직을 어떻게 준비할 것인지 혹은 손실된 괄약근의 대량 재생산이 가능한 것인지 등 여러 가지 극복해야 할 과제가 남아있다. 다른 관점에서 볼 때 성체 골격근원세포를 기반으로 괄약근을 보강하게 된다면 완전히 분화된 세포가 더 이상 분화하지 않거나 기존의 괄약근과 통합하지 않을 것으로 여겨진다. 더욱이 항문의 내괄약근은 골격근이 아닌 민무늬근이기 때문에 근육을 채취할 장소가 마땅하지 않다.

그러나 생명공학 기술의 발전에 따른 줄기세포 치료 영역에서 근육만이 아니라 재생된 근골을 지탱하는 데 필요한 신경과 연결 조직 등 다른 종류의 세포도 재생할 수 있는 가능성을 가지고 있기 때문에 이러한 한계를 극복할 날이 다가올 것으로 본다. 줄기세포의 추출은 지방이나 골수와 같은 곳에서 시도될 수 있다. 일부 그룹들은 줄기세포의 가용성을 기하급수적으로 향상시키겠지만 면역학적 문제점이 제기될 수 있고 장기간의 연구가 부족한 상황에서는 보다 더 안전성이 보장될 때까지는 기다려야 할 것이라고 주장한다.

여러가지 성공적인 기술의 개발로 단순히 조직의 부

피를 늘리는 효과가 아니라 원래의 조직과 같은 성질을 가진 수축근의 생성과 함께 신경의 회복과 구조적으로 새로운 근육을 지탱하는 연결 조직의 보강이 이루어져야 제대로 된 역할을 할 수 있다. 줄기세포의 특성상 비정상적인 성장 패턴으로 원래의 의도와 다른 조직으로 생성되거나 악성으로 변환되는 것을 주의해야 할 것이다. 또한 원격 이동(distant migration)과 같은 잘못된 결과들이 생길 수 있는 위험성이 이 치료가 완전히 합법적으로 보장받지 못하는 요소로 남아 있다. 비록 이 치료 영역의 가능성은 흥미롭고 미래가 기대되지만, 아직까지는 완벽한 기능을 가진 항문 괄약근의 재생을 증명하는 임상 연구는 없었다.

요약

줄기세포 치료는 여전히 실험적이며 잘 설계된 연구 실험의 일부로만 제공되어야 한다.

14. 장루(Colostomy)

심각한 변실금에서 장루는 마지막 수단이다. 장루는 모든 치료가 실패하고 더 이상 가능한 다른 치료들이 없고 거동장애가 있어 간호를 필요로 하는 고령의 환자에서 선택적으로 시행할 수 있다. 일반적으로 장루의 개념 자체가 지저분한 것으로 생각되어 보호자들의 동의를 얻기 어렵다. 대장루의 효과는 안정적이지만 수술 전후 합병증, 삶의 질에 끼치는 영향에 대해 고민을 해야 할 부분이 있어 사회 활동을 해야 하는 젊은 사람에서는 일반적으로 시행하지 않는다. 또한 척수손상 이후 발생한 장 기능장애가 있는 환자군을 제외하고는 적절한 연구도 많지 않다. 그러나 장루의 특정한 역할이나 편의성을 경험하게 된다면 의외로 몇 그룹의 특정한 환자, 예를 들면 척수의 손상이나 거동이 불편한 심각한 변실금 환자에서 예상보다 높은 수준으로 환자나 보호자가 모두 만족하는 삶의 질의 개선을 보이기도 한다.

변실금 환자에서의 장루 설치에 대한 무작위 대조군 연구나 무작위 코호트 연구는 없으며 하나의 체계적 문헌 고찰과 환자 대조군 연구만이 있다. 그러나 2015년 미국 대장항문 외과학회에서는 “장루 설치는 변실금 환자에서 다른 치료들에 실패하거나, 또는 더 이상의 중재술을 원치 않는 환자에게 시행할 수 있는 최선의 수술적 선택”이라고 기술한 바 있다. 또한 미국 장 연구학회의 양성 항문질환 치료의 가이드라인에서도 2014년에 “장루는 심각하고 교정되지 않는 변실금 환자에서 삶의 질을 현저하게 향상시킬 수 있는 마지막 수단이다”라고 기술한 바 있다.

Colquhoun 등은 변실금 환자 71명과 직장암, 대장 게실 질환 합병증, 변실금으로 인한 장루 조성술을 받은 환자 39명을 우편을 통한 단면적 조사 연구(cross sectional postal survey)를 통해 비교한 바 있다. 변실금 점수의 분석으로 장루 그룹이 변실금 그룹에 비해 유의미하게 사회적으로 더 높은 기능을 수행한다는 것을 밝혀냈다. 변실금에 의한 삶의 질 지수에서 연령 보정, 성별 보정 회귀분석 결과 기침(2.7 vs. 2.0, p=0.005), 곤란한 상황(2.7 vs. 2.2, p=0.014), 삶의 질(3.2 vs 2.7, p=0.14)의 수치에서 더 높은 결과들이 나왔다. 이를 근거로 저자는 심각한 변실금으로 고통 받고 있는 환자군에게 삶의 질을 향상시키기 위해 대장루가 명확한 치료가 될 수 있음을 하나의 선택지로써 주장했다.

Tan 등은 말단 장루와 인공 항문 괄약근(ABS), 역동적 박근 이식수술(DG) 사이에서 특히 비용 효과적인 부분의 비교에 주목하여 체계적 문헌 고찰을 시행하였다. 이미 발표된 변실금 환자 자료에서 삶의 질 보정 점수와 비용–효과 대비에 대한 전문가의 견해를 추가하여, 통계적 예측치를 얻는 방법으로 세 가지 시술을 비교하였다. 이 중 장루가 5년 동안에 가장 비용 대비 효율적이었다. 그러나 장루는, DG나 ABS와는 달리 대변을 참는 능력을 정상으로 되돌리려는 노력이 아니기 때문에 비교함에 있어서 주의 깊게 해석할 필요가 있다. 게다가 이 보고는 중재적 연구가 아닌 통계적 리뷰이므로 다양한 바이어스들이 존재할 수 있다.

Norton 등은 변실금 치료를 위해 장루 조성술을 받은 환자들에게 설문조사를 시행함으로써 장루에 대한 환자들의 느낌을 조사하였다. 69명(여성 58명)이 답변하였다. 환자들이 현재 자신의 장루와 함께 생활하는 능력을 0에서 10까지 점수화하는 질문을 받았을 때, 그 결과의 중간 값은 8점이었다. 83%의 환자에서 지난 몇 달 동안 장루가 그들의 삶을 제한한다고 느낀 것은 "아주 조금" 또는 "전혀 없음"이라고 답했다. 84%는 "아마도" 또는 "명확하게" 장루 조성술을 받는 결정을 다시 내릴 것이라고 답했다. 환자들이 "당신이 변실금이 있을 때와 비교하여, 현재 장루를 갖고 있음으로 인해 당신의 삶의 질이 전체적으로 얼마나 변화하였는가?"에 대한 질문을 받았을 때(점수는 −5에서 +5까지로, −5는 매우 나쁨, +5는 매우 좋음), 답변의 중간 값은 +4.5였다. 저자는 임상 의사가 이런 전반적인 이득을 고려하여 변실금 환자에게 장루라는 선택을 고려해 봐야 한다고 주장하였다.

변실금 환자의 치료의 마지막 수단으로 시행하게 되는 장루는 말단 S상 결장루가 추천된다. 그러나 장루 설치는 변실금을 가지고 있는 환자의 모든 문제를 항상 해결해줄 수는 없다. Catena 등은 여러 가지 이유로 말단 S상 결장루를 시행 받은 44명(35명은 여성)의 환자를 후향적으로 분석하였다. 장루 설치 이후 19명(43%)은 무증상이었으나 25명의 환자들은 남겨진 말단부위의 염증이 발생하거나 점액 유출 등을 경험하였다. 이 25명의 환자 중, 12명(27%)에서 직장 말단에 발생한 문제로 인해 2차로 직장 절제술을 시행하였다. 조직학적 검사상 6명의 환자가 남겨진 직장에서 염증이 발생하였다. 직장 절제술과 관련된 요인으로는 연령이 작용했는데 어린 환자일수록 직장 절제가 더 요구되었다. 그러나 논문의 결과로 변실금으로 영구 말단 S상 결장루 설치가 필요한 환자에서 처음부터 직장 절제술을 시행하는 것을 권고하기에는 근거가 불충분하다고 하였다.

장루 조성술은 정상적인 생활 패턴을 제공하고 삶의 질을 향상시킨다. 따라서 장루 조성술을 단순히 변실금의 치료 실패에 따른 절망적인 선택으로 생각할 것이 아니라 더 이상 치료를 받을 수 없거나 더 복잡한 수술이 적합하지 않은 환자들에게 합리적인 치료 방법 중 한가지 옵션으로 간주되어야 한다. 현재는 직장을 절제하지 않고 말단 S상 결장루 설치를 하는 것이 권고된다. 남겨진 직장에서 임상적으로 크게 문제가 되는 증상이 있을 경우 소수에서 이차적으로 직장 절제술이 필요하기도 한다.

요약

장루 조성술은 더 이상 치료 방법이 없거나 모든 실패한 변실금 환자에서 합리적인 치료 옵션으로 고려되어야 한다.

15. 하행 자제 관장(Malone Antegrade Continence Enema)

하행 자제 관장(MACE)은 변을 통과시키지 못하거나 만성 변실금 환자에서 오랫동안 시행되어 왔던 고전적 치료 방법이다. 의사들에게는 말론 수술이라고 알려져 있다. 영국 Southampton 종합병원의 소아외과의사인 Malone은 1989년 5명의 소아 변실금 환자에서 충수로 도관을 삽입하는 수술을 한 뒤 이를 통해 관장을 하는 치료법을 제안하였다. 대상환자는 이분 척추증(spina bifida)으로 인하여 척수 수막이 주머니처럼 돌출되는 선천기형 혹은 항문직장의 선천장애와 연관되어 능동적인 배변 활동이 어렵게 되어 발생하는 변실금으로 다른 치료에 실패한 환자들이었다. 이 수술이 성공적으로 시행되어 널리 알려지게 됨에 따라 몇 해 동안 수천 건의 하행 자제 관장 수술이 시행되었고 수술의 성공률은 80%를 상회하였다.

원래 수술 방식은 충수를 맹장에서 분리하여 충수의 끝단을 자른 다음 맹장의 전방 벽면의 점막 하 터널을 만들고 도관을 밖으로 뽑아내는 것으로 우측 하복부에 장루를 설치하는 것이다. 그러나 여러 가지 다른 창의적인 수술방식으로 수술이 간편화 되었고 이 수술의 형태를 "ACE원칙"의 장루수술이라고 하는 것이 더 정확하겠다.

이 수술의 목적은 장을 씻어내는 것이다. 배출 기능의 저하로 변이 직장 상부의 결장에 머물러 있으면서 활동 시에 변이 흘러내리는 환자가 그 치료의 대상이 된다. 선천성 장애나 기형, 직장암 수술 후 신경 손상이나 혈액 순환 장애, 방사선 직장염, 직장의 허혈성 변화 등으로 직장벽의 유순도가 떨어지거나 직장과 항문의 운

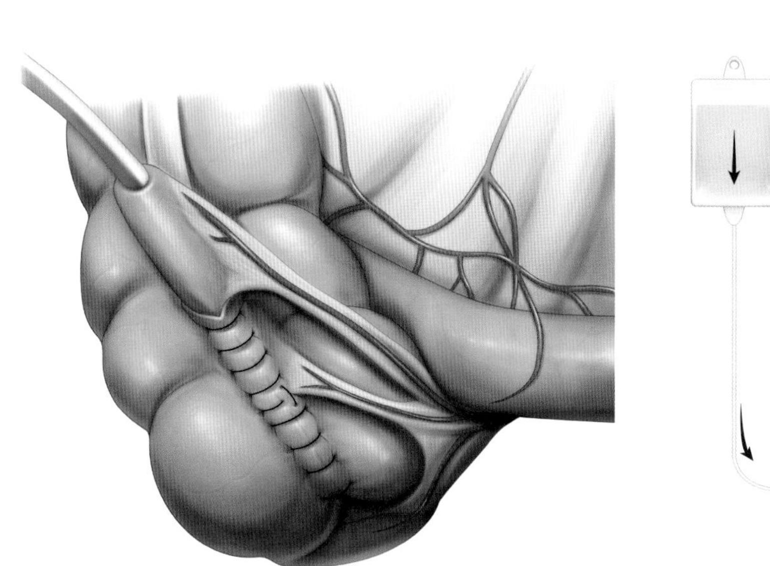

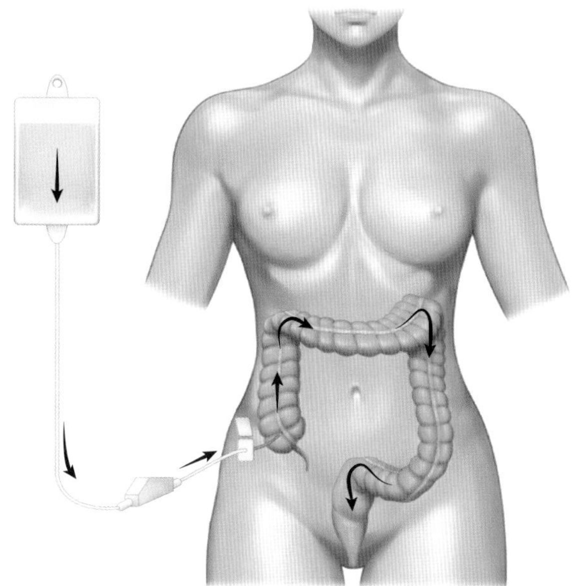

그림 9-17. Appendix로 도관을 삽입하고 고정하여서 누관을 형성한다. 중력을 이용하여서 도관으로 직접대장에 관장액을 주입하여서 장을 씻어낸다.

동 장애로 인하여 변의 배출이 원활하지 않은 경우에 이 수술의 적응이 될 수 있다.

하행 자제 관장을 위한 특수 목적의 도관은 맹장의 벽에 파묻는 등의 방식으로 역류를 방지하여 삽입된다. 도관을 삽입한 뒤 2-4일 뒤부터 100 cc의 물이나 생리 식염수를 주입한다. 환자의 장 마비가 풀리는 5일 즈음에 적극적으로 관장을 하기 시작한다. 이 도관을 통하여 4주간 유지하여 관장에 익숙하게 되고 장과 피부의 누관 형성이 이루어지면 도관을 빼고 환자가 직접 매일 혹은 2-3일에 한 번씩 삽입하여 물이나 식염수로 관장을 하게 된다. 관장의 양은 개인의 특성이나 적응에 따라 500 cc에서 1,000 cc까지 조절할 수 있게 된다. 중력을 이용하여 주머니에 물을 담아 흘러내리면 되는데 이때 물의 온도를 사람의 체온과 비슷하게 해 주는 것이 좋다. 관장을 할 때는 화장실에 앉아서 시행을 하고 처음에는 소량으로 시작해서 서서히 늘려 나간다. 관장을 하게 되면서 간혹 복통을 일으키는 경우가 있는데 이때는 진경제를 사용하기도 한다.

소화를 하고 난 변이 대장을 지나면서 수분이 흡수되고 고형변의 형태를 갖추게 되어 S결장에 오게 된다. 변의 양이 많아지면 직장으로 밀려 내려오면서 변 마려움을 느끼게 된다. 이 때 변을 보기에 익숙한 화장실로 갈 때까지는 적정량의 변을 담아둘 수 있어야 정상이다. 정상인의 직장은 그 벽이 두껍고 팽창이 가능하여 상당량의 변을 저장하게 된다. 또한 배변을 할 때 수축을 할 수 있다. 규칙적인 배변 습관을 가진 환자들의 직장은 저장 능력이나 수축 능력이 모두 원활하다. 직장과 같이 탄력성이 있는 조직의 이 팽창하는 정도를 유순도라고 한다. 유순도는 볼륨에 따른 압력의 변화를 의미한다. 소아의 변비에서 유순도가 많이 증가한 것을 관찰할 수 있다.

하부 직장암의 수술을 하고 난 다음 배변의 배출 장애를 일으키는 환자들이 많다. 이는 두껍고 적절한 유순도를 가진 직장을 절제하고 상부의 벽이 얇고 팽창 및 저장 능력이 떨어지는 장을 항문에 가깝게 연결하기 때문이다. 직장암 수술 특히 하부 직장암 수술을 시행한 환자는 변이 항문 가까이에 내려오면 즉시 화장실로 달려가야 한다. 하루에도 몇 번씩 화장실을 들락거려야 하기 때문에 어떤 이는 일상 생활이 안되고 장을 비우기 전에는 외출을 할 수가 없다. 메커니즘은 조금 다르지만 직장암 수술과 방사선 치료를 동반한 환자들도 마찬가지이다. 혹은 직장암 수술의 결과로 하부 직장의 신경 손상이나 혈액 순환의 부전으로 직장이 제 역할을 하지 못하는 수도 있다.

하부 직장암의 수술 후 발생하는 배변 장애를 직장 절제 증후군이라 한다. 대개 직장암 수술 후 발생하는 변실금에 대하여 외과의사들이 적절한 대처는 없고 2년 정도는 기다리라고 조언한다. 보존적 치료로 음식 조절과 식이 섬유, 지사제를 사용하기도 하고 라모세트론과 같은 약을 처방하기도 하지만 쉽게 조절되지 않는다. 환자는 외출하기 전에 항문을 통하여 관장을 하거나 장을 비워서 잠깐 동안 외출할 수 있으나 기저귀를 차야 하는 수가 많다. 골반저 근육을 강화하는 운동을 통하여 조절되는 수도 있다. 바이오피드백 치료를 하고 케겔운동과 같은 골반근육 강화운동을 시도해 볼 수 있다. 항문을 통하여 직장에 풍선을 넣고 훈련하는 방법도 있지만 여러 가지 복합적인 골반근육 강화운동을 권유한다. 천수 신경 조절이 증상의 개선에 도움이 된다는 보고가 있고 때로는 마지막 수단으로 말단 장루를 조성하기도 한다. 이러한 환자에서 말단 장루나 천수신경 조절의 전 단계로 하행 자제 관장을 시도해서 좋은 결과를 보인 경우가 있다.

References

1. O'Connell P, Knowles C, Maeda Y, Vaizey C, Madoff R, Laurberg S, Lehur P, Matzel K, Mellgren A, Mimura T. Surgery for faecal incontinence. Incontinence. 6th ed. Tokyo: International Consultation on Urological Diseases and International Continence Society; 2017
2. Cavina E, Seccia M, Banti P, Zocco G. Anorectal reconstruction after ab-dominoperineal resection. Experience with double-wrap graciloplasty supported by low-frequency electrostimulation. Dis Colon Rec-tum 1998;41:1010-6.
3. Matzel KE, Stadelmaier U, Ho-henfellner M, Gall FP. Electrical stimulation of sacral spinal nerves for treatment of faecal incontinence. Lancet 1995;346:1124-7.
4. Parks A G. Anorectal incontinence. Proc Royal Soc Med 1975;68:681-90.
5. Pickrell KL, Broadbent TR, Masters FW, Metzger JT. Construction of a rectal sphincter and restoration of anal continence by transplanting the gracilis muscle; a report of four cases in children. Ann Surg 1952;135:853-62.

1. 괄약근 복원수술

1. Eogan M, O'Brien C, Daly L, Behan M, O'Connell PR, O'Herlihy C. The dual influ-ences of age and obstetric history on fecal continence in parous women. Int J Gynaecol Obstet 2011;112:93-7.
2. Fenner DE, Genberg B, Brahma P, Marek L, DeLancey JO. Fecal and urinary incontinence after vaginal delivery with anal sphincter disruption in an obstetrics unit in the United States. Am J Obstet Gynecol 2003;189:1543-9.
3. Fernando R, Sultan AH, Kettle C, Thakar R, Radley S. Methods of repair for obstetric anal sphincter injury. Cochrane Database Syst Rev 2006;3:CD002866.
4. Fitzpatrick M, Behan M, O'Connell PR, O'Herlihy C. A randomized clinical trial comparing primary overlap with approximation repair of third-degree obstetric tears. Am J Obstet Gynecol 2000;183:1220-4.
5. Fornell EU, Matthiesen L, Sjodahl R, Berg G. Obstetric anal sphincter injury ten years after: subjective and objective long term effects. BJOG 2005;112:312-6.
6. MacArthur C, Glazener CM, Wilson PD, Herbison GP, Gee H, Lang GD, et al. Obstetric practice and faecal incontinence three months after delivery. BJOG 2001;108:678-83.
7. Mahony R, Behan M, Daly L, Kirwan C, O'Herlihy C, O'Connell PR. Internal anal sphincter defect influences continence outcome following obstetric anal sphincter injury. Am J Obstet Gynecol 2007;196:217.
8. Mous M, Muller SA, de Leeuw JW. Long-term effects of anal sphincter rupture during vaginal delivery: faecal incontinence and sexual complaints. BJOG 2008;115:234-8.
9. Nordenstam J, Mellgren A, Altman D, Lopez A, Johansson C, Anzen B, et al. Immediate or delayed repair of obstetric anal sphincter tears: a randomised controlled trial. BJOG 2008;115:857-65.
10. Samarasekera DN, Bekhit MT, Wright Y, Lowndes RH, Stanley KP, Preston JP, et al. Long-term anal continence and quality of life following postpartum anal sphincter injury. Colorectal Dis 2008;10:793-9.
11. Soerensen MM, Bek KM, Buntzen S, Ho-jberg KE, Laurberg S. Long-term outcome of delayed primary or early secondary reconstruction of the anal sphincter after obstetrical injury. Dis Colon Rectum 2008;51:312-7.
12. Williams A, Adams EJ, Tincello DG, Al-firevic Z, Walkinshaw SA, Richmond DH. How to repair an anal sphincter injury after vaginal delivery:results of a randomised controlled trial. BJOG 2006;113:201-7.

2. 괄약근 성형술

1. Coggrave M, Norton C, Cody JD. Management of faecal incontinence and constipation in adults with central neurological diseases. Cochrane Database Syst Rev 2014;1:CD002115.
2. Maslekar S, Gardiner AB, Duthie GS. Anterior anal sphincter repair for fecal incontinence: Good longterm results are possible. J Am Coll Surg 2007;204:40-6.
3. Oberwalder M, Dinnewitzer A, Nogueras JJ, Weiss EG, Wexner SD. Imbrication of the external anal sphincter may yield similar functional results as overlapping repair in selected patients. Colorectal Dis 2008;10:800-4.
4. Zutshi M, Hull T, Gurland B. Anal encirclement with sphincter repair (AESR procedure) using a biological graft for anal sphincter damage involving the entire circumference Colorectal Dis 2012;14:592-5.

3. 항문 후방복원술

1. Brown SR, Wadhawan H, Nelson RL. Surgery for faecal incontinence in adults. Cochrane Database Syst Rev 2013;7:CD001757.
2. Deen KI, Oya M, Ortiz J, Keighley MR. Randomized trial comparing three forms of pelvic floor repair for neuropathic faecal incontinence. Br J Surg 1993;80:794-8.
3. Mackey P, Mackey L, Kennedy ML, King DW, Newstead GL, Douglas PR, et al. Postanal repair do the long-term results justify the procedure? Colorectal Dis 2010;12:367-72.
4. Rieger NA, Sarre RG, Saccone GT, Hunter A, Toouli J. Postanal repair for faecal incontinence: long-term follow-up. Aust N Z J Surg 1997;67:566-70.
5. van Tets WF, Kuijpers JH. Pelvic floor procedures produce no consistent changes in anatomy or physiology. Dis Colon Rectum 1998;41:365-9.

4. 근육 치환술

1. Baeten C, Spaans F, Fluks A. An implanted neuromuscular stimulator for fecal continence following previously implanted gracilis muscle. Report of a case. Dis Colon Rectum 1988;31:134-7.
2. Prochiantz A, Gross P. Gluteal myoplasty for sphincter replacement: principles, results and prospects. J Pediatr Surg 1982;17:25-30.

5. 역동적 근육 치환술

1. Baeten C, Spaans F, Fluks A. An implanted neuromuscular stimulator for fecal continence following previously implanted gracilis muscle. Report of a case. Dis Colon Rectum 1988;31:134-7.
2. Baeten CG, Bailey HR, Bakka A, Belliveau P, Berg E, Buie WD, et al. Safety and efficacy of dynamic graciloplasty for fecal incontinence: report of a prospective, multicen-ter trial. Dynamic Graciloplasty Therapy Study Group. Dis Colon Rectum 2000;43:743-51.
3. Baeten CG, Konsten J, Spaans F, Visser R, Habets AM, Bourgeois IM, et al. Dynamic graciloplasty for treatment of faecal incontinence. Lancet 1991;338:1163-5.
4. Chapman AE, Geerdes B, Hewett P, Young J, Eyers T, Kiroff G, et al. Systematic review of dynamic graciloplasty in the treatment of faecal incontinence. Br J Surg 2002;89:138-53.
5. Hassan MZ, Rathnayaka MM, Deen KI. Modified dynamic gracilis neosphincter for fecal incontinence:an analysis of functional outcome at a single institution. World J Surg 2010;34:1641-7.
6. Madoff RD, Rosen HR, Baeten CG, LaFontaine LJ, Cavina E, Devesa M, et al. Safety and efficacy of dynamic muscle plasty for anal incontinence: lessons from a prospective, multicenter trial. Gastroenterology 1999;116:549-56.
7. Mander BJ, Wexner SD, Williams NS, Bartolo DC, Lubowski DZ, Oresland T, et al. Preliminary results of a multicentre trial of the electrically stimulated gracilis neoanal sphincter. Br J Surg 1999;86:1543-8.
8. Penninckx F, Belgian Section of Colorectal S. Belgian experience with dynamic graciloplasty for faecal incontinence. Br J Surg 2004;91:872-8.
9. Rosen HR, Novi G, Zoech G, Feil W, Urbarz C, Schiessel R. Restoration of anal sphincter function by single-stage dynamic graciloplasty with a modified (split sling) technique. Am J Surg 1998;175:187-93.
10. Salmons S, Vrbova G. The influence of activity on some contractile characteristics of mammalian fast and slow muscles. J Physiol 1969;201:535-49.
11. Tan EK, Vaizey C, Cornish J, Darzi A, Tekkis PP. Surgical strategies for faecal incontinence a decision analysis between dynamic graciloplasty, artificial bowel sphincter and endstoma. Colorectal Dis 2008;10:577-86.
12. Thornton MJ, Kennedy ML, Lubowski DZ, King DW. Long-term follow-up of dynamic graciloplasty for faecal incontinence. Colorectal Dis 2004;6:470-6.
13. Tillin T, Gannon K, Feldman RA, Williams NS. Third-party prospective evaluation of patient outcomes after dynamic graciloplasty. Br J Surg 2006;93:1402-10.

6. 인공 항문 괄약근

1. Hong KD, Dasilva G, Kalaskar SN, Chong Y, Wexner SD. Long-Term Outcomes of Artificial Bowel Sphincter for Fecal Incontinence: a systematic review and meta-analysis. J Am Coll Surg 2013;217:718-25.
2. Wang X, DaSilva G, Maron DJ, Cracco AJ, Wexner SD. Outcomes of Reimplantation of the Artificial Bowel Sphincter. Dis Colon Rectum 2016;59:122-6.

3. Wexner SD, Jin HY, Weiss EG, Nogueras JJ, Li VK. Factors associated with failure of the artificial bowel sphincter: a study of over 50 cases from Cleveland Clinic Florida. Dis Colon Rectum 2009;52:1550-7.
4. Wong MT, Meurette G, Wyart V, Glemain P, Lehur PA. The artificial bowel sphincter: a single institution experience over a decade. Ann Surg 2011;254:951-6.

7. 자기 항문 괄약근

1. Barussaud ML, Mantoo S, Wyart V, Meurette G, Lehur PA. The magnetic anal sphincter in faecal incontinence: is initial success sustained over time?. Colorectal Dis 2013;15:1499-503.
2. Lehur PA, McNevin S, Buntzen S, Mellgren AF, Laurberg S, Madoff RD. Magnetic anal sphincter augmentation for the treatment of fecal incontinence: a preliminary report from a feasibility study. Dis Colon Rectum 2010;53:1604-10.
3. Pakravan F, Helmes C. Magnetic anal sphincter augmentation in patients with severe fecal incontinence. Dis Colon Rectum 2015;58:109-14.
4. Sugrue J LP, Madoff, RD, McNevin S, Buntzen S, Laurberg S Mellgren A. Long-term experience of magnetic anal sphincter augmentation in patients with fecal incontinence. Dis Colon Rectum 2016 (in press).

8. 천수신경 조절술

1. Altomare DF, Giuratrabocchetta S, Knowles CH, Munoz Duyos A, Robert-Yap J, Matzel KE, et al. Long-term outcomes of sacral nerve stimulation for faecal incontinence. Br J Surg 2015;102:407-15.
2. Brouwer R, Duthie G. Sacral nerve neuromodulation is effective treatment for fecal incontinence in the presence of a sphincter defect, pudendal neuropathy, or previous sphincter repair. Dis Colon Rectum 2010;53:273-8.
3. Dudding TC, Meng Lee E, Faiz O, Pares D, Vaizey CJ, McGuire A, et al. Economic evaluation of sacral nerve stimulation for faecal incontinence. Br J Surg 2008;95:1155-63.
4. Govaert B, Melenhorst J, Nieman FH, Bols EM, van Gemert WG, Baeten CG. Factors Associated with Percutaneous Nerve Evaluation and Permanent Sacral Nerve Modulation Outcome in Patients with Fecal Incontinence. Dis Colon Rectum 2009;52:1688-94.
5. Griffin KM, Pickering M, O'Herli-hy C, O'Connell PR, Jones JF. Sacral nerve stimulation increases activation of the primary somatosensory cortex by anal canal stimulation in an experimental model. Br J Surg 2011;98:1160-9.
6. Hetzer FH, Bieler A, Hahnloser D, Lohlein F, Clavien PA, Demartines N. Outcome and cost analysis of sacral nerve stimulation for faecal incontinence. Br J Surg 2006;93:1411-7.
7. Hetzer FH, Hahnloser D, Clavien PA, Demartines N. Quality of life and morbidity after permanent sacral nerve stimulation for fecal incontinence. Arch Surg 2007;142:8-13.
8. Leroi AM, Lenne X, Dervaux B, Chartier-Kastler E, Mauroy B, Normand LL, et al. Outcome and cost analysis of sacral nerve modulation for treating urinary and/or fecal incontinence. Ann Surg 2011;253:720-32.
9. Leroi AM, Parc Y, Lehur PA, Mion F, Barth X, Rullier E, et al. Efficacy of sacral nerve stimulation for fecal incontinence: results of a multicenter double-blind crossover study. Ann Surg 2005;242:662-9.
10. Maeda Y, Matzel K, Lundby L, Buntzen S, Laurberg S. Postoperative Issues of Sacral Nerve Stimulation for Fecal Incontinence and Constipation: A Systematic Literature Review and Treatment Guideline. Dis Co-lon Rectum 2011;54:1443-60.
11. Maeda Y, Norton C, Lundby L, Buntzen S, Laurberg S. Predictors of the out-come of percutaneous nerve evaluation for faecal incontinence. Br J Surg 2010;97:1096-102.
12. Matzel KE, Kamm MA, Stosser M, Baeten CG, Christiansen J, Madoff R, et al. Sacral spinal nerve stimulation for faecal incontinence: multicenter study. Lancet 2004;363:1270-6.
13. Matzel KE, Schmidt RA, Tanagho EA. Neuroanatomy of the striated muscular anal continence mechanism. Implications for the use of neurostimulation. Dis Colon Rectum 1990;33:666-73.
14. Matzel KE, Stadelmaier U, Ho-henfellner M, Gall FP. Electrical stimulation of sacral spinal nerves for treatment of faecal incontinence.Lancet 1995;346:1124-7.
15. Melenhorst J, Koch SM, Uludag O, van Gemert WG, Baeten CG. Is a morphologically intact anal sphincter necessary for success with sacral nerve modulation in patients with faecal incontinence? Colorectal Dis 2008;10:257-62.
16. Melenhorst J, Koch SM, Uludag O, van Gemert WG, Baeten CG. Sacral neuromodulation in patients with faecal incontinence:

results of the first 100 permanent implantations. Colorectal Dis 2007;9:725-30.
17. Mellgren A, Wexner SD, Coller JA, Devroede G, Lerew DR, Madoff RD, et al. Long-term efficacy and safety of sacral nerve stimulation for fecal incontinence. Dis Colon Rectum 2011;54:1065-75.
18. Munoz-Duyos A, Navarro-Luna A, Brosa M, Pando JA, Sitges-Serra A, Marco-Molina C. Clinical and cost effectiveness of sacral nerve st imulation for faecal incont inence. Br J Surg 2008;95:1037-43.
19. Ratto C, Litta F, Parello A, Donisi L, De Simone V, Zaccone G. Sacral nerve stimulation in faecal incontinence associated with an anal sphincter lesion: a systematic review. Colorectal Dis 2012;14:297-304.
20. Rosen HR, Urbarz C, Holzer B, Novi G, Schiessel R. Sacral nerve stimulation as a treatment for fecal incontinence. Gastroenterology 2001;121:536-41.
21. Tan E, Ngo NT, Darzi A, Shenouda M, Tekkis PP. Meta-analysis: sacral nerve stimulation versus conservative therapy in the treatment of faecal incontinence. Int J Colorectal Dis 2011;26:275-94.
22. Thin NN, Horrocks EJ, Hotouras A, Palit S, Thaha MA, Chan CL, et al. Systematic review of the clinical effectiveness of neuromodulation in the treatment of faecal incontinence. Br J Surg 2013;100:1430-47.
23. Thin NN, Taylor SJ, Bremner SA, Emmanuel AV, Hounsome N, Williams NS, et al. Randomized clinical trial of sacral versus percutaneous tibial nerve stimulation in patients with faecal incontinence. Br J Surg 2015;102:349-58.
24. Vaizey CJ, Kamm MA, Roy AJ, Nicholls RJ. Double-blind crossover study of sacral nerve stimulation for fecal incontinence. Dis Colon Rectum 2000;43:298-302.
25. Vaizey CJ, Kamm MA, Turner IC, Nicholls RJ, Woloszko J. Effects of short term sacral nerve stimulation on anal and rectal function in patients with anal incontinence. Gut 1999;44:407-12.
26. Vallet C, Parc Y, Lupinacci R, Shields C, Parc R, Tiret E. Sacral nerve stimulation for faecal incontinence: response rate, satisfaction and the value of preoperative investigation in patient selection. Colorectal Dis 2010;12:247-53.
27. Wexner SD, Coller JA, Devroede G, Hull T, McCallum R, Chan M, et al. Sacral nerve stimulation for fecal incontinence: results of a 120- patient prospective multicenter study. Ann Surg 2010;251:441-9.

9. 치골직장 슬링수술

1. Mellgren A, Zutshi M, Lucente VR, Culligan P, Fenner DE, Group TS. A Posterior Anal Sling for Fecal Incontinence: Results of a 152-Patient Prospective Multicenter Study. Am J Obstet Gynecol 2016;214:349
2. O'Rourke DA, Egerton WM. A puborectal sling in the management of anal incontinence and rectal prolapse. Aust N Z J Surg 1985;55:493-5.
3. O'Rourke DA. An anorectal sling in the treatment of rectal prolapse and incontinence. Aust N Z J Surg 1974;44:144-6.
4. Rosenblatt P, Schumacher J, Lucente V, McNevin S, Rafferty J, Mellgren A. A preliminary evaluation of the TOPAS system for the treatment of fecal incontinence in women. Female Pelvic Med Reconstr Surg 2014;20:155-62.
5. Shafik IA, Shafik A. Double-loop puborectoplasty: novel technique for the treatment of fecal incontinence. Surg Technol Int 2009;18:103-8.
6. Yamana T, Takahashi T, Iwadare J. Perineal puborectalis sling operation for fecal incontinence: preliminary report. Dis Colon Rectum 2004;47:1982-9.

10. 생체적합물질 주입

1. Aigner F, Conrad F, Margreiter R, Oberwalder M, Coloproctology Working G. Anal submucosal carbon bead injection for treatment of idiopathic fecal incontinence: a preliminary report. Dis Colon Rectum 2009;52:293-8.
2. Altomare DF, La Torre F, Rinaldi M, Binda GA, Pescatori M. Carbon-coated microbeads anal injection in outpatient treatment of minor fecal incontinence. Dis Colon Rectum 2008;51:432-5.
3. Beggs AD, Irukulla S, Sultan AH, Ness W, Abulafi AM. A pilot study of ultrasound guided Durasphere injection in the treatment of faecal incontinence. Colorectal Dis 2010;12:935-40.
4. Davis K, Kumar D, Poloniecki J. Preliminary evaluation of an injectable anal sphincter bulking agent (Durasphere) in the management of faecal incontinence. Aliment Pharmacol Ther 2003;18:237-43.
5. de la Portilla F, Fernandez A, Leon E, Rada R, Cisneros N, Maldonado VH, et al. Evaluation of the use of PTQ implants for the treatment of incontinent patients due to internal anal sphincter dysfunction. Colo-rectal Dis 2008;10:89-94.

6. Dehli T, Lindsetmo RO, Mevik K, Vonen B. [Anal incontinence--assessment of a new treatment]. Tidsskr Nor Laegeforen 2007;127:2934-6.
7. Feretis C, Benakis P, Dailianas A, Dimopoulos C, Mavrantonis C, Stamou KM, et al. Implantation of microballoons in the management of feca l incont inence. Dis Colon Rectum 2001;44:1605-9.
8. Ganio E, Marino F, Giani I, Luc AR, Clerico G, Novelli E, et al. Injectable synthetic calcium hydroxylapatite ceramic microspheres (Coaptite) for passive fecal incontinence. Tech Coloproctol 2008;12:99-102.
9. Graf W, Mellgren A, Matzel KE, Hull T, Johansson C, Bernstein M, et al. Efficacy of dextranomer in stabilised hyaluronic acid for treatment of faecal incontinence: a randomised, sham-controlled trial. Lancet 2011;377:997-1003.
10. Hussain ZI, Lim M, Stojkovic SG. Systematic review of perianal implants in the treatment of faecal incontinence. Br J Surg 2011;98:1526-36.
11. Kenefick NJ, Vaizey CJ, Malouf AJ, Norton CS, Marshall M, Kamm MA. Injectable silicone biomaterial for faecal incontinence due to internal anal sphincter dysfunction. Gut 2002;51:225-8.
12. Kumar D, Benson MJ, Bland JE. Glutaraldehyde cross-linked collagen in the treatment of faecal incontinence. Br J Surg 1998;85:978-9.
13. Maeda Y, Laurberg S, Norton C. Perianal injectable bulking agents as treatment for faecal incontinence in adults. Cochrane Database Syst Rev 2013;2:CD007959.
14. Maeda Y, Vaizey CJ, Kamm MA. Long-term results of perianal silicone injection for faecal incontinence. Colorectal Dis 2007;9:357-61.
15. Maeda Y, Vaizey CJ, Kamm MA. Pilot study of two new injectable bulking agents for the treatment of faecal incontinence. Colorectal Dis 2008;10:268-72.
16. Malouf AJ, Vaizey CJ, Norton CS, Kamm MA. Internal anal sphincter augmentation for fecal incontinence using injectable silicone biomaterial. Dis Colon Rectum 2001;44:595-600.
17. Maslekar S, Smith K, Harji D, Griffiths B, Sagar PM. Injectable collagen for the treatment of fecal incontinence: long-term results. Dis Colon Rectum 2013;56:354-9.
18. Mellgren A, Matzel KE, Pollack J, Hull T, Bernstein M, Graf W, et al. Long-term efficacy of NASHA Dx injection therapy for treatment of fecal incontinence. Neurogastroenterology and Motility 2014;26:1087-94.
19. Morris OJ, Smith S, Draganic B. Comparison of bulking agents in the treatment of fecal incontinence: a prospective randomized clinical trial. Tech Coloproctol 2013;17:517-23.
20. Ratto C, Parello A, Donisi L, Litta F, De Simone V, Spazzafumo L, et al. Novel bulking agent for faecal incontinence. Br J Surg 2011;98:1644-52.
21. Rosato G, Piccinini P, Oliveira L, Habr-Gamma A, Chwat C. Initial results of a new bulking agent for fecal incontinence: a multicenter study. Dis Colon Rectum 2015;58:241-6.
22. Shafik A. Perianal injection of autologous fat for treatment of sphincteric incontinence. Dis Colon Rectum 1995;38:583-7.
23. Shafik A. Polytetrafluoroethylene Injection for the Treatment of Partial Fecal Incontinence. Int Surg 1993;78:159-61.
24. Siproudhis L, Morcet J, Laine F. Elastomer implants in faecal incontinence: a blind, randomized placebo-controlled study. Aliment Pharmacol Ther 2007;25:1125-32.
25. Soerensen MM, Lundby L, Buntzen S, Laurberg S. Intersphincteric injected silicone biomaterial implants: a treatment for faecal incontinence. Colorectal Dis 2009;11:73-6.
26. Stenberg AM, Larsson G, John-son P. Urethral injection for stress urinary incontinence: long-term results with dextranomer/hyaluronic acid copolymer. Int Urogynecol J Pelvic Floor Dysfunct 2003;14:335-8.
27. Stephens JH, Rieger NA, Farmer KC, Bell SW, Hooper JE, Hewett PJ. Implantation of ethylene vinyl alcohol copolymer for faecal incontinence management. ANZ J Surg 2010;80:324-30.
28. Tjandra JJ, Chan MK, Yeh HC. Injectable silicone biomaterial (PTQ) is more effective than carbon-coated beads (Durasphere) in treating passive faecal incontinence--a randomized trial. Colorectal Dis 2009;11:382-9.
29. Tjandra JJ, Lim JF, Hiscock R, Rajendra P. Injectable silicone biomaterial for fecal incontinence caused by internal anal sphincter dysfunction is effective. Dis Colon Rectum 2004;47:2138-46.
30. van Wunnik B, Driessen A, Baeten C. Local giant cell foreign body reaction after silicone injection for fecal incontinence in humans: two case reports. Tech Coloproctol 2012;16:395-7.
31. Weiss E EJ, Nogueras J, Wexner S. Submucosal injection of carbon-coated beads is a successful and safe office-based treatment of fecal incontinence [abstract]. Dis Colon Rectum 2002;45:A46.

11.1. 항문 삽입기구

1. Deutekom M, Dobben AC. Plugs for containing faecal incontinence (Review). Cochrane Systematic Review - Intervention Version published 2015;7.
2. J Christiansen, K Roed-Petersen. Clinical assessment of the anal continence plug. Dis Colon Rectum 1993;36:740-2.
3. Lukacz E, Segall M, M.D.2, Wexner S. Evaluation of an Anal Insert Device for the Conservative Management of Fecal Incontinence. Dis Colon Rectum 2015;58:892-8.
4. Mortensen N, Humphreys MS. The anal continence plug: a disposable device for patients with anorectal incontinence. Lancet 1991;1:295–7.

11.2. 질 삽입기구

1. Richter HE, Matthews CA, Muir T, Takase-Sanchez MM, Hale DS, Van Drie D, et al. A vaginal bowel-control system for the t reatment of feca l incont inence. Obstet Gynecol 2015;125:540-7.
2. Varma MG, Matthews CA, Muir T, Takase-Sanchez MM, Hale DS, Van Drie D, et al. Impact of a Novel Vaginal Bowel Control System on Bowel Function. Dis Colon Rec-tum 2016;59:127-31.

12. 고주파에너지 치료

1. Abbas MA, Tam MS, Chun LJ. Radiofrequency treatment for fecal incontinence: is it effective long-term? Dis Colon Rectum 2012;55:605-10.
2. Felt-Bersma RJ, Szojda MM, Mulder CJ. Temperature-controlled radiofrequency energy (SECCA) to the anal canal for the treatment of faecal incontinence offers moderate improvement. Eur J Gastroenterol Hepatol 2007;19:575-80.
3. Felt-Bersma RJ. Temperature-controlled radiofrequency energy in patients with anal incontinence: an interim analysis of worldwide data. Gastroenterol Rep (Oxf) 2014;2:121-5.
4. Frascio M, Mandolfino F, Impe-ratore M, Stabilini C, Fornaro R, Gianetta E, et al. The SECCA procedure for faecal incontinence: a review. Colorectal Dis 2014;16:167-72.
5. Herman RM, Berho M, Murawski M, Nowakowski M, Rys J, Schwarz T, et al. Defining the histopathological changes induced by nonablative radiofrequency treatment of faecal incontinence a blinded assessment in an animal model. Colorectal Dis 2015;17:433-40.
6. Kim DW, Yoon HM, Park JS, Kim YH, Kang SB. Radiofrequency energy delivery to the anal canal: is it a promising new approach to the treatment of fecal incontinence? Am J Surg 2009;197:14-8.
7. Lam TJ, Visscher AP, Meurs-Szojda MM, Felt- Bersma RJ. Clinical response and sustainability of treatment with temperature-controlled radiofrequency energy (Secca) in patients with faecal incontinence: 3 years follow-up. Int J Colorectal Dis 2014;29:755-61.
8. Lefebure B, Tuech JJ, Bridoux V, Gallas S, Leroi AM, Denis P, et al. Temperature-controlled radio frequency energy delivery (Secca procedure) for the treatment of fecal incontinence: results of a prospective study. Int J Colorectal Dis 2008;23:993-7.
9. Takahashi T, Garcia-Osogobio S, Valdovinos MA, Belmonte C, Barreto C, Ve-lasco L. Extended two-year results of radio-frequency energy delivery for the treatment of fecal incontinence (the Secca procedure). Dis Colon Rectum 2003;46:711-5.
10. Takahashi-Monroy T, Morales M, Garcia-Osogobio S, Valdovinos MA, Belmonte C, Barreto C, et al. SECCA procedure for the treatment of fecal incontinence: results of five-year follow-up. Dis Colon Rectum 2008;51:355-9.

13. 줄기세포 치료 및 기타 조직 재생 기법

1. Frudinger A, Kolle D, Schwaiger W, Pfeifer J, Paede J, Halligan S. Muscle-derived cell injection to treat anal incontinence due to obstetric trauma: pilot study with 1 year follow-up. Gut 2010;59:55-61.
2. Frudinger A, Pfeifer J, Paede J, Kolovetsiou Kreiner V, Marksteiner R, Halli-gan S. Autologous skeletal-muscle-derived cell injection for anal incontinence due to obstetric trauma: a 5-year follow-up of an ini-tial study of 10 patients. Colorectal Dis 2015;17:794-801.
3. 3. Raghavan S, Gilmont RR, Miyasaka EA, Somara S, Srinivasan S, Teitel-baum DH, et al. Successful implantation of bioengineered, intrinsically innervated, human internal anal sphincter. Gastroenterology 2011;141:310-9.
4. 4. Raghavan S, Miyasaka EA, Gilmont RR, Somara S, Teitelbaum DH, Bitar KN. Perianal implantation of bioengineered human internal anal sphincter constructs intrinsically innervated with

human neural progenitor cells. Surgery 2014;155:668-74.
5. 5. Romaniszyn M, Rozwadowska N, Malcher A, Kolanowski T, Walega P, Kurp-isz M. Implantation of autologous muscle-derived stem cells in treatment of fecal incontinence: results of an experimental pilot study. Tech Coloproctol 2015;19:685-96.

14. 장루

1. Branagan G, Tromans A, Finnis D. Effect of stoma formation on bowel care and quality of life in patients with spinal cord injury. Spinal Cord 2003;41:680-3.
2. Catena F, Wilkinson K, Phillips RK. Untreatable faecal incontinence: colostomy or colostomy and proctectomy? Colorectal Dis 2002;4:48-50.
3. Coggrave MJ, Ingram RM, Gardner BP, Norton CS. The impact of stoma for bowel management after spinal cord injury. Spinal Cord 2012;50:848-52.
4. Colquhoun P, Kaiser R, Jr., Efron J, Weiss EG, Nogueras JJ, Vernava AM, 3rd, et al. Is the Quality of Life Better in Patients with Colostomy than Patients with Fecal Incontience? World J Surg 2006;30:1925-8.
5. Norton C, Burch J, Kamm MA. Patients' Views of a Colostomy for Fecal Incontinence. Dis Colon Rectum 2005;48:1062-9.
6. Randell N, Lynch AC, Anthony A, Dobbs BR, Roake JA, Frizelle FA. Does a colostomy alter quality of life in patients with spinal cord injury? A controlled study. Spinal Cord 2001;39:279-82.
7. Tan EK, Vaizey C, Cornish J, Darzi A, Tekkis PP. Surgical strategies for faecal incontinence – a decision analysis between dynamic graciloplasty, artificial bowel sphincter and end stoma.Colorectal Dis 2008;10:577-86.

15. 항행 자제 관장

1. Malone PS, Wheeler RA, Williams JE. Continence in spina bifida patients:long term results. Arch Dis Child 1994;70:107–10.

변실금
Fecal Incontinence

Part 3

CHAPTER

10

노인성 변실금

노인 인구는 점차 늘어나서 2050년이 되면 전 세계 인구 중 60세 이상은 20억 명 이상, 80세 이상은 4억 명 이상이 될 것이라고 예상된다. 노인들에게 노쇠라는 표현은 듣기 싫겠지만, 노쇠하게 되면 신체는 외부 충격에 노출되었을 때 손상되기 쉽고 손상을 받으면 쉽게 회복이 되지 않는다. 노인은 만 65세 이상으로 본다. 이들은 활동력이 떨어지고, 반사기능이 원활하지 않고, 활발하지 않은 운동성이나 균형감각과 함께 좋지 않은 영양상태로 인해 쉽게 피로하고 지치게 된다. 노쇠는 장애나 만성 질환 상태와는 분명히 다르다. 만성 질환은 노쇠의 위험요소가 될 수 있고 장애는 노쇠의 결과로 나타날 수 있다.

Fried 등은 노인에서 노쇠에 대하여 조사하였다. 노인이 되어 특별한 원인 없이 1년간 4.5 kg 이상의 체중 감소, 탈진, 쇠약, 느린 걸음걸이, 활동력 감소 중 3가지 이상의 증상이 있는 경우를 노쇠한 것으로 규정하였다. 이 조사에서 65세 이상 5317명에 대해 분석 결과 노쇠한 상태의 22%에서 만성 질환과 장애를 동반하고 46%에서 만성 질환은 있으나 장애는 없으며 6%에서 장애는 있으나 만성 질환이 없고 27%에서는 장애도 만성 질환도 없는 것으로 보고하였다.

노쇠한 사람들은 대개 복수의 만성 질환에도 노출이 되어 있다. 또한 몇 가지 약을 지속적으로 복용하고 있는 노인들도 많다. 타인의 도움 없이 행동하기 힘들어 집에 머무르거나 요양 시설에서 지내는 노인들의 수도 기하급수적으로 늘고 있다. Baltes 등은 2003년 영국의 60세 이상의 노인 5450명에 대한 연구 결과에서 노쇠한 인구는 14%에 이른다고 보고하였다. 60세에서 69세까지는 6.5%였으나 90세 이상에서는 65%의 인구가 노쇠한 것으로 나타났다. 여성(16%)에서 남성(12%)보다 높았다. 노쇠한 사람은 실금의 발생도 높은 것으로 나타났다. 만성 질환의 동반 비율도 높지만 신체적 활동기능의 저하에 따른 우울증이나 치매의 발생 빈도도 높았다.

노인성 변실금의 가장 큰 문제는 사회성 상실이다. 가족에게까지도 쉽게 터놓고 이야기를 못하는 환자의 문제점은 환자의 신체 건강에 미치는 영향 자체보다 심리적 타격이 매우 크다는 게 전문가들의 판단이다.

노인에서 발생하는 변실금은 환자를 많은 고민과 함께 스스로 사회로부터 고립되게 한다. 노쇠와 함께 다가오는 심혈관, 뇌혈관, 당뇨, 혈압이나 갑상선, 척추 관절 질환 등 복수의 만성 질환으로 사회활동의 제약을 받기도 한다. 그러나 변실금으로 인한 사회활동의 제약 측면에서의 고충은 복합적으로 동반되는 다른 만성 질환을 합친 것과는 차원이 다르다. 노쇠의 특징적인 현상, 몸무게 감소나 활동력이 떨어지고 만성 질환이 찾아오는 것 등은 변실금의 위험요소가 될 수도 있다.

요실금은 성인용 기저귀와 같은 장치를 하고 사회 생활을 가까스로 견딜 수 있으나 악취를 동반하는 변실금은 기저귀를 하거나 항문에 거즈를 끼우는 정도로는 사회 활동을 할 수 없게 한다. 이러한 까닭에 환자는 불안감, 우울, 자신감 상실 등으로 인해 사회로부터의 격리로 이어지기 쉽다. 그나마 활동이 가능하고 대화가 가능한 노인에서 발생하는 변실금은 식이 및 물리치료, 배변조절과 관장 등으로 유지 관리할 수가 있고 적극적인 치료에 임할 수 있다. 그러나 뇌졸중, 파킨슨병, 치매 등의 환자들에서는 거동이 불편하고 주변의 도움 없이는 배변 활동이 불가능한 상태가 많아 치료를 시도하는 것은 물론 유지 관리조차 어려울 때가 많다.

Ng나 Gorina 등의 통계에 따르면 전체 인구의 2.2%에서 25%까지 변실금이 발생하는 것으로 관찰된다. 그러나 노인인구가 많은 국가에서는 9-30%, 급성 질환에 노출된 경우는 18-33%, 요양시설이나 장기 보호를 받는 인구의 50%까지 보고된다. 유병률의 차이가 많은 것은 변실금에 대한 정의와 횟수 등 조사 방식의 차이에서 기인한다. 연구자의 판단에 따라 50대 이상의 환자에서 시행한 조사는 유병률이 조금 낮다. Markland 등은 평균연령 70대에서 연구하여 보고하였고 변실금 환자가 한 달에 한 번 변을 참지 못하는 비율이 6%라고 하였다. 때로는 수동적 변 누출을 고형변이나 액상변의 누출로 구분하여 조사하기도 한다. 그러나 점액, 액상, 고형변의 누출이나 실금에 대한 환자들의 당혹감은 거의 동일하다고 판단하기 때문에 필자를 비롯한 여러 학자들은 수동적 변 누출도 변실금의 정의에 들어가야 한다고 판단한다. 변실금의 남녀 비율을 살펴보면 젊은 연령에서는 여성의 비율이 높으나 나이가 들수록 남녀 비율이 비슷해진다는 보고가 있다. 노인성 변실금의 발생 비율은 남녀에서 동일한 비율로 발생한다.

Bliss 등은 급성 질환으로 병원에 입원 중인 환자에서 변실금의 빈도는 6-33%로 보고하였고 설사를 동반하는 경우가 많았다고 보고하였다. 묽은 변이나 설사를 하는 경우, 또는 약제와 연관된 변실금의 발생이 많았다. 우리나라도 가정에서 요양보호사의 도움을 받는 노인들이 많다. Westra 등은 활동성이 떨어져 가정 요양을 받는 노인들의 27-33%에서 요실금이 관찰되고 7-9%에서 변실금의 증상이 관찰된다고 하였다. 2014년 미국 질병관리본부에서는 가정 요양 치료를 받는 환자의 49%에서 변실금 증상이 있는 것으로 보고하였다. 이는 요양기관에서 관리되는 환자의 유병률(33%)이나 개인 거주하는 사람의 유병률(13%)보다 높게 나타났다. 호스피스 관리를 받는 사람의 경우도 비슷한데 요양기관에 관리되는 사람의 66%, 병원 호스피스 관리 환자의 70%, 자가에서 거주하는 환자의 41%에서 변실금이 발생하는 것으로 보고된다. 요양기관에서 장기요양으로 지내는 환자의 40-57%에서 일주일에 한 번 정도의 변실금이 발생하는 것으로 보고된다.

근래에 들어 사회적으로 노인성 변실금에 대한 치료에 관심을 기울이는 것은 바람직한 분위기이다. 우선 환자의 발생 빈도와 진단, 예방 치료에 대한 큰 가이드라인이 필요한 시점이다. 노인성 변실금의 주된 증상은 변비와 동반하는 수동적 변실금, 변 누출이고 주로 액상변의 변실금 형태가 가장 많다. 수동적 변실금이란 자신도 모르는 사이에 변이 항문 밖으로 새 나오는 것을 의미한다. 감각의 저하나 소실이 동반되기 때문에 변 마려움을 느끼지 못하는 상황에서 이미 흘러있는 것을 잘 알지 못하다가 이상하다 싶어 만져보면 변이 흘러있는 것이다. 절박이나 참을 수 없는 경우도 있다. 변실금의 정도는 가스를 조절하지 못하는 경미한 상태에서부터 설사 혹은 딱딱한 변도 참지 못하는 중한 상태까지 개인의 병리상태에 따라 다양하다.

노인성 변실금 환자의 치료에 관하여 사람들의 관심이 부족하게 되는 여러 원인이 있다. 사회적으로 혹은 문화적으로 터놓고 토의하고 의논하는 대화의 장이 부족하고, 변실금의 치료 방법이 없거나 쉽지 않을 것이라는 막연한 의식, 변실금 치료 전문가가 부족하여 의료인으로의 접근이 쉽지 않고 아직까지 우리나라 의료체계에 변실금 환자에 대한 배려가 부족하여 환자들이 초기에 병원을 찾지 못하는 등이다. 변실금의 증상이 심해지면 그 원인과 위해 요소들의 교정과 치료도 어려워진다. 중증의 변실금 환자에서는 해부학적인 손상은 물론 신경장애나 기능부전이 동반되기도 하여 한 가지 치료 방법으로 해결되지 않고 장기간의 치료를 위한 시간 투자와 노력이 필요하다.

노인성 변실금 환자에서 치료에 장애가 되는 위험요소는 거동이 불편하거나 인지장애나 치매가 있는 경우, 골반 방사선 치료의 과거력, 항문직장의 수술 과거력이 있는 환자 또는 요실금, 변비, 만성 설사, 비만, 쇠약하거나 복합 만성 질환이 동반되는 경우 등이다. 변이 묽거나 설사를 하는 경우 증상을 악화시킨다. Quander 등은 노인에서 변실금의 증상에 연관된 요인으로 흑인, 향정신성 약물 복용, 당뇨, 뇌혈관 질환 환자에서 발생 빈도가 높다고 하였다.

1. 노인성 변실금의 진단

노인성 변실금 환자에서 진단으로 병력청취가 매우 중요하다. 변실금 증상의 양상, 식이 평가, 증상의 중등도 등을 파악하고 그 다음 어떤 방향으로 접근할 것인지를 선택할 수 있다.

1) 노인의 항문직장 생리

노인의 항문직장 생리검사의 결과는 다양하게 나타난다. 노인에서 직장항문 내압검사의 정상 범위는 젊고 건강한 사람들과는 다르게 정해져야 한다. 환자와 대조군을 비교할 때 여러 다른 요인들이 작용하여 비교분석이 명확하지 않고 의료정보가 부적절하며 대부분 숫자가 적고 80세 이상의 고령환자에 대한 분석이 적은 등의 이유로 노인의 항문직장 생리검사의 결과는 변수가 많고 명확하게 딱 떨어지지 않는다. 항문직장 내압검사, 초음파, MRI, 배변영화조영 장치 등을 완전히 갖춘 병원도 많지 않기 때문에 표준화된 진단 결과를 서로 비교하는데 한계가 있다. 또한 노인 변실금 환자의 증상과 데이터는 서로 일치하지 않는 경우도 많다.

2) 대장내시경

변실금 환자에서 용종이나 직장암, 염증 등을 확인하기 위하여 대장내시경을 시행해야 한다. 직장암이 진행되면 암 덩어리가 직장의 팽창능력과 수축 능력을 떨어뜨려 변이 내려오면 오래 참지 못하게 된다. 괄약근까지 침범하여 괄약근의 기능을 손상하는 경우도 간혹 있다. 염증이 진행되면 장이 예민해지고 묽은 변이나 설사를 하게 되면서 급박하게 되어 변의 자제에 지장을 초래하게 된다.

3) 배변조영술

배변조영술은 변실금 진단의 핵심 검사 방법이다. 배변조영술에서 환자의 항문직장의 각도, 직장의 팽창성, 수축은 물론 변의 배출 및 자제의 과정을 관찰할 수 있다. 직장 점막 중첩, 직장류 등을 감별할 수 있고 항문관의 길이와 닫힌 정도, 배변 시 항문관의 변화 등을 상세히 관찰할 수 있다. 노인성 변화의 특징적인 소견은 항문관의 길이가 짧아져 있거나 항문관 상부가 열려 있는 경우를 발견할 수 있다. 항문과 직장의 각도가 둔각으로 늘어나 있고 직장 중첩이 있거나 여성 직장류가 있어 배변의 완전한 배출이 이루어지지 않기도 한다.

4) 항문직장 내압검사

항문직장 내압검사는 항문관의 압력을 측정한다. 또한 직장의 감각이나 저장 능력, 배출 능력을 확인할 수 있다. 노인성 변실금 환자의 항문직장 내압검사의 특징적인 소견은 항문관의 길이가 짧고 수축기 및 휴지기 압력이 떨어져 있다. 수축기는 정상이면서 휴지기 압력이 떨어져 있는 경우도 많다. 특히 항문관 상부의 압력이 항문관의 전체의 압력에 비하여 떨어져 있는 것을 발견할 수 있다. 직장항문 억제반사가 소실되어 있거나 직장의 감각 한계가 떨어진다.

5) 항문 초음파

분만에 의한 괄약근의 손상은 대개 항문의 앞쪽으로 발생하여 항문 괄약근의 결손을 쉽게 파악할 수 있다. 여성 노인성 변실금 환자에서는 직장과 질 사이의 벽이 얇아지고 약해져 있음을 관찰할 수 있다. 항문 쿠션이 약하거나 소실되어 있고 내괄약근이 약해져 있다. 내괄약근과 외괄약근 사이의 경계부위가 소실되거나 약화되어 있고 과거 치질 수술을 받은 환자에서는 내괄약근 절개의 흔적을 발견하기도 한다.

6) 음부신경전도검사

노인성 변실금에서는 분만 손상과 음부신경 손상의 유무를 확인해야 한다.

2. 노인성 변실금의 치료

노인성 변실금의 치료는 크게 보존적 치료와 수술적 치료로 나눈다. 여러 논문에 대한 체계적 고찰 결과 노인성 변실금에 대한 치료로 제안되어 왔던 방법을 열거해 보면 1) 복합 바이오피드백 치료와 행동치료 2) 약물요법 3) 가정 간호, 요양시설 간호 4) 항문 보강물질 주입 5) 후방 경골신경 자극 6) 항문 마개 7) 최소 침습 수술 8) 수술 등이다.

보존적 치료는 후유증은 적지만 시간이 많이 걸리고 그 효과가 불분명한 것이 단점이다. 식생활이나 배변 습관을 바꾸고 식사 일지나 배변 일지를 적어서 변실금의 유발 요인을 줄이거나 골반강화 운동 등을 일차적으로 시행해 볼만 하다. 그러나 노인들이 자신의 일거수일투족을 상세하게 기록하고 분석하는 것은 쉽지 않다. 거동이 불편한 노인들은 이러한 보존적 치료의 불명확한 결과 때문에 중도에 치료를 포기하는 경우가 대다수이다.

식습관 개선은 변실금 치료에 매우 중요하다. 매운 음식은 소화가 되지 않고 배설되므로 피해야 한다. 이는 위 장관을 자극하여 상피 손상을 초래하기 쉽고, 흡수가 되지 않고 장관을 자극하며 그냥 배설되어 항문의 자극과 함께 피부트러블을 일으킨다. 과일, 채소, 견과류, 곡류 등은 식이 섬유가 풍부하기 때문에 배변에 도움이 된다. 변비가 있는 경우 변의 성상을 부드럽게 하기 위해 충분한 수분을 섭취하여 소변의 색이 맑거나 노란색이 희석될 정도로 유지하는 것이 좋다. 간, 심장, 콩팥에 질병이 있는 환자라면 의사와 상의하여 수분 섭취의 양을 적절히 조절해야 한다. 일주일에 2-3시간 정도의 근력 운동, 규칙적인 스트레칭이나 걷기 등은 장의 운동을 활발하게 하여 도움이 된다.

Bliss 등은 변실금 환자와 대조군을 상대로 음식 섭취에 대한 연구를 시행한 바 있다. 특정 프로그램을 통하여 두 그룹에서 모두 염분과 단백질 섭취를 줄이고 식이섬유와 단일 불포화지방의 섭취를 증가시켜 영양패턴을 개선시킬 수 있었다. 칼슘과 비타민 D를 복용하는 것이 섭취의 부족을 보충하고 질병의 위험을 줄일 수 있다고 보고하였다. 또한 이러한 음식섭취의 평가와 상담 및 조절을 통하여 변실금 환자의 전신상태를 양호하게 만들고 변실금 환자는 증상을 예방하는데 도움이 되는 것으로 인식하게 되었다.

설사가 변실금의 원인 중 하나라고 생각한다면 조심해야 할 것들이 많다. 우선 술을 마시는 것이 좋지 않다. 대개 음주는 설사를 유발한다. 커피, 차, 콜라, 초콜릿 등은 카페인이 많아서 피하는 것이 좋고 담배의 니코틴도 변실금을 악화시킨다. 아이스크림, 우유, 치즈, 크림 등도 좋지 않다. 당분이 많은 음료수 주스, 소다, 사탕, 쿠키도 좋지 않다. 베이컨, 소시지, 버터, 동물성 기름, 바짝 튀기거나 구운 것은 지방이 많아 좋지 않다. 사과, 배, 복숭아 등도 피하는 것이 좋다.

외출을 하기 전에는 장을 비우고 외출하는 것이 좋다. 하지만 직장 내에는 변만 있는 것이 아니라 직장의 점막에서 분비되는 점액, 찌꺼기들이 있어 무심코 돌아다니다 보면 자신도 모르게 분비물의 누출이 생긴다. 이 때문에 생리대를 차거나 흡수성이 좋은 여분의 기저귀를 휴대하고 다니는 것이 돌발상황을 예방하는 지름길이다. 불안이나 감정장애, 스트레스도 변실금을 악화시키는 요소이다. 우울증이 있는 사람들은 반드시 정신과 의사의 도움을 받아야 한다. 가족들도 항상 환자를 격려하고 혼자 격리되는 상황이 생기지 않도록 한다. 변실금의 증상이 개선 가능하다는 확신을 가지고 환자와 주위 사람들이 협동해서 치료에 임해야 한다.

복합 바이오피드백과 행동치료는 노인의 변실금의 여러 요인을 고려하여 진행할 수 있다. 골반강화 운동을 하고 약물치료나 변비에 대한 치료를 병행하는 것이다. 바이오피드백과 자기장 치료, 전기자극 치료 등을 병합하여 시도해 볼 수도 있다. 그러나 Forte 등은 63명의 환자를 대상으로 무작위 대조연구(Randomized Control Trial)를 시행하였다. 이 연구에서 바이오피드백과 골반강화 운동 및 전기자극 치료를 하는 것이 바이오피드백과 골반강화 운동만을 하고 전기자극 치료는 하지 않는 것에 비하여 유의미한 증상의 개선을 가져오지 않는다고 보고하였다.

약물요법은 주로 변의 성상과 장의 운동성을 조절하는 약을 사용하여 변실금의 증상 개선을 기대하는 방법이다. 변비나 묽은 변 혹은 설사는 변실금의 증상을 악화시킨다. 노인들에게 식사 일지와 배변 일지를 적게 하는 것이 쉬운 일은 아니지만 이러한 노력만으로도 증상의 개선에 도움이 될 수 있다. 어떤 음식을 먹고 난 이후의 변화에 대하여 명백하게 정리하는 것으로 변실금을 유발하는 음식과 증상을 개선하는 음식을 발견하게 될 것이다. 때로는 음식을 가리는 것만으로 변실금의 증상이 개선될 수도 있다.

차전자가 위약과 비교하여 증상을 개선하는데 도움이 된다는 보고가 있다. 일반적으로 지사제와 비교하여 효과를 유지하면서 복용에 거부감 없이 잘 적응된다. 지사제를 사용하는 것도 효과를 볼 수 있다. 위축 위염이나 위의 소화 용량이 낮은 환자에서 부담감으로 복용하지 못하는 경우가 간혹 생긴다. Sjodahl 등은 바이오피드백과 지사제 및 팽창성 하제를 사용하여 변실금의 증상을 개선할 수 있었다고 보고하였다. 이들의 복합 치료는 변의 성상을 개선하고 급박변의 횟수를 감소시켰으며 직장의 감각 한계치를 증가시키게 된다고 설명하였다. 기타 약물요법으로 국소 페닐레프린, 징크 알루미늄 연고, 에스트로겐 크림 등을 사용하기도 한다.

요양병원이나 가정 간호를 받는 노인성 변실금의 특징은 변비가 동반하는 비율이 높다는 것이다. 변비나 분변 매복이 변실금의 증상을 유발한다. Chassagne 등은 요양시설에 입원하고 있는 변실금 환자에서 삼투하제를 복용시키거나, 반복적으로 직장에 자극을 주는 것과 함께 일주일에 한번의 관장을 통하여 분변 매복을 해결함으로써 35%의 변실금의 증상과 42%의 변 누출의 개선을 관찰할 수 있었다고 보고하였다. Schnelle 등은 복합적인 관리기법을 다기관 연구를 통해 시행한 결과를 보고한 바 있다. 인지기능이 떨어져 요양보호를 받고 있는 112명의 환자와 112명의 대조군에서 3개월간 배변 활동에 대한 도움, 규칙적인 운동, 수분 섭취와 음식조절 등을 비교 분석하였다. 관리를 받은 환자에서 배변의 횟수와 화장실에서의 배변 활동이 개선되었다고 보고하였다.

1993년 이집트의 외과의사 Shafik이 PTFE를 이용하여 **항문주위 팽창물질 주입**을 시행한 것이 최초의 항문 보강수술이었다. 생체적합 물질로써 항문에 삽입하여 항문 괄약근을 보강하고 항문관을 유지하면서 신체에 해로움 없이 적응할 수 있는 물질들이 개발되어 왔다. 대표적인 것이 콜라겐, 실리콘, 화학물질 등과 같은 것이 있다. 자기장 괄약근고리(Magnetic anal sphincter)가 개발되어 미국에서 생산 판매 중이나 장기 효과에 대한 보고가 부족하다. 형상기억물질을 이용하여 내괄약근과 외괄약근 사이에 주입하는 GateKeeper가 최근 유럽에서 개발되어 시행 중이나 국내에 도입되어 있지 않다. 필자는 2015년부터 자가 지방이식을 통한 항문 보강수술을 시행 중이다. Shafik이 1995년도에 자가 지방이식을 시도했다는 보고가 있었다. 무균돼지에서 추출한 콜라겐을 주입하는 시도도 있었다.

후방 경골신경 자극(posterior tibial nerve stimulation, PTNS)은 간단하며 비 침습적인 치료이다. 경골신경은 천수신경총으로 연결되어 이에 대한 자극이 간접적으로 천수신경에 영향을 미칠 것으로 기대하는 치료법이다.

천수신경 조절을 적용하는 근거는 환자에 대한 임상적 관찰과 해부학적인 입증을 통하여 가능하게 되었다. 1) 배변 시 호전되는 효과와 항문직장의 변 자제기능, 항문직장각의 개선과 항문을 닫는 압력이 증가하는 등 임상적 관찰을 하게 되고 2) 변 자제를 지배하는 골반 저 근육에 분포하는 이중 말초신경과 가장 먼 곳에 분포하는 천수신경을 해부학적으로 입증함에 따라 이 시술이 변실금의 치료에 효과가 있을 것으로 판단하는 근거가 되었다. 즉 천수 신경을 자극하면 배변 조절에 영향을 미치는 생리적 기능을 강화하고 변실금의 증상을 개선할 수 있다는 가설을 세웠다. 천수신경 조절의 결과에 대한 보고는 너무 많다. 변실금의 횟수 감소, 증상의 호전과 의미 있는 삶의 질 개선을 보장한다. 서구에서는 변실금의 일차 치료로 도입되나 우리나라에서는 조건부 급여로 6개월 이상 여러가지 시술이나 물리치료 약물치료 등에 반응하지 않는 환자에 국한되어 허용되고 있다.

줄기세포 치료는 효과가 기대되는 미래의 치료 방법이다. 그러나 황우석 사태 이후 임상 시행조건은 까다롭고 어려워져 있다. 줄기세포의 배양 후 환자에 주입하는 방식이 워낙 고가의 시술방식이라 환자들이 감당하기 쉽지 않고 비용대비 효과가 100% 보장되지 않는다. 자가 지방에서 추출한 성체 줄기세포를 이용한 시술방식은 현행 의료법에서 허용이 되는 유일한 방식이고 환자에게 비용 부담을 줄일 수 있어 권장할 만하다.

여타의 치료 방법으로 증상의 개선이 어렵고 쇠약한 변실금 환자, 예를 들면 뇌졸중이나 파킨슨병 환자 등에서 거동이 불편하며 기대여명이 오래지 않게 예상되는 노인의 경우 장루 설치는 의외로 환자와 가족, 요양치료사의 만족도를 높인다. 장루 설치는 수술이 간단하고 설치 후에는 배변 활동이 쉽다. 배설 후의 처리가 간단하여 보호자나 요양도우미 등이 매번 기저귀를 갈아 끼우는 수고를 덜 수 있어 적극 추천한다. 하지만 마취의 부담이 있고 장루에 대한 부정적인 고정관념으로 환자나 가족이 선뜻 받아들이지 않는 것이 현실이다.

노인성 변실금의 발생은 다양한 요소에 영향을 받기 때문에 환자의 정확한 변실금의 발생원인과 위해요소를 파악하는 것이 가장 중요하며 이러한 여러가지 요인을 알아야 치료의 방침을 결정할 수 있다.

References

1. Anders Dige, Helene TarriHougaard, JørgenAgnholt, BodilGinnerup Pedersen, Michaela Tencerova, Moustapha Kassem, Klaus Krogh, and Lilli Lundby. Efficacy of Injection of Freshly Collected Autologous Adipose Tissue into Perianal Fistulas in Patients with Crohn's Disease,Gastroenterology 2019;156:2208-16.
2. Baltes, P.B. and J. Smith, New frontiers in the future of aging: from successful aging of the young old to the dilemmas of the

fourth age. Gerontology 2003;49:123-35.

3. Bliss, D.Z., et al. Comparison of the nutritional composition of diets of persons with fecal incontinence and that of age and gender matched controls. J Wound Ostomy Continence Nurs 2000;27:90-1, 93-7.
4. Bliss, D.Z., et al. Fecal incontinence in hospitalized patients who are acutely ill. Nursing Research 2000;49:101-8.
5. Chassagne, P., et al. Does treatment of constipation improve faecal incontinence in institutionalized elderly patients? Age & Ageing 2000;29:159-64.
6. Forte, M.L., et al. AHRQ Comparative Effectiveness Reviews, in Treatments for Fecal Incontinence. 2016, Agency for Healthcare Research and Quality (US): Rockville (MD).
7. Fried, L.P., et al. Frailty in older adults: evidence for a phenotype. J GerontolA Biol Sci Med Sci 2001;56:146-56.
8. Gorina, Y., et al. Prevalence of incontinence among older americans. Vital Health Stat 3 2014;36:1-33.
9. Hellström L, Ekelund P, Milsom I, Skoog I. The influence of dementia on the prevalence of urinary and faecal incontinence in 85-year-old men and women. Arch Gerontol Geriatrics 1994;19:11-20.
10. Markland, A.D., et al. Incidence and risk factors for fecal incontinence in black and white older adults: a population-based study. J Am Geriatr Soc 2010;58:1341-6.
11. Ng, K.S., et al. Fecal Incontinence: Community Prevalence and Associated Factors--A Systematic Review. Dis Colon Rectum 2015;58:1194-209.
12. Quander, C.R., et al. Prevalence of and factors associated with fecal incontinence in a large community study of older individuals. American Journal of Gastroenterology 2005;100:905-9.
13. Schnelle JF, Leung FW, Rao SS, Beuscher L, Keeler E, Clift JW, Simmons S. A controlled trial of an intervention to improve urinary and fecal incontinence and constipation. J Am Geriatr Soc 2010;58:1504-11.
14. Shafik A. Polytetrafluoroethylene injection for the treatment of partial fecal in-continence. Int Surg 1993;78:159-61.
15. Sjodahl, J., et al. Combination therapy with biofeedback, loperamide, and stool-bulking agents is effective for the treatment of fecal incontinence in women - a randomized controlled trial. Scand J Gastroenterol 2015;50:965-74.

CHAPTER

11

신경학적 변실금
(Neurologic Fecal Incontinence)

신경병증 환자에서 변실금의 증상은 생각보다 다발하고 심각한 문제임에도 불구하고 크게 부각되지 않는 실정이다. 신경병증 환자나 보호자는 이런 변실금 증상에 대한 대처방법이나 치료에 대한 정보나 지식이 거의 없는 것이 현실이다. 의사들조차 정보나 지식이 전무한 것이나 다름없어 치료에 대한 연구 결과나 보고도 거의 없는 실정이다. 따라서 신경병증 환자에서 변실금이 발생하면 그저 지사제를 복용하거나 외출 전에 장을 비우는 노력을 하고 기저귀를 차는 정도로 지내는 것이 현실이다. 그러나 지사제 복용은 변비를 초래해서 환자는 이중고통을 겪게 된다.

중추신경 장애는 비교적 흔한 질환이다. 신경 장애가 있는 환자는 위장관의 증상이 흔하다. 요실금이나 변실금 등의 증상은 환자와 가족의 삶의 질을 현저히 떨어뜨린다. 척수 손상 환자에서는 변비를 더 심하게 호소하며 이에 따른 범람형 변실금도 상당하다. 파킨슨병이나 다발성 경화증 환자의 발생도 적지 않아 신경학적 변실금으로 고생하는 사람들이 있으나 현재로서는 의료의 사각지대에 놓여있다고 해도 과언이 아니다.

위장관의 소화와 분비기능은 장의 운동성과 직장 배출 등에 연관이 있다. 장의 운동 및 통과기능은 장관의 미세한 신경체계와 자율신경의 복잡한 조율과 기능의 조합에 따른다. 배설을 통한 직장 비우기는 의식적으로 인지할 수 있는 직장의 감각, 운동기능과 내외 괄약근의 상호작용으로 이루어진다. 과도하고 빠른 장의 통과와 직장항문 조절기능의 부전은 변실금을 초래할 수 있고 신경의 손상이 있을 때 배변의 기능에 영향을 미치는 것을 관찰할 수 있다.

척수신경 손상이나 다발성 경화증 환자에서 배변기능장애의 정도에 영향을 미치는 것은 신경 손상의 부위나 범위이다. 척수원추(Conus medullaris)가 끝나는 부위에서 말의 꼬리처럼 내려가는 여러 다발의 신경들이 있는데 이를 말총신경(Cauda equina)이라 한다. 척수원추 상방에서 병변이 있으면 억제능력이 떨어진다. 장의 통과시간이 느리게 되고 긴장이 떨어진다. 이런 변화의 결과로 직장의 유순도가 떨어진다. 또한 비장 굴곡 하부의 좌측 결장의 과다반사를 초래한다. 장의 통과시간, 긴장, 유순도의 변화는 반사적 배변과 실금을 초래한다. 반면에 척수원추 내에서 병변이 발생하는 경우 천수의 부교감신경의 자극이 떨어져서 직장의 긴장 저하, 반사 저하로 직장내의 분변 매복이 발생하고 범람형 변실금이 발생하게 된다.

손상의 범위에 대한 연구결과를 살펴보면, 항문의 외괄약근은 천수의 전방각에 위치한 Onuf's 핵의 수의적 조절 하에 있기 때문에 척수신경 손상이 심한 경우 항문 괄약근의 수의적 수축능력이 소실된다. Craggs 등은 골반으로 가는 체신경과 자율신경이 방광과 항문직장에 긴밀하고 세심한 요 천추 반사를 통하여 작동을 하기 때문에 척수원추 상방의 신경 손상은 골반 장기의 비정상적인 반사와 기능의 저하를 초래하게 되어있다고 설명했다. 이는 장의 통과시간을 느리게 하고 직장의 과민반사를 나타나게 된다 하였다.

파킨슨병 환자의 변실금의 병태 생리는 좀 다르다. 골반바닥의 횡문근과 외괄약근의 무력이 배변 기능부전의 원인이기도 하지만 중추신경과 말초신경의 퇴행성 변화로 대장 통과시간도 떨어져 있다. 파킨슨병 환자는 배출이 힘들고 설사도 자주 한다. 변실금은 요실금과 같이 동반되는 경우가 많다. 배변과 성적인 기능부전과의 연관관계는 없다. 부교감신경의 부전과 유사한 현상들이 많다. 파킨슨병의 치료제는 대개 변비를 유발하기 때문에 변비약을 처방하게 되면 설사를 유발하여 이로 인한 변실금이 생기기도 한다.

Fasano 등은 파킨슨병 환자의 경우 위장관을 통틀어 기능의 이상을 초래하는데 입과 인후, 식도의 기능부전으로 침을 흘리거나 연하장애, 위장관의 통과 지연, 변비 등을 초래하고 파킨슨병 약의 복용이 소장의 장내균의 과다성장, 헬리코박터 균의 생성 등에 영향을 미친다고 설명하였다. Pfeiffer 등은 파킨슨병 환자의 위 마비 등으로 인하여 소화기관의 운동 및 통과, 흡수가 꾸준하게 생기지 않고 변덕스럽기 때문에 치료를 위해 복용하는 약의 흡수도 일정하게 지속되지 않아 용량을 결정하기 쉽지 않다고 하였다. 장 통과시간이 지연되며 배변의 횟수도 일정하지 않고 과도하게 힘을 주어 변을 보거나 불완전한 배출로 인한 증상이 발생하기 쉽다고 설명했다. Sakakibara 등은 파킨슨병 환자에서는 변비가 더 지배적인 증상이며 이러한 원인은 대장 통과 시간이 지연이 되고 주기적인 직장의 수축이 발생하고 배변 시 복부에 힘을 주기가 힘들기 때문이라 하였다. 또한 배변 시에 역행성 항문 괄약근의 수축이 발생한다고 설명하였다. 이런 배경으로 완전한 변의 배출이 이루어지지 않고 직장에 변이 남게 된다는 것이다. 불완전 배출로 인한 변 누출이나 실금의 증상이 생기게 된다.

1. 진단

변실금의 증상이 있으면 배변 일지를 적는 것이 진단과 치료에 도움이 된다. 변의 횟수, 변실금의 횟수와 변실금 발생 시 변의 성상을 기록한다. 변실금의 유형과 흘러내린 변의 양, 설사를 동반하는지 혹은 급박의 정도 등에 대한 기록을 작성한다. 변의 급박 정도는 0, +, ++ (0= 급박하지 않다. += 15분내에 화장실을 뛰어가야 한다. ++= 바로 화장실을 뛰어가야 한다.)로 표현한다. 변실금 점수와 삶의 질 평가도구를 이용해서 환자의 심한 정도를 측정할 수 있다. 직장 수지검사를 통하여 직장에 변이 남아 있는지를 알 수 있고 휴지기 항문의 긴장도를 확인할 수 있다. 환자의 수의적 항문 수축이 가능한지 등을 살핀다. 이러한 항목들은 개략적이나마 환자의 항문 감각을 확인하는 가장 기본적이고 간단한 검사가 된다. 항문직장 생리검사를 시행한다. 신경병증 변실금 환자에서 대장 통과시간 검사는 필수적이며 음부신경 전도검사, 항문직장 초음파, 항문직장 내압검사, 배변조영술과 골반 MRI 검사는 진단에 도움이 된다. 전조증상이라고 할 만한 것들을 파악하기가 쉽지 않다. 그러나 체중 감소, 출혈에 의한 빈혈이 있거나 변실금의 증상이 심해지는 것은 적극적인 치료를 필요로 하는 중요한 신호이다.

2. 치료-보존요법

두가지 방향으로 유지하는 노력이 필요하다. 첫째는 배변의 과정을 깔끔히 하는 것이 목표이다. 과도하게 화장실에 오래 있지 않고 직장의 변을 완전히 비우는 것이 제일 좋다. 둘째는 변실금이 생기지 않게 하는 것이다. 적절한 수분의 섭취와 식이 섬유 섭취의 조절을 통한 변의 양과 성상의 조절은 가장 기본적인 지지요법의 첫 걸음이다. 충분한 칼로리를 보장하면서 변의 양이 많이 생기지 않도록 하는 것이 중요하다. 변이 굳거나 무르면 대장의 통과 시간에 영향을 주기 때문에 적절한 변의 굳기를 유지하기 위한 노력이 필요하다. 이는 음식, 운동, 배변 등에 대하여 일지를 작성하는 요령으로 자세한 기록을 남기는 것이 좋다. 명확한 원인의 결과를 파악하여 어떠한 행동이나 음식 이후에 어떠한 결과를 나타내는지를 작성하여 나쁜 결과가 생기는 행동을 반복하는 실수를 피하기 위한 방법이다.

배변을 하기 위한 항문 힘주기, 하제나 지사제와 같은 약물 복용, 위장관운동 촉진제, 식이 요법, 바이오 피드백, 전기 자극, 자기장 치료 등이 보존요법에 해당한다. 이런 치료의 핵심은 환자에게 긍정적인 면을 강조하여 강도 높은 치료와 교육을 지속하는 것이다. 현재 우리의 실정상 이러한 보존 요법은 이를 전문으로 하며 환자를 지도해 줄 수 있는 의사들의 수가 절대적으로 부족한 형편이다. 또한, 치료에 대한 효과가 확실하지 않거나 시간이 너무 많이 걸리기 때문에 치료를 포기하기 쉽다. 환자와 가족, 의사와 보존요법을 도와주는 간호사, 물리치료사 등의 적극적이고 협동적인 노력이 필요하다.

1) 배변 조절 프로그램

먼저 환자의 약물을 점검하는 것이 기본이다. 운동조절약, 변비약, 감각수용체에 영향을 미치는 약제, 소염제, 진통제, 항생제 등 환자가 복용하는 약물을 점검하고 규칙적인 배변을 시도하도록 한다. 배변 횟수는 하루에 한 번 혹은 이틀에 한 번 정도가 적절하다. 척수신경 손상 이전에 변 습관이 어떠했는지를 확인하는 것도 필요하다.

2) 환자맞춤 치료

대장 통과시간이 떨어져 있는 환자에서는 위장관운동 촉진제의 복용과 함께 오히려 식이 섬유의 섭취를 줄이는 것이 좋다. 반대로 장관운동이 빠른 환자에서는 식이 섬유의 섭취를 권장하여 설사나 묽은 변을 보지 않도록 하는 것이 중요하다. 따라서 대장 통과시간 검사는 약물 치료 방침을 결정하는 데 도움이 된다. 카페인, 술, 당이 많이 포함된 음식은 변을 묽게 하여 조절을 어렵게 한다.

간병이 필요하거나 운동장애가 있는 환자에서 항문 직장의 수지자극이 도움이 된다는 연구보고가 있다. 항문직장의 수지자극은 장의 반사 수축을 일으킨다. 주의해야 할 것은 항문직장의 손상이다. 척수신경의 손상이 있는 환자에서는 간혹 과도한 수지자극으로 자율신경 반사부전을 초래할 수 있어 주의해야 하고 가급적 수지자극은 항문 밀어내기 운동과 병행하는 것이 효과적이다. 익숙하게 훈련된 보호자에 의해서 손가락으로 변을 파내주는 것도 항문과 직장을 자극한다는 점에서 시도해 볼 만하다. 관장이나 좌약을 이용한 화학적 자극을 통하여 직장을 비우는 것도 한가지 방법이다. 관장을 하기 전에는 반드시 직장 수지검사를 통하여 비워 있는지 확인하고 비워 있으면 하지 않는다. 부드러운 글리세린 관장을 권유한다.

3) 배변 활동을 돕는 보조요법

손바닥으로 하는 복부 마사지는 우측에서 좌측으로 시계방향으로 한다. 장의 운동을 돕고 대변이 직장 쪽으로 움직이는 것을 도울 수 있다. 다발성 경화증이나 척수신경 손상 환자에서 도움이 된다는 연구보고가 있다. 펄스방식으로 강약을 반복해서 항문 내에 물을 쏘는 것은 분변 매복을 부수고 장 운동을 촉진하는데 안전하고 긍정적인 효과가 있었다는 보고가 있다. 정상인에서는 권유하지 않는다.

항문으로 기계를 넣어서 씻어내는 기계적 관장은 권유하지 않는다. 신경피로를 초래할 수 있고, 적은 양의 변에도 급박감을 느끼거나, 직장의 저장 능력을 떨어뜨리고 항문의 수축압력도 떨어지게 되기 때문이다. 감각 기능이 떨어진 환자에서는 직접적인 손상이나 자극이 주어져도 인지하지 못하는 수가 많고 천공되는 경우도 있어 각별한 주의를 요한다.

4) 항문 마개, 질 압박 기구

우리나라에는 아직 도입이 되지 않았으나 항문관을 막아버리는 실리콘 플러그가 도움이 되기도 한다. 외출 시에 착용하고 있다가 귀가하여 빼 버리는 것이다. 질 쪽으로 항문을 압박하여 직장 항문 각도를 예각으로 만들어 변실금이 되지 않도록 하는 장치도 있다. 이러한 기계적 압박 기구는 사용하기 불편하고 그에 따른 자극이나 손상으로 인한 출혈 등이 발생할 수 있어 주의를 요한다.

3. 치료-외과적 치료

외과적 치료는 보존적 치료가 더 이상 가능하지 않을 때 시행한다. 신경학적 변실금 환자에서 어떤 요인이 문제가 있는지를 확인하는 절차가 필요하다. 천수신경 조절(sacral nerve stimulation), 하행 자제 관장(antero-grade continent enema procedure), 역동적 근 이식술(dynamic graciloplasty), 인공 항문 괄약근(artificial anal sphincter), 후방 항문 교정술(postanal repair), 장루 설치(elective colostomy) 등의 수술 방법이 있다. 이러한 수술 방법은 모든 환자에서 가능한 것이 아니다. 천수신경 조절술은 항문 괄약근이 정상인 환자에서 테스트 자극을 통하여 환자의 반응을 관찰하여 시술할 수 있다. 현재로 척수의 부분 손상이 확인된 환자에서 시도해 볼

만한 수술 방법이다. Kutzenberger 등은 17년 동안 이러한 척수신경 손상 환자에서 구심로 차단(sacral deafferenation, SADF)과 천수 전방 근부 자극(sacral anterior root stimulator, SARS)의 방법으로 천수신경 조절술을 시행하여 80%의 호전을 관찰하여 보고하였다. 하행 자제 관장의 기본 수술 방식은 Malone 등이 변실금 소아 5명에서 시행하여 성공적인 결과를 보고하였다. 이러한 결과를 바탕으로 신경병증이 있는 성인 변실금 환자에도 적용하여 비슷한 성공 결과를 보였다(83-100%). 역동적 근 이식술이 시도되기는 하나 수술의 범위가 크고 실패하는 경우가 간혹 있어 적극적으로 권유하기가 쉽지 않다. 장루 설치는 환자가 스스로 잘 움직이지 못하거나 자기 관리가 어려우며 다른 치료에 반응하지 않는 변실금 환자에서 최후의 선택으로 추천된다. 의외로 장루 설치에 대해 환자나 보호자의 만족도가 높고 삶의 질의 개선도 뚜렷하다. 직장의 점액 분비나 장루 주변에 염증이 생기는 등 경미한 장루 합병증이 발생하기도 하지만 발생 빈도가 낮고 환자가 잘 견뎌낸다.

어떤 수술 방법을 선택하느냐 하는 것은 전적으로 의료 환경에 달려있다. 환자의 다양한 위험요소와 원인과 문제점에 대한 파악이 최우선이며 의사의 경험이나 수술의 숙련도가 중요하고 환자와 보호자의 대처 능력이나

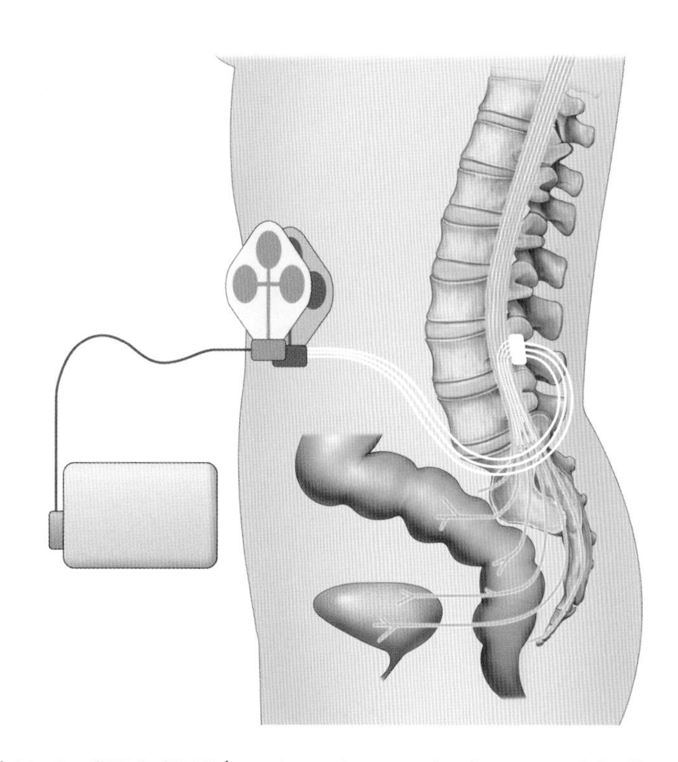

그림 11-1. **SARS-SDAF (sacral anterior root stimulator- sacral deafferentation):** 전극을 sacral anterior root에 심고 dorsal root를 박리한 다음 외부 자극기를 통해서 전기 자극을 조절해서 보냄으로 방광 장관운동 성기능을 조절할 수 있게 함.

거주 환경 등도 고려해야 한다. 이러한 여러 가지 복합적인 고려로 수술의 방법을 결정하겠지만 기존의 변실금 환자의 수술 선택과는 많이 다를 수밖에 없다.

요약

직장항문 수지자극, 복부 마사지, 항문 세척 및 관장, 항문 마개, 전기 자극, 배변 조절 프로그램을 이용한 지지요법 등은 신경병증 변실금 환자의 치료에 도움이 된다. 천수신경 조절술은 최소 침습 수술로 신경병증 변실금 환자의 중요한 수술 옵션이 된다. 하행 자제 관장은 특히 소아에 유용하다. 장루 설치는 간호가 필요한 환자에서 만족도가 높은 수술 방법이다.

References

1. Craggs MD, Balasubramaniam AV, Chung EAL, Emmanuel AV. Aberrant reflexes and function of the pelvic organs following spinal injury in man. Auton Neurosci Basic Clin 2006;126:355-70.
2. Fasano A, Visanji NP, Liu LW, Lang AE, Pfeiffer RF. Gastrointestinal dysfunction in Parkinson's disease. Lancet Neurol 2015;14:625-39.
3. Krogh K, Christensen P. Neurogenic colorectal and pelvic floor dysfunction. Best Pract Res Clin Gastroenterol 2009;23:531-4
4. Kutzenberger J, Domurath B, et al. Spastic bladder and spinal cord injury: seventeen years of experience with sacral deafferentation and implantation of an anterior root stimulator. Artif Organs 2005;29:239-41.
5. Malone PS, Ransley PG, Kiely EM. Preliminary report: the antegrade continence enema. Lancet 1990;336:1217-8.
6. Ronald FPfeiffer. Gastrointestinal dysfunction in Parkinson's disease. Lancet Neurol 2003;2:107-16.
7. Sakakibara R, Odaka T, Uchiyama T, T, Yamanishi T, Hattori T. et al. Colonic transit time and rectoanal videomanometry in Parkinson's disease. J Neurol Neurosurg Psychiatry 2003;74:268-72.

이중(복합)실금
(Double Incontinence)

요실금과 변실금의 증상이 동반되는 경우를 복합실금(Complex Incontinence) 혹은 이중실금(Double Incontinence)이라고 한다. 실금의 합병 유형은 다양하지만 일반인들은 물론 대장항문 의사들도 이중실금에 대한 관심이 부족한 실정이다. 실금은 근육이나 지지조직의 약화로도 오지만 근육의 경련이나 신경의 조절부전으로 오기도 한다. 요실금과 변실금에 겹치는 원인과 위해 요소들이 있다. 이러한 상황에 이중실금이 발생할 수 있는 것이다.

요실금은 원인에 따라 절박 요실금(urge incontinence), 스트레스 요실금(stress incontinence), 범람형 요실금(overflow incontinence) 등으로 분류하고 있다. 첫번째, 절박 요실금은 요로 감염, 호르몬 결핍 등 다양하고 복합적인 요인에 의해 생기는 요실금으로 소변이 마려울 때 갑작스럽게 강한 배뇨 욕구가 생기는 것이다. 절박 요실금은 전체 요실금의 20-30%를 차지하는 것으로 알려져 있다. 이 절박 요실금은 방광과 중추신경과의 연결에 문제가 생겨 갑자기 방광의 수축을 일으키는 것으로, 이런 상황이 되면 화장실을 가기 전에 실금이 발생하게 된다. 자주 화장실을 가야하고 때로는 한시간에 한번씩 화장실을 들락거리게 된다. 절박감은 배뇨 전까지 내내 지속된다. 절박 요실금 환자에서 가장 힘든 것은 소변이 마려우면 잠시도 참지 못하고 바로 소변을 봐야 한다는 것이다. 따라서 절박 요실금 환자는 침대에서 소변을 흘려버리는 경우도 생긴다.

두번째, 스트레스 요실금은 방광의 근육이나 괄약근의 손상에 의해 방광과 요도의 경계부위 근육의 약화로 생기는 요실금으로 갑자기 방광에 압력이 전달되면 소변이 새는 것이다. 스트레스 요실금은 복압이 상승하면 소변이 새는 것으로 운동할 때, 기침할 때, 웃거나 무거운 물건을 들 때 소변이 새게 된다. 때로는 일어서는 과정에 소변이 새는 경우도 있다. 스트레스 요실금과 절박요실금이 동반되는 경우도 있는데 이 경우를 혼합 요실금이라 한다.

세번째, 범람형 요실금은 방광에 소변이 너무 많이 차서 범람하여 새는 것이다. 방광에 소변이 차도 비우라는 신호를 보내지 못한다. 그래서 종종 소변이 가득 차고 넘치게 된다. 범람형 요실금은 많은 위해요소를 가지고 있다. 손상에 의하여 발생하기도 하고 수술에 의하여 혹은 질병으로 발생할 수 있다. 소변이 마렵지만 소변 줄기가 약하고 소변 보는 시간이 길어진다. 소변의 양도 충분하지 않다. 결국 방광은 가득 차지만 소변보는 양이 적어 소량의 소변이 새나오게 된다.

거동장애 환자에서 요실금이 발생하는 경우가 많다. 휠체어를 타거나 병상에 누워 움직이지 못하거나 제한적인 움직임 이외에 화장실을 가는데도 힘든 경우 발생하는 요실금을 기능성 요실금(functional incontinence)이라고 한다. 기능성 요실금은 화장실을 가기까지 시간이 걸리게 되어 소변을 볼 수 있는 적절한 시기를 놓쳐버려 생기는 것으로 화장실 가는 시간을 지연시키는 장애 환경을 교정함으로써 증상을 개선할 수 있다. White 등은 이러한 환경적인 장애를 열거한 바 있다. 화장실에 계단이 있어 거동이 불편한 사람이 움직이기 힘들거나 열쇠를 가지고 가서 화장실을 이용해야 하는 경우, 돈을 주고 화장실을 이용해야 하는 경우 등이 소변 활동을 힘들게 하는 장애 요인이 된다. 화장실에 휠체어가 제대로 들어가지 못하거나 변기가 너무 높거나 낮아 적절하게 앉지 못하는 경우, 옷을 내리기에 불편한 것들도 기능성 요실금 환자에게 장애 요인이 된다. 거동이 불편한 환자가 화장실까지 움직이는 동선을 조절해서 쉽게 도달할 수 있도록 해야 한다.

이중실금에서 보이는 변실금도 여러 가지 형태가 있다. 노인성 변실금에서는 수동적 변실금이 가장 흔하다. 감각이 둔하여 자신도 모르게 변이 흐르게 된다. 괄약근 손상으로 올 수도 있다. 노인성 변실금 외에도 신경학적 변실금 환자에서 수동적 변실금이 올 수 있다. 다발성 경화증이나 당뇨병성 신경증, 척수 손상으로도 발생할 수 있다. 변실금은 직장의 저장 능력 문제 때문에 발생하기도 한다. 변을 저장하지 못하거나 과민하여 절박감을 느끼는 등이다. 괄약근의 손상이나 기능부전으로 변을 잡아 두지 못하는 경우도 변실금이 발생한다. 직장 바닥의 감각수용체에 문제가 발생하기도 하며 신경 손상으로 인하여 발생하기도 한다. 때로는 직장의 변 마려움에 대한 감각신경이 중추신경까지 전달되지 못하는 경우에도 변실금이 생길 수 있다.

요실금과 변실금이 동반될 때 복합실금, 동반실금 혹은 '요실금, 변실금'이라고도 하지만 그래도 이중실금이라는 표현이 적절하겠다. 이중실금의 증상은 골반저 질환 중에서 그 고충이 가장 심하고 사람의 심신을 쇠약하게 만든다. 이중실금을 겪는 환자는 육체적으로 정신적으로 또한 사회적으로 심한 고통을 겪는다. 요실금이나 변실금 단독으로 인한 심리적 충격이나 생활 환경적 불편감보다 훨씬 크고 심하다.

결합조직의 병변이 이중실금의 가장 큰 위해 요소라고 알려져 있다. 동물 실험에서 방광과 요도, 골반바닥 근육의 교차 반사가 발생한다는 것이 확인되었고, 이런 연구의 결과는 이중실금의 발병 기전을 설명하는 데 도움이 된다. 골반저 근육의 손상이 있어도 항문 외괄약근이 정상인 환자에서는 치골직장근의 효과적인 항문 직장의 폐쇄를 통해 변 자제 기능을 보완할 수 있다. 비만, 주로 앉아서 생활하거나, 우울증, 당뇨 합병증, 음부신경이나 척수신경의 손상이나 장애, 중추신경 장애 등이 이중실금의 발생 위험을 증가시킨다. 동시에 일반적으로 불안 장애를 초래하는 상황은 이중실금의 발생을 가중시키는 것으로 알려져 있다.

Griffiths는 자신의 병원을 방문하는 환자를 대상으로 실금 환자에 대한 분석을 하였다. 요실금과 변실금의 유병률을 조사하였다. 요실금 환자는 26.8%였고 이중실금은 8.4%였다. 이중실금의 빈도는 여성에서 나이가 들수록 높았다.

Smith는 Cochrane그룹의 연구를 통하여 실금 환자에서 골반근육 강화운동 그룹과 아무것도 하지 않는 그룹, 다른 치료를 하는 그룹에 대하여 연구하였다. 155명의 남자와 4,661명의 여성이 연구에 포함되었다. 골반근육 강화운동을 통하여 산모와 전립선 수술을 받은 환자에서 실금 증상이 호전된다고 생각하지만 근거가 부족하고 더 양질의 연구가 필요하다 하였다. 그는 3가지의 예방 대책을 제시하였다. 우선 원인이 되는 상황으로부터 피하는 것이다. 예를 들면 질식 분만 시 '그냥 분만할 것인가 아니면 회음절개를 할 것인가' 하는 고민을 하고 '회음절개를 하면 어떤 방식으로 할 것인가' 하는 등의 고민이 실금의 발생을 조금이라도 줄일 수 있다는 설명이다. 두 번째는 증상이 없는 기능의 부전이 발생하게 되더라도 그냥 두지 말고 조기에 더 이상 병이 진행되지 않도록 치료를 해야 한다는 주장이다. 일반적으로 증상이 없으면 치료를 하지 않는 경우가 많으나 골반근육 강화운동 등을 통하여 증상의 발현을 늦추거나 예방할 수 있다는 것이다. 세 번째는 증상이 발생하는 즉시 치료를 시작하는 것이다. 외과적 치료, 약물치료, 혹은 지지요법과 같은 대증 치료를 시작해야 한다고 주장하였다.

Fialkow 등은 요실금으로 치료하고 있는 452명의 여성환자에서 변실금이 동반되었을 때 신체 기능과 삶의 질에 어떤 영향을 미치는 지를 관찰하였다. 변실금 점수와 삶의 질에 대한 평가였다. 요실금은 80%, 변실금은 18.4%, 이중실금은 15%환자에서 발견되었다. 이 중에서 기능적 부전, 육체적 쇠약 현상은 이중실금 환자에서 가장 현저하게 발생하였다. Kullar 등은 465명의 요실금 환자를 상대로 조사하였다. 요실금에 동반된 변실금 환자에 대한 조사 결과 변실금의 발생은 스트레스 요실금환자(21%)보다 방광근의 민감도가 높은 절박 요실금 환자(30%)에서 많이 발생하였다. 그는 출산과정에서 근육 손상과 음부신경의 손상이 상당시간 지속되는 것이 이러한 이중실금의 원인 중의 하나가 될 것이라고 설명하였다.

Leroi는 409명의 스트레스 요실금 환자에 대한 조사에서 변실금이 있는 환자는 114명(28%)에 달했다고 보고하였다. 이중실금이 있는 환자는 변을 보는 것도 힘들어 했다. 이러한 환자에서 가스실금은 요실금이나 변실금의 증상보다 오래된 양상을 보였다. 그러나 이중실금이 있는 환자에서 질식 분만한 사람이 놀랍게도 적었다. 요실금만 있는 환자와 이중실금의 환자에서 요 역동학 검사 결과에 특이한 차이는 발견되지 않았다. 골반저의 기능 부전이 생기는 이유를 살펴보면 여성은 출산과 연관된 골반근육 손상에 의해, 남성은 전립선 수술과 연관된 골반근육 손상에 의해 발생하는 것으로 생각된다. Wu 등은 미국의 요실금, 변실금, 이중실금의 유병률에 대한 광범위한 조사를 시도하였다. 50세 이상 7,994명의 남녀에서 요실금과 변실금에 대하여 조사한 결과 751명(9.4%)에서 요실금이, 867명(10.8%)에서 변실금의 증상이 있는 것으로 관찰되었다. 여성의 6.0%, 남성의 1.9%에서 이중실금의 증상이 관찰되었다. 변실금은 여성에서 8.2%, 남성에서 8.4%로 큰 차이를 발견하지 못했다.

Matthews 등은 이중실금의 증상을 악화하는 요인으로 고령, 우울증, 기저질환이나 신경학적 병변을 동반하거나 쇠약, 거동장애 등이 위험요소로 작용한다고 보고하였다. 인종이나 출산 횟수, 비만 정도를 또 다른 위험요소로 보고하고 있다. 그는 62세-87세 고령의 환자 96,480명을 대상으로 한 달에 한번 이상 실금이 생기는 경우를 실금으로 규정하였다. 일반적으로 이중실금의 유병률은 2.5-14.5% 정도로 보고된다. 이처럼 유병률이 다양한 이유는 조건과 상황, 이중실금의 정의가 다르게 적용되기 때문이다.

Roberts 등은 미네소타의 작은 도시에서 50세 이상의 778명 남성과 762명 여성을 대상으로 요실금 변실금의 발생 빈도에 대해 조사하였다. 변실금은 남성에서 11.1%, 여성에서 15.2%였고 요실금은 남성에서 25.6%, 여성에서 48.4%였다. 이중실금은 남성에서 5.9%, 여성에서 9.4%로 나타났다. 통상 한 종류의 실금을 가지고 있으면 다른 형태의 실금을 동반하기 쉽다. 이중실금의 빈도는 여성에서는 높지만, 증상은 남성에서 더 심하게 나타났다.

Soligo 등은 비뇨기 부인과에서 이중실금 환자를 관찰한 결과 이중실금 환자는 절박 요실금의 증상을 더 많이 나타내고 항문 절박 실금도 유의한 양상이라고 설명했다. 이 경우 배뇨근 과다활동이 관찰된다 하였다. 하부 비뇨기질환의 여성에서 변실금의 발생 빈도는 높으며 이중실금의 특징적인 현상에 따라 치료 방침을 결정해야 한다고 주장하였다.

Lacima 등은 요실금 환자에서 변실금의 발생 빈도를 조사하면서 변실금 단독으로 발생했을 때와 이중실금이 발생했을 때의 항문직장 내압검사 결과를 비교 분석하였다. 900명의 실금 환자에서 이중실금은 78명(8.7%)이었다. 변실금의 심한 정도에는 차이가 없었다. 직장류를 동반한 경우가 이중실금에서 54%, 단독 변실금에서는 12%였다. 요 역동학 검사에서 이중실금의 80%가 스트레스 요실금이었다. 직장의 민감도 검사 결과 이중실금에서 민감도가 높았다. 이중실금은 스트레스 요실금, 분만, 만성 복압 상승 등과 연관이 있었다고 보고하였다.

Manning 등은 요실금과 변실금의 일반적인 병태 생리를 설명하면서 이 두 가지가 연관되어 있을 것이라고 추정하였다. 변실금과 하부 비뇨기의 기능부전이 동반하는 경우 고령, 성별 등과 함께 이들의 발생에 기여하는 위해요소에 대하여 관찰하였다. 변실금 환자에서 스트레스 요실금 동반 빈도는 5.1%, 과민 방광을 동반하는 빈도는 3.8%로 큰 차이를 발견할 수 없었다. 그러나 이중실금 환자에서는 과민 방광이나 절박 요실금 환자가 더 많았다. 다변량 분석에서 분만 손상이 이중실금에 미치는 영향은 관찰되지 않았다. 스트레스 요실금과 하부 비뇨기의 기능부전, 변실금의 증상은 연관이 있다고 판단되지만 분만 손상이 미치는 영향은 분명하지 않다고 보고하였다.

Fenner 등은 2,941명의 3도 혹은 4도 괄약근 분만 손상의 여성에서 변실금과 요실금의 발생에 대하여 관찰하였다. 괄약근 손상이 초산의 여성에서 요실금이나 변실금의 발생과 연관이 있을 것으로 생각하였다. 3-4도의 괄약근 손상이 있는 여성에서 변실금의 빈도는 23%로 대조군의 13.4%보다 높았다. 또한 4도 손상에서 변실금의 발생 빈도가 30.8%로 3도 손상의 3.6%보다 10배나 높은 발생 빈도를 나타냈다. 여성의 절반 이상에서 분만 후 요실금이 새로 발생했다.

Lacima 등은 임상적으로 요역동학, 직장항문 내압검사 등의 생리검사 등을 통하여 관찰한 결과 신경학적 손상이 이중실금 발생의 중요한 요인이 될 것이라 추정했다. 이중실금에서는 음부신경의 손상이 단독 변실금에서 보다 큰 영향을 미칠 것이라는 추정 하에 연구하였다. 93명의 이중실금 환자와 36명의 단독 변실금 환자를 분석하였다. 직장항문 내압검사, 항문 초음파, 근전도 검사, 음부신경 전도검사를 진행하였다. 나이, 질식 분만, 만성 변비 등에서 임상적 차이를 발견하지 못했다. 한쪽 혹은 양쪽 음부신경 전달 지연도 검사하였으나 특이한 차이점을 발견하지 못했다. 연구 결과는 이중실금에서는 반드시 음부신경의 손상이 동반되는 것은 아니라는 결론을 내렸다. 폐경은 이중실금의 단독 위험요소로 보였다.

Jackson 등은 요실금과 골반 장기 탈출이 있는 여성 170명 중 36명(21%)에서 변실금이 동반되고 요실금만 있는 여성의 100명중 31명(31%)에서 변실금이 동반되는 것을 관찰하였다. 골반 장기 탈출이 있는 여성 70명중 5명(7%)에서 변실금이 있었다. Uustal 등도 괄약근의 손상은 변실금과 요실금, 골반 장기탈출에 밀접한 연관관계를 가진다고 생각하였다. 스웨덴의 40세, 60세 여성 각각 1000명을 대상으로 요실금, 변실금, 자궁 탈출에 미치는 요인에 대하여 조사하였다. 그는 요실금은 변실금과 자궁 탈출을 동반할 수 있다고 하면서 과체중, 만성 기관지염, 질식 분만, 콜라겐의 약화를 초래하는 질환 등이 연관된 요인이라고 주장하였다. 이들의 증상은 골반근육 강화운동을 통하여 예방할 수 있다고 하였다. Meschia 등은 요실금과 골반 장기 탈출이 있는 여성에서 변실금의 발생 빈도를 조사한 결과 요실금 증상과 골반 장기 탈출을 동반한 경우 20%에서 변실금의 증상을 동반한다고 보고하였다. 요실금과 심한 직장류를 동반하는 경우도 변실금의 발생과 연관이 있다고 주장하였다.

Petros는 필수이론을 통하여 방광류, 질 탈출, 직장 탈출 등의 장기 탈출과 요실금, 변실금, 급박변이나 급박뇨 등의 증상의 발현이 같은 맥락에서 진행된다고 주장하였다. 그는 자궁천골 인대, 중심 인대, 치골요도 인대, 골반근막인대궁과 회음체의 중요성을 설명하면서 골반바닥의 근육과 주요 인대는 현수교와 같은 교각 사이에 늘어져 있는 강선과 쇠사슬과 같다고 비유하였다. 질의 전방이 약해지면 요실금과 변실금이 발생하고 질의 중간 부위가 약할 경우 방광류, 잔변감, 잔뇨감 및 급박감의 증상이 발생한다 하였다. 또한 질의 후방이 약화되면 직장류, 자궁 탈출, 야뇨증, 변실금, 출구폐쇄 변비와 골반통의 증상이 진행된다고 하였다. 궁극적으로 배변이나 소변의 불완전한 배출로 인한 잔변이나 잔뇨와 같은 증상의 발현도 같은 맥락에서 설명하고 있다.

이중실금의 치료에는 골반근육 강화운동과 전기 자극이 있다. 골반근육 강화운동을 먼저 시작한다. 골반근육 강화운동이 매우 효과적인 것으로 알려져 있으나 전기 자극이 더 효과적일 것이라는 연구보고도 있다. 전기 자극은 근육의 섬유가 빠른 운동(fast twitch)으로 지쳐있는 것을 느린 운동(slow twitch)으로 바꿔 주는 역할을 한다. 이 치료는 혈관의 밀도를 높이고 근육 섬유의 직경을 증가시킨다. 2010년에 보고된 연구에 따르면 골반근육 강화운동을 하는 것보다 항문의 전기 자극을 받은 환자에서 변실금 증상 개선 효과가 더 있는 것으로 나타났다. 합병증은 없었고 가벼운 조직 반응만이 보고되었을 뿐이다.

다른 치료 방법은 환자의 일반적인 전신 컨디션을 좋게 하는 방법이다. 비만의 경우라면 몸무게를 조절하여 비만을 예방해야 한다. 비만이 이중실금의 위해 요소이고 이중실금 증상 악화에 직접적인 영향을 끼친다고 나타났다. 비만은 그 자체로 독립적인 위험인자이다. 최근의 연구에 따르면 5 unit의 BMI 증가는 이중실금의 위험을 60−100% 높인다고 한다. 5−10년을 추적해 보면 BMI가 1kg/m^2 증가할 때 7−12% 요실금의 확률이 올라간다는 것이다. 몸무게를 줄이는 등의 여러 가지 생활습관의 변화로 이중실금의 증상을 개선할 수 있다. 그러나 비만과 이중실금의 연관관계에 대하여 좀 더 많은 연구가 필요하고 증상이 생기는 이유는 무엇인지 등에 대하여 이해를 하는 것이 치료를 성공적으로 이끄는 방법이다.

Ross는 이중실금의 치료 방법으로 복강경 치골 후방 질 걸이 술(Burch suspension)과 외괄약근 성형술의 시행을 제안하였다. 그는 46명의 이중실금 환자에서 요실금은 방광 요도 경부의 양측 전방 질을 상방으로 잡아당겨 치골 후방의 쿠퍼 인대에 걸어주는 Burch 걸이 수술로 해결하고 변실금은 외괄약근 성형술로 해결하는 수술 방법을 시행하였다. 스트레스 요실금은 89%가 해결되었고 변실금은 신경 손상이 없는 경우 82%, 신경 손상이 있는 경우 58%에서 증상의 호전을 관찰하였다.

2008년 Indar는 천수신경 조절을 시행함으로써 배뇨근 과다활동에 대한 치료와 변실금, 서행성 변비 등의 치료에 도움이 된다고 주장하였다. 47세 여자 환자는 어릴 적부터 변비약을 과도하게 복용하였고 식이나 관장도 소용없었다. 잦은 배뇨 활동과 잔뇨를 동반하였다. 천수신경 조절술을 하고 난 이후 변비가 해결되었고 방광의 증상도 호전되었으며 위장관 및 대장 통과도 정상으로 되었다고 보고하였다.

Leroi는 체계적 문헌 고찰을 통해 천수신경 조절(SNM)이 스트레스 요실금의 치료에서 실패한 경우 가장 좋은 치료 방법이고 변실금의 치료에도 효과가 있다고 하면서 이중실금에 SNM이 효율적이라고 보고하였다. 이중실금에 SNM을 시행한 결과, 효과는 30-100%까지 보고되었다. SNM은 절박 요실금과 변실금의 치료에 효과적이다. Caremel 등은 7개의 논문에서 120명을 대상으로 이중실금의 치료에 SNM을 적용한 결과를 조사하였다. 이 연구보고에서는 32-75%의 이중실금 환자가 증상의 개선을 보였다고 보고하고 있다. 이것의 가장 큰 장점은 한 가지 치료 방법으로 두 가지의 실금을 동시에 치료할 수 있다는 것이다.

References

1. Caremel R, Grise P, Leroi AM. The sacral neuromodulation in double incontinence treatment: a review. Prog Urol 2010;22:318-25.
2. Catherine A. Matthews, William E Whitehead, Mary K. Townsend, Francine Grodstein. Risk Factors for Urinary, Fecal or Dual Incontinence in the Nurses' Health Study. Obstet Gynecol 2013;122:539-45.
3. Fenner DE, Genberg B, Brahna P et al. Fecal and urinary incontinence after vaginal delivery with anal sphincter disruption in an obstetrics unit in the United States. Am J Obstet Gynecol 2003;189:1543-50.
4. Fialkow MF, Melvffle JL, Lentz GM et al. The functional and psychosocial impact of faecal incontinence in women with urinary incontinence. Am J Obstet Gynecol 2003;189:127-9.
5. Fornell EU, Wingren G, Kiolhede P. Factors associated with pelvic floor dysfunction with emphasis on urinary and fecal incontinence and genital prolapse: an epidemiological study. Acta Obstet Gynecol Scand 2004;83:383-9.
6. Griffiths AN, Makam A, Edwards GJ. Should we actively screen for urinary and anal incontinence in the general gynecology outpatients setting? J Obstet Gynecol 2006;26:442-4.
7. Hay-Smith J, Herbison P, Morkved S. Physical therapies for prevention of urinary and faecal incontinence in adult. Issue 4. Chichester UK: John Wiley and Sons; 2003
8. Indar A, Young-Fadok T, Cornella J. A dual benefit of sacral neuromodulation. Surg Innov 2008;15:219-22.
9. Jackson SL, Weber AM, Hull TL et al. Fecal incontinence in women with urinary incontinence and pelvic organ prolapse. Obstet Gynecol 1997;89:423-7.
10. Jennifer M. Wu, Catherine A. Matthews. et al. Urinary, Fecal, and Dual Incontinence in Older U.S. Adults J Am Geriatr Soc 2015;63:947-53.
11. Khullar V, Damiano R, Toozs-Hobson P, Cardozo L. Prevalence of urinary incontinence among women with urinary incontinence. BJOG 1998;105:1211-3.
12. Lacima G, Espuna M, Pera M et al. Clinical, urodynamic, and manometric findings in women with combined urinary and fecal incontinence. Neurourol Urodyn 2002;21:464-9.

13. Lacima G, Pera M, Valls-Sole J et al. Electrophysiologic study and clinical findings in females with combined fecal and urinary incontinence: a prospective study. Dis Colon Rectum 2006;49:353-9.
14. Leroi AM, Weber J, Menard et al. Prevalence of anal incontinence in 409 patients investigated for stress urinary incontinence. Neurourol Urodyn 1999;18:579-90.
15. Leroi AM. The role of sacral neuromodulation in double incontinence. Colorectal Dis 2011;13:15-8.
16. Manning J, Eyers AA, Korda A et al. Is there an association between fecal incontinence and lower urinary tract dysfunction? Dis Colon Rectum 2001;44:790-8.
17. Meschia M, Buonaguidi A, Pifarotti P et al. Prevalence of anal incontinence in women with symptoms of urinary incontinence and genital prolapse. Obstet Gynecol 2002;100:719-23.
18. Roberts RO, Jacobsen SJ, Reffly WT et al. evalence of combined fecal and urinary incontinence: a community-based study. J Am Geriart Soc 1999;7:837-41.
19. Ross JW. paroscopic Burch colposuspension and overlapping sphincteroplasty for double incontinence. JSLS 2001;5:203-9.
20. Soligo M, Salvatore S, Milani R et al. Double incontinence in urogynecologic practice: a new insight. Am J Obstet Gynecol 2003;189:438-43.
21. Uustal Fornell E, Wingren G, Kjolhede P. Factors associated with pelvic floor dysfunction with emphasis on urinary and fecal incontinence and genital prolapse: an epidemiological study. Acta Obstet Gynecol Scand 2004;83:383-9.
22. White H. Making toilets more accessible for individuals with a disability. Bowel Conti-nence Nurs 2004:161-77.

CHAPTER

13-1

직장 탈출증
(Rectal Prolapse)

기존의 변실금에 대한 치료의 개념은 손상된 괄약근을 복원함으로써 치료를 할 수 있다고 여겨졌다. 따라서 변실금을 치료할 수 있는 외과적 수술 방법이라 하면 괄약근 성형술이 제일 먼저 떠오른다. 이러한 이유로 경항문 초음파의 발달은 분만이나 기타 외상으로 인한 괄약근의 손상을 확인할 수 있다는 점에서 괄목할 기술 개발이었다. 많은 외과의사들이 변실금 환자에서 괄약근의 잠재적 분만 손상을 확인하면서 괄약근 재건을 통한 변실금의 수술 방침과 방향을 결정하는 데 큰 도움이 되었다. 근전도로 기능을 확인하고 항문 초음파를 통하여 괄약근의 결손 부위를 측정함으로써 변실금의 진단에 큰 진전이 있었다.

그러나 이러한 괄약근 성형술이나 괄약근 복원술의 치료 성적은 수술 후 시간이 지나면서 나빠지기 시작했고 제한된 인원에서만 변의 자제를 유지할 수 있게 되었다. 이 결과에 대한 의문은 이러한 수술의 장기적인 치료실패로 생각해 볼 수도 있지만 또 다른 변실금의 원인이 존재하지 않는가 하는 의문을 가지게 되었다. 그러는 동안에 천수신경 조절술이 등장하게 되었고 이 시술은 변실금 환자의 치료 방법에 있어 새로운 핵심가치를 가진 치료 방법으로 자리를 잡게 되었다. 천수신경 조절술의 치료 기전은 명확하게 밝혀지진 않았지만 중추신경계, 말초신경계, 자율신경계의 조절을 통하여 여러 부위에서 변의 자제에 도움을 주는 역할을 할 것으로 알려져 있다. 괄약근의 손상이 없는 변실금의 실체에 대하여 우리는 고민해 볼 필요가 있다. 이러한 과정에 변실금의 원인 중의 하나로 알려진 것이 직장 탈출이다.

직장 탈출은 어떤 이유라도 직장이 항문관을 통해 밖으로 돌출된 상태를 지칭한다. 이 질환은 고대 역사 문서인 기원전 1500년경 파피루스에도 묘사된 오래 전부터 알려진 병이다. 직장 탈출은 80-90%의 환자가 여성이며 병이 생기는 연령대는 대체로 50대 이후이다. 남자에서는 전 연령 층에서 나타나며 20대, 30대에 많이 발생하고 40대 이후에는 그 발생률이 떨어지는 것으로 보고된다. 여성에서는 50대 이후에 가장 흔하며 나이가 들수록 발생률은 증가하지만 여성환자의 50% 이상은 70대가 되어서야 증상을 호소한다. Kairaluoma 등은 핀란드에서 인구 10만 명당 2.5명에서 발병하는 것으로 보고하였다. 90%의 환자가 여성이며 평균 연령이 69세였다.

여성에서 직장 탈출이 생기는 가장 큰 이유는 임신과 출산 때문이다. 만성 변비와 배변 때 과도한 힘주기, 폐경과 비만 등도 원인군에 포함된다. 이전에 자궁수술을 했거나 골반 부위의 장기를 대상으로 암치료를 받은 경험이 있다면 이 역시 발병과 인과관계가 있다. 이러한 여성들에게는 또 질 탈출과 요실금, 변실금이 동반된다. 남성 직장 탈출 환자들 가운데는 드물게 다른 질환의 치료 중 항문관 변형과 괄약근 손상으로 인해 병원을 찾는 수가 있다. 소아 직장탈은 선천적인 경우가 많다. 보통 생후 3년 내에 발생하는데 생후 1년 이내의 발병 빈도가 가장 높다.

직장 탈출의 원인으로 몇 가지 가설이 있다. Moschcowits는 직장 탈출은 탈장이라고 표현하였다. 신체 다른 부위의 탈장과 마찬가지로 골반바닥 근육의 결손 부위를 통해 직장이 탈장이 된다는 활주 탈장설을 주장하였다. 이 현상을 설명하기 전에 중첩이라는 표현이 이해되어야 한다. 중첩은 말 그대로 상방의 장이 장관 내로 들어와서 하부의 장에 끼이는 것이다. 중첩은 직장이 빠져나오는 것이 아니고 직장내에 직장이 미끄러져 내려오는 것이다. 그러나 우리는 일반적으로 항문관으로 직장이 완전히 빠져나올 때 인지하게 되고 그 때서야 증상이 있음을 알고 관심을 가진다. 또한 항문은 관이고 빠지는 것이 아니기 때문에 항문 탈출이라는 표현은 적절치 않다고 하였다. 반면에 Broden 등은 방사선 조영검사를 이용해 항문 기저부의 3인치 상방에서 시작되는 원주형 장충첩을 발견하였고 이를 직장 탈출증의 시작이라는 장 중첩설을 주장하였다. 이는 배변조영술로써 확인되며 이러한 환자에서는 직장을 박리하여 상방에 고정시키는 수술이 효과적이라고 주장하였다.

직장 탈출 환자의 교정을 위한 복강경 수술 시야에서 남성의 직장과 방광 사이의 직장방광와, 여성의 직장질

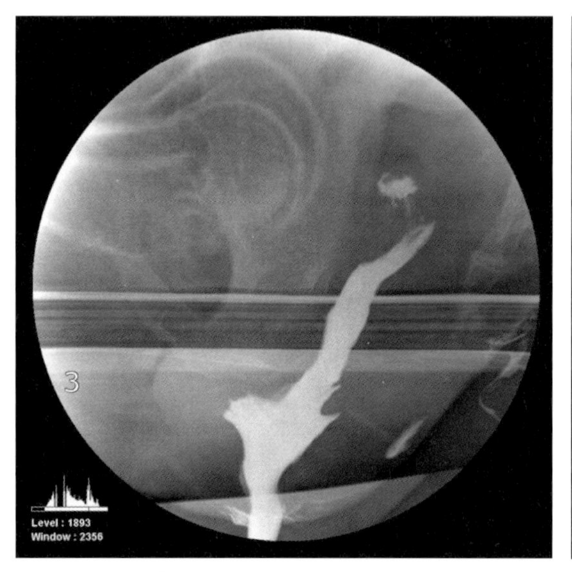

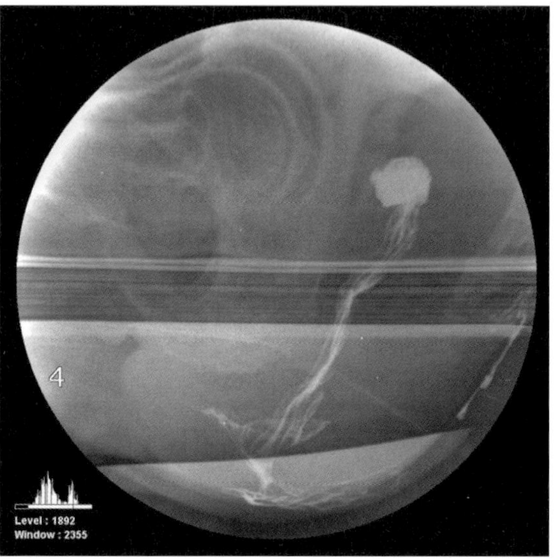

그림 13-1-1. **배변조영검사 에서 발견되는 내직장 탈출(internal rectal prolapse, IRP)**

와가 다른 정상인에 비해 더 깊이 파여 있는 것을 종종 관찰하게 된다. 때로는 깊은 주머니와 같이 낭을 형성하여 소장이나 S결장이 낭 속에 들어가 상부직장에서 하부 직장으로의 배변의 통과를 방해하기도 한다. 이러한 현상의 결과는 배변 장애 즉, 출구 폐쇄에 의한 변비로 나타나기도 하고 변의 불완전 배출을 통한 증상을 나타내기도 한다.

많은 사람에서 경미하거나 부분적인 내직장 탈출(internal rectal prolapse, IRP)이 있으나 증상이 없는 경우는 정상적인 범주로 판단한다. 무증상인 경우가 더 많고, 불편한 점이 있더라도 증상이 심하지 않다면 외과적 수술의 적응이 되지 않는다. Shorvan 등은 조영검사를 통해 이 가정을 뒷받침할 수 있는 결과들을 관찰하였다. 증상이 없는 47명의 자원자를 대상으로 직장조영 검사를 시행하여 관찰하였고 이 중 22명이 출산의 경험이 있는 여성이었다. 환상으로 직장내 중첩이 되는 부위가 3 mm 이상인 경우가 50% 이상 관찰되었다. 대부분의 경우 직장내로 함입되지만 20%에서는 항문으로 중첩되

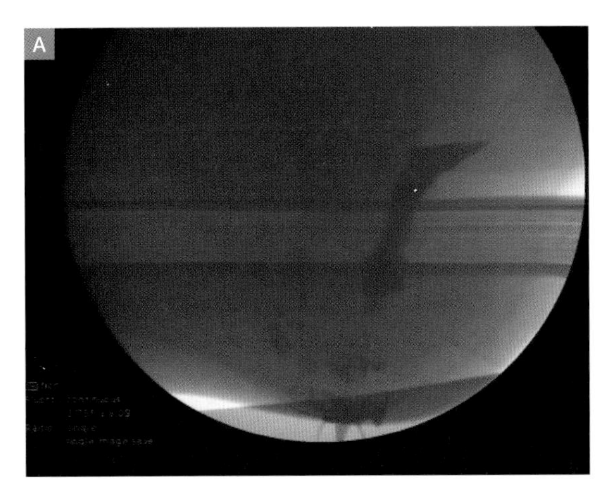

그림 13-1-2. **57세 남성 중첩과 항문직장 점막 탈출을 동반한 배변조영술 소견**

었다. 직장류를 가진 여성도 17명이나 되었는데 1 cm 미만이었다. Mellgren 등은 67%의 출구폐쇄 변비 환자와 21%의 변실금 환자가 포함된 2,816명의 직장조영 검사소견을 분석한 결과 31%에서 내직장 탈출이 있었고 그 중에서 96%는 항문관으로 함입되는 것을 관찰하였다. Agachan 등은 744명(출구폐쇄 60%, 변실금 17%)의 직장조영 검사를 통해 43%의 환자에서 내직장 탈출을 관찰하였고 30%는 직장류나 장류와 연관이 있었고 13%에서는 단독으로 내직장 탈출이 발견되었다고 보고하였다. 이러한 연구들은 변실금의 심한 증상이 내직장 탈출과 연관이 있음을 시사한다.

내직장 탈출(IRP) 혹은 직장 중첩(rectal intussusception)은 직장출혈이나 배변습관의 변화가 생긴 경우 등 제한된 경우에서 배변조영술로 발견된다. 직장 탈출증의 초기 병변으로 발생할 수 있지만 때로는 그 발병기전이 다르기도 하다. 전직장 탈출을 항문으로 수술한 후 상부의 해결되지 않은 잉여 병변의 하강으로 직장내 중첩이 남기도 한다. 최근에는 자동 봉합기를 이용한 점막 고정술을 시행한 환자에서 일정기간이 지나 추적 조사하면 이러한 직장 중첩이 관찰되기도 한다. 2011년 우리나라에서 자동 봉합기를 사용한 수술이 급여화 되면서 보편적으로 사용되기 시작했으니 이미 10여년이 지난 셈이다. 초기의 자동 봉합기를 사용하여 점막 고정술을 시행한 환자에서 직장 항문륜의 직상부는 고정되어 있어 하강하지 않으나 수술 부위 직장의 잉여점막의 하강으로 수술로 고정된 봉합부위를 덮으면서 이로 인한 출구폐쇄형 변비를 호소하는 환자들이 최근 발생하기 시작했다.

내직장 탈출은 직장의 점막이 처지는 1단계, 직장 중첩이 있는 2단계, 항문관의 상방까지 내려와 직장과 항

Oxford rectal prolapse grade	Radiological characteristics of rectal prolapse
Internal rectal prolapse/intussusception	
Ⅰ (low grade)	Descends no lower than proximal limit of the rectocele
Ⅱ (low grade)	Descends into the level of the rectocele, but not into anal canal
Ⅲ (high grade)	Descends into proximal anal canal
Ⅳ (high grade)	Descends into distal anal canal
External rectal prolapse	
Ⅴ (overt rectal prolapse)	Protrudes from anus

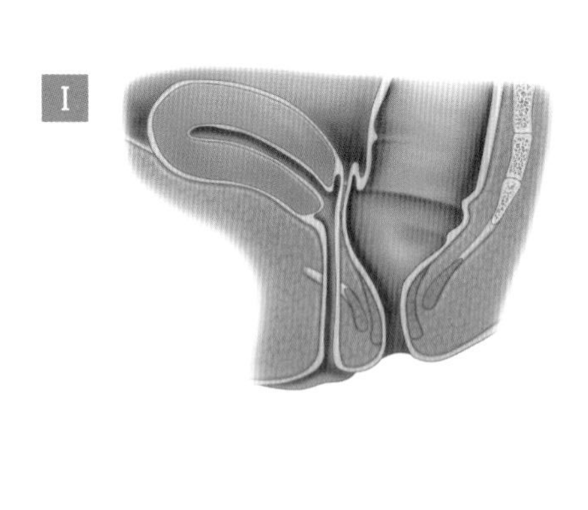

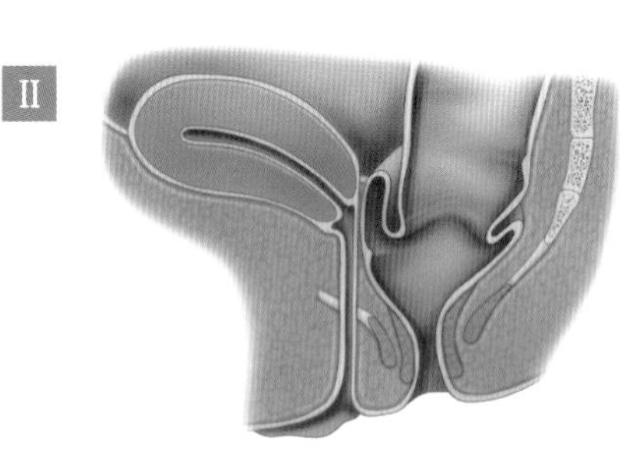

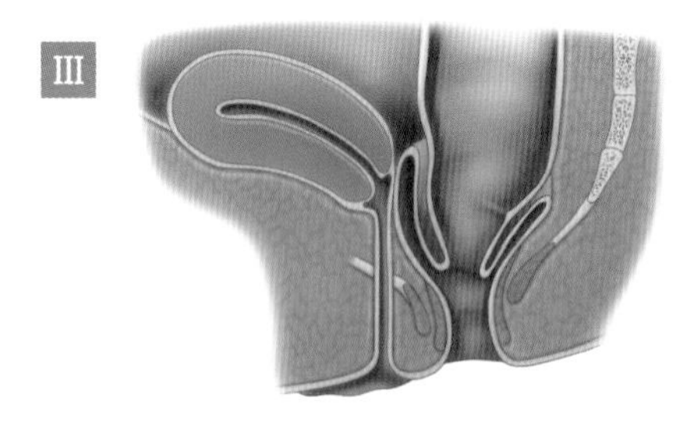

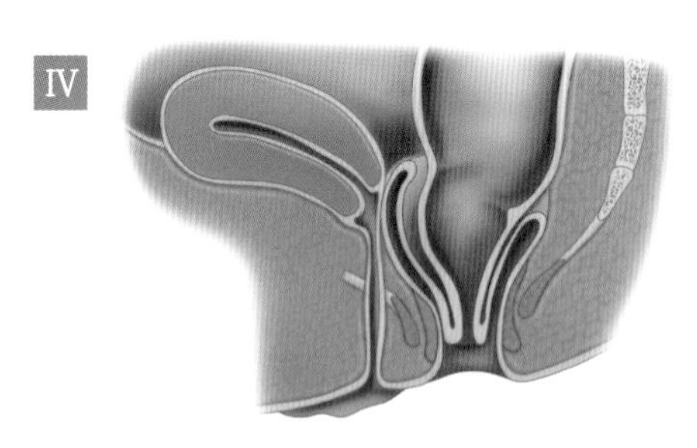

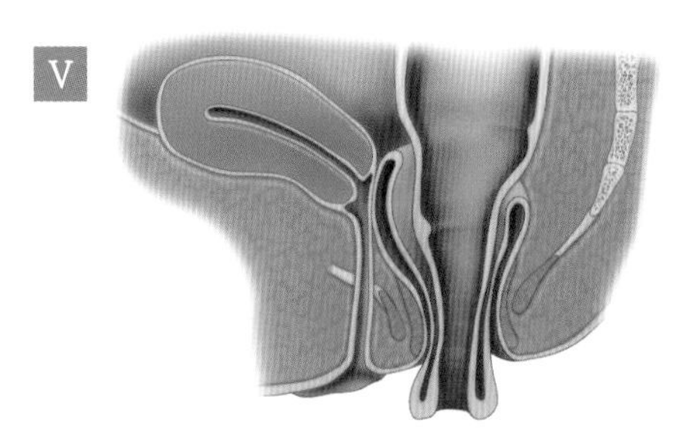

그림 13-1-3. **Oxford Rectal prolapse grade(왼쪽 위에서부터 I II III IV V)**

문이 중첩되는 3단계로 나눈다. 완전 직장 탈출증도 그 정도에 따라 직장 점막이 빠지는 1단계, 직장이 완전히 빠져나오지만 배변 시에만 빠지며 들어가는 2단계, 직장이 빠져나와 걸어 다니기만 해도 들어가지 않는 3단계, 직장이 빠져나와 들어가지 않고 감돈 이후, 혈류의 장애를 동반하고 직장의 색깔이 변하여 괴사 직전의 상태에 빠지는 4단계로 구분한다. Oxford 분류로는 직장류의 상방까지 내려오는 내직장 탈출을 1기, 직장류 부위까지 내려오는 경우를 2기, 항문관까지 내려오는 경우를 3기, 항문관 내로 내려오는 경우를 4기, 항문 밖으로 빠져나오는 경우를 5기로 나누기도 한다. Altemeier는 직장의 점막이 빠지는 경도의 직장 탈출증, 상부 직장이 하부 직장에 끼어 내려오는 중등도의 직장 탈출증, 직장의 전벽이 직장의 하부로 빠져 내려오는 중증의 직장 탈출증으로 분류하여 설명하였다.

내직장 탈출이 출구 폐쇄 형태의 변비를 초래한다는 것은 잘 알고 있는 사실이다. 그러나 좀 더 세밀히 관찰해 보면 많은 환자들 특히 노인에서는 변비와 변실금의 증상을 동반하고 있는 경우가 상당한 것을 관찰할 수 있다. 내직장 탈출과 전직장 탈출은 그 발병기전에서 약간의 차이점이 있고 변실금의 증상을 나타내는 기전도 조금 달라 보인다. 내직장 탈출에서는 항문 내괄약근의 약화와 함께 직장항문 억제반사가 소실되어 있는 양상을 보이지만 항문 괄약근의 보상적인 저항으로 항문관의 수축기 고압대는 높아져 있는 경우가 종종 관찰된다. 배변조영술을 좀 더 범용하면 내직장 탈출이 변실금은 물론 변비에 미치는 영향에 대하여 추정할 수 있고 배변 과정에 직장과 항문의 움직임을 관찰하면서 변실금의 현상을 관찰할 수 있다.

Collinson 등은 내직장 탈출과 변실금에 대한 상관관계를 설명한 바 있다. 그는 배변조영 검사를 좀 더 많이 활용하면 많은 경우의 변실금이 내직장 탈출과 연관이 있을 것으로 설명했다. 출구폐쇄 변비와 변실금이 병행하거나 변실금 단독으로 발생할 수 있다고 보고하였다. Dvorkin 등은 증상이 있는 군과 무증상 대조군을 대상으로 영상을 통한 분석을 시도하였다. 증상이 있는 경우 벽이 더 두껍고 중첩의 범위는 더 깊었다. Pomerri 등은 증상이 있는 군에서 벽이 더 두껍고 직장 중첩의 두께가 더 두꺼웠으며 함입부와 함입되는 외직장부의 비율이 더 크게 관찰되었다고 보고하였다.

내직장 탈출은 중첩으로 인한 염증과 섬유화 반응으로 직장의 팽창성이 감소하고 저장 능력이 떨어진다. 직장의 수축도 지장을 받게 되어 변의 배출이 완전하지 않고 배변 후에도 시원하지 않고 변이 남는 느낌이 발생한다. 중첩의 무게 자체가 변 덩어리와 같은 느낌을 갖기 때문에 실제 변이 없음에도 후중감이나 변이 마려운 느낌을 가지게 되고 화장실을 가도 변이 잘 나오지 않는다. 변을 보고 난 다음에 또 변을 보고 싶기도 하고 아침에 수차례 화장실을 들락거리면서 변을 보고 나서야 일상생활이 가능하게 되는 수도 있다. 실제 변이 없는데 변 마려운 절박감을 느끼기도 한다.

내직장 탈출 환자는 실제 변실금보다 출구폐쇄 변비의 증상을 호소하는 경우가 더 많다. 배변조영술에서 중첩이 되는 부분이 직장을 막기 때문에 S결장에서 변 덩어리가 직장으로 완전히 내려오지 못하는 것을 관찰할 수 있다. 직장에 저장된 소량의 변을 보고 나면 2-30분 정도 이후에 장의 운동으로 S결장의 변이 직장으로 내려와서 다시 변 마려움으로 화장실을 들락거리게 된다.

직장 탈출은 환자의 증상으로 간단히 진단된다. 환자의 배변 습관에 대한 병력 청취가 필요하고 항문 주위 관찰, 항문직장경, 배변조영술, 항문직장 내압검사, 항문

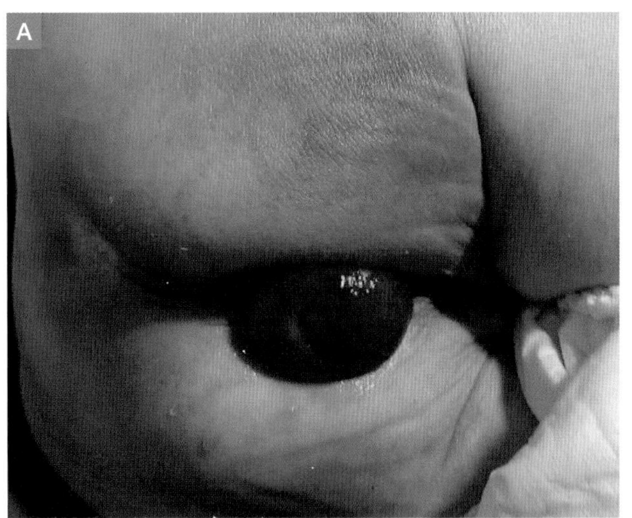

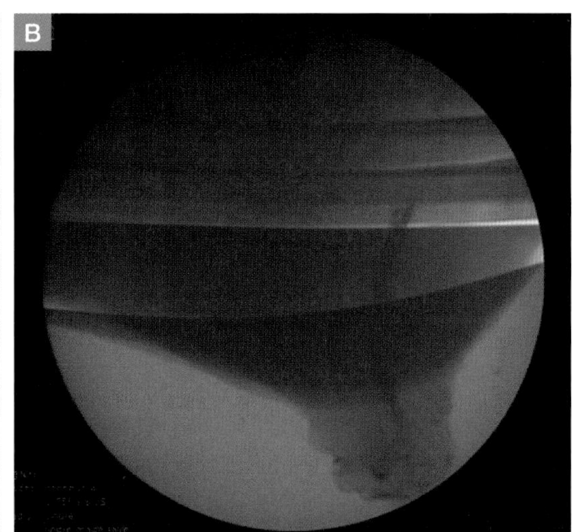

그림 13-1-4. **F/95 바지락 줍다 미자발 빠진다고 내원한 환자**

초음파 및 대장내시경 등의 검사를 해야 한다. 변실금이 있는 환자에서 음부신경 전도검사는 수술 이후의 예후를 관측하는 데 도움이 된다. 복부 단층촬영이나 MRI 검사도 도움이 된다. 직장 탈출은 환자에게 변을 보는 상황을 만들어 튀어나오는 정도를 살펴 진단할 수 있지만 IRP는 배변조영술로 진단할 수 있다.

치료법은 연령대와 원인에 따라 다양하게 선택된다. 직장 탈출증의 원인이나 교정방법에 대한 논쟁이 여전하여 수술 방법이 매우 다양하다. 과거에는 정확하고 특별한 치료법이 없이 의사들의 경험과 취향에 따라 여러 가지 치료 방법이 진행되어 왔다. 그러나 근래에 직장 탈출의 기전에 대한 활발한 연구가 진행되어 수술의 원칙이 정해지고 효과적인 수술 방식이 소개되면서 치료 결과도 좋은 편이다.

Brown 등은 69명의 전직장 탈출과 74명의 내직장 탈출 환자의 수술을 분석하여 보고하였다. 완전 직장 탈출 환자에서 회음접근 수술을 많이 하였다. 젊은 환자군에서 불완전 직장 탈출이 많았다. 전직장 탈출에서 수술을 시행한 후 관찰한 결과 St. Mark's 변실금 4등급 환자비율을 38%에서 19%로 낮추었고 내직장 탈출 환자에서는 49%에서 22%로 낮추었다. 전직장 탈출과 변비를 동반한 경우에서는 42%에서 35%로 낮아졌으나 내직장 탈출의 경우 오히려 변비는 39%에서 50%로 높아졌다. 그는 변비를 동반한 경우는 수술을 하는 것이 도움이 되지 않을 것으로 생각하였으며 절반의 환자에서 동반되는 변실금의 증상에 대하여 직장 탈출 수술이 증상을 개선할 것으로 기대하였다.

Broden 등은 동반되는 IRP의 이상 소견은 원인이 아니라 탈출에 의한 결과라고 하였다. 실제 탈출은 골반저 상방에서 시작되며 이러한 까닭으로 중첩을 동반한 골반저의 약화로 인한 변실금이 발생하게 된다는 것이다. 따라서 이러한 이유로 발생하는 변실금은 장중첩을 해결하는 것만으로 증상의 70%가 교정이 된다고 하였다.

Speakman 등은 IRP환자에서 직장의 후방을 박리하면서 직장의 측방인대를 손상하는 경우 이 측방인대 가까이 주요 혈관과 음부신경 등이 주행할 수도 있기 때문에 이의 손상은 결국 자율신경의 직장 분포를 방해하거나 후장(Hindgut)의 신경병증을 초래할 수 있어 증상을 악화시키거나 50%의 환자에서 새로운 출구폐쇄 변비를 유발할 수 있다고 하였다. 이러한 이유로 후방 직장 고정술은 IRP의 나쁜 결과와 유사한 상황을 발생시키기 때문에 잘 시행하지 않는 경향이 있다.

Lazorthes 등은 51명의 특발성 변실금 환자에서 직장조영술을 시행하여 14명(27%)의 환자에서 IRP를 발견하였고 모두 여성이었다. 이 환자들에서 후방 혹은 후방전방 직장 고정술을 시행하였고 6명의 환자에서 6개월 추적 관찰 결과 완전히 변실금이 해결되었으며 항문직장 생리검사의 의미 있는 변화는 관찰되지 않았다. 6명의 환자에서 수술 후 직장조영술을 시행하여 IRP가 완전히 해결된 것을 볼 수 있었고 3명의 환자에서는 변비가 해결되었다. Schultz 등은 42명의 전직장 탈출과 IRP를 동반한 변실금 환자에서 측방인대를 분리하지 않고 후방 직장 고정술을 시행하였다. 12명의 IRP환자에서 변실금 증상의 호전을 보였다. 이후 5.4년을 관찰하였고 증상의 호전은 유지되었다.

Silvis 등은 배변조영술에서 해부학적 이상소견(직장류, IRP, 장류)이 발견되는 변비와 변실금을 병행한 27명의 환자에서 골반의 자율신경 하하복 신경총의 손상을 피하는 방식으로 측후방 직장의 박리없이 전방접근 하에 직장을 고정하는 직장 질고정술을 시행하였으며 기능적인 결과는 훌륭했다.

이 수술 방법은 D'Hoore 등에 의하여 대유행을 이끌었다. D'Hoore 등은 42명의 직장 탈출 환자에서 복강경 전방직장 고정술을 시행하여 5년 이상 추적 관찰한 결과를 보고한 바 있다. 복강경을 이용하여 자율신경을 보존하는 직장의 박리와 함께 인공막을 이용한 자궁천

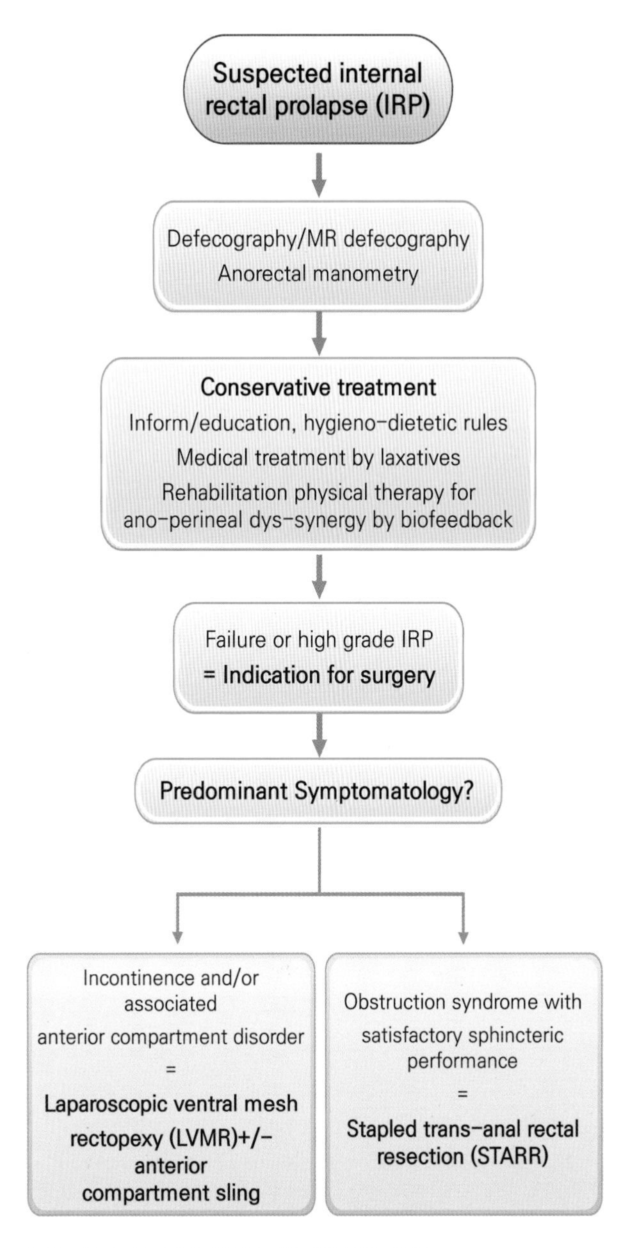

그림 13-1-5. IRP에대한 진단 치료 알고리즘.
L Cariou de Vergie, A Venara, E Duchalais, E Frampas, P A Lehur. Internal rectal prolapse: Definition, assessment and management in 2016. J Visc Surg. 2017 Feb;154(1):21-28.

골 인대의 재구성을 통하여 직장 탈출의 치료를 시도하였다. Collinson 등도 이 수술 방법으로 30명의 중증 전직장 탈출 환자에서 비슷하게 성공적인 결과를 도출하였다. Bristol그룹에서 80명의 환자(전직장 탈출 55%, IRP 45%)에서 복강경 전방 직장 고정술, 후방 질 성형술, 자궁경부 천골고정술 등을 시행하였고 43명의 변실금 환자 중 39명에서 증상의 개선을 보고하였다.

저자는 직장탈출 치료 술식에 대한 접근법으로 **복강경 자가 조직 복원술**(Laparoscopic natural tissue repair)을 선호하고 있다. D'Hoore등의 복강경 전방직장고정술은 중첩이 된 직장을 박리하는 과정에 자율신경 손상을 예방하기 위하여 측방인대를 박리하거나 가동하지 않는다. 다만 직장의 전방만 박리하는 것을 보완하기 위하여 직장의 전방에 인공막으로 보강하여 고정하는 시술을 시행하게 된다. 저자의 전방직장고정술에 대한 견해는 이때 사용하는 메시가 때로는 이물 반응을 일으킬 개연성을 가지고 있고 또한 직장의 저장및 팽창 능력에 영향을 미칠 가능성이 있다고 본다. 전방 직장을 메시로 고정할 때 발생하는 여러가지 수술 테크닉의 어려움, 때로는 불완전 치료의 가능성이 있을 수 있다. 전방직장 고정술 시행 후 불완전 교정으로 간혹 경항문 직장 절제술 등을 하는 경우가 있는데 이러한 과정에 삽입된 메시의 손상으로 생길 합병증이 우려된다. 특히 STARR (Stapled Trans Anal Resection of Rectum)를 할 경우에 심각한 문제를 유발할 수 있다.

저자는 직장의 측방 인대를 박리하는 과정에 발생할 수 있는 신경의 손상을 최소화하는 정확하고 섬세한 수술 술기를 선택하여 적용하고 있다. 직장의 측방 인대도 자세히 살펴보면 무혈관 라인을 발견할 수 있는데 이 라인은 측방인대가 싸고 있는 혈관 신경 다발보다 2/3정도 내측의 경계 선상으로 박리를 해야 신경 손상이나 출혈 없이 안전하게 박리할 수 있다. 이 술기(측방인대 박리법)를 바탕으로 하부직장 및 중부직장 동맥 및 신경을

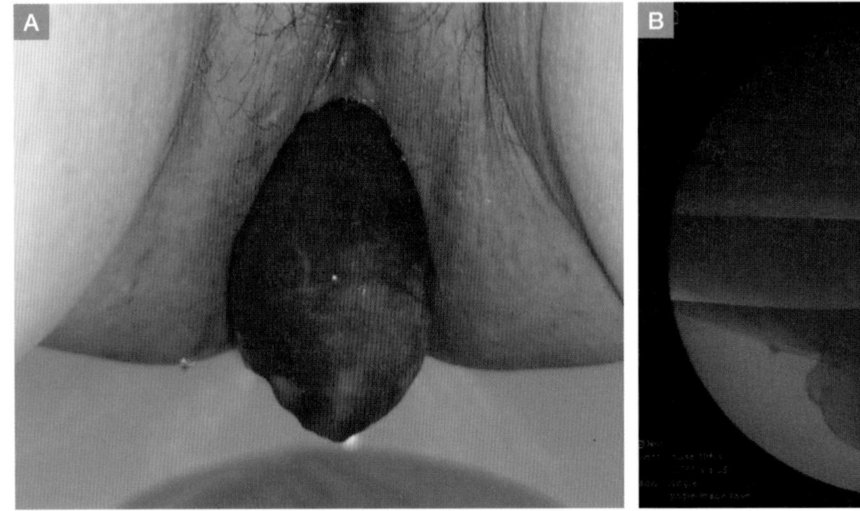

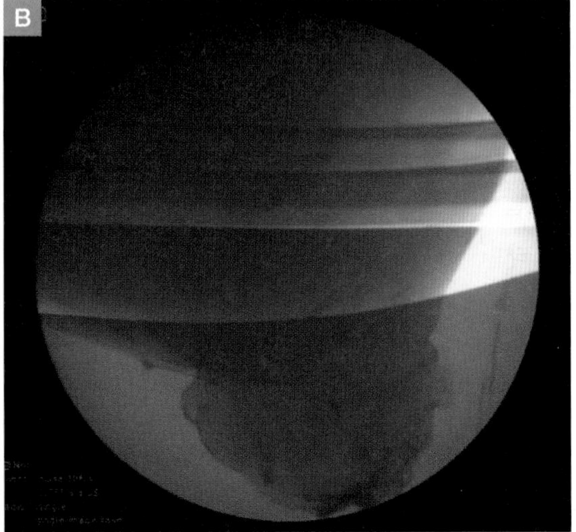

그림 13-1-6. **타 병원에서 2회에 걸친 수술 후 재발하여 본원을 찾은 환자**

보존하여 기능의 변화를 예방하면서도 충분히 직장을 가동시킬 수 있다. 이후 충분히 가동되어 유연화 된 직장의 장간막의 단단한 장측 근막을 천골의 돌기에 고정하고 전방, 측방의 직장 장간막을 치골에서 시작하는 근막 인대궁을 찾아 봉합을 시작하면서 천골자궁 인대를 재 구성하는 수술 방법으로 비교적 좋은 교정의 결과를 나타내고 있다.

IRP에서 변실금이 발생하는 기전은 명확하지 않다. 추정할 수 있는 것은 중첩부위가 항문관으로 반복적으로 함입되면서 내괄약근을 약화시키는 것이다. 이러한 이유로 전직장 탈출 환자에서 내괄약근의 압력이 떨어져 있으나 직장 탈출이 교정되면 압력은 정상으로 교정이 된다고 생각된다. 그러나 장기간 심하게 직장 탈출이 진행된 고령의 환자에서는 직장 탈출을 교정하고 난 이후 변실금이 더 심해지는 현상을 보이기도 한다. 이는 직장 탈출의 정도와 나이, 방광이나 질, 자궁의 탈출, 비만 등의 영향을 받는 것으로 추정된다. 이러한 때에 발생하는 변실금의 유형은 수동적 변실금이다.

그 다음으로 가능성이 있는 것은 탈출되는 직장 그 자체에 의한 것으로 보인다. 항문직장의 경계부위가 하강해 있고 직장항문 억제반사의 소실이 보이며 직장과 항문의 압력 차이가 거꾸로 되어 있는 경우도 발견된다. 절박 변실금의 증상이 나타날 수도 있다. 이러한 기전은 전직장 탈출이 변실금 발생의 위해요소이기도 하다는 것을 나타낸다. 때로 직장 고정술 후 직장항문 억제반사의 소실의 회복을 보이기도 한다. 이러한 현상이 나타날 때 정확한 결과는 직장 고정술 이후 통상 최소한 약 3개월 이상은 관찰하고 나서 판단하는 것이 적절하게 보인다. 이후에도 변실금의 증상이 지속된다면 음부신경의 손상, 동반질환, 기저질환 등 다양한 위해 요소에 대하여 분석해야 한다. 마지막으로 변의 불완전한 배출이 변실금의 원인이 될 수 있다. 중첩부위 상방의 배출되지 않는 분변이나 점액 등이 배변 후 시간이 지나면서 지속적으로 항문으로 내려오는 현상을 호소하는 환자들이 많다. 변을 닦고 나서 돌아서면 또 변이 나와서 수차례 변을 닦고 씻는 것을 반복하여 변이 완전히 배출되어야 일상 생활을 시작할 수 있다.

전직장 탈출은 항문과 골반 주위 괄약근의 압력을 떨어뜨린다. 내압검사에서는 항문 고압대의 휴지기 압력과 수축기 압력이 같이 떨어져 있다. 항문이 열려 있고 항상 젖어 있어 피부병변도 같이 동반된다. 때로는 직장 탈출에 대한 수술을 하여 탈출이 교정되고 난 이후에도 변실금과 변비 증상이 지속되는 것을 관찰할 수 있다. IRP의 경우에 좀 더 변실금의 발생 빈도가 높은 것을 경험하는데 직장 탈출의 정도에 따라 다르다. 수술의 결과로 탈출이 교정되면서 항문과 직장의 각도가 수직에 가깝게 변하게 되는 현상이 간혹 관찰하기도 한다. 떨어진 항문 고압대의 휴지기 압력과 수축기 압력이 회복되지 않는 이유도 연관성이 있어 보인다. 음부신경 손상이 동반되는 영향도 있을 것으로 판단된다. 실제 전직장 탈출과 변실금의 증상이 동반되어 있다가 정작 직장 탈출이 해결되면서 변실금의 증상이 부각되기도 한다.

직장 탈출에 대한 수술 후에는 최소 3주간은 배변습관에 각별히 신경을 써야 한다. 화장실에서 항문에 무리한 힘이 가해지지 않도록 조심할 필요가 있다. 시간이 지나면 대개 정상적인 배변 활동이 가능하지만 무절제한 생활 등으로 자칫 방심하면 재발이 된다는 점을 잊어서는 안 된다.

References

1. Agachan F, Pfeifer J, Wexner SD. Defecography proctography. Results of 744 patients. Dis Colon Rectum 1996;39:899-905.
2. Broden B, Snellman B. Procidentia of the rectum studied with cinedefecography: a contribution to the discussion of causative mechanism. Dis Colon Rectum 1968;11:330-47.
3. Brown AJ, Anderson JH, McKee RF, Finlay IG. Surgery for occult rectal prolapse. Colorectal Dis 2004;6:176-9.
4. Collinson R, Cunningham C, D'Costa H, Lindsey I. Rectal intussusception and unexplained faecal incontinence: findings of a proctographic study. Colorectal Dis 2009;11:77-83.
5. D'Hoore A, Cadoni R, Penninckx F. Long-term outcome of laparoscopic ventral rectopexy for total rectal prolapse. Br J Surg 2004;91:1500-5.
6. Dvorkin LS, Gladman MA, Epstein J, Scott SM, Williams NS, Lunniss PJ. Rectal intussusception in symptomatic patients is different from that in asymptomatic volunteers. Br J Surg 2005;92:866-72.
7. Jan Rakinic, John Geibel. What is the prevalence of rectal prolapse in the US? Medsccape General Surgery. 2018.3rd Dec.
8. L Cariou de Vergie, A Venara, E Duchalais, E Frampas, P A Lehur. Internal rectal prolapse: Definition, assessment and management in 2016. J Visc Surg 2017;154:21-8.
9. Larxorthes F, Gamagami R, Cabarrot P, Muhammad S. Is rectal intussusception a cause of idiopathic incontinence? Dis Colon Rectum 1998;41:602-5.
10. Lindsey I, Boons J, Cunningham C. Laparoscopic anterior rectopexy improves obstructed defaecation similarly inboth rectal prolapse and rectal intussusception. Colorectal disease 2006;8.
11. M. V. Kairaluoma, I. H. Kellokump. Epidemiologic aspects of complete rectal prolapse. Scandinavian Journal of Surgery 2005;94:207-10.
12. Mellgren A, Bremmer S, Johansson C, Dolk A, Uden R, Ahlback SO, et al. Defecography. Results of investigation in 2,816 patients. Dis Coln Rectum 1994;37:1133-41.
13. Moschcowits AV. The pathogenesis, anatomy and cure of prolapse of the rectum. Surg Gynecol Obstet 1912;15:7-21.
14. Pomerri F, Zuliani M, Maxxa C, Villarejo F, Scopece A. Defecographic measurements of rectal intussusception and prolapse in patients and in asymptomatic subjects. AJR Am J Roentgenol 2001;176:641-5.
15. R. Collinson, C. Harmston, C. Cunningham, I. Lindsey. The emerging role of internal rectal prolapse in the aetiology of faecal incontinence. Gastroenterologie Clinique et Biologique 2010;34:584-6.
16. Shorvan PJ, McHugh S, Diamant NE, Somers S., Stevenson GW. Defecography in normal volunteers: results and implications. Gut 1989;30:1737-49.
17. Silvis R, Gooszen HG, Van Essen A, De Kruif AT, Janssen LW. Abdominal rectovaginopexy: modified technique to treat constipation. Dis Colon Rectum 1999;42:82-8.
18. Slawik S, Soulsby R, Carter H, Payne H, Dixon AR. Laparoscopic ventral rectopexy, posterior colporrhaphy and vaginal sacrocolpopexy for the treatment of recto-genital prolapse and mechanical outlet obstruction. Colorectal Dis 2008;10:138-43.
19. Speakman CT, Madden MV, Nicholls RJ, Kamm MA. Lateral ligament division during rectopexy causes constipation but prevents recurrence: results of s prospective randomized study. Br J Surg 1991;78:1431-3.

CHAPTER

13-2

직장류

임신과 출산을 경험하고 노화가 진행되면 여성에서는 호르몬이 감소하고 질 벽의 탄력이 떨어지고 늘어난다. 배변을 볼 때 직장의 전 벽이 질 쪽으로 튀어나오는 것이 직장류이다. 골반 검사를 시행했을 때 직장류가 발견되는 빈도는 31%-80%이다. 직장류는 골반내에서 인접하는 다른 장기와의 공간 다툼에서 벌어진 결과이다. 고위직장류는 때로 장류와 구분이 어려운 경우도 있다.

직장류의 증상은 직장 전벽의 질 쪽으로의 탈출에서 기인한다. 이로 인한 불쾌감과 성관계나 배변 시에 생기는 불편함, 그리고 심리적인 문제들이 이차적으로 나타난다. 질 탈출이 심한 환자는 질의 미란, 궤양 등을 초래하고 이로 인한 분비물이나 피부변화, 불쾌감으로 패드를 차야 하기도 한다. 성관계 시 불편감이나 통증을 호소하고 만족감을 느끼지 못하기도 한다.

대장항문 의사의 관심은 배변 활동 기능부전으로 인한 증상들이다. 출구폐쇄 변비나 변 누출, 변실금 등이 그것이다. 가장 흔히 호소하는 증상은 역시 변비이다. 힘을 주면 질이 밀려나오고 변을 보기 힘들어 손가락으로 질벽을 눌러야 변을 보게 된다. 변의 불완전한 배출은 여러 가지 현상을 초래한다. 직장에 변이 남게 되면 수분이 흡수되어 돌덩이처럼 단단하게 변한다. 시간이 지나면 직장에 남아 있던 딱딱한 변이 배출이 되지 않아 다시 무리하게 힘을 줘야 하고 겨우 힘을 줘서 고형변을 보고 난 후에야 상부직장에 머물러 있는 변을 볼 수 있게 된다. 변이 잘라져서 나오고 조금 뒤에 다시 변을 봐야 한다. 어떤 이는 오전 내내 수차례 변을 보고 씻고 해야 겨우 외출을 할 수 있을 정도로 심하게 삶의 질이 떨어지기도 한다. 변이 깨끗이 닦이지 않아 휴지를 많이 써야 하고 항문을 씻어줘야 한다. 노화가 진행되어 항문 주위 괄약근의 압력이 떨어지면 수동적 변실금으로 진행되기도 한다. 자신도 모르게 팬티에 변이 묻게 된다. 음부신경 손상이 동반되는 경우 수동적 변실금의 증상은 더 심해진다. 잔변감, 뒤무직, 통증 등을 호소하기도 한다.

해부학적인 소견과 심한 정도가 반드시 증상과 일치하지는 않는다. 해부학적으로 비정상적인 소견이 상당함

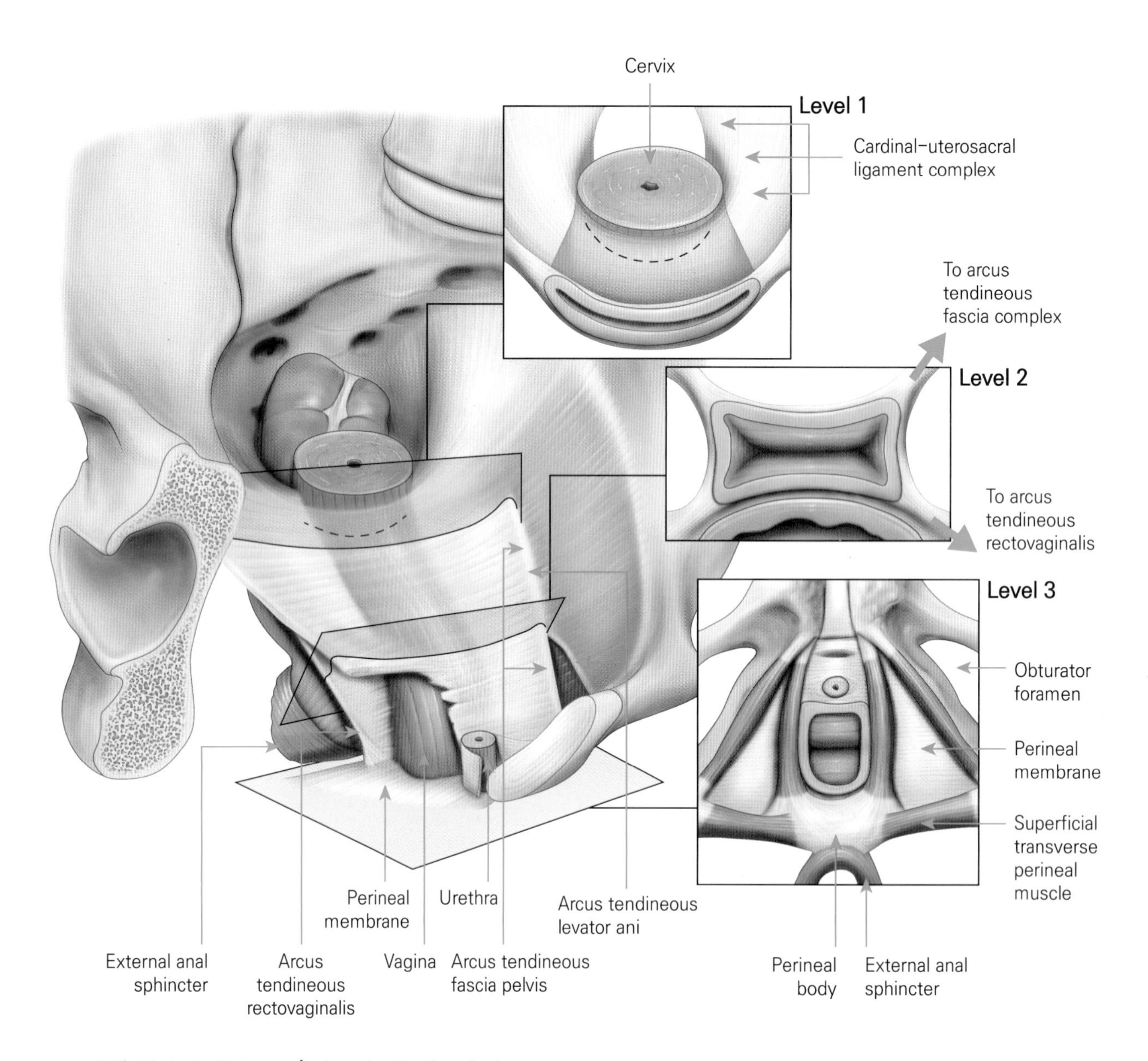

그림 13-2-1. **DeLancey's three levels of vaginal support**

에도 불구하고 증상을 나타내지 않는 경우도 있다. 증상이 없는 직장류를 외과적 수술로써 해결할 필요는 없다. 직장류로 인하여 발생하는 변비나 탈출의 증상은 대개 직장류를 수술하면서 해결된다. 그러나 다양한 원인이 복합적으로 작용하여 발생하는 변실금은 단순히 직장류를 수술한다고 해결되지 않는 경우도 있다.

질의 후방은 복강 내에서 회음체로 확장되는 근 섬유조직으로 구성된 튜브다. 후방의 질벽은 질 튜브와 결합조직, 골반바닥의 근육들에 의하여 지지되고 있다. DeLancy는 질을 지지하는 결합조직을 3단계 층(3 level)으로 나누어 설명하였다. 후방의 질벽을 교정할 때는 3개 층을 모두 고려해야 한다. 1층(level 1)은 후방의 질벽을 지지하는 중심 인대와 자궁천골 인대이다. 인대는 천골에서 기시 하여 자궁경부와 질의 후방 상부로 삽입된다. 2층(level 2)은 질의 중간 부위에서 양측 외측 4군데 방향으로 질을 지지하고 유지하는 골반내 근막이다. 측후방의 질의 튜브에서 시작하여 골반의 양측 외측을 지지한다. 질 후벽의 근위부의 절반을 지지하는 조직은 골반근막인대궁이다. 3층(leve 3)은 질의 후벽 1/3을 잡고 있으면서 회음체와 연결되는 복합체이다. 이 부위의 인대와 근육, 근막, 결합조직의 복합체는 항문거근과 연결된다. 골반압력의 전달이 덜하며 탈출이 될 가능성이 많고 직장의 압력으로 질과 직장의 중격의 탈출이 발생한다.

치골직장근(puborectalis mucle)은 생식기 입구를 닫아주는 슬링 형태의 지지근육이다. 전형적으로 치골직장근은 꾸준히 수축을 유지한다. 이때 질의 전벽과 후벽은 맞닿아 있다. 정상적인 배변과정에서 골반내 근막의 조직에는 압력이 전달되지 않고 치골직장근은 이완된다. 변에 의한 후방 질벽의 증가된 압력은 맞닿은 전방 질벽에 의해 균형을 잡게 된다. 직장과 질 사이의 공간은 질 튜브와 직장을 잡아주는 공간이다. 이곳에는 그물코 모양의 조직과 근육, 지방, 결합조직이 있어 직장과 질을 따로 기능하게 해 준다. 조직학적 소견으로 이곳에는 별도의 근막과 같은 구조가 없다. 이 복합체를 지지하는 뼈, 근육, 결합조직의 손상은 후방 질벽을 약화시켜 여성의 성적기능과 배설 기능에 영향을 주게 된다. 직장과 질 중격을 통과하면 곧 바로 골반강을 만나게 된다. 이 골반강을 더글라스 강이라 한다. 질의 후벽은 골반강에 가장 근접해 있다. 골반강에 염증에 의한 농양이나 삼출액 등이 고여 있을 때 이곳을 천자하여 확인할 수 있다.

질 탈출의 5가지 유형이 있다. 1) 방광류는 질과 방광의 경계부위 지지조직인 치골 경부인대의 약화로 인해 질의 전방 벽이 늘어나 방광이 질로 탈출되는 것이다. 방광의 저장 및 수축 기능이 약화되고 혼합 요실금이 발생한다. 2) 직장류는 질 후방벽의 약화로 직장의 전방벽이 질로 탈출되는 것이다. 3) 장류(Enterocele)는 질의 상부지지조직이 약해지면서 직장–질 중격 사이로 탈장이 생기는 것이다. 4) 자궁 탈출은 자궁천골 인대, 중심인대 등 상부 질을 지지하는 조직의 약화로 발생한다. 5) 질과 방광, 직장이 동반 탈출되는 경우를 복합 골반장기 탈출이라 한다. 그 외 자궁절제 등으로 인하여 질의 상부를 잡아주는 지지조직의 약화로 인한 질 탈출이 있다.

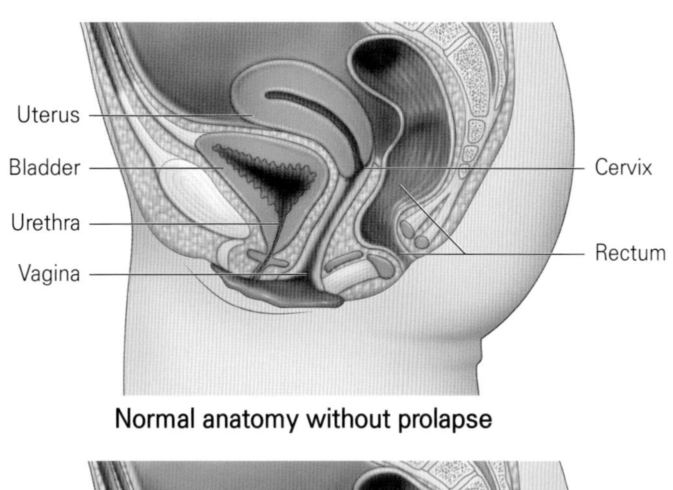

Normal anatomy without prolapse

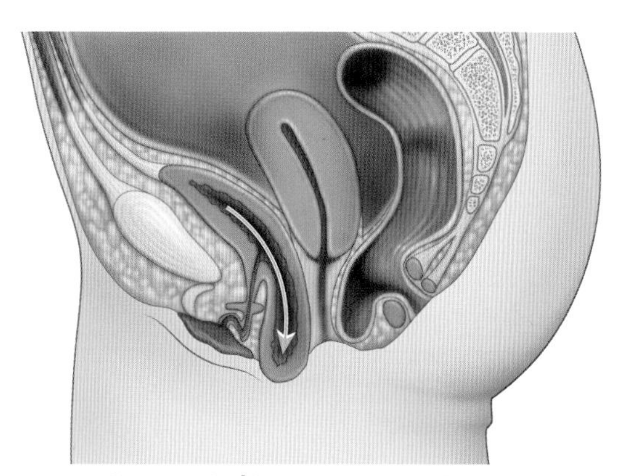

Cystocele/Cystourethrocele

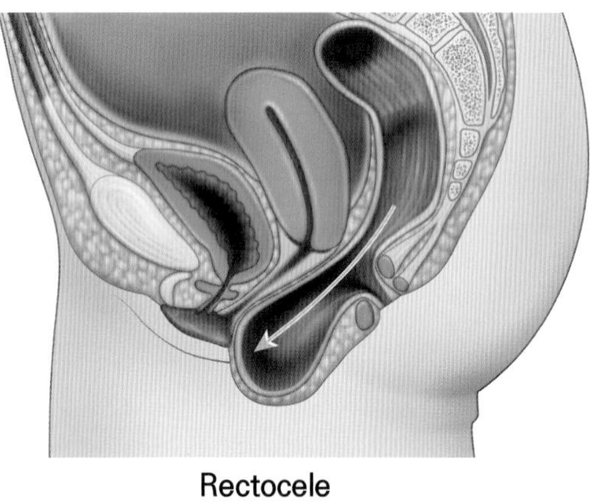

Rectocele

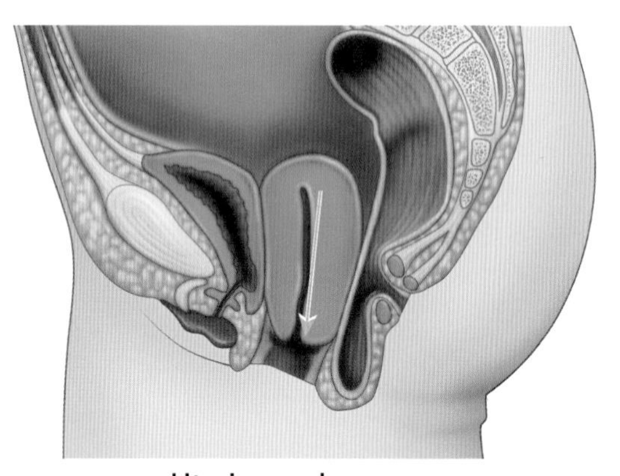

Uterine prolapse

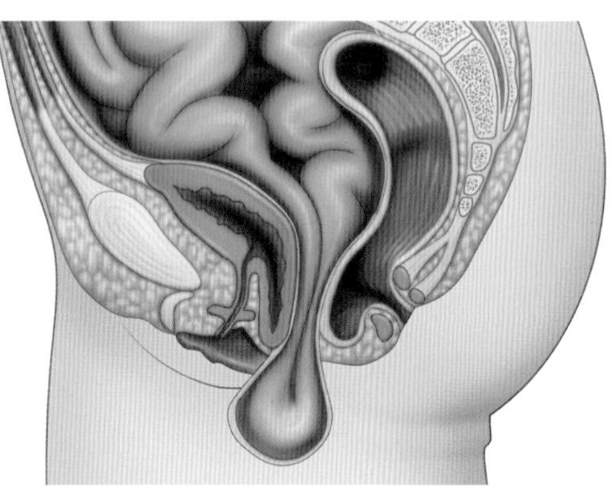

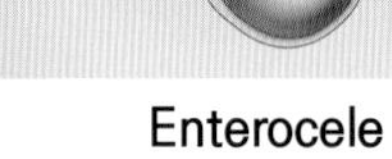

Enterocele

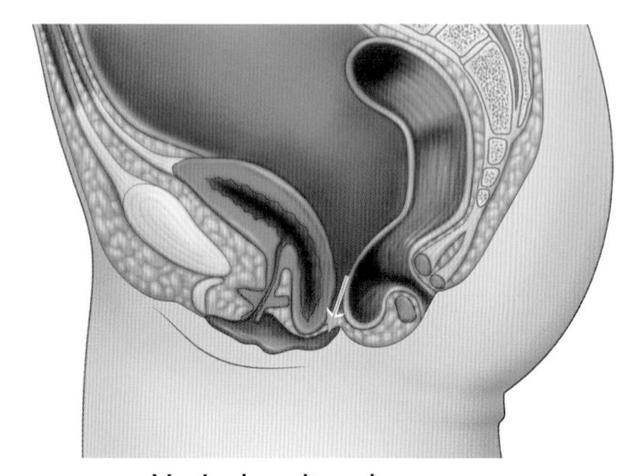

Vaginal vault prolapse

그림 13-2-2. **질 탈출의 5가지 유형**

직장류의 진단은 직장 수지검사로 확인할 수 있다. 직장으로 손가락을 넣어보면 직장의 전방 벽에서 질 쪽으로 움푹 들어가는 주머니 같은 구조를 확인할 수 있고 직장의 전방 벽을 누르면 질 쪽으로 탈출이 되는 것을 관찰할 수 있다. 변을 보는 듯이 항문직장에 힘을 가하면 질 쪽으로 튀어나오는 것을 관찰할 수 있어 크기와 위치를 확인할 수 있기도 하다. 직장 수지검사 중 소변을 보다 참을 때처럼 골반근육에 힘을 주면 골반과 항문 괄약근의 강도를 인지할 수 있다. 직장류는 배변조영술이나 골반 MRI로 진단된다. MRI에서 직장류는 가스와 액체, 겔 등의 영상으로 보인다. 그러나 MRI는 약 24%의 작은 직장류를 진단하지 못한다.

직장류의 치료는 보존적 치료와 수술적 치료로 나눈다. 직장류의 치료 방침에 영향을 주는 요인을 살펴보면 직장류의 크기와 위치, 증상, 환자의 나이와 동반 병변

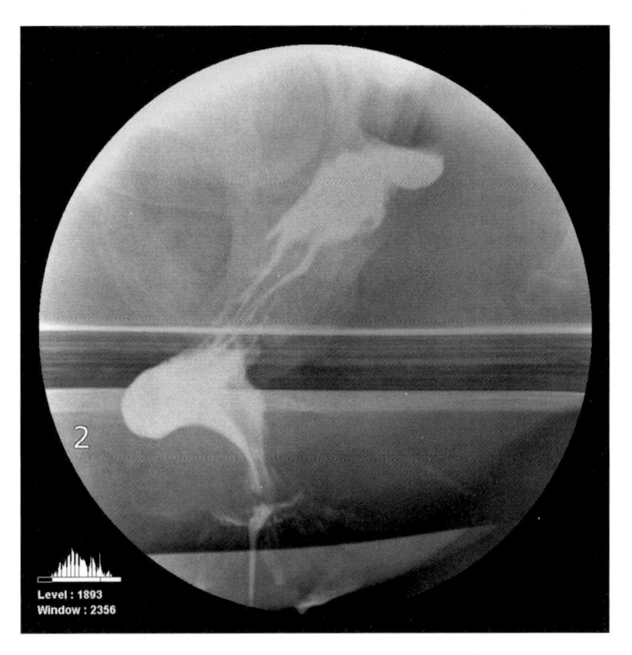

그림 13-2-3. **F/61 배변 장애 변실금 등의 증상으로 내원한 환자의 배변조영술 사진 질쪽으로 전방 직장류가 확인된다.**

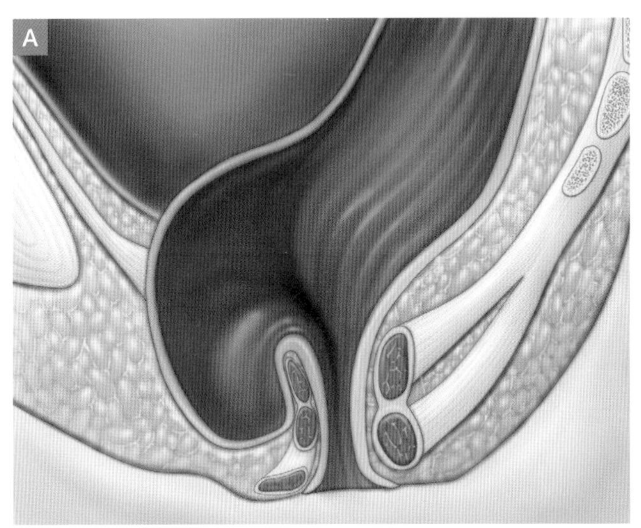

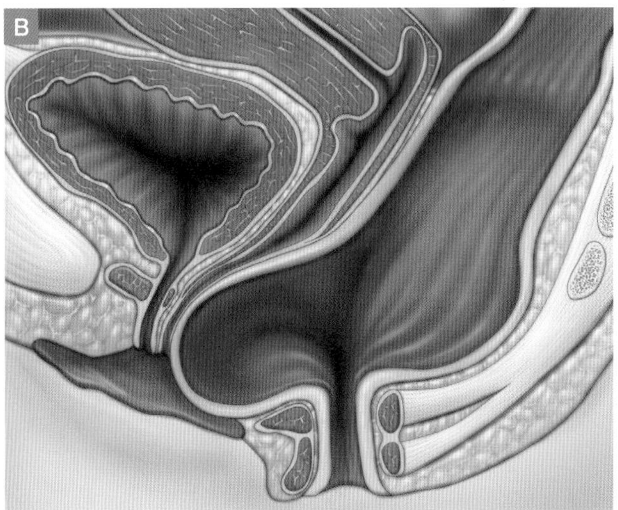

그림 13-2-4. **λ type rectocele, L type rectocele**

의 유무이다. 통상 직장류의 크기가 2 cm 이하이고 증상이 없으면 특별한 치료를 필요로 하지 않는다. 증상이 심하지 않은 직장류는 보존적 치료를 진행한다. 우선 케겔운동과 같은 골반근육 강화운동을 권유한다. 케겔운동은 집에서 혼자 할 수 있는 운동이지만 때로는 잘못된 방식으로 하고 있는 경우도 종종 있다. 일주일에 한 번 정도 시설이 갖춰진 병원을 방문하여 컴퓨터 그래프를 관찰하면서 자신의 운동이 제대로 진행되고 있는지를 확인하는 것이 도움이 된다.

식이가 얼마나 큰 도움이 될 것인지는 명확하지 않으나 직장에 변이 머물지 않고 원활히 배출될 수 있도록 부드러운 성상의 배변을 유도하는 것이 목적이다. 섬유질이 많은 음식을 섭취할 것을 권고하고 충분한 양의 수분 섭취를 권장한다. 섬유질은 스펀지처럼 수분을 흡수하고 장의 운동을 활발하게 한다. 적절한 수분과 함께 변이 형성되면 직장에서의 배출을 원활하게 해 준다. 식이 조절과 함께 바이오피드백 치료를 진행한다. 페서리(Pessary)는 플라스틱이나 고무 종류의 링으로, 자궁경부에 위치하여 조직이 빠져나오지 않도록 하는 방법이 있다. 페서리는 주기적으로 제거하여 깨끗하게 유지해야 한다.

이러한 보존적인 치료로 병의 진행을 막을 수 없거나 증상이 심해진다면 다음 단계의 치료를 고려해야 한다. 튀어나온 직장류가 환자를 힘들게 한다면 환자의 불편한 부분을 수술로 해결할 수 있다. 직장류 수술은 오랜 기간에 걸쳐 단계적으로 발전되어 왔고 그 수술의 편의성을 향상시키거나 수술 시간을 단축시키는 여러 가지 방법이 제안되어 왔다. 직장류의 수술 방법은 환자의 상태나 직장류의 조건에 따라서 질 접근법, 경항문 접근법, 회음 접근법, 복강 내 접근법이 있다.

질이나 회음을 통한 직장류의 교정은 성생활을 유지해야 하는 연령의 환자에 대한 수술로서는 고민해야 할 요인들이 많다. 어떤 증상이 해결되고 어떤 증상이 남을 것인지를 환자와 상담을 하고 수술을 진행하는 것이 바람직하다. 전통적인 질벽 성형과 항문거근 교정으로 인해 발생할 수 있는 현상들이 미리 고려되어야 한다. 직장 질 벽의 수술 결과는 외과의사의 손 기술이나 섬세함 혹은 직장류의 교정 범위에 따라 약간씩 차이가 날 수 있다. 약 15%의 환자는 질 후방벽과 회음 성형으로 인해 불편감을 느낄 수 있기 때문이다. 특히 활발한 성생활을 하는 여성에서는 수술로 인한 성교통이 발생하여 고통을 받을 수도 있다. 성생활의 지속 유무가 수술 방식의 선택에 중요한 판단 요인이 될 수 있다. 또한 환자의 가장 불편한 증상이 어떠한 것인지를 명확하게 정리해야 한다. 젊은 여성의 직장류 교정 시에는 직장류가 발생한 부위만 교정을 할 것인지 아니면 전통적인 후방의 질벽 성형을 할 것인지를 고민해야 한다. 때로는 후방 질의 늘어난 질 벽을 제거하고 양측 바깥 쪽의 직장 질 중격을 잡아당겨 봉합하고 지연 흡수 봉합사를 이용한 질 벽 교정을 하는 전통적인 이중 벽 교정으로 최상의 결과를 얻을 수도 있을 것이다. 활발한 성생활을 지속해야 한다면 환자와 의논하여 항문거근의 봉합을 생략하고 후방 질 벽과 근막 만을 교정하고 이후 항문을 통한 직장의 전방 벽을 줄여주는 수술을 단계적으로 시도하는 것도 한가지 방법이 되겠다. 이러한 선택을 한다면 낮은 확률이지만 재발의 가능성이 있다는 것을 미리 환자에 알리는 것이 좋다.

질의 형체를 지지해주는 조직의 약화된 위치에 따라서 수술에 대한 접근법이 달라질 수 있다. 상당수의 직장류가 질 하부 1/3 이하의 구조를 지지하는 조직의 약화로 인하여 발생한다. 이처럼 작은 직장류는 고전적인 방법으로 늘어난 직장 질 근막의 잉여부위를 제거해 주고 근막을 횡으로 봉축하는 것으로 충분하다. 직장과 질의 중격을 단단하게 잡아주고 질 후방벽을 봉합하는 방식으로 수술을 하는 것이 일반적이다. 변실금이 동반되지 않으면서 질 입구가 넓어져 있는 경우라면 늘어난 질벽을 제거하고 질 하부 후방의 중앙에서 입구가 좁아지지 않는 적당한 정도로 구해면체 근육을 단순 봉합하여 마무리를 해 주는 것이 바람직하다.

Cochrane review에서도 통상 질을 통한 접근 방식을 권유하고 있다. 질의 후방벽을 보강하고 난 다음 질의 입구가 늘어나 커져 있으면 적당한 크기로 하부의 조직을 제거하고 손가락 3개 정도가 들어갈 정도로 좁혀주는 것이 좋다. 특히 질을 싸고 있는 구해면체 근육의 끝을 중간에서 봉합하여 힘을 받쳐주도록 하는 것이 성생활을 지속해야 하는 젊은 여성에서 기능적으로 도움이 된다.

질을 통한 직장류의 교정은 기존에 대장항문 의사들이 시행하는 항문을 통한 교정에 비하여 직장류의 재발률을 낮추고 잠재적인 장류(Enterocele)의 교정을 동시에 해결할 수 있다는 장점이 있다.

항문을 통한 직장류 교정술의 장점은 수술이 간단하여 입원기간이나 치료 기간이 짧고 통증이 적으며, 증상의 교정에 대한 효과가 높고 타 조직 손상이나 성교통과 같은 합병증의 발병률이 낮다는 것이다. 그러나 항문 접근 수술 방법은 회음이나 복강을 통한 방법보다 직장류의 재발 빈도가 높은 경향이 있는 것으로 알려져 왔다. 이전에 골반 수술을 받은 환자, 특히 메쉬(Mesh)와 같은 인공막을 이용하여 골반탈출 수술을 받은 환자 들에서 수술을 시행할 경우 합병증의 발생 빈도가 높은 경향이 있다. 환자의 증상과 수술 과거력을 세심하고 꼼꼼히 챙겨서 합병증의 발생 빈도를 낮춰야 할 이유가 여기에 있다.

Abendstein 등은 48명의 직장류, IRP와 변의 불완전 배출, 변실금이 있는 환자에서 질후방으로 미골하 천골 고정 슬링을 삽입하여 45명에서 배변의 정상화를 도출하였다. 27명의 변실금 환자 중 18명(66%)은 완전히 증상이 해결되었고 5명(19%)은 50% 이상의 증상 개선이 있었다. 그러나 4명은 효과를 보지 못했다. 그는 직장 전방의 결합조직 손상이 직장 중첩과 직장류 등의 원인이라 하면서 메쉬를 삽입하여 손상된 자궁천골 인대를 복원하고 골반바닥, 자궁경부, 직장질 근막을 당기고 직장벽을 늘려줌으로써 변실금 증상을 개선하는 결과를 얻을 수 있었다고 하였다.

또한 81명의 이중실금 여성에서 최소 침습수술의 일환으로 손상된 인대를 찾아서 조직 고정 시스템을 이용한 수술을 시행하여 양호한 결과를 나타내어 이를 발표하였다. 치골요도인대(43명), 골반근막인대궁과 중심 인대(39명), 자궁천골 인대(72명)의 약화된 조직을 복원하였다. 설문지, 회음 초음파, 요 역동검사, 기침 테스트, 24시간 패드 테스트 등을 시행하였다. 변실금 88%, 스트레스 요실금 89%, 절박 및 야간뇨의 80%의 개선 결과를 나타내었다.

Petros는 25명의 이중실금 환자에서 메쉬를 이용한 슬링 성형술을 시행하였다. 질을 통한 치골요도인대의 슬링 수술을 시행하여 6개월간 추적한 결과 변실금과 요실금의 증상이 개선됨을 관찰하였다. 그러나 3명의 환자에서는 변실금이 재발하여 자궁천골 인대와 골반근막인대궁의 복원을 시도하여 증상이 호전된 것을 발표하였다. 따라서 이중실금의 원인이 이들 인대의 약화에 기인한다고 주장하였다.

Petros는 또한 30명의 이중실금 환자에 대하여 수술 전 항문 초음파와 수술 전후 내압검사, 음부신경전도검사 등을 검사하여 비교 분석하였다. 10명에서 스트레스 요실금이 있었다. 폴리프로필렌 메쉬 테이프를 사용하여 3명에서 치골요도인대, 9명에서 자궁천골 인대, 18명에서 양쪽 인대를 보강하였다. 24명의 환자에서 변실금의 증상이 85%이상 개선되는 것을 관찰하였다. 그는 특발성 변실금의 원인이 골반내 인대의 손상으로 인한 것이고 이러한 것이 항문직장의 변 자제를 약화시킨다고 주장하였다.

Hocking도 총 647명의 실금수술에 치골요도인대의 외과적 보강 수술을 시행한 결과를 보고하였다. 그 중 이중실금 환자는 62명이었다. 무 긴장 요도 중간 슬링 수술이 스트레스 요실금과 변실금, 이중실금에 효과가 있다고 하였다. 이중실금 환자 62명 중 92%에서 증상의 개선을 보였다. 0.1%에서 방광 천공, 4%에서 요 정체가 있었고 소수의 환자에서 혈종, 미란 등의 합병증이 동반되었다.

회음 접근을 통한 인공막 삽입 방법이 상당히 유행되는 듯했다. 조직에 적합하게 제작된 메쉬나 무균돼지의 장에서 추출한 생체적합 인공막을 이용한 직장류의 교정이 시도되어 왔다. 수술의 효과는 좋고, 통증을 줄여주는 장점이 있었다. 그러나 인공막을 삽입하여 수술의 효율을 높이는 시도는 좋았으나 직장 전방 벽의 움직임을 방해하고 직장의 팽창성을 억제하면서 오히려 급박변이나 변실금의 증상이 악화되는 경우가 발생하기도 했다. 그리고 인공막이 질벽을 통해서 빠져 나오거나 염증이 발생하기도 하면서 이러한 합병증으로 피해를 입은 소비자들이 막대한 금액의 소송을 재기하였다. 미국의 캘리포니아에서 소송 사건이 복잡해지자 FDA에서는 2019년 4월부터 질 벽을 통한 메쉬의 사용을 전면 금지하게 되었다. 호주와 일부 유럽 국가에서도 이와 같은 메쉬의 사용에 제재를 받고 있는 실정이다.

직장 탈출증이나 변실금이 동반된 경우는 직장류의 교정만으로 증상이 해결되지 않는 수가 많다. 변실금이 심한 환자에서 증상 해결을 위하여 회음체 재건을 병행하는 경우가 있다. 그러나 직장류 환자에서 회음체 재건은 반드시 회음체의 결손이 변실금의 증상에 영향을 끼친다고 판단되는 경우에만 하는 것이 원칙이다.

요약

배변 시 직장의 전벽이 질쪽으로 튀어 나오는 직장류는 식이조절, 골반근육 강화운동 등 보존적 치료를 먼저 시행하고 호전이 없으면 수술적 치료를 고려한다. 수술적 치료는 질 접근법, 회음 접근법, 경항문 접근법 등이 있으며 직장류의 위치, 환자의 생활방식 등을 고려하여 시행한다.

References

1. Abendstein B, Brugger BA, Furtschegger A et al. Role of the uterosacral ligaments in the causation of rectal intussusception, abnormal bowel emptying, and fecal incontinence-a prospective study. J Pelviperineology 2008; 27:118-21.
2. Abendstein B, Petros PE, Richardson PA: ligamentous repair using the Tissue Fixation System confirms a causal link between damaged suspensory ligaments and urinary and fecal incontinence. J. Pelviperineology 2008;27:114-7.
3. Hocking I: Experimental Study No. 9: Double incontinence, urinary and fecal, cured by surgical reinforcement of the pubourethral ligaments. J Pelviperineology 2008;27:110.
4. Petros PE, Richardson PA: Fecal incontinence cure by surgical reinforcement of the pelvic ligaments suggests a connective tissue aetiology. J Pelviperineology 2008;27:111-3.
5. Petros PE. Cure of urinary and faecal incontinence by pelvic ligament reconstruction suggests a connective tissue aetiology for both. International Journal of Urogynecology 1999;10:356-60.

CHAPTER

14

항문직장 수술과 변실금

전결장직장 절제 및 회장낭 항문 문합술(Ileal pouch anal anastomosis, IPAA)

전결장직장 절제술(Total Proctocolectomy)은 궤양성 대장염, 가족성 선종성 용종증 등의 환자에서 시행하는 수술방식으로 결장과 직장을 전부 제거하고 직장의 역할을 대신하기 위해 회장낭을 만들어 항문의 치상선 가까이 연결하는 방법이다. 이 수술을 시행한 대부분의 환자는 변의 자제 능력은 있으나 24시간 동안 4–6회 정도의 변을 보게 된다. 드물지만 환자는 하루에 한번 정도는 변 누출을 경험한다. 이런 현상은 대부분 야간에 일어난다.

Martin 등은 90명의 점막 직장 절제술 및 회장낭 항문 문합술(Mucosal proctectomy with ileoanal anastomosis)을 시행한 궤양성 대장염 환자에서 70명은 특별한 이상을 발견하지 못했고 3명에서는 야간에 변 누출이 발생하였다고 보고하면서 항문관 이행부위의 상피를 보존할 것을 권유하였다. 그러나 상당 수의 환자에서 주로 밤에 점액이 흐르거나 점상 출혈이 발생하기도 하였다. 때문에 대다수의 환자는 밤에는 패드를 차야 하고 지사제를 복용하기도 하였다. 가스와 변을 구분하지 못하는 경우도 있다.

Meagher 등은 1,310명의 IPAA 환자에서 평균 낮에 5회 밤에 1회 변을 보는 것을 관찰하였다. 7%에서 낮에 변 누출이 발생하였고 12%에서 밤에 변 누출이 발생했다고 보고하였다. 회장낭에서 발생하는 염증의 빈도는 1년 뒤에 18%, 10년이 경과한 시점에서는 48%까지 보고된다. 일반적으로 IPAA를 시행한 환자의 2/3에서는 30분 정도는 변을 참을 수 있기도 하다. 1년쯤 시간이 지나면서 환자는 서서히 배변 횟수가 줄어들고 적응하게 된다. 그러나 1년이 지나서도 변실금이 발생하는 빈도는 4% 정도이다. 야간에 혹은 낮 동안 변 누출이 발생하는 빈도는 각각 40%, 10% 정도이다.

1. IPAA에서 변실금의 발생에 대한 요인

변의 자제를 유지하거나 소실시키는 몇 가지 요인을 살펴보면 우선 항문의 적당한 톤을 유지하는 것이 중요하다. IPAA를 시행한 환자의 25%에서 항문의 톤이 떨어지는 것을 관찰할 수 있고 수술 후 5년이 지나서도 이러한 증상이 지속되기도 한다. 톤이 떨어지는 것에 대한 명확한 원인을 알 수 없으나 우선 **수술 중에 항문 괄약근에 발생하는 변화로** 인한 것으로 판단된다. 휴지기 압력의 50%는 자율신경 조절에 의하여 유지되기 때문에 직장을 절제하는 과정에서 발생하는 혈관과 하복신경 및 골반내 신경총의 손상이 항문 주위 괄약근기능을 떨어뜨린다고 알려져 있다. 다음으로 항문관내에서 수술 조작을 할 때 직접적으로 항문관에 발생하는 손상을 원인으로 들 수 있다. 항문관 내에서 점막을 박리할 때 항문관 내의 상피에 대한 손상이 발생할 수 있다. 또한 항문 주위 괄약근의 인위적인 확대에 의한 손상이 발생할 수 있고 괄약근의 부분적이거나 다량의 직접손상이 발생할 수도 있다.

다음으로 **외괄약근의 집적도**에 대한 것이다. 항문관에 회장낭을 연결할 때 사용하는 자동 봉합기에 의한 2차 손상이 발생할 수 있고, 수기 봉합 시에도 괄약근을 타이트하게 묶게 되어 있어 괄약근의 직접 손상을 피할 수 없다는 것이다. Hallgren 등은 손으로 봉합할 때뿐만 아니라, 자동 봉합기를 사용할 때도 최대 수축기 압력이 일시적으로 떨어지는 것을 관찰할 수 있었다. 이렇게 떨어진 압력은 12개월이 지나면서 회복이 된다고 하였다. Sharp 등은 질식 분만과 노화가 이러한 현상을 악화시키는 위험요소라고 설명하였다.

다음으로 **직장항문 억제반사의(RAIR) 잔존여부**가 영향을 미친다. 변에 대한 반사기전은 미묘하다. 감각 수용체는 직장과 S결장, 항문직장륜과 항문 괄약근 등에 존재한다고 알려져 있다. 직장을 절제하고 나면 RAIR이 소실된다. 그러나 몇 개월 지나서 검사를 해보면 RAIR이 회복되는 환자들을 발견할 수 있다. Annibali 등은 직장의 점막을 2−3 cm정도 남겨서 수술하는 것이 RAIR의 회복에 도움이 된다고 하였다.

또 **점막을 박리 하는 테크닉**을 달리하는 것이 도움이 된다고 하였다. Keighley 등은 수술 전후를 비교하여 항문을 통하여 항문의 점막을 박리했을 때 휴지기 압력이 현저하게 떨어지는 것을 관찰하였다. 그러나 복강으로 접근하여 시행한 점막 박리에서는 휴지기 압력이 떨어지지 않았다고 보고하였다.

다음은 **항문과 회장을 연결하는 방법**이다. 치상선 상방의 점막을 얼마나 남겨야 좋은 것인지는 명확하지 않다. 그러나 낮이나 밤에 변 누출이 발생하는 빈도는 항문점막절제를 하고 난 이후 손으로 직접 봉합하는 것이 자동 봉합기를 이용하여 봉합하는 것보다 높게 나타난다고 추정한다. 그러나 이에 대한 연구결과는 명확하지 않다. Seow 등은 32명의 회장 항문 연결 환자에서 손으로 봉합한 15명 중 3명이, 봉합기를 이용한 17명 중 2명이 변실금의 증상이 나타난 것으로 보고하였다. 다만 이러한 연구보고는 의사의 수술 기술과 경험에 따라 결과가 크게 차이 나는 점에서 논란의 여지가 있다고 볼 수 있다.

회장낭의 볼륨과 저장 용량에 따라 변실금 증상의 발생빈도는 차이가 날 수 있다. 직장의 기능은 변을 저장하는 것이다. 팽창할 수 있는 능력은 조직의 신축성에 따라 차이가 날 것이다. 이러한 것을 결정하는 요인은 사람마다 차이가 날 수도 있다. Groom 등은 조직의 탄력성에 따른 저장용량과 내장 평활근의 수축에 따른 유순도가 늘어나는 변의 양에 따라 견딜 수 있는 역량을 결정할 것이라 하였고, 변의 횟수를 결정할 것이라고 주장했다.

기저질환에 따른 차이도 있다. 염증성 장질환에서 수술한 경우에 가족성 선종성 용종증에서 수술한 경우보다 기능적으로 더 많은 문제점을 나타낸다는 것은 잘 알려져 있다. 실제로 궤양성 대장염으로 수술한 환자의 경우 밤에 변을 보기 위해 일어나는 횟수가 훨씬 더 많으며 변실금의 심한 정도도 더 나쁘다. 반면에, 궤양성 대장염과 가족성 선종성 용종증에서 수술 후 저장물을 비우는 능력은 비슷하다. 이는 배변조영술을 통하여 확인되었다. 항문 내압검사에서도 차이를 관찰할 수 있다. 궤양성 대장염에서 최대허용용량과 유순도가 더 떨어져 있다. 이러한 유순도와 최대허용용량의 차이는 24시간 배변횟수와 연관되어 있다. 항문 고압대, 최대 수축기 압력 등에서는 큰 차이가 없다. 이러한 경향은 회장낭에서의 운동능력이 다르다는 것 때문이라는 여러 보고가 있었다. 궤양성 대장염에서 회장낭의 염증이 더 많다.

마지막으로 **환자의 연령**에 따라 차이가 난다. 노화에 따른 퇴행성 변화는 괄약근의 위축을 초래한다. 이러한 변화로 항문관의 압력이 떨어진다. 항문관의 탄력이 떨어지고 압력이 저하되는 것은 정상인의 경우에도 마찬가지이다.

IPAA를 시행할 때 항문 괄약근의 손상을 줄이고 회장낭의 용량을 최대로 확보하는 것에 유의해야 한다. IPAA를 시행 받은 환자의 30%에서 항문 괄약근의 압력이 떨어진다. 1년 이내에 회복이 되는 경우가 많으나 여전히 배변 횟수는 증가하고 변 누출의 발생 빈도도 꽤 높다. 수술 전 항문 내압 검사에서 휴지기 압력이 50 mmHg 이상이라면 수술 후 변실금의 공포에서 벗어날 수도 있다. 그러나 수술 전 휴지기 압력이 30–40 mmHg 정도라면 수술 후 변실금의 발병 가능성에 대하여 어느 정도 설명을 해야 한다. 이러한 경우는 가급적 항문관 상부에서 자동 봉합기를 사용하여 봉합을 마무리하는 것이 권장된다. 회장낭은 가급적 크기를 크게 하여야 하지만 지나치게 큰 것도 좋지 않다. 회장낭의 길이가 너무 짧으면 소장의 수축에 의하여 변의 횟수가 증가한다. 회장낭이 너무 크고 시간이 지나서 늘어나게 되면 밤에 변을 보는 횟수가 늘어난다. 회장낭의 용량은 200 cc 정도가 적당하고 J낭이 권장된다.

2. 직장 절제증후군(Low anterior resection syndrome)

하부 직장의 전방절제수술 이후에 생기는 여러 가지 증상을 저위전방절제 증후군 혹은 직장 절제증후군이라 표현할 수 있겠다. 직장의 일부 혹은 전체를 절제하고 상부의 결장을 하부 직장 혹은 항문에 연결했을 때 발생하는 특유의 증상을 나타내는 경우를 의미한다. 직장 절제증후군의 증상으로 변을 자주 보거나 변이 마려우면 화장실을 달려가야 하는 급박변, 짧은 시간에 수차례 변을 보게 되는 잦은 변, 변을 자제할 수 없는 변실금 등이 있다. 하루 정도 변을 보지 않다가 다음날 하루 종일 쉴 새 없이 화장실을 들락거려야 하거나, 가스의 배출이 많아지는 등 배변의 장애를 나타내며 일상생활에 지장을 가져올 정도로 중증인 경우도 많다. 대표적으로 중 하부 직장암 수술을 시행한 환자에서 나타난다. 국제질병분류를 살펴보면 이러한 증상들은 소화기관의 수술 후에 생기는 설사로 구분하고 있다. 직장암 수술 후의 설사나 급박변은 직장 절제증후군으로 이 범주에 속한다.

직장 절제증후군에 대한 개념은 직장암 수술을 하는 대장항문 수술전문의조차도 그저 수술 후에 생기는 증상이니 2년 정도 지나면 좋아질 것이라는 막연한 생각으로 환자에게 특별한 처방을 내리지 못하는 경향이 있다. 막연히 환자에게 암수술을 했으니 그 정도는 어쩔 수 없으니 생명과 불편함을 바꾼 것이라 생각하라는 의사들도 있다고 한다. 그러나 하루 종일 전해오는 변 마려움의 느낌에 쉴 새 없이 화장실을 들락거려야 하는 환자의 고통의 실제는 우리가 막연히 생각하는 것보다 훨씬 심각하다. 잦은 배변으로 항문 주위 피부의 트러블과 소양증 및 통증과 더불어 흘러내리는 변에 대한 조절이 되지 않아 결국 영구 장루를 선택하는 경우도 간혹 볼 수 있다.

직장의 중간 혹은 하부에 암이 생기는 환자의 경우 암 수술 이후 생존율의 향상을 위한 노력으로 직장의 장간 막을 제거해야 하는 것이 수술의 원칙이다. 이러한 수술에 따라 상당부위의 직장이 없어지고 상부의 벽이 얇은 결장이 항문에 가까이 연결되어 직장을 대체하게 된다. 십 수년 전 만하더라도 항문의 직 상방에 발생한 하부 직장암의 경우는 항문을 없애는 복회음 절제술을 하는 것이 치료의 원칙이었다. 그러나 근래에는 원칙적으로 하복 신경에서부터 천수 신경총까지 음부와 회음을 지배하는 신경을 보전하는 신경보전 수술 방법이 일반화되었다. 또한 항문에서 접근하여 직장의 장간막을 제거하고 수술을 마무리하는 최소 침습수술 방법 등, 새로운 수술기법이 개발되었다. 수술 기술의 발달로 항문관의 직 상방에 생긴 직장암조차 항문을 살리는 방향으로 수술이 진행되고 있다. 수술을 마무리하는 자동 봉합기의 기술 개선이나 최소절제수술 테크닉 등도 이러한 최소 침습수술과 항문보존 수술에 큰 역할을 하고 있다. 하부 직장암의 최신 수술 경향도 과거와 달리 항문관과 항문 괄약근을 보존하는 방향으로 진행되고 있다.

이런 추세에 맞추어 높은 수준의 방사선 치료기술과 장비가 등장하였다. 방사선 치료와 항암 치료에 의하여 일부 직장암에 한해서 암의 크기가 확연히 줄어 들거나 흔적도 없이 완전히 사라지는 경우도 경험할 수 있다. 따라서 직장의 중 하부에 생기는 직장암에는 수술 전후로 방사선 치료를 하는 경우가 많다. 방사선 치료의 원래 목적은 항문 괄약근을 보전하는 수술을 목표로 하거나 수술 후 국소재발률을 낮추기 위함이다.

Lundby 등은 직장암 수술 후에 시행하는 방사선 치료가 장기적으로는 항문직장기능의 심한 장애를 초래한다고 주장하였다. 방사선 치료는 환자의 항문 괄약근의 약화 및 감각 저하를 발생시키고, 이런 변화와 함께 직장의 팽창능력을 방해하고 저장 능력을 떨어뜨린다는 것이다. 이러한 방사선 치료는 암을 없애거나 크기를 줄이는 효과도 있지만, 혈액 순환에 영향을 주기도 하고 직장 점막의 재생에 지장을 주고 섬유화 변화를 초래하게 된다.

Bakx 등은 직장암 환자에서 수술 전에 짧은 기간이라도 방사선 치료를 시행하고 직장 절제를 하는 경우에 신생 직장의 자극 감수성, 과민성이 증가한다고 주장하였다. 방사선 치료 후 직장 절제술을 시행한 환자에서 신생 직장을 팽창시키면 반사적으로 수축현상을 보였다. 이것을 그들은 신생 직장의 과민성으로 표현하였다. 방사선 치료를 포함하는 다중 방식의 직장암 치료의 결과 발생하는 급박변의 원인으로 이러한 신생 직장의 과민성이 영향을 미친다고 주장하였다.

Battersby 등은 2016년 직장암 환자에서 직장 절제 후

복원수술을 하는 경우 장 기능과 연관된 삶의 질 저하에 대한 위험인자를 예측하는 다 기관 연구를 보고하였다. 하부 직장에서 직장복원수술은 기본적으로 필요한 수술이고 방사선 치료를 선행한다. 하지만 직장 절제술과 방사선 치료는 둘 다 직장의 기능에 대한 장애를 초래하고 이러한 장애는 삶의 질을 저하시킨다. 이 연구에서 578명의 환자 중 설문에 성실히 응답한 462명의 환자를 대상으로 관찰한 결과, 391명(85%)이 장 기능 변화에 따른 삶의 질 저하를 호소하였고 187명(40%)에서는 심각한 문제를 야기하였다. 환자의 불편한 증상은 설사와 연관된 증상, 수면장애, 무력감 등이었다. 직장암 환자에서 수술 후 장의 기능과 연관된 삶의 질 변화가 흔하다는 것을 환자에게 인식시켜야 한다. 이 때 항암 방사선 요법과 수술 전 직장암의 위치가 직장 절제증후군으로 인한 증상 발생의 중요한 위험인자로 알려져 있다.

Pucciani는 직장 절제증후군의 병태 생리에 대하여 비교적 상세하게 이유를 설명하고 있다. 우선 직장암으로 항문 괄약근 보존술식을 통해 다량의 직장을 절제하여 하부에 소량의 직장만 남기거나, 직장을 전 절제하고 항문관에 상부 장관을 연결하게 되면 하행결장으로 새로운 직장을 구성하게 된다. 이러한 결과로 변의 대장 통과시간이 짧아지게 된다. 수술 자체가 생리학적인 브레이크를 없애게 된다는 것이다. 대장 압력검사를 통해 대장의 운동성을 관찰해 보면 장 분절의 수축력은 떨어지고 전달하는 수축이 증가하게 된다. 쥐의 실험에서 좌측 대장을 박리하고 혈관을 차단하게 되면 대부분의 외부 신경전달이 차단되게 되어 교감신경 전달의 손상과 함께 하부대장의 운동성이 떨어지게 된다. 대장 운동성의 변화와 장의 길이가 짧아짐에 따라 액상의 상태로 변이 내려와 항문에 도달하게 되고 잦은 변과 설사를 하게 된다는 것이다.

또한 대부분의 직장벽을 제거되고 하하행결장을 항문에 가까이 연결하게 되면 신생 직장의 저장 능력에도 변화가 생기게 된다. 하부 직장을 남기고 직장의 장간막을 제거하고 나면 두 가지 상황이 발생하게 된다. 부분적으로 남긴 하부 직장에 전달되는 골반 신경에서 연결되는 자율신경의 지배력이 잔존하는 하부 직장으로 전달되지 않는다. 또한 하행결장으로 전달되는 골반 신경총 분지의 손상과 함께 하 장간막 동맥이 끊어지면서 복대동맥의 주위에서 하행결장으로 달리는 하 장간막 신경총으로의 연결도 끊어지게 된다. 기존의 직장벽은 두껍고 변의 압력에 견딜 수 있는 용적인 유순도 및 변의 저장 능력도 적당하지만 새롭게 항문 쪽으로 연결되어 직장의 역할을 대신해야 하는 하행결장은 벽이 얇고 저장을 충분히 할 수 없을 뿐 아니라 소량의 분변에도 예민하게 변한다. 뿐만 아니라 다량의 변이 급박하게 내려오게 된다면 장의 팽창으로 복통을 일으키게 된다. 저장용량도 적어지고 유순도도 떨어지게 된다. 즉, 적은 용량에도 압력이 증가하게 되어 항문직장의 압력변화가 발생하고 항문 괄약근의 기능 불량을 초래하게 된다. 이러한 증상을 예방하기 위해 신생 직장에 대장 주머니를 만들어 주기도 하지만 그 효능은 명확하지 않다. 수술 후 창상치유의 과정에서 문합부 누출이 발생하거나 수술 전후 보조치료로 시행하는 방사선 치료 등은 이러한 신생 직장의 용적 능력과 유순도의 저하를 초래하는 위험요소가 된다. 이러한 현상은 몇 가지 실험을 통하여 밝혀졌다. 새롭게 발견된 사실은 지속적으로 팽창하는 신생 직장이 변화에 적응하게 되는 것보다는 새로운 직장의 수축력을 발생시킨다는 것이다. 이러한 현상은 신생 직장의 과민반응을 초래한다는 것이다. 상기에 나열한 종합적인 상황들은 신생 직장에 분변이 내려오게 되면 수축을 일으키고 적응하지 못한 신생 직장의 저장 능력을 악화시키고 유순도를 떨어뜨려 통과시간을 단축하게 되어 직장에 변이 내려오는 즉시 배출해야 하는 결과를 초래하게 된다. 변이 직장 부근에 내려오면 참을 수 없게 된다.

때로는 항문직장 주위 괄약근의 직접적인 손상도 발생한다. 상부와 하부의 장을 연결할 때 사용하는 자동 봉합기를 원활하게 넣기 위해서 항문을 넓히게 된다. 이때 확장의 결과로 항문 괄약근에 손상이 발생할 수 있는데, 대부분의 손상은 내괄약근에서 발생한다. 어떤 연구는 자동 봉합기를 사용한 환자의 약 18% 정도에서 내괄약근의 손상이 발견되고 특히 괄약근으로 전달되는 신경의 손상이 생긴다면 이는 이중으로 괄약근의 기능에 영향을 미친다는 것이다. 암의 측면경계의 안전한 확보를 위하여 광범위한 절제가 필연적인 상황에서 자율신경이나 하복신경총, 골반 신경총에서 전달되는 부교감신경 등의 손상이 발생하기도 한다. 이런 상황에서는 괄약근의 직접적인 손상과 신경 손상의 위험을 피할 수 없다. 반면에 외괄약근의 손상은 피할 수도 있기 때문에 수축기 압력은 유지될 수도 있다. 항문 괄약근에 방사선 치료를 하게 되면 기능을 더 떨어뜨리게 된다. 또한 방사선 치료에 의한 조직의 손상과 섬유화 변화에 따른 유연성 결핍은 보다 더 장기적으로 기능의 저하에 영향을 미치게 된다. 이에 따라 괄약근 손상을 줄이기 위한 방사선 치료 요법의 개념도 활발히 연구되고 있다.

하부 직장암의 수술에서 암으로부터 하부 절제 경계를 확보하기 위하여 필연적으로 항문관의 상부를 절제해야 하는 경우도 있다. 이렇게 항문 괄약근의 부분 절제가 이루어 진다면 변의 자제에 영향을 미칠 수밖에 없다. 항문연에서 3–3.5 cm 정도의 위치에서 신생 직장과 항문을 문합 하는 것이 항문의 2–3 cm 위치에서 문합하는 것보다 변 자제의 유지에 더 낫다는 보고가 있다. 내괄약근 상부의 점막을 절제하는 것이 변 자제를 나쁘게 한다. 피부와 점막의 연결부위인 항문 전위대의 점막 하부에 가스와 변을 구분할 수 있게 하는 신경 수용체가 존재하기 때문이다. 항문 점막을 제거하게 되면 변 누출을 초래한다는 것은 회장 J낭으로 소장과 항문을 문합한 환자들에 대한 연구의 결과로 알려져 있다.

Heinbergen 등은 다기관 연구를 통해 506명의 S결장암이나 직장암 환자에 대하여 직장이나 S결장 절제 후 삶의 질 변화 등을 장의 기능 상실에 대한 관점으로 관찰하여 그 결과를 보고하였다. S결장암 수술 후의 환자에서 장의 절제에 따른 결장의 운동성 장애에 대하여 조사하여 수술 후의 기능적 복부 불편감을 관찰하였다. 그런데 이런 결과는 5년 이후에도 장 절제에 따른 장의 운동성 기능장애에 따른 삶의 질에 영향을 주기도 하였다. 따라서 S결장을 절제하는 것 역시 장의 운동성 장애에 지장을 준다는 것을 인식해야 하고 이러한 결과를 결코 과소 평가해서는 안된다고 강조하였다.

Kimura 등은 직장 절제증후군 환자를 대조군과 비교하여 대장 통과 시간 검사를 시행한 결과 통과 시간이 짧아진다는 것을 관찰하였다. J낭과 같은 장의 연결이 신생 직장에서 배변을 완전히 비우는 비율을 높이고 배변의 횟수를 줄일 수 있고 빠른 회복을 유도할 수 있다고 설명하였다. 원래의 방식으로 바로 문합 하는 경우 수술 후 1년이 지나야 회복되지만 J낭의 방식으로 수술을 하면 약 4개월이 지나면 장의 기능이 회복되는 것을 관찰하였다.

상부 대장과 항문을 연결한 부위의 협착이나 염증에 의한 배출 장애와 불편감, 항문직장 부위 감각의 변화, 변에 의한 대장의 과도한 팽만감, 직장을 대체한 대장의 유순도 감소 등으로 인하여 통증을 느끼거나 변 마려운 현상을 더 빨리 느끼게 된다. 많은 환자들이 특징적인 몇 가지 증상을 공통적으로 호소하지만 모든 환자에서 그 증상이 똑같지는 않다. 또한 시간이 지나면서 점차 직장을 대체한 대장이 두꺼워지고 늘어나게 되어 변 자제력이 생기면서 환자의 증상이 호전되는 경우도 종종 관찰한다. 그러나 실제는 증상이 호전되는 것이 아니고 그냥 환자가 체념하여 적응하며 지내는 것일 수도 있다.

하부 직장암에서 항문 괄약근을 보전하는 수술이 가능하게 된 요인은 항암 방사선 치료로 암의 병기를 낮출 수 있게 되었고, 자동봉합기의 발달로 항문에 근접한 부위에서 장과 항문의 문합 기술이 발전하게 되었으며, 항문으로의 접근을 통한 세련된 괄약근간 절제수술 테크닉이 가능하게 되었기 때문이다. 과거 시행하던 항문을 없애는 복 회음절제와 비교하여 수술 후 생존율 차이가 없게 되어 괄약근 간 절제술을 아주 낮은 부위에 위치한 직장암에 적용할 수 있게 되었다. 이러한 수술의 결과로 생기는 직장 절제증후군의 증상 개선을 위하여 Laurent 등은 마지막 끝단의 대장 연결부위에 기존의 수술개념인 J낭을 만들어 주거나 T자 모양의 결장성형을 하고 장의 측면 부위와 하부의 끝단을 연결하는 수술 방법 등을 고안하여 기능적인 부분의 개선을 기대할 수 있을 것으로 보고하였다. 그러나 Furst 등은 신생 직장에서 J낭과 같은 저장용량을 확대하는 수술은 변의 횟수를 줄이거나 가스의 배출이나 변의 자제에 도움이 되기는 하지만 직접 대장과 항문을 연결하는 수술에 비하여 저장 용량의 차이에 큰 변화를 가져오지 않는다고 주장했다. 즉 변의 양에 큰 차이는 없는 것으로 보고하였다. 다만 시간이 지나면서 나타나는 이러한 증상의 개선은 점차적으로 신생 직장 운동성의 저하를 통하여 발생할 것으로 생각하였다.

직장 절제증후군의 진단은 임상적으로 환자의 병력청취를 통해서 가능하다. 그 다음으로 치료의 방침을 결정하기 위하여 내시경으로 항문과 직장의 연결부위와 신생 직장의 상태를 관찰한다. 염증이 있는지 암의 재발은 없는지 수술 부위 협착이 있는지 등을 육안으로 확인할 수 있다. 배변조영술은 필수적이다. 장의 팽창능력과 팽만감 등을 확인할 수 있다. 항문직장 초음파를 통하여 직장의 상태, 골반과 항문직장 주위 괄약근의 손상 유무와 내괄약근의 약화 혹은 주위 조직의 소실이나 약화를 확인할 수 있다. 항문직장 내압검사는 휴지기압력과 수축기 압력을 관찰하여 어느 부분에서 문제가 있는지를 확인할 수 있다. 이러한 여러 가지 검사를 통하여 치료의 방침을 결정할 수 있다.

직장 절제증후군에서 대부분 증상을 조절하는 정도의 보존적인 치료를 하지만 관리가 그리 쉽지만은 않다. 직장 절제증후군의 증상이 심한 환자는 일상생활을 할 수가 없다. 외출할 때도 지속적으로 화장실을 찾게 됨으로 가까운 화장실이 어디에 있는지를 먼저 파악하는 것이 좋다. 이러한 연유로 정상적인 활동을 할 수 없게 되어 대인관계가 원활하지 못하게 된다. 음식 섭취를 조절하거나 약물을 복용하고, 미리 관장을 하여 장을 비우고 나서 외출을 하는 등의 노력에도 잘 조절되지 않는 수가 많다. 항문 주위의 염증, 통증, 불쾌감 등을 겪을 수밖에 없고 생리대나 거즈, 휴지 등 변이 흐를 경우를 대비하여 챙겨야 되는 여러 가지 준비물들이 늘어나고 기저귀를 차야 하거나 여분의 속옷을 준비하는 등 불편함이 많다. 하루 이틀 변을 보지 않다가 또 다른 날은 수 차례의 변을 보기도 하고 가스 배출이 증가하기도 한다.

환자가 할 수 있는 노력을 살펴보면 우선 변의 양을 줄이도록 해야 한다. 식습관을 조절하여 변의 양이 늘어날 수 있는 음식의 섭취는 가급적 줄여야 한다. 소화되지 않고 배출되는 음식의 섭취를 피한다. 변의 양을 적게 하면서 충분히 칼로리를 보충할 수 있는 음식을 찾아야 한다. 예를 들면 과일은 껍질을 벗겨서 먹고 과도한 섭취는 금한다. 야채는 영양분의 손실을 줄이는 정도로 살짝 데치거나 익혀서 먹는다. 고구마와 감자, 연뿌리와 같은 뿌리 음식은 가스의 배출을 많게 하기 때문에 가급적 피한다. 탄산수나 맥주, 사이다, 콜라 등의 섭취는 가스를 많이 생성하기 때문에 피하는 것이 좋다. 카페인이나 술은 배변을 증가시키기 때문에 피해야 한다. 흡수가 잘되는 식이 섬유, 예를 들면 오트밀, 쌀밥, 바나나, 흰 빵, 사과 소스나 통조림 과일의 섭취를 권장한다. 락토즈가 들어 있는 우유나 유제품은 설사를 유도할 수 있어 여기에 과민한 사람은 섭취를 피하는 것이 좋다. 음식은 조금씩 하루에 5-6회 정도 나누어 먹는 것이 소화에 도움이 된다. 소화되지 않고 그냥 내려 가는 음식물 찌꺼기를 줄여 변의 양을 줄일 수 있다.

변의 성상을 고려해 보면 묽은 변이나 설사는 직장 절제증후군에 나쁘게 작용한다. 먹는 음식의 리스트를 작성하여 스스로가 어떤 음식을 먹을 때 설사를 하는지 혹은 변비가 오는지 정리하는 것이 증상의 발생을 예방하는데 도움이 된다. 수분이 많으면 설사나 묽은 변, 수분이 부족하면 딱딱한 변이 된다. 적절한 양의 수분을 함유하고 딱딱한 성질의 변이 생기기 않도록 노력한다. 사람마다 음식을 소화하는 능력이 다르다는 것도 무시할 수 없다. 누구는 섭취해도 아무런 탈이 없는 것이 어떤 이가 섭취하게 되면 설사를 하거나 변비가 생길 수 있는 것이다. 따라서 환자는 스스로 자신이 섭취하는 음식의 종류와 양을 꼼꼼히 메모하거나 정리해서 어떤 경우에 상황이 나빠지는 것인지를 살피고 기억하는 습관을 들이는 것이 좋다. 인지 능력이 떨어지는 노인의 경우에는 주위 가족이나 환자를 돌보는 사람이 이러한 노력을 공유하여 환자를 도와주어야 한다.

배변습관의 조절은 환자 본인의 노력으로 증상을 극복할 수 있는 최선의 방법이다. 직장 절제증후군 환자는 대개 아침에 고충을 호소한다. 오전 내내 화장실을 들락거려야 한다는 것이다. 아침 일찍 일어나면 화장실을 먼저 가야 한다. 화장실을 다녀오고 난 이후에도 20-30분 뒤에 또 가야 하고 조금 있으면 또 화장실을 찾는 등 오전 내내 수 차례 혹은 십 수 차례 이상 장을 비워야 비로소 외출을 할 수 있게 된다. 특히 늦은 밤에는 자극적인 음식을 먹지 않도록 하는 것이 권장된다. 잠자리에 들기 최소 3-4시간 전에 음식의 섭취를 마치고 가벼운 운동이나 독서를 하면서 시간을 보내고 소화가 충분히 되고 난 다음 잠자리에 들어야 한다. 충분한 수면은 새벽에 생기는 장 트러블을 경감시킨다. 아침에는 일찍 일어나 내 몸에 적절한 운동을 하거나 수분을 섭취하여 위 대장 반사를 이용하는 등의 행동으로 장을 완전히 비우는 노력을 한다. 장기간의 생활습관 변화를 통하여 증상이 서서히 호전되는 느낌을 가질 수 있다. 이러한 조절이 어려우면 변의 성상을 조절하거나 배변 활동을 원활하게 하는 약들을 사용하여 증상을 경감시킬 수 있다.

골반근육 강화운동은 실질적으로 환자의 증상 완화에 도움이 될 것으로 기대된다. 환자가 스스로 노력하여 시도할 수 있는 대표적인 골반강화 운동은 항문 괄약근의 조임을 반복하는 케겔운동이다. 병원에서 할 수 있는 것은 바이오피드백 치료와 의자에 앉아 외부에서 자극을 주는 자기장 치료 방법이 있다. 케겔운동은 식생활습관의 조절, 배변의 조절과 함께 환자가 노력할 수 있는 치료 방법이다. 직장에 풍선을 집어넣어서 점진적으로 양을 증가시켜 신생 직장의 유순도를 증가시키는 치료 방법도 있다. 여러 가지 골반근육 강화운동은 개인에 따라 매우 훌륭한 성과를 나타내는 경우가 있기 때문에 반드시 시도해 볼만한 치료 방법이다.

환자 증상에 따라 로페라마이드나 스멕타이트 등의 지사제의 용량을 달리하여 사용할 수 있다. 지사제 사용을 시도하는 것은 변의 성상을 조절하여 증상을 완화시키는 훌륭한 방법이다. 프로바이오틱스는 강력하게 증상을 완화시키지는 못하지만 충분히 권장해 볼 수 있다. 변을 팽창시키는 차전자나 메틸셀룰로즈, 칼슘 카보필이나 장관의 운동성을 조절해 주는 약제나 히스타민 길항제들도 사용해 보면 의외로 잘 듣는 경우가 있다. 여러 가지 약제를 종합해서 사용해 보면 증상을 경감시킬 수 있으나 무엇보다 환자의 증상을 나타나게 한 원인을 발견하는 것이 가장 중요하다. 여러 가지 보존적인 치료로 해결이 되지 않는 직장 절제증후군 환자에서 외과적 수술이나 천수신경 조절술로 해결하는 방안도 있다.

3. 치핵 수술 후 변실금

치핵 수술 후 발생하는 변실금의 실체에 대해서는 논란의 여지가 많다. 치핵 조직을 제거함으로써 변실금이 발생한다는 결정적인 원인은 여전히 밝혀지지 않았다. 수술에 의한 것인지, 아니면 수술 전에 존재하던 변실금의 위해요소가 치핵 때문에 가려져 있다가 수술 이후에 부각되는 것인지 정확하게 알 수 없다. 수술을 시행하기 전에 모든 환자에서 생리검사가 이루어지는 것은 아니라는 점에서 수술 전후로 변실금을 비교할 만한 근거가 부족한 것이다.

치핵 조직은 원래 항문관과 항문관의 상부에 위치하여 충격으로부터 항문을 보호하는 쿠션과도 같은 혈관 덩어리이다. 원래 정상적인 조직으로 치정맥총(hemorrhoidal plexus)이라 한다. 이 쿠션 덩어리를 잡고 있는 미세한 근육이 늘어나고 울혈이 생기면서 치핵 조직은 병적으로 변한다. 전 인류의 50% 이상에서 치핵에 의한 증상이 나타난다. 실제 우리나라에서는 한 해에 약 23만 명 정도의 환자에서 치핵 수술이 이루어지고 있다. 백내장 수술 다음으로 많이 시행되는 것이 치핵 수술이다.

Thomson은 항문의 쿠션이 밀려내려 오면서 치핵이 발생한다고 하였고 이는 널리 공감을 얻었다. 이후 Gass와 Adams의 항문강 활주설이 치핵의 원인으로 제시되었다. 치핵의 실체는 근육, 결합조직, 정맥, 동맥, 동정맥총 등이 복합적으로 얽히고 뭉쳐지면서 덩어리가 생겨 발생하는 질환이다. 치핵 조직이 들락날락하면서 증상들이 발생하기 시작하는데 가장 흔한 증상은 출혈이다. 그 외에 치핵 조직이 탈출되면서 생기는 증상들이 같이 동반되는데 대표적인 것이 덩어리를 형성하는 것이고 이 덩어리가 탈출되거나 팽창되면서 통증이나 분비물, 가려움 등의 증상을 나타내게 된다. 변의 누출이나 변실금은 전형적인 치핵의 증상은 아니다.

치핵과 함께 변실금이나 변 누출이 동반된 환자에서 생리검사의 특성을 살펴보면 항문의 휴지기 압력이 떨어져 있거나 항문 고압대의 길이가 짧아져 있다. 항문과 직장의 각도도 문제가 될 수 있다. 항문의 쿠션이 소실되어 있거나 항문과 회음 등 항문 주위 조직의 약화로 배변조영술에서 항문관이 처져 있다. 처진 항문관의 영향으로 항문과 직장의 각도가 둔각으로 변한다. 항문관 상부가 열려 있으며 휴지기에 항문관을 닫고 있는 부위는 하부에서 짧게 관찰된다. 이러한 현상은 노화로 추정된다. 노인에서 직장의 저장 능력이나 수축능력 저하가 동반되고 수동적 변실금의 형태로 발생한다.

1) 항문 쿠션

치핵의 혈관 덩어리는 쿠션을 만들고 이는 항문의 휴지기 압력의 5%정도를 지지한다. 이 쿠션은 항문관의 휴지기에는 서로 밀집해 있다가 배변 시에 항문 괄약근의 압력이 떨어지면 수축하여 압력을 유지한다. 치핵이 심해지면 이런 작동이 망가진다. 항문 괄약근이 이완되면 항문의 내압은 저하될 것이다. 이때도 변이 흐르지 않는 것은 치핵의 혈관과 섬유, 결합조직이 쿠션을 형성하기 때문이다.

2) 항문의 민감도 소실

감각신경은 직장보다 항문에 더 풍부하다. 항문과 항문관 상방의 상피내 세포에는 가스와 변을 구분할 수 있는 감각수용체가 있다. 항문에서 1–2 cm 더 올라가게 되면 이 감각신경의 숫자가 줄어들게 된다. 상피세포의 변화가 있는 전이대(transition zone), 혹은 약간 상방에서 다양한 수용체(Golgi, Meissner, Krause, Pacini)가 발견된다. 이러한 감각수용체가 압력과 접촉, 열과 팽창 등에 대한 감각을 구분할 수 있게 한다. 이 부위에서 가스와 액상변, 고형변을 구분하게 된다. 치핵 수술 후에 발생하는 변실금은 이 부위의 민감한 점막을 과도하게 절제하기 때문에 발생한다는 논리로 설명하는 이도 있다. 이러한 이론을 신봉하거나 치핵 수술 후 변누출 등과 같은 수술 후 증상으로 고심한 경험이 있는 외과의사라면 개방형 수술보다 반 폐쇄 혹은 점막 하 박리 후 완전 봉합하는 폐쇄형 치핵 수술을 더 선호하게 될 것이다.

Li 등은 76명의 치핵 환자를 대상으로 치핵 수술 전후의 생리 검사를 비교하여 근치적 치핵 절제술을 시행한 환자군에서 변실금이 발생하는 지에 대해 연구하였다. 그는 이 연구를 통하여 치핵 절제술이 변실금의 증상을 유발시킨다는 근거는 보이지 않는다고 하였다. 그러나 변실금의 위험요소를 이미 가지고 있는 환자에서는 변실금의 증상이 악화될 수 있다고 주장하였다. 또한 개방형 치핵 절제를 하고 난 이후 통상 2–3주 정도 경과하게 되면, 감소되거나 소실된 감각이 돌아오고 일부에서는 일시적으로 절박변이 발생하더라도 장기적으로

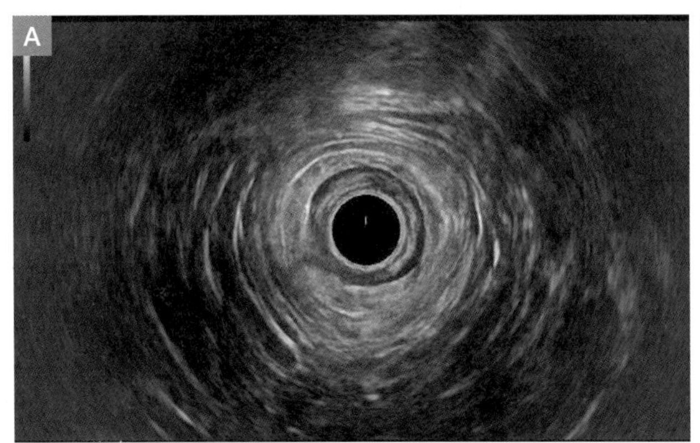

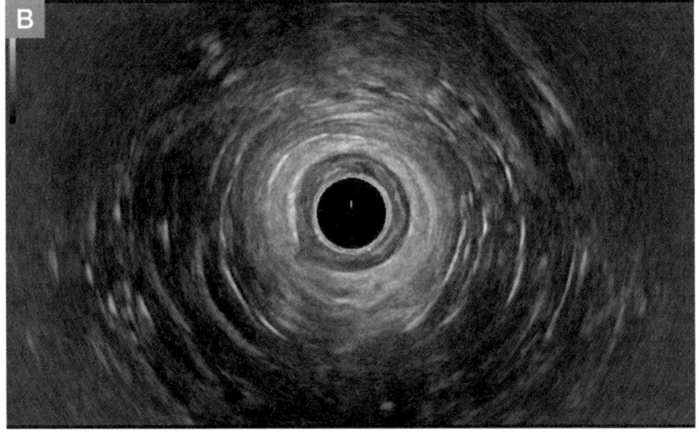

그림 14-1. **M/41 치핵 수술 후 변실금 손상을 호소한 환자 8시 방향으로 외괄약근 손상이 보인다.**

추적관찰 해보면 이러한 변실금은 시간이 지나면서 해결된다고 설명하였다.

3) 괄약근 손상

외괄약근 손상이 발생한다면 변실금의 발생 가능성은 높아질 것이다. 그러나 모든 치핵 수술에서 아주 큰 실수가 아니라면 외괄약근의 손상은 상상할 수 없다. 내괄약근을 확장을 하거나 절개하는 수술 방법이 치핵 수술 후의 통증을 줄일 수 있다는 주장이 있었다. 이런 주장을 바탕으로 오래 전 일부 대장항문 의사들에 의해 내괄약근 절개술이 일시적으로 유행한 적이 있다. 그러나 치핵 수술 시 시행하는 내괄약근의 절개범위는 크지 않아 이런 주장도 크게 공감을 얻지 못한다. 전방의 치핵을 절제할 때 이 부위에 괄약근의 두께가 가장 얇기 때문에 너무 깊게 박리하게 되면 괄약근의 손상을 일으킬 수 있다는 보고가 있었다. 마취로 인하여 괄약근이 이완되면 손상을 초래할 수도 있다는 가능성 때문에, 국소마취로 절제를 하는 경우 괄약근의 손상을 줄일 수 있을 것이라 주장하기도 하였다. 어떤 경우라고 하더라도 다 옛날 호랑이 담배 피던 시절의 이야기이다. 대장항문 전문의사들이 정확한 지식을 갖추고 충분한 경험을 서로 공유하는 현 시대에 뒤처지지 않는 외과의사에 의해 수술이 시행된다면 치핵 수술 시에 심각한 외괄약근의 손상이 발생할 가능성은 전혀 없어 보인다.

4) 보완시술

항문 확장과 내괄약근 절개술은 항문의 협착이나 과긴장, 내괄약근이 밴드를 형성하는 경우 등에 시행되기도 한다. 이로 인한 변실금은 일시적으로 발생될 수 있고, 영구적인 경우는 매우 드물다. 드물게 내괄약근을 부분 절제하는 경우가 있다. 매우 드문 일이긴 하지만 만성 치열에서 괄약근의 노출이 심하거나 원추형 항문에서 내괄약근이 외괄약근의 하방으로 튀어나와 탈출된 항문관을 상방으로 함입 시키기 위하여 시행하는 수가 있다.

5) 자동 문합기를 이용한 치핵 수술

Schmidt 등은 4년 동안 546명의 환자에서 자동 문합기를 이용한 치핵 수술을 시행한 결과를 관찰하였다. 3.3%에서 수술 후 초기에 절박형 변실금이 발생하였다. 1개월 이후 절박변은 13.5%까지 올랐다가 6개월 이후 4%로 떨어졌고 24개월 이후에는 2.9%까지 떨어졌다. Tahamtan 등은 61명의 치핵과 직장 점막 탈출 환자에서 자동 문합기를 이용하여 수술하였으나 수술 전후 생리검사에서 특이점을 발견하지 못하였고 오히려 경험이 풍부한 의사에 의하여 시행될 경우 안전하고 환자의 항문직장 기능을 보호하는 효과를 가져온다 하였다. Hwang 등은 자동 문합기를 이용한 선택적 치핵 수술(partial stapled hemorrhoidopexy, PSH)을 시행하여 절박감이나 변실금의 증상을 예방할 수 있다고 하였으며 Ren 등도 동일한 수술 방법으로 통증, 협착, 절박형 변실금 등의 증상을 예방할 수 있었다고 보고하였다.

4. 치루 환자와 변실금

치루는 항문샘에서 염증이 생겨 항문 주위의 피부나 직장 혹은 골반으로 염증 길이 생기는 질환이다. 재발을 잘 하고 잘 낫지 않는 경우도 있다. 드물지만 암으로 진행되어 환자의 삶을 황폐화시키기도 한다. 때로는 크론병, 결핵, 암, 이물질 등으로 인하여 발생하기도 한다. 남성에서 더 많고 30대에서 50대 사이에 호발한다. 치루 수술을 간단하게 생각하는 사람들이 많다. 어떤 치루는 정말 간단히 해결되지만 때로는 대장항문 의사를 제일 힘들게 하는 수술이 치루 수술이기도 하다. 파리의 외과의사 Felix는 국왕 루이14세의 치루 수술을 하였고 다행스럽게 국왕은 잘 나아서 두둑한 사례와 땅을 주어 수술 기술을 칭찬하였다.

치루는 단순형, 복잡형으로 구분한다. 치상선 아래에 위치하는 저위 괄약근간 치루, 괄약근 하부 관통형은 절개나 배농 혹은 단순 치루 절제술 등으로 쉽게 치료가 된다. 그러나 치루 관이 여러 개이고 괄약근을 많이 침범하여 형성된 치루는 절개 배농이나 단순 절제로 낫지 않는 수가 많다. 치루 수술이 어려운 이유는 근본적인 치료를 위하여 치루 절제술을 하는 경우 괄약근의 손상을 피할 수 없기 때문이다. 또한 괄약근이 괴사되거나 과도한 염증 반응으로 인해 항문 주위가 구축되거나 조직의 섬유화가 진행될 수 있고 이로 인해 항문 괄약근이 제대로 기능을 못하는 경우도 있다.

많은 대장항문 의사들이 치루 수술과정에 괄약근의 손상을 최소화하기 위한 노력을 지속하고 있다. 수술의 목표는 4가지 방향으로 정리된다. 첫째는 항문직장 주위의 염증을 해결하는 것이다. 다음은 원발병소를 포함하는 치루 전체를 완벽하게 제거하는 것이다. 셋째로 괄약근의 손상이나 이로 인한 변실금의 발생을 예방하는 것이다. 마지막으로 재발을 방지하는 것이다.

전통적인 치루 수술 방식은 절제술이다. 병변을 절제하고 나면 제거된 부위에 빈 공간이 발생하게 된다. 항문 주위 조직의 특성 상 절제 후의 공간은 괄약근과 주위 조직이 벌어지면서 상당히 크게 수술부위의 괄약근의 결손이 발생하기도 한다. 이 공간을 어떻게 채워서 주위 조직이 제대로 낫게 하고 기능을 원래대로 회복 시키는지가 치루 수술의 관건이다. 자신의 조직을 이용하여 직접 단순 폐쇄를 하는 것이 제일 좋은 방법이긴 하지만, 봉합 후 상처의 치유 지연이나 실패를 경험하기도 한다. 항문직장의 점막을 유연화 시키고 잡아당겨서 치루 절제 부위를 막는 방법이 한 때 유행을 하다가 재발률이 높아서 현재는 많이 시행되고 있지는 않다.

미세내시경 소작 방법, 자가 지방에서 추출하여 성체 줄기세포를 이용하여 치유를 하는 시도가 이루어지고 있으나 비용 발생이 크고 재발할 경우 치료 방법이 쉽지 않은 단점이 있다. 근 충진술은 또 다른 괄약근의 손상을 가져오는 단점이 있고 염증이 생기거나 재발할 경우 더 큰 손해를 보기도 한다.

괄약근의 손상을 최소화하기 위한 최소 침습 수술로써 치루 누관 도려내기 방법, 괄약근 사이에서 치루관을 묶는 방법, 피브린이나 무균돼지의 창자에서 추출한 생체 적합 대체 물질을 치루에 집어 넣어 치유를 시도하는 방법 등이 소개되고 있으나 거의 대부분에서 재발의 확률이 있다. 또한 어떠한 수술방법이라도 완벽하게 괄약근의 손상을 피할 수 있다고 보기는 어렵다.

5. 치열 수술과 변실금

과거 40여년 넘게 내괄약근 절개술은 만성 치열의 최우선 치료로 알려져 왔다. 개방형, 폐쇄형 등으로 내괄약근 절개술의 방식이 다양하게 시도되었고, 내괄약근의 절개로 인한 치루 발생이나 상처가 낫지 않는 만성 상처 혹은 변실금의 발생에 대한 보고가 지속되어 왔다. 내괄약근 절개술 후 치열의 재발률은 0–10%까지 보고되었고, 출혈, 감염, 혈종, 항문 주위 농양, 분변 매복, 변실금 등의 합병증 발생률은 0.5–36%까지 나타난다고 보고되었다.

Hoffmann과 Goligher 등의 연구에서는 99명의 환자 중 6명이 가스를 참을 수 없었고 1명은 경미한 변실금을 호소하였다고 보고하였다. Bailey의 연구에 따르면 418명의 환자 중 1%에서 가스실금, 1.2%에서 경미한 변실금의 증상을 호소했다 하였다. Ravikumar 등은 60명의 환자 중 3명에서 경미한 변 누출이 발생하였으나 3주 이후에 호전되었다고 보고하였다. Vafai 등은 702명의 내괄약근 절개술을 시행한 환자의 1%에서 영구적인 경미한 변실금의 증상이 발생하였음을 보고하였다.

측방내괄약근 절개술의 목적은 내괄약근의 휴지기 압력을 떨어뜨리려는 것인데, 이것은 항문의 변 자제력에 대한 결손을 유발할 수 있다. 수차례의 출산을 경험한 다산, 노인, 변비를 동반한 경우 이러한 결과를 더 악화시키는 것으로 알려졌다. 최근의 생리검사 결과, 수술 전후에 변화가 없는 것이 더 많이 관찰되었다. Abcarian은 만성 치열의 치료로 300명의 환자에서 측방내괄약근 절개술을 시행하여 짧은 입원기간, 경미한 통증, 빠른 회복과 함께 낮은 재발률을 보였고 변의 자제에도 영향을 미치지 않았다고 하였다. 후방의 치루 합병증을 동반한 경우에는 치열을 제거하고 정 중앙 괄약근 절개를 하였다.

Littlejohn 등은 만성 치열의 치료에 대하여 맞춤형 측방 내괄약근 절개술을 소개하였다. 측방 내괄약근의 절개 범위를 얼마나 할 것인가에 대한 고민으로 환자의 치열 크기에 따른 맞춤형 괄약근 절개를 하고, 수술 전과 후의 항문 내압 분석을 통해 변실금 발생 빈도를 줄였다. 맞춤형 측방 내괄약근 절개가 안전하고 효과적이며 항문 괄약근을 좀 더 보존할 수 있다고 하였다. 이후 Magdy 등도 만성 치열 환자의 치료로 고식적 내괄약근 절개나 V–Y성형술, 맞춤형 측방 내괄약근 절개술 및 V–Y성형술 등의 다양한 수술 방법을 비교 분석하는 노력을 하였다. 그는 합병증을 줄이고 재발을 방지하는 수술 방식으로 맞춤형 측방 내괄약근 절개 및 V–Y성형술이 장점을 가지고 있다고 보고하였다.

Linsey 등은 항문 수술 후에 발생하는 변실금의 패턴에 대하여 분석하여 보고하였다. 괄약근의 손상으로 변실금이 발생한 환자 93명은 수술 중 수지확장, 내괄약근 절개, 치루 절개, 치질 수술을 받은 환자였다. 대부분 내괄약근의 손상이 발견되었으며 기저질환에 따라 특별한 양상이 관찰되었다. 1/3에서 수술에 의한 외괄약근의 손상도 관찰되었다. 여자 환자의 2/3에서는 출산과 연관이 없는 외괄약근의 손상이 발견되었다. 항문관 하부의 휴지기 압력이 감소한 것이 관찰되었지만 89명의 환자에서 휴지기 압력은 정상이었다. 52%에서 최대 수축 압력은 정상이었다. 그는 대부분의 항문 수술 후 발생하는 변실금 환자에서 항문관 하부의 내괄약근 손상이 발견되었으나 항문관의 휴지기 압력은 정상이라 하였다. 따라서 항문 수술 시에는 괄약근 보존술식이 필요하다고 설명하였다.

6. 포니에르 괴저 (Fournier's gangrene)

포니에르 괴저는 드물지만 생명을 위협하는 질환이다. 원인을 알 수 없는 질환으로 알려져 있으나 주로 당뇨, 알코올 중독, 명확하지 않은 면역장애 등의 환자에

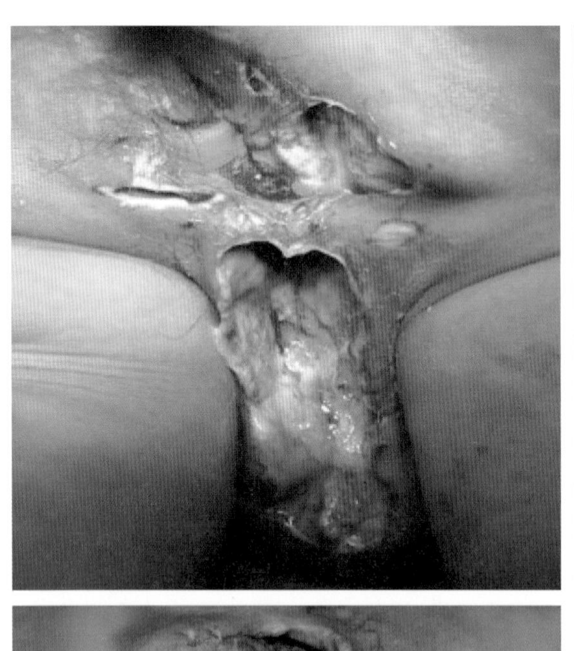

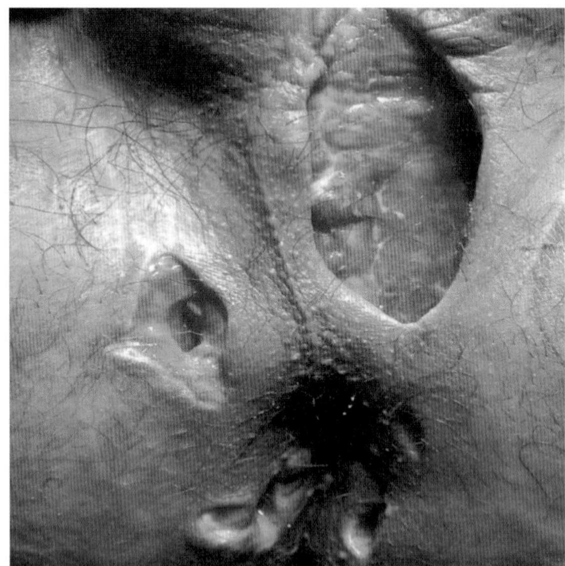

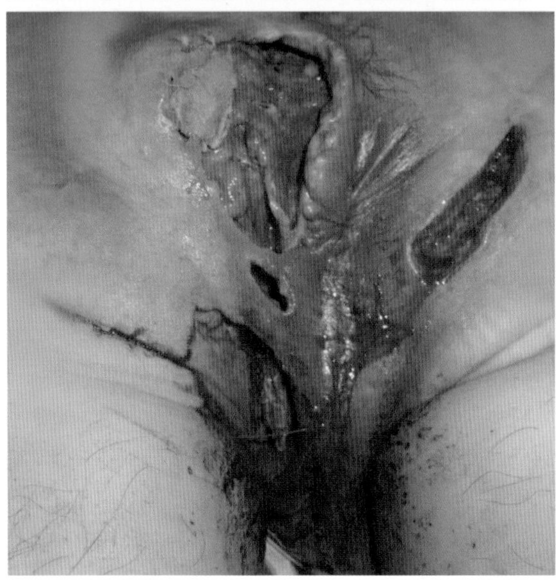

그림 14-2. **괄약근 손상이 있을 정도의 포니에르 괴저 환자들 염증 치료를 먼저 시행 후 변실금 발생 유무를 확인해서 치료가 필요하다.**

서 항문 삼각을 중심으로 항문 주위의 괴사가 일어난다. 때로 피부, 하부 장관 등을 침범하기도 한다. 혐기성 균과 호기성 균의 혼합감염에 의한다. 전격성이며 회음, 비뇨생식, 항문주위에 괴사성 근막염을 일으킨다. 심각한 합병증과 함께 항문주위 괄약근의 대량 손상을 초래하기도 한다. 괴사 조직의 대량 제거와 함께 항생제를 사용, 분변 오염 방지 등을 통하여 적극적이고 선제적인 조치를 해야 환자를 위험에서 구할 수 있다. 이 질환은 파리의 의사 Jean-Alfred Fournier가 젊은 남자의 생식기에 전격적인 괴저를 발견하여 처음 보고되었다. 사실 그 이전에도 1764년 Baurienne가, 1877년 Avicenna가 보고를 한적이 있었다. 오랜 시간이 지나면서 고환, 요도주위 화농성 염증, 회음 등에 발생한 복합적인 괴사성 근막염을 포니에르 괴저로 부르게 되었다.

포니에르 괴저는 남자에서 주로 발생한다. 항문과 회음 주위에 경미한 피부병변으로 시작하지만 하루 이틀 사이에 전격적으로 주위 조직까지 괴사가 진행된다. 신체의 상태가 나쁜 환자에서 청결이 유지되지 않을 때 많이 발생한다. 알코올 중독 환자나 심한 당뇨, 스테로이드 치료를 받는 환자, 영양상태가 불량한 환자에서 발생하기 쉽다. 예기치 못한 병의 진행과정은 의사들의 상식적인 견해를 뛰어 넘어 급속하고 전격적으로 진행되기 때문에 여차하면 손쓸 겨를 없이 패혈증으로 진행될 수 있다.

항문주위 농양으로 간단히 생각한 염증은 배액을 시행하였음에도 불구하고 빠른 시간내에 회음과 항문주위의 근육을 모두 녹여버린다. 염증의 속도가 너무 빠르다 싶으면 장루를 설치하여 변의 흐름을 바꾸어 주기도 한다. 항문 주위 조직은 혈액 순환이 좋은 편이어서 심한 괴사성 근막염에도 괄약근이 녹아버리는 경우는 많지 않다. 그러나 필자의 환자 중에서 몇 명은 항문 괄약근 조직의 손상으로 변실금을 겪기도 하였다. 괴사성 근막염에 의한 회음 근육의 대량괴사와 손실로 인하여 변실금이 초래된 것이다. 2명의 환자에서 역동적 박근 치환술(Dynamic Graciloplasty)을 시행하여 양호한 결과를 보였다.

References

1. Annibali R, Oresland T, Hulten L: Does the level of stapled ileo-anal anastomosis influence physiologic and functional outcome. Dis Colon Rectum 1994;37:321-29.
2. AP. Meagher R. Farouk Mr R.R. Dozois K.A. Kelly J.H. Pemberton. J ileal pouch-anal anastomosis for chronic ulcerative colitis: complications and long term outcome in 1310 patients. BJS 1998;85:800-3.
3. Bailey RV, Rubin RJ, Salvati EP. Lateral internal sphincterotomy. Dis Col Rectum 1978;21:584-86.
4. Battersby NJ, Juul T, Christensen P, Janjua AZ, Branagan G, Emmertsen KJ, Norton C, Hughes R, Laurberg S, Moran BJ. Predicting the Risk of Bowel-Related Quality-of-Life Impairment After Restorative Resection for Rectal Cancer: A Multicenter Cross-Sectional Study. Dis Colon Rectum 2016;59:270-80.
5. Choen S, Tsunoda A, Nicholis RJ. Prospective randomized trial comparing anal function after hand sewn ileoanal anastomosis with mucosectomy versus stapled ileoanal anastomosis without mucosectomy in restorative proctocolectomy. Br J Surg 1991;78:430-4.
6. ChristopheLaurent, EricRullie. Low Anterior Resection with Coloanal Anastomosis for Rectal Cancer. Seminars in Colon and Rectal Surgery 2005;16:128-35.
7. David R. G. Littlejohn M.B. B.S. & Graham L. Newstead M.B. B.S. F.R.A.C.S., F.R.C.S. Tailored lateral sphincterotomy for anal fissure. Diseases of the Colon & Rectum 1997;40:1439-42.
8. Fürst A, Burghofer K, Hutzel L, Jauch KW. Neorectal reservoir is not the functional principle of the colonic J-pouch: the volume of a short colonic J-pouch does not differ from a straight colo-

anal anastomosis. Dis Colon Rectum 2002;45:660-7.

9. Gass OC, Adams J. Hemorrhoids. etiology and pathology. Am J Surg 1950;29:40-3.
10. Groom JS, Kamm MA, Nicholls RJ. Relationship of small bowel motility to ileoanal reservoir function. Gut 1994;35:523-9.
11. Hallgren TA, Fasth SB, Oresland TO, Hulten LA. Ileal pouch anal function after endoanalmucosectomy and handsewnileoanal anastomosis compared with stapled anastomosis without mucosectomy. Eur J Surg 1995;161:915-21.
12. HerandAbcarian. Surgical correction of chronic anal fissure: Results of lateral internal sphincterotomy vs. Fissurectomy-Midline sphincterotomyDiseases of the Colon & Rectum 1980;23:31-6.
13. Hoffmann DC, Goligher JC. Lateral subcutaneous internal sphincterotomy in treatment of anal fissure. Br Med J 1970;3:673-5.
14. Hong-Cheng Lin, Qiu-Lan He, Dong-Lin Ren, Hui Peng, Shang-KuiXie, Dan Su& Xiao-Xue Wang. Partial stapled hemorrhoidopexy: a minimally invasive technique for hemorrhoids. Surgery 2011;42:868-75.
15. Hosseini SV, Tahamtan M, Khazraei H, Bananzadeh A, Hajihosseini F, Shahidinia SS. Effects of stapled hemorrhoidopexy on anorectal function: A prospective randomized controlled trial. IJMS 2018;43:581-6.
16. HyeonseokJeong, Sunghwan Hwang, Kil O Ryu, Jiyong Lim, Hyun Tae Kim, HyeMi Yu, Jihoon Yoon, Ju-Young Lee, Hyoung Rae Kim, and Young Gil Choi. Early Experience with a Partial Stapled Hemorrhoidopexy for Treating Patients With Grades III-IV Prolapsing Hemorrhoids. Ann Coloproctol. 2017;33:28-34.
17. Keighley MRB: Abdominal mucosectomy reduces the incidence of soiling and sphincter damage after restorative proctocolectomy and J pouch. Br. J Surg 1987;30:386-90.
18. Lester W. Martin. Margarita Torres, Josef E Fischer, Frederick Alexander. The critical level for preservation of continence in the ileoanal anastomosis. Journal of Pediatric Surgery 1985;20:664-7.
19. Lindsey I, Jones OM, Smilgin-Humphreys MM, Cunningham C, Mortensen NJ. Patterns of fecal incontinence after anal surgery. Dis Colon Rectum 2004;47:1643-9.
20. Magdy A, El Nakeeb A, Fouda el Y, Youssef M, FaridM. Comparative study of conventional lateral internal sphincterotomy, V-Y anoplasty, and tailored lateral internal sphincterotomy with V-Y anoplasty in the treatment of chronic anal fissure. J Gastrointest Surg 2012;16:1955-62.
21. Ravikumar TS, Sridhar Samanthi, Najunda Rao R. Subcutaneous lateral internal sphincterotomy for chronic fissure in ano. Dis Col rectum 1982;25:798-801.
22. Sharp FR, Bell GA, Seal AM, Atkinson KG. Investigations of the anal sphincter before and after restorative proctocolectomy. Am J Surg 1987;153:469-72.
23. Thomson WHF. The nature of hemorrhoids. Br J Surg 1975;62:542-52.
24. VAfai M, Mann CV. Closed lateral internal sphincterotomy without removal of sentinel pile for fissure in ano. Coloproctology 1981;3:91-3.
25. Yan-Dong Li, Jia-He Xu, Jian-Jiang Lin, Wei-Fang Zhu. Excisional hemorrhoidal surgery and its effect on anal continence World J Gastroenterol 2012;18:4059-63.